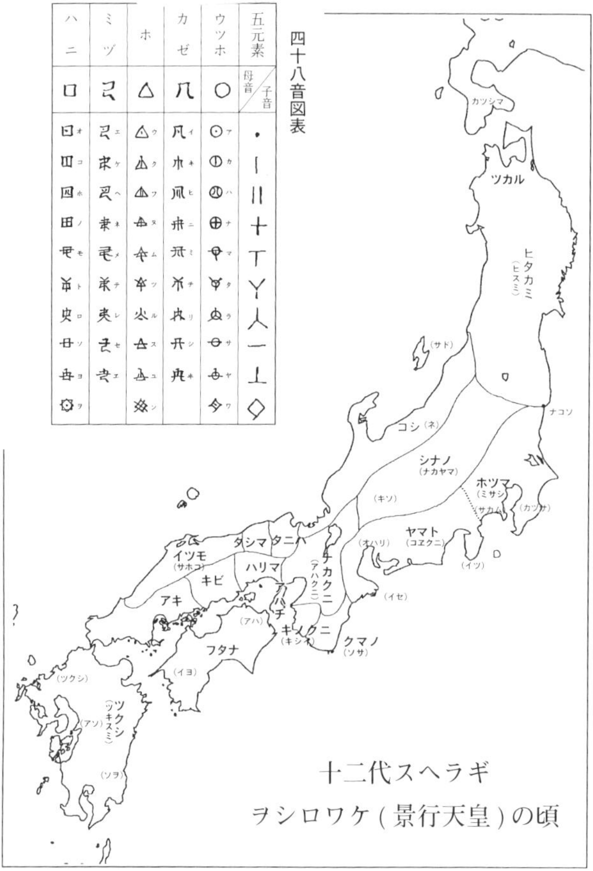

四十八音図表

五元素	ウツホ	カゼ	ホ	ミヅ	ハニ
母音／子音	○	[glyph]	△	[glyph]	□
•	ア	イ	ウ	エ	オ
|	カ	キ	ク	ケ	コ
||	ハ	ヒ	フ	ヘ	ホ
┼	ナ	ニ	ヌ	ネ	ノ
┬	マ	ミ	ム	メ	モ
Y	タ	チ	ツ	テ	ト
人	ラ	リ	ル	レ	ロ
一	サ	シ	ス	セ	ソ
丄	ヤ	イ	ユ	エ	ヨ
◇	ワ		ン		ヲ

カツシマ
ツカル
ヒタカミ（ヒスミ）
（サド）
ナコソ
コシ（ネ）
シナノ（ナカヤマ）
ホツマ（ミサシ）
（サカム）
（カツサ）
（キソ）
ヤマト（コヱクニ）
（オハリ）
（イツ）
タシマ
タニハ
イツモ（サホコ）
ハリマ
キビ
アカクニ（アハクニ）
アキ
アハヂ
（イセ）
（アハ）
キノクニ（キシイ）
クマノ（ソサ）
フタナ
（イヨ）
（ツクシ）
ツクシ（ツキスミ）
（アソ）
（ソヲ）

十二代スヘラギ
ヲシロワケ（景行天皇）の頃

校訂　池田満・辻公則

記紀原書　ヲシテ　増補版　下巻

『ホツマツタヱ』
『ミカサフミ』
『カクのミハタ（『フトマニ』など）』　のすべて

Ki,Ki-gensyo　Wo shi te

展望社

記紀原書 ヲシテ

―『ホツマツタヱ』『ミカサフミ』『カクミハタ』のすべて―

目次

上巻

下巻

『ホツマツタヱ』

『ミカサフミ』

『カクミハタ』

『ミカサフミ』および『カクミハタ』の残簡文

凡例

編集の方針

漢字が国字化される以前、つまり、ヲシテ時代においての状況に、より近づいてゆくことを本書の出版の目的とした。三千年以上も秘められてきていた真実は、こちらから求め、寄り添ってゆくことから、輝きを顕(あらわ)してくる。ダイヤモンドの原石が、あまり光っていないことに似ていて、カッティングの作業が、ヲシテ文献での寄り添いである。寄り添いとは、ヲシテの原字に親しむことにある。

こういった意味あいにおいて、ヲシテ（ホツマ文字）にはルビを振らないこととした。

底本について

底本は、最も古く伝来上の親本の完写本や善本を用いた。

『ホツマツタヱ』は、和仁估安聡(わにこやすとし)写本（安永四年・1775の自序）を底本とした。

写本での校異の採択には、小笠原長弘(ながひろ)写本（明治三十三年・1902の自序）、さらに国立公文書館（内閣文庫）に所蔵の写本も含めて、小笠原長武写本の二写本も校合に加えた。

『ミカサフミ』は唯一の写本である和仁估安聡写本（安永八年・1779の自序）の八アヤ分を掲載した。

『カクミハタ』は、現在に既発見のすべての三アヤを掲載した。平成二十四年（2012）に新発見の『アワウタのアヤ』と、溥泉伝来の『トシウチニナスコトのアヤ』さらに、『フトマニ』の三アヤである。複数写本のある『フトマニ』は小笠原長武写本を底本として、野々村立蔵写本の校異を掲げた。写本の古さよりも、写本者の習熟度を重んじて小笠原長武本を底本とした。

残簡文については、『ミカサフミ』と『カクミハタ』との所収文献の区別が困難なため、一括の掲載とした。

ヲシテの標準文字の識別

最古の完写本で親本にあたる和仁估安聡のヲシテの文字理解を主にして編集した。親本からの派生写本の小笠原系統の写本には「ル」と「ル」、「リ」と「リ」の混乱が見られる。すなわち、標準字体の「ル」を「ル」に誤認識して、同じく標準文字の「リ」を「リ」

に誤った認識をして、また同一の写本内でも「[ヲシテ文字](ル)」と「[ヲシテ文字](ル)」、「[ヲシテ文字](リ)」と「[ヲシテ文字](リ)」の混乱があった。小笠原通当・小笠原長弘・小笠原長武の各写本者に共通した混乱である。このため標準文字における「[ヲシテ文字](ル)」と「[ヲシテ文字](ル)」、「[ヲシテ文字](リ)」と「[ヲシテ文字](リ)」の差異は校異としてはとらなかった。

ヲシテの字体と濁音表記法

最古の完写本で、親本を写本した和仁估安聡(わにこやすとし)写本の理想的な書体を演繹的に形状を類推して写植文字やデジタルのフォントにまとめた。『カクミハタ』の『アワウタのアヤ』は、デジタル・フォント。それ以外は写植字母を用いて編集した。

濁音表記法には、新旧の区別がある。現代風に外二点の濁音表記の文字、例えばガの音韻の[ヲシテ文字]゛や[ヲシテ文字]゛などは、伝承時代に付加されてきたと推定される。一方、[ヲシテ文字]や[ヲシテ文字]の内側の濁音表記はヲシテ時代から既に存在していた可能性が強い。本来からすれば、外二点の[ヲシテ文字]゛や[ヲシテ文字]゛などはすべて外二点の濁点を外すことがヲシテ時代に遡ることになるだろう。今回の編集では、読者に読唱の便をはかることから、後世に付加された外側二点濁音表記は残しておくことにした。読唱時には、多少なりとも後世付加濁音も役に立ちそうなためである。ただし、語源の考慮を進めてゆく際など、極めて注意深く外側二点濁音は取り扱ってもらうよう要請したい。つまり、古来からある⊕や⊕などの以外の⊕や、⊕というような外二点の濁音表記は伝承時代のものであり、本来のヲシテ時代にはなかったと肝に命じて戴きたいと願う。つまり、そもそもにおいては、清音表記の濁音補読が基本のものであったのであろう。そして、濁音の発音区別は、時代とともに変化したであろうことも考慮のうちに入れておくべきである。

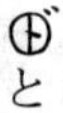

例、「風」の意味のヤマトコトバの「カゼ」の表記と実際の訓み

	現代	飛鳥時代	ヲシテ時代
表記	かぜ	可是(『万葉集』)	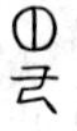 ⊕ㄹ
実訓	カゼ	カゼ	カゼ(カセ?)

(ㄹ の外二点の濁音の表記は、漢字国字化以降に発生したと推定される)

ホツマツタヱのアヤの表記の始めの「ミハタ」の文面

最古の完写本の親本の和仁估安聡本には、1アヤめに「[ホツマツタヱ] [ミハタノ]

ハツ」とアヤのナンバリングが1アヤ目だけにヲシテ文字で付されていた。その写本の伝流末の子本や孫本にあたる小笠原長弘本や小笠原長武本にも、踏襲されてアヤ数のナンバリング表示が付されていた。特にご丁寧に小笠原長弘さんは、40アヤのすべてに「ミハタ」としてのナンバリングの表示をしていた。

ここで問題なのが、「ミハタ」の表現である。ホ**17**-33、ホ**17**-84、ホ**24**-10、ホ**27**-20、ホ**27**-90、ホ**32**-17、ホ**38**-2、ミ**0**-2、ミ**0**-11の用例に見られるように、『カクのミハタ』を尊称しての特別の表現が、「ミハタ」の言葉であったことがわかる。江戸時代中期から明治・大正時代の写本者たちには語彙の索引も手元になかったために、詳細な事情は不明だったのだ。それで、僭称（せんしょう）の表現を付してしまったのだと推定される。ここ、現代のヲシテ研究の精査の進んだ今時点（令和2年）においては、『ホツマツタヱ』に、「ミハタ」の称号を記すのは不適切であると明確に理解が及んだ。臣下の文献に「ミハタ」の表現は、僭称と言わざるを得ない。この理由から、底本にした和仁估安聡本の1アヤ目の冒頭に付されていた「ホツマツタヱミハタノハツ」の文面はテキストから外した。出来うる限りに、ヲシテ文献の最終編集時の第12代スヘラギのヲシロワケ（景行天皇）さんの56年（アスス843年）に上梓された姿に戻したいと願うからである。（アススの暦の年数は、『ホツマ辞典 改訂

版』(池田満、展望社)参照)

ヲシテの特殊文字形の識別

特殊ヲシテ文字の形状にも「写本揺れ」が多く見られる。

数詞のハネ付きの表示にも、例えばヒフミの「ヒ」や「フ」のヲシテにハネが2か所付けてあったりする表記もある。「ナ」のハネでは、多くは十文字の右側にハネが付けてあるが、十文字の下端にハネを打っている場合もある。これらの多くの無駄な差異は、大多数のハネの表示のヲシテ形状に集約して統一した。

「ハタレ」の「ハ」の特殊文字については、横棒ありで丸からはみ出ていない形状の「[illegible]」の特殊ヲシテ文字も少なくはない。ところが、ミハの衣の意味の「[illegible]」のヲシテ形状と中間的なものもあり、明瞭な区別をつけているとも言い難い。

縦棒を丁寧に布に染める場合、上端が染料で滲んで広がりやすい。二本の棒が並ぶとき、隣とくっついてしまいやすい。ヲシテ文献の成立時は、布に染めての巻子本であったはずだ。それが、紙に初めて書き写された際、文字形にも変化が起きたと推察される。

ハタレの「ハ」を、標準文字の「⑪」ではなくて特殊ヲシテ文字で書き分けている用例は約半数程度である事もあり、「㊃」と「㊇」との区別認識も厳然ともしてもいないため、ハタレの「ハ」は、「㊇」に統一した。

行数番号

『カクのミハタ』の『アワウタのアヤ』の新発見による増補の改訂のため、行数番号を全面的にナンバリングを改めた。また、今後に予想される、新発見のアヤに対応できるように、余裕を持たせてのナンバリングとした。

		行数開始
ホツマツタヱ		20001
ミカサフミ	ノフ	30001
	キツヨヂ	31001
	サカノリ	33001
	ヒメミヲ	35001
	コヱソフ	37001
	ハルミヤ	39001
	タカマ	41001
	ナメコト	43001
	ハニマツリ	45001
カクミハタ	アワウタ	53001
	トシウチ	55001
	フトマニ	57001
残簡文	朝日神紀	70001
	春日山紀	71001

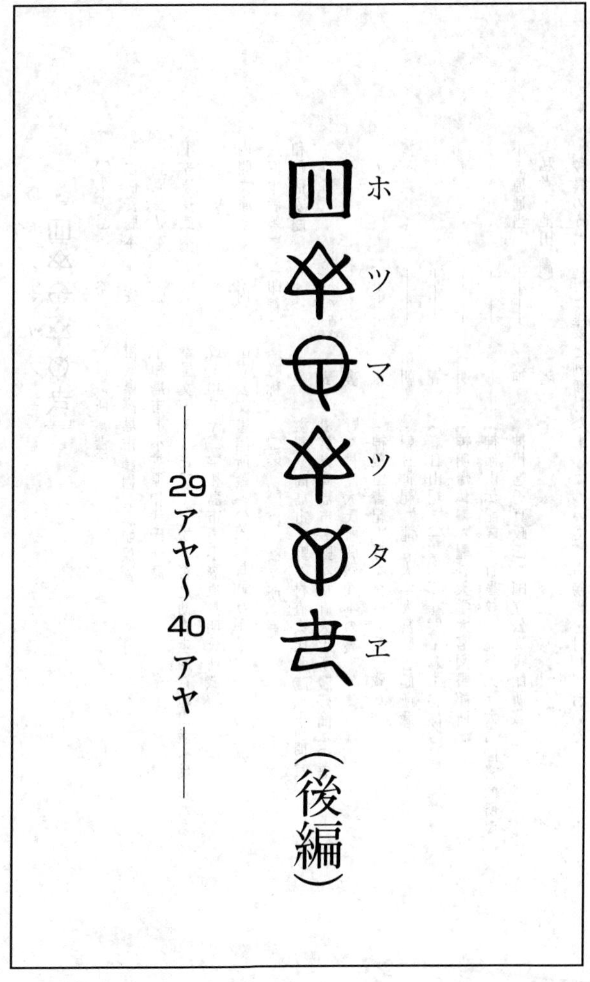
ホツマツタヱ
（後編）
――29アヤ～40アヤ――

『ホツマツタヱ』

〔完本名〕	〔略称〕	〔所　蔵〕
和仁估安聡本（わにこやすとし）	安	滋賀県高島市藤樹記念館保管
小笠原長弘本（ながひろ）	弘	宇和島市・小笠原和代氏所蔵
小笠原長武本（ながたけ）	武	奉呈文・1～16アヤ、松本善之助先生から池田満へ贈られる 17～40アヤ、宇和島市・小笠原長明氏所蔵
内閣文庫本	内	国立公文書館所蔵（小笠原長武写本）

〔写本者等〕	〔印線〕	〔略称〕	〔漢　訳　書　名・所　蔵〕
和仁估安聡	…………	生	滋賀県高島市・野々村直大（ただひろ）氏所蔵『生洲問答』
〃	〰〰〰 34・35アヤ限定なので省略	表	滋賀県高島市・野々村直大氏所蔵残簡本の表
〃		裏	野々村直大氏所蔵残簡本の裏
〃	…………	ミ	『神戴山書紀（ミカサフミ）』野々村直大氏所蔵
溥泉（ふせん）	――――	朝	『朝日神紀』龍谷大学大宮図書館所蔵
〃	――――	春	『春日山紀』（草稿本）龍谷大学大宮図書館所蔵
〃	――――	明	『神明帰仏編』龍谷大学大宮図書館所蔵
〃	――――	ト	『神嶺山伝記歳中行事紋（『カクのミハタ』トシウチニナスコトのアヤ）』龍谷大学大宮図書館所蔵
小笠原通当（みちまさ）	―・―・―	神	『神代巻秀真政伝』国立公文書館所蔵
（私考・池田満）		考	

校異のうち、特に重要と判断したものについて、右傍線を付しておいた。

（例）[illegible]安朝、[illegible]弘武内

26512 29-1

26513
安武内、弘

26514
安、弘武内
安、弘武内

26515
安弘、武内

26516 29-2
安、弘武内

26517
安内、弘武

26518
安武、弘内

26519
安弘武、内

26520 29-3

26521

26522

26523

26524 29-4

26525

26526

26527

安武内、弘
安、弘武内

安武内、弘

安弘、武内
安弘、武内

考、安弘武内
安内、弘武

安、弘武内

安、弘武内
考、安弘武内

26528 29-5

26529

[illegible]安弘、[illegible]武内
[illegible]安、[illegible]弘武内

26530

26531

[illegible]安弘、[illegible]武内

26532 29-6

[illegible]安弘、[illegible]武内

26533

[illegible]安、[illegible]弘武内
[illegible]安武内、[illegible]弘

26534

[illegible]安武、[illegible]弘内
[illegible]安武内、[illegible]弘
[illegible]安、[illegible]弘武内

26535

26536

29-7

[ヲシテ]安、[ヲシテ]弘武内
[ヲシテ]安武内、[ヲシテ]弘
[ヲシテ]安、[ヲシテ]弘、[ヲシテ]武内

26537

26538

26539

[ヲシテ]安弘武、[ヲシテ]内
[ヲシテ]安弘、[ヲシテ]武内

26540

29-8

26541

26542

[ヲシテ]安、[ヲシテ]弘武内

26543

26544	26545	26546	26547	26548	26549	26550	26551
29-9				29-10			
[illegible]	[illegible]	[illegible]	[illegible]	[illegible]	[illegible]	[illegible]	[illegible]
[illegible]安、[illegible]弘、[illegible]武内	[illegible]安弘、[illegible]武内	[illegible]安武、[illegible]弘内 [illegible]安武内、[illegible]弘	[illegible]安、[illegible]弘武内 [illegible]安武、[illegible]弘内	[illegible]安弘内、[illegible]武 [illegible]安弘内、[illegible]武 [illegible]安武内、[illegible]弘	[illegible]安、[illegible]弘武内	[illegible]安、[illegible]弘武内 [illegible]安、[illegible]弘武内 [illegible]安弘、[illegible]武内	[illegible]安、[illegible]弘武内

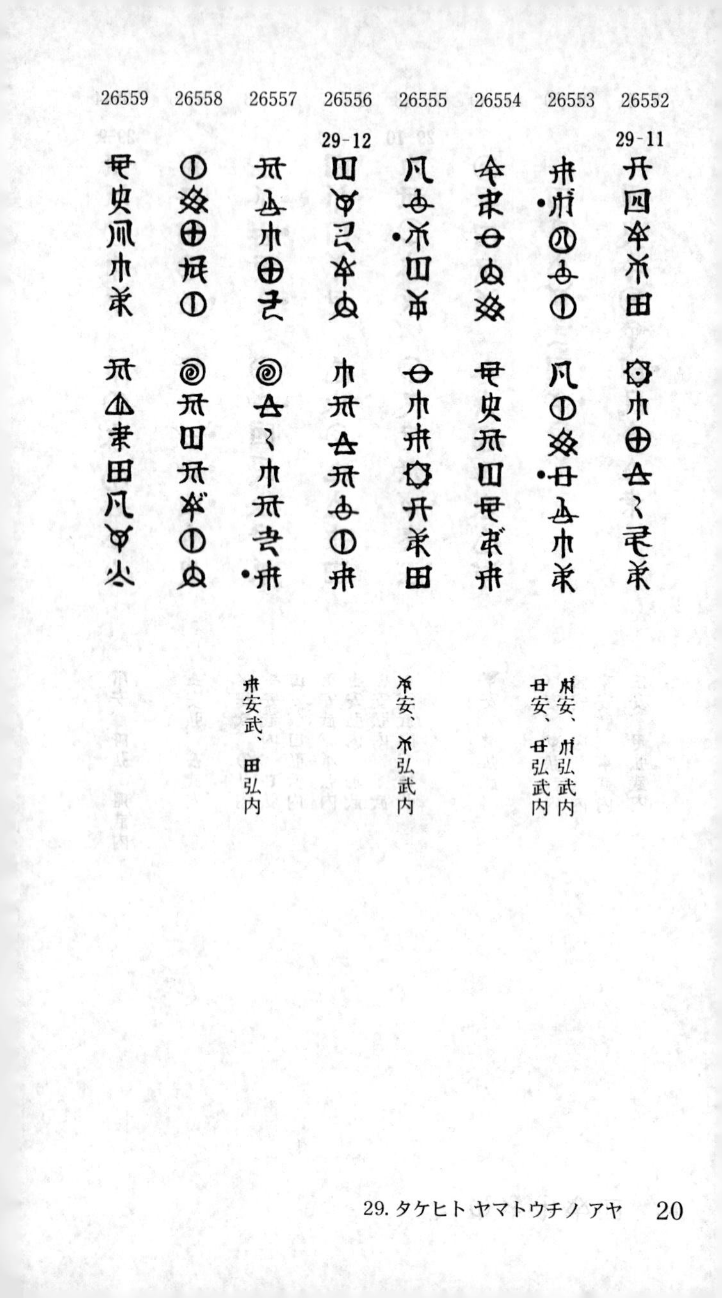

26552

29-11

26553

安、弘武内

安、弘武内

26554

26555

安、弘武内

26556

29-12

26557

安武、弘内

26558

26559

26560

29-13

[illegible]安内、[illegible]弘武

[illegible]安、[illegible]弘武内

26561

[illegible]考、[illegible]安弘武内

[illegible]安、[illegible]弘武内

26562

26563

26564

29-14

[illegible]安弘、[illegible]武内

26565

[illegible]安、[illegible]弘武内

26566

26567

[illegible]安、[illegible]弘武内

[illegible]安弘、[illegible]武内

26568
29-15

26569

26570

26571

26572
29-16

26573

26574

26575

安、弘武内
安弘、武内
安弘武、内
安、弘武内
安武内、弘
安弘、武内
安弘武、内
考、安弘武内
安武内、弘

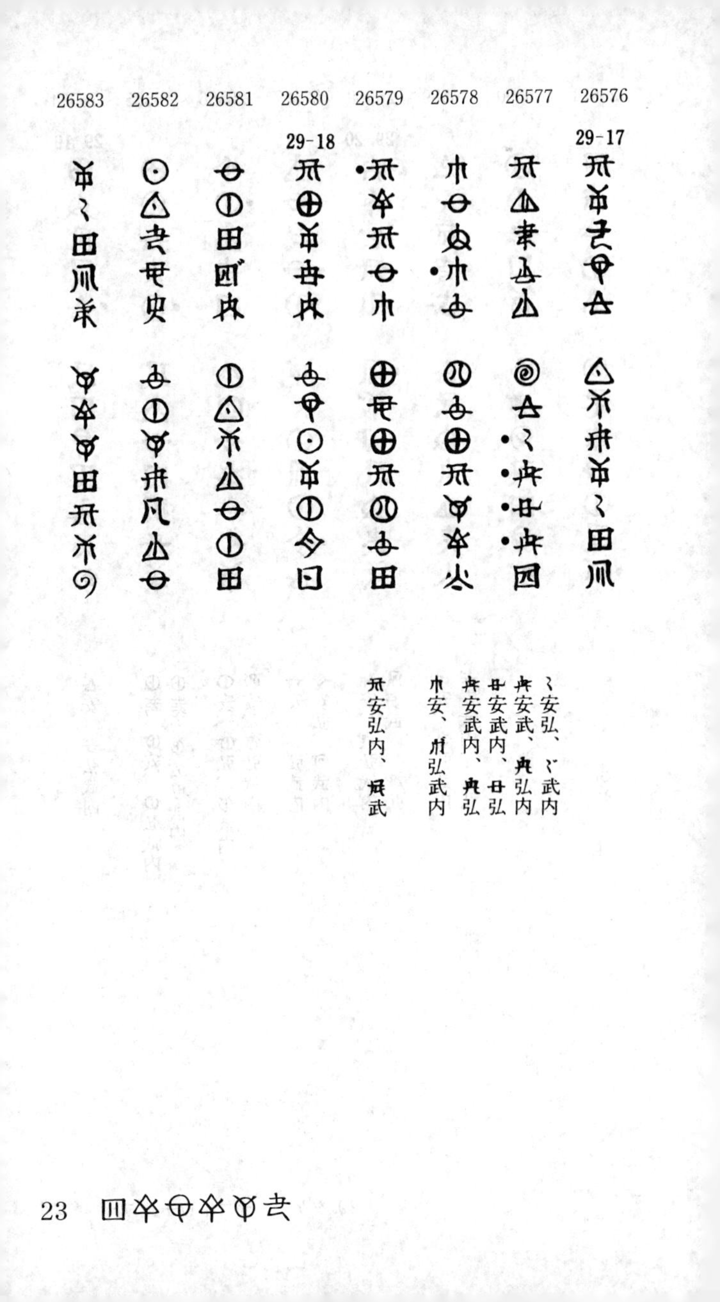

26576
29-17

26577

26578

26579

26580
29-18

26581

26582

26583

安弘、武内
安武、弘内
安武内、弘
安武内、弘
安、弘武内
安弘内、武

26584 29-19

〓安、〓弘武内

26585

〓考、〓安、〓弘武内
〓考、〓安弘武内

26586

〓安、〓弘、〓武内
〓安、〓弘武内

26587

〓安、〓弘武内
〓安弘、〓武内

26588 29-20

〓安、〓弘武内
〓安武内、〓弘

26589

〓安、〓弘武内
〓安武内、〓弘

26590

26591

〓安武内、〓弘

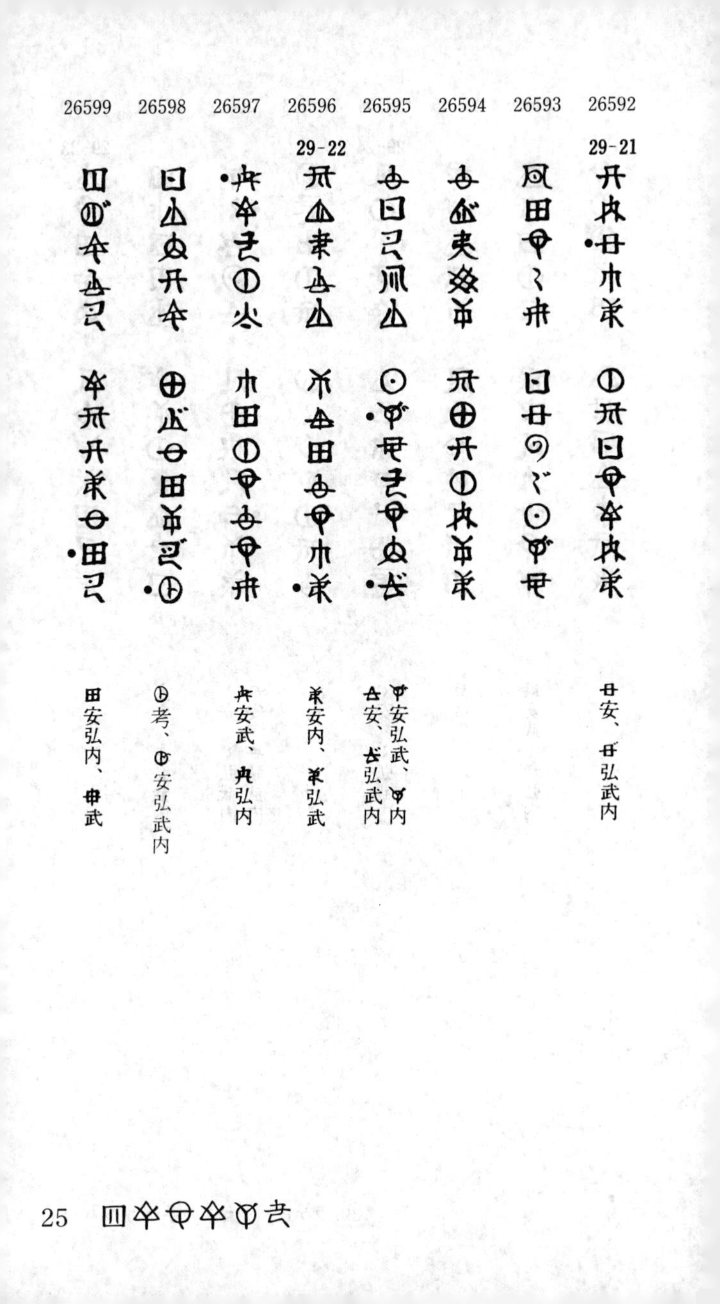

26592	26593	26594	26595	26596	26597	26598	26599
29-21				29-22			
〓安、〓弘武内			〓安弘武、〓内 〓安、〓弘武内	〓安内、〓弘武	〓安武、〓弘内	〓考、〓安弘武内	〓安弘内、〓武

26600 29-23

26601
安、弘武内

26602
安、弘武内
安、弘武内

26603

26604 29-24
安、弘武内

26605

26606
安武、弘内

26607

26615 26614 26613 26612 26611 26610 26609 26608

29-26 29-25

安弘、 武内
安武内、 弘

安弘、 武内

安弘内、 武

安、 弘武内
安弘、 武内

29-27

26616

26617

安武、弘内

26618

安、弘武内

安武内、弘

26619

29-28

26620

考、安弘武内

26621

26622

26623

安武内、弘

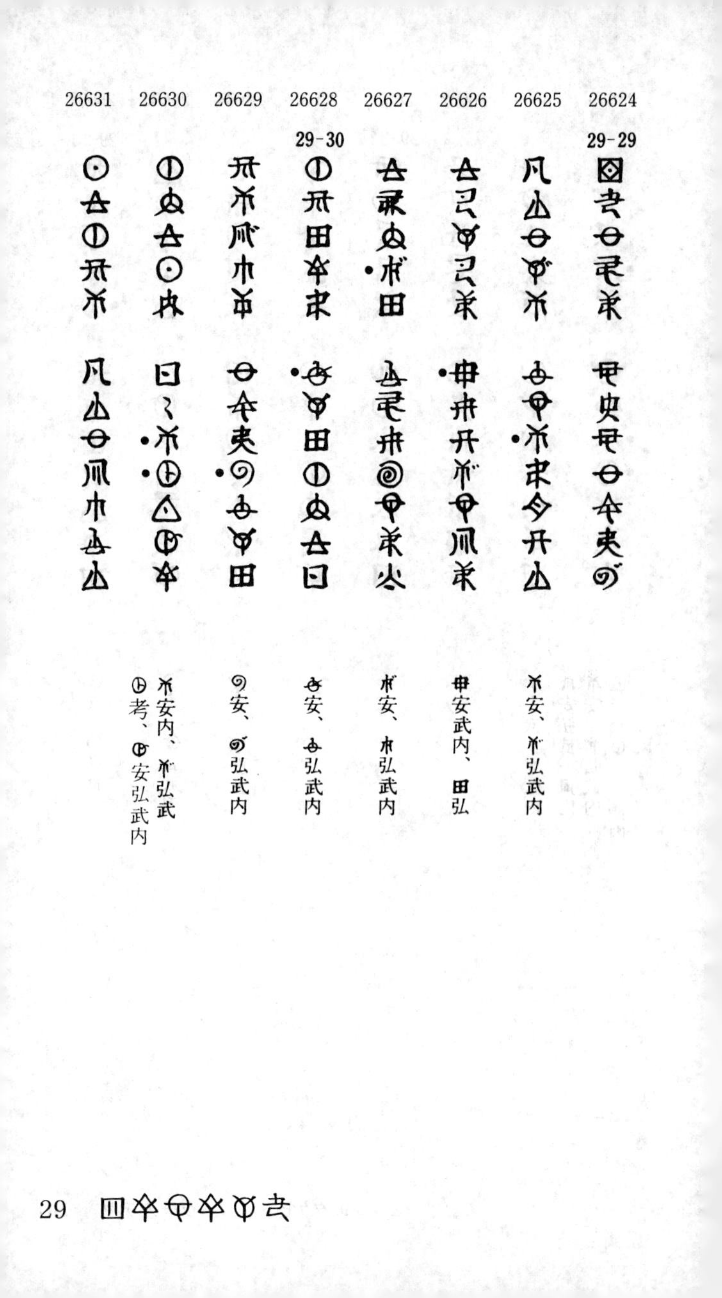

26624

29-29

26625

[illegible]安、[illegible]弘武内

26626

[illegible]安武内、[illegible]弘

26627

[illegible]安、[illegible]弘武内

26628

29-30

[illegible]安、[illegible]弘武内

26629

[illegible]安、[illegible]弘武内

26630

[illegible]安内、[illegible]弘武
[illegible]考、[illegible]安弘武内

26631

26632 29-31

安、弘武内

26633

安、弘武内

26634

安、弘武内

26635

26636 29-32

26637

26638

安武、弘内

26639

安弘武、内

安、弘武内

考、安弘武内

26640

29-33

安、弘武内

26641

26642

26643

26644

29-34

26645

26646

安、弘武内

26647

安、弘武内

安、弘武内

26655	26654	26653	26652	26651	26650	26649	26648
			29-36				29-35

26649: 安弘、武内

26650: 安、弘武内

26651: 安、弘武内 / 安、弘武内

26653: 安、弘武内

26654: 安、弘武内 / 安内、弘武 / 安、弘武内

26655: 安内、弘武

26656
29-37

26657

[illegible]安、[illegible]弘武内

26658

26659

[illegible]安、[illegible]弘武内

26660
29-38

26661

[illegible]安、[illegible]弘武内
[illegible]安、[illegible]弘武内

26662

[illegible]安、[illegible]弘武内

26663

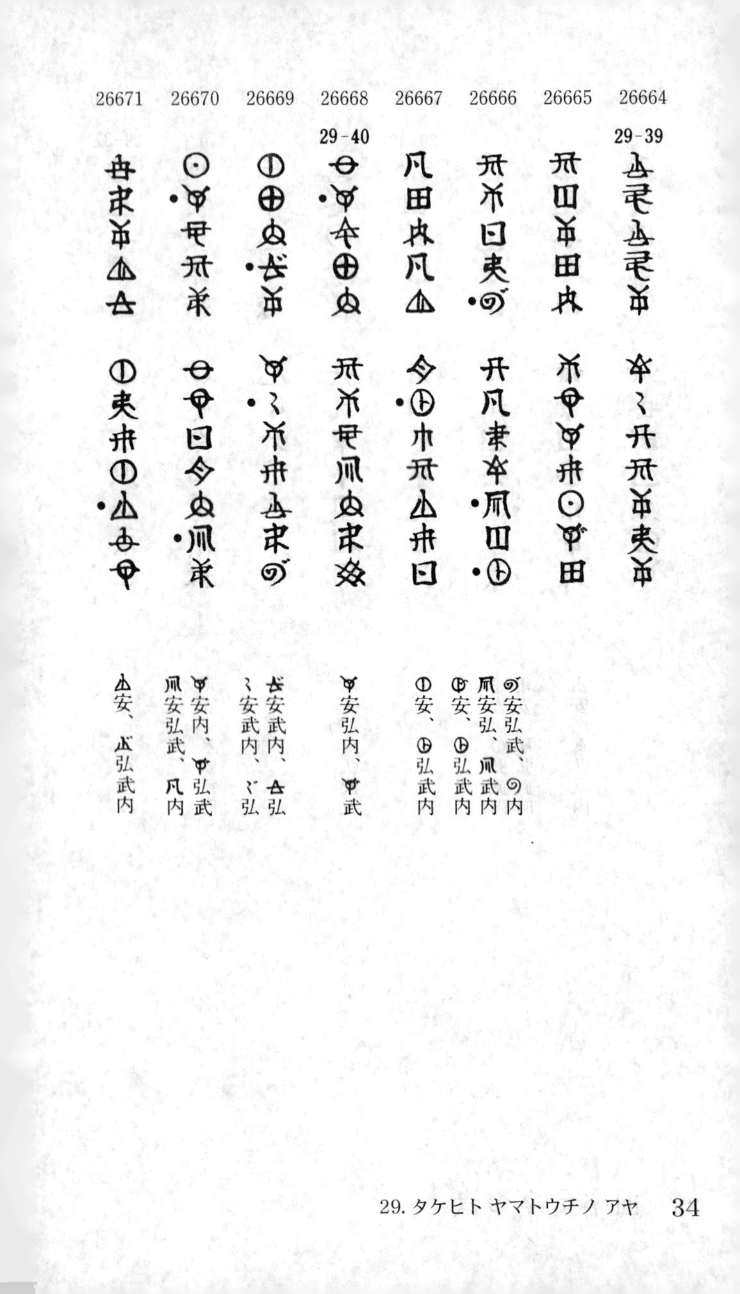

26664 29-39

26665

26666

26667

26668 29-40

26669

26670

26671

安弘武、内

安弘、武内

安、弘武内

安、弘武内

安弘内、武

安武内、弘

安武内、弘

安内、弘武

安弘武、内

安、弘武内

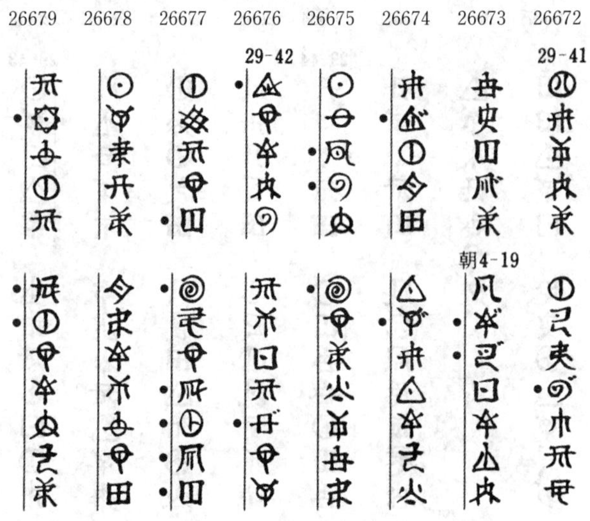

〓安武内、〓弘

〓安弘武内、〓朝

〓安弘武内、〓朝

〓安弘武内、〓朝

〓安朝、〓弘武内

〓安弘武内、〓朝

〓安弘武内、〓朝

◎安弘武内、⊙朝

〓安武内、〓朝弘

〓安弘武内、〓朝

〓安弘、〓武内

◎安弘武内、⊙朝

〓安弘武内、〓朝

〓安弘武内、〓朝

〓安弘武内、〓朝

〓安弘、〓武内

〓安弘武内、〓朝

〓安武内、〓朝弘

〓安弘武内、〓朝

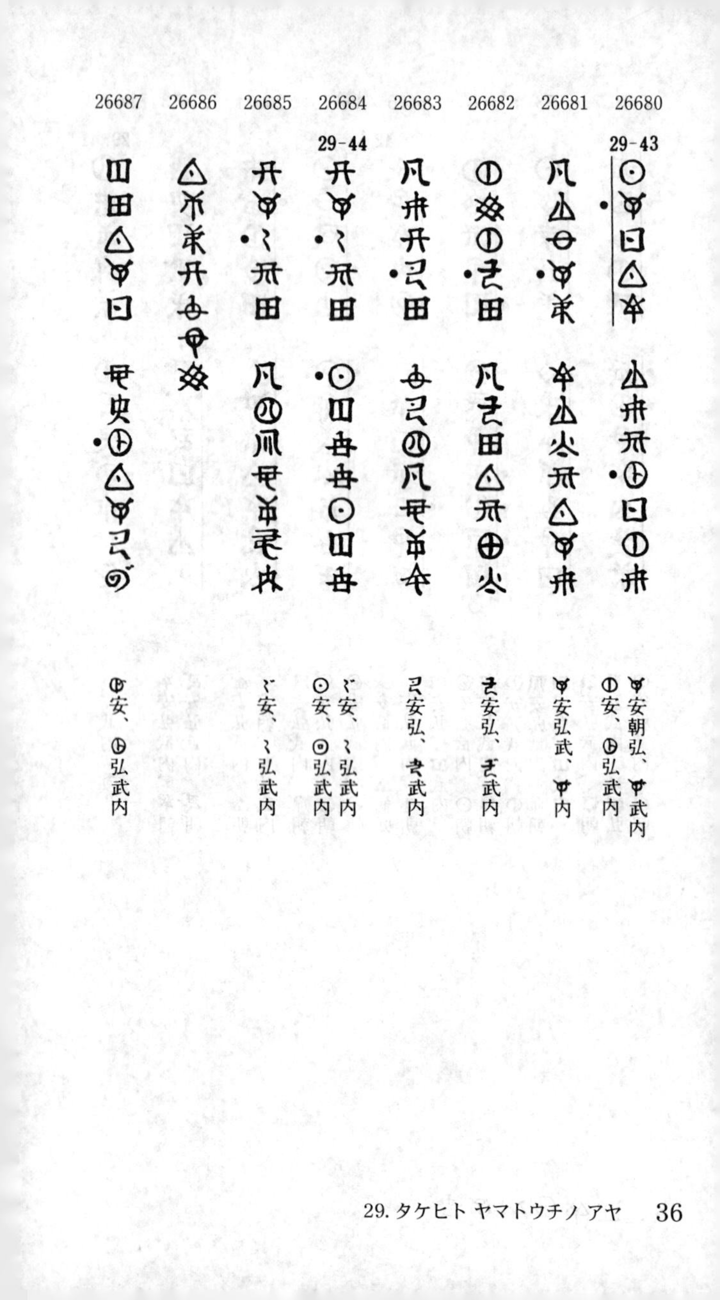

26680 29-43

安朝弘、武内

安、弘武内

26681

安弘武、内

26682

安弘、武内

26683

安弘、武内

26684 29-44

安、弘武内

安、弘武内

26685

安、弘武内

26686

26687

安、弘武内

26688

29-45

安、弘武内

安、弘武内

26689

26690

安、弘武内

考、安弘武内

26691

26692

29-46

26693

安、弘武内

26694

安武内、弘

26695

26696 29-47

安内、弘武

26697

安、弘武内

26698

安、弘武内
安、弘武内

26699

安、弘武内
考、安弘武内

26700 29-48

安、弘武内
安弘、武内
*安弘、武内

26701

安、弘武内
安、弘武内

26702

26703

安、弘武内

26704

29-49

26705

26706

26707

26708

29-50

26709

26710

26711

安、弘武内
安、弘武内

安、弘武内

安、弘武内
安、弘武内
安、弘武内
安、弘武内
考、安弘武内
安弘、武内
考、安弘武内

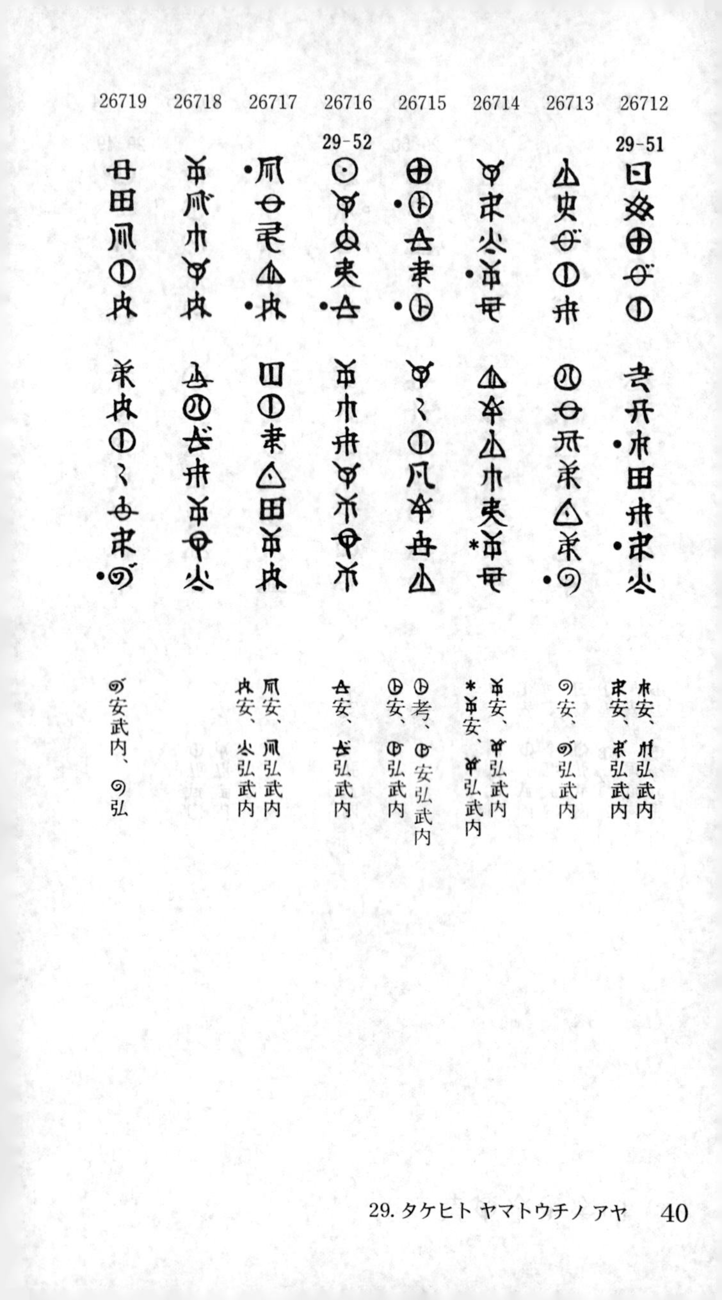

26712 (29-51)

安、弘武内
安、弘武内

26713

安、弘武内

26714

安、弘武内
*安、弘武内

26715

考、安弘武内
安、弘武内

26716 (29-52)

安、弘武内

26717

安、弘武内
安、弘武内

26718

26719

安武内、弘

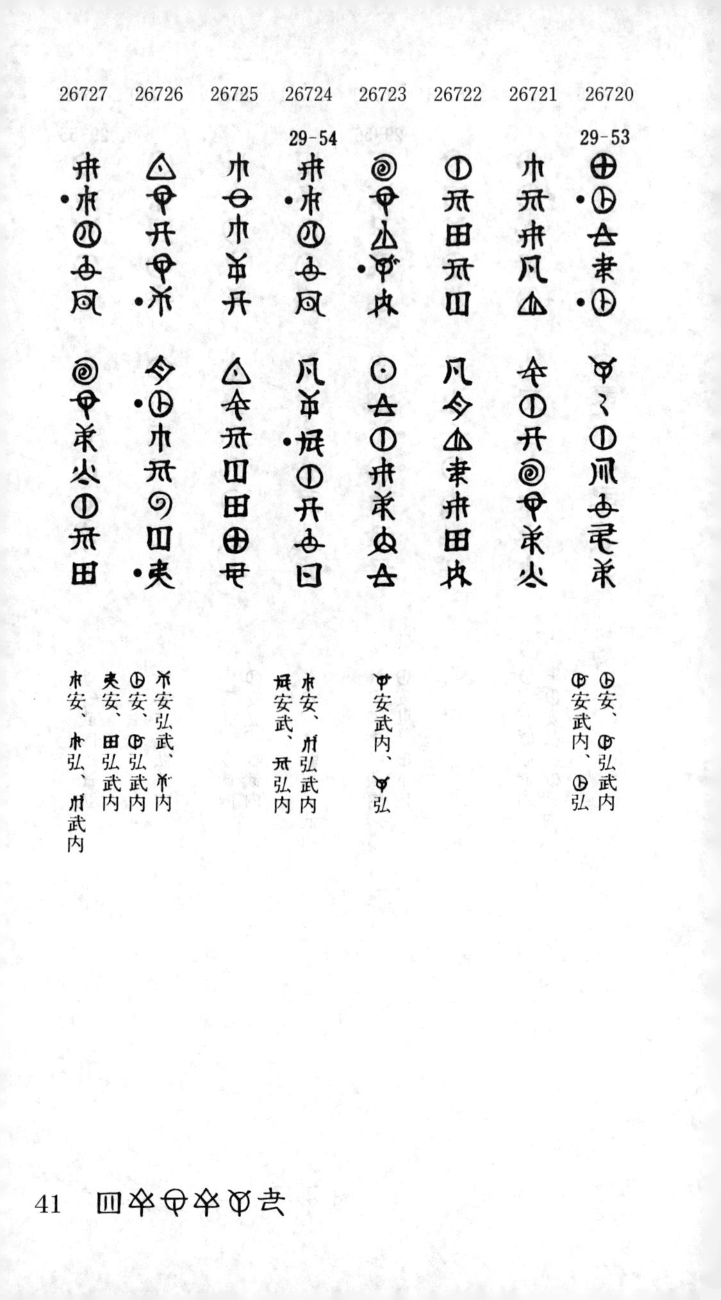

26720 29-53

安、弘武内
安武内、弘

26721

26722

26723

安武内、弘

26724 29-54

安、弘武内
安武、弘内

26725

26726

安弘武、内
安、弘武内
安、弘武内

26727

安、弘、武内

26728 29-55

安武内、弘

26729

安、弘武内

26730

安弘、武内

安弘、武内

26731

安、弘、武内

26732 29-56

安、弘武内

安弘、武内

26733

26734

安、弘武内

*安弘、武内

26735

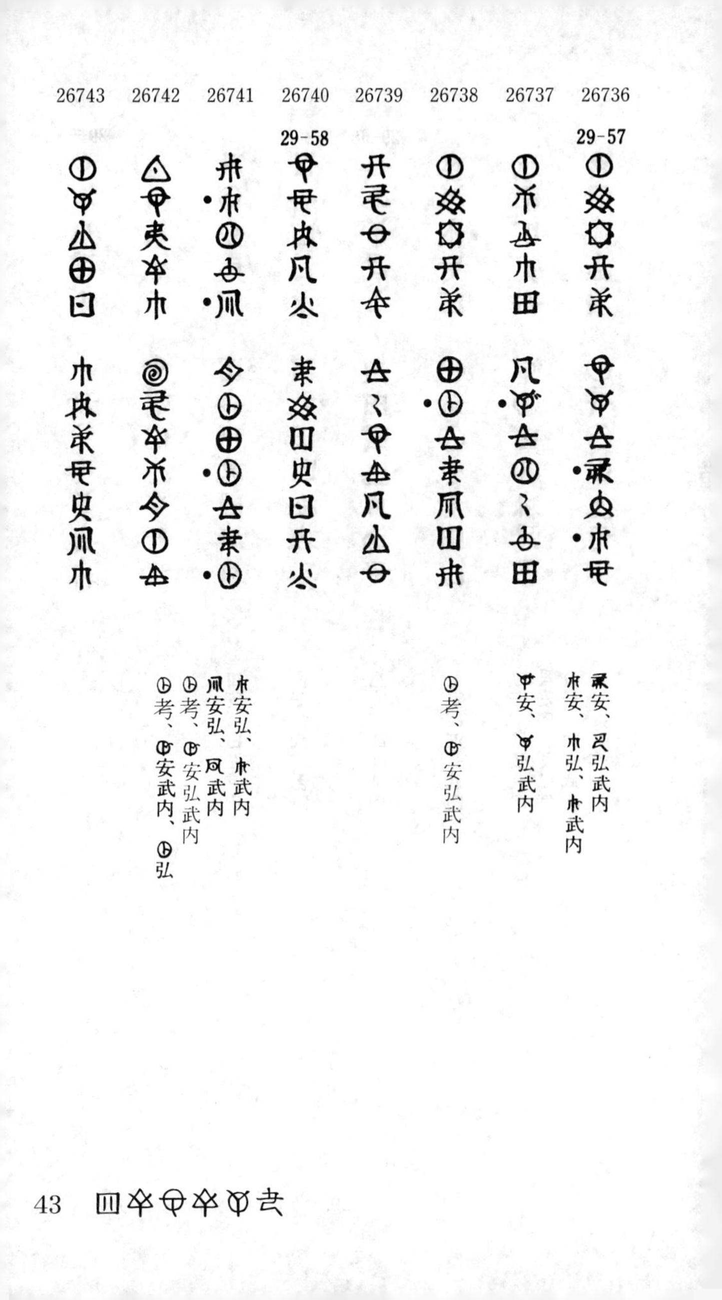

26736 29-57

安、弘武内
安、弘、武内

26737

安、弘武内

26738

考、安弘武内

26739

26740 29-58

26741

安弘、武内
安弘、武内
考、安弘武内
考、安武内、弘

26742

26743

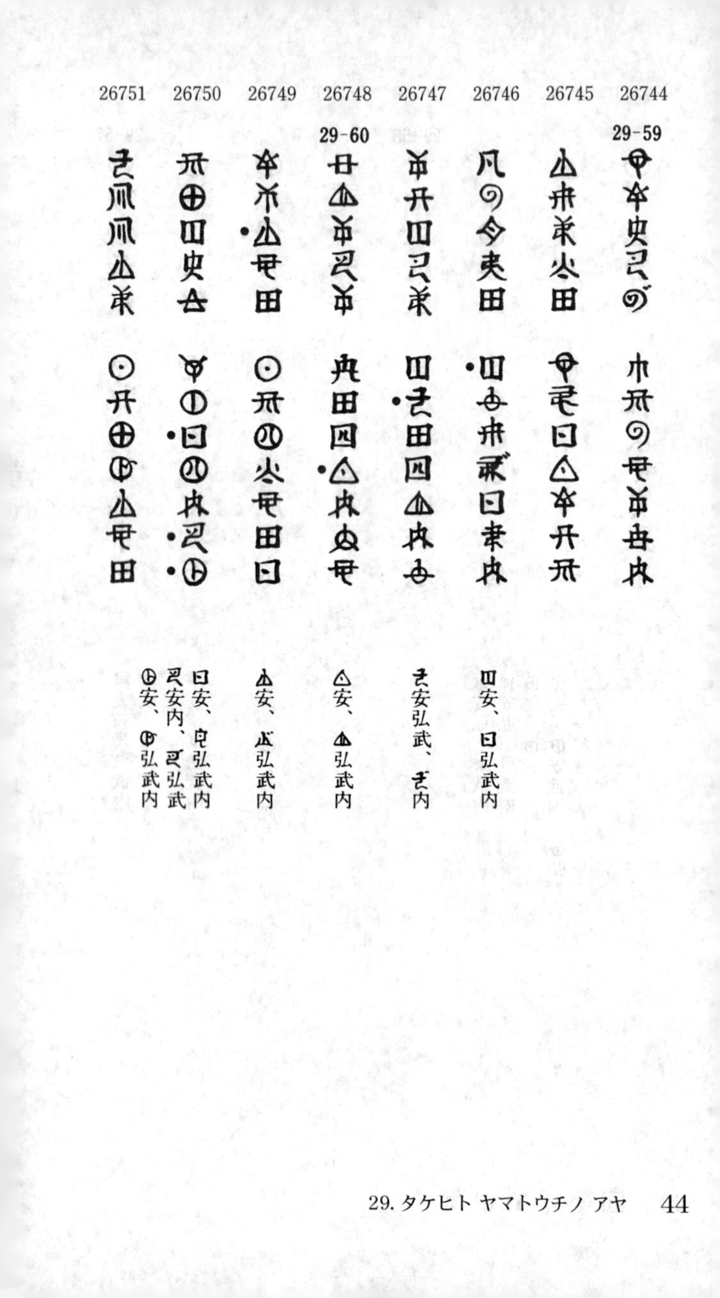

26744 (29-59)

26745

26746
安、弘武内

26747
安弘武、内

26748 (29-60)
安、弘武内

26749
安、弘武内

26750
安、弘武内
安内、弘武
安、弘武内

26751

26759	26758	26757	26756	26755	26754	26753	26752
			29-62				29-61

安弘武、内

26760 (29-63)

26761

26762

26763

26764 (29-64)

26765

26766

26767

26761: 安、弘武内

26763: 安弘、武内

26766: 考、安弘武内

26767: 安武内、弘 / 安武内、弘

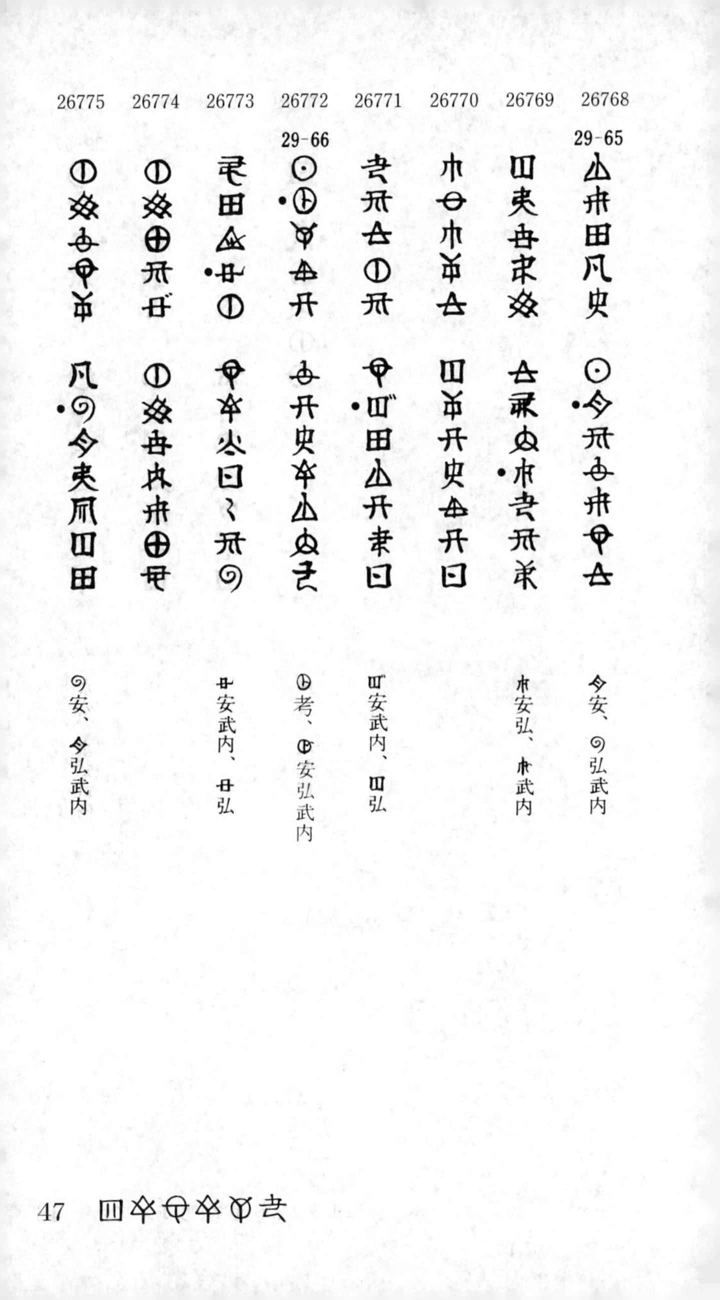

26768 29-65

安、弘武内

26769

安弘、武内

26770

26771

安武内、弘

26772 29-66

考、安弘武内

26773

安武内、弘

26774

26775

安、弘武内

26776 26777 26778 26779

29-67

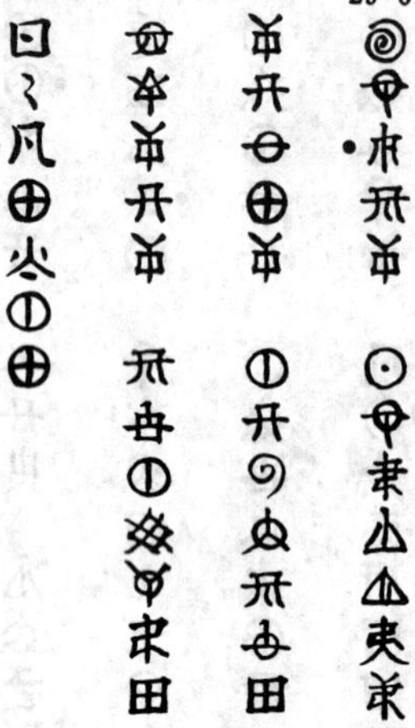

ホ安、ホ弘武内

凡安、凡弘武内

26780
30-1

26781

26782

26783

26784
30-2

26785

26786

安武内、 弘

26787

安、 弘武内

30-3

26788

26789

安武内、弘

＊〈弘・武・内 異文〉

26790

26791

26792

26793

26794

26795

30-4

26796

→（2行目）弘、武内

→（4行目）弘、武内

26797

安、弘武内

安、弘武内

26798

26799

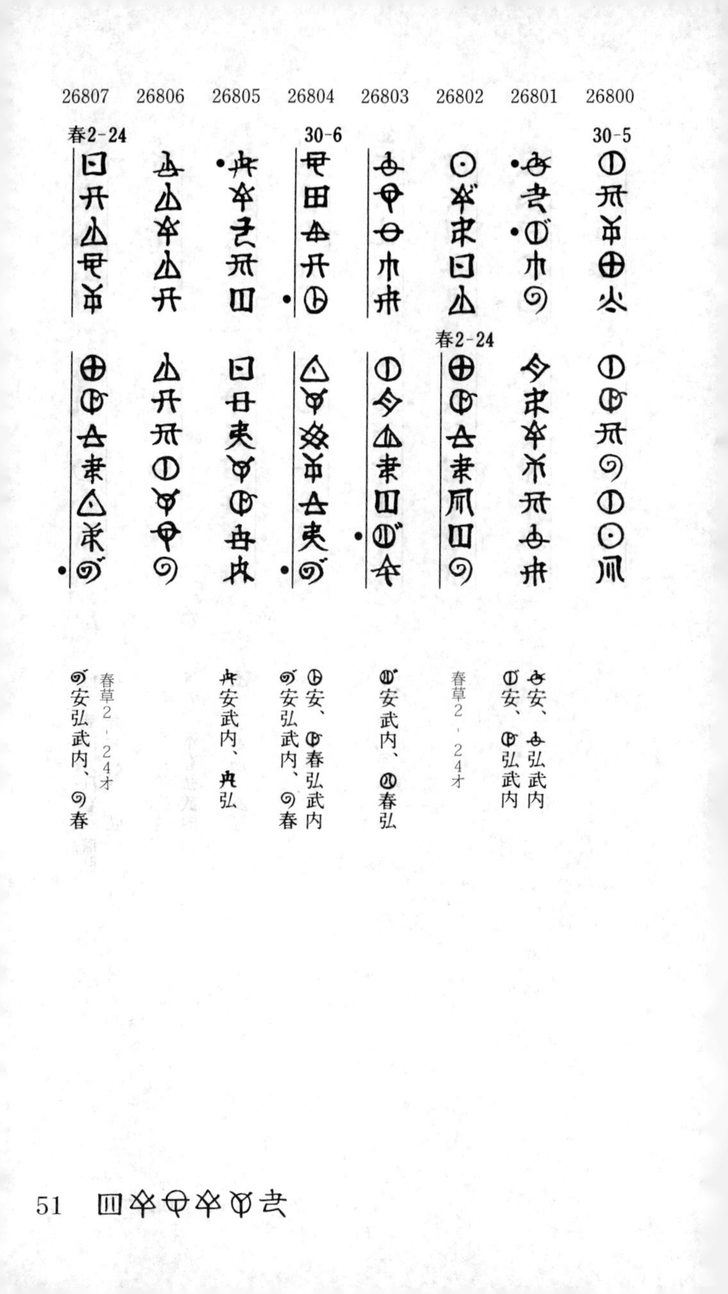

26800

30-5

26801

[glyph]安、[glyph]弘武内

[glyph]安、[glyph]弘武内

26802

春2-24

春草2-24オ

26803

[glyph]安武内、[glyph]春弘

26804

30-6

[glyph]安、[glyph]春弘武内

[glyph]安弘武内、[glyph]春

26805

[glyph]安武内、[glyph]弘

26806

26807

春2-24

春草2-24オ

[glyph]安弘武内、[glyph]春

30-7

26808

26809

26810

26811

30-8

26812

26813

26814

26815

安武内、春、弘

安春武内、弘

安、春弘武内

安、春弘武内

安春武内、弘

安、春弘武内

安春、弘武内

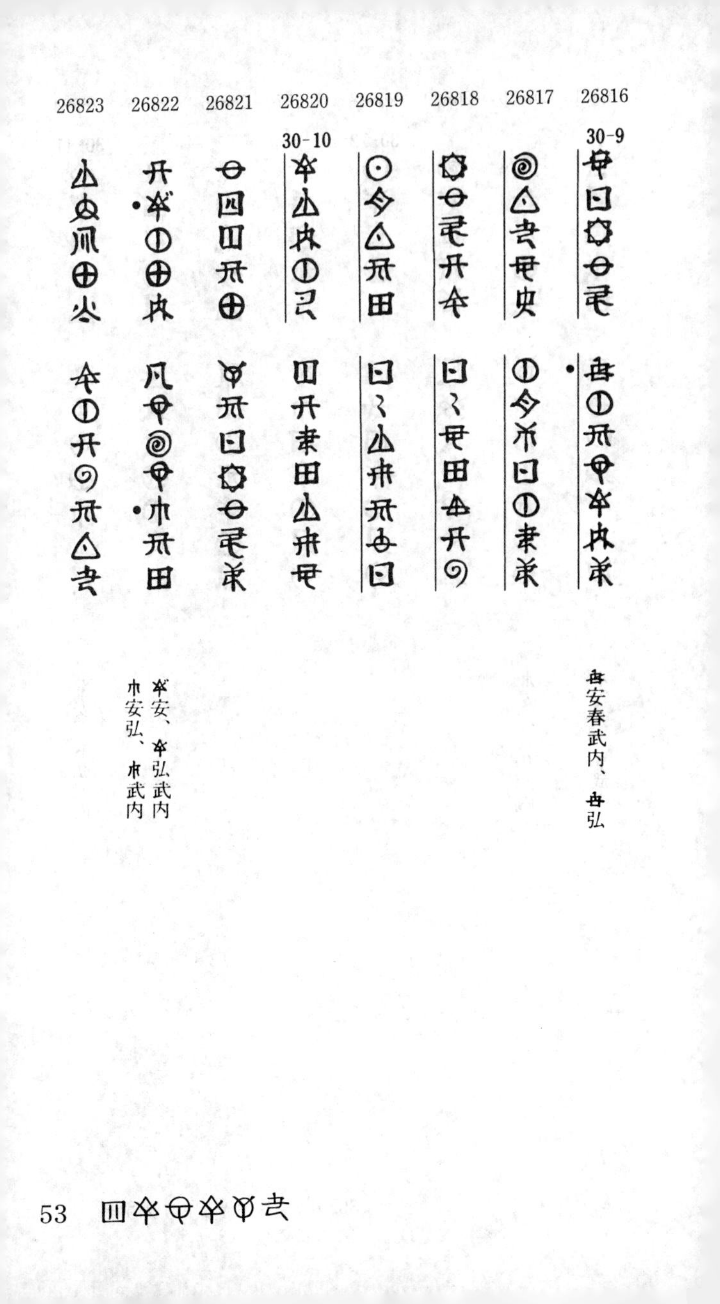

30-9

26816

安春武内、弘

26817

26818

26819

30-10

26820

26821

26822

安、弘武内

安弘、武内

26823

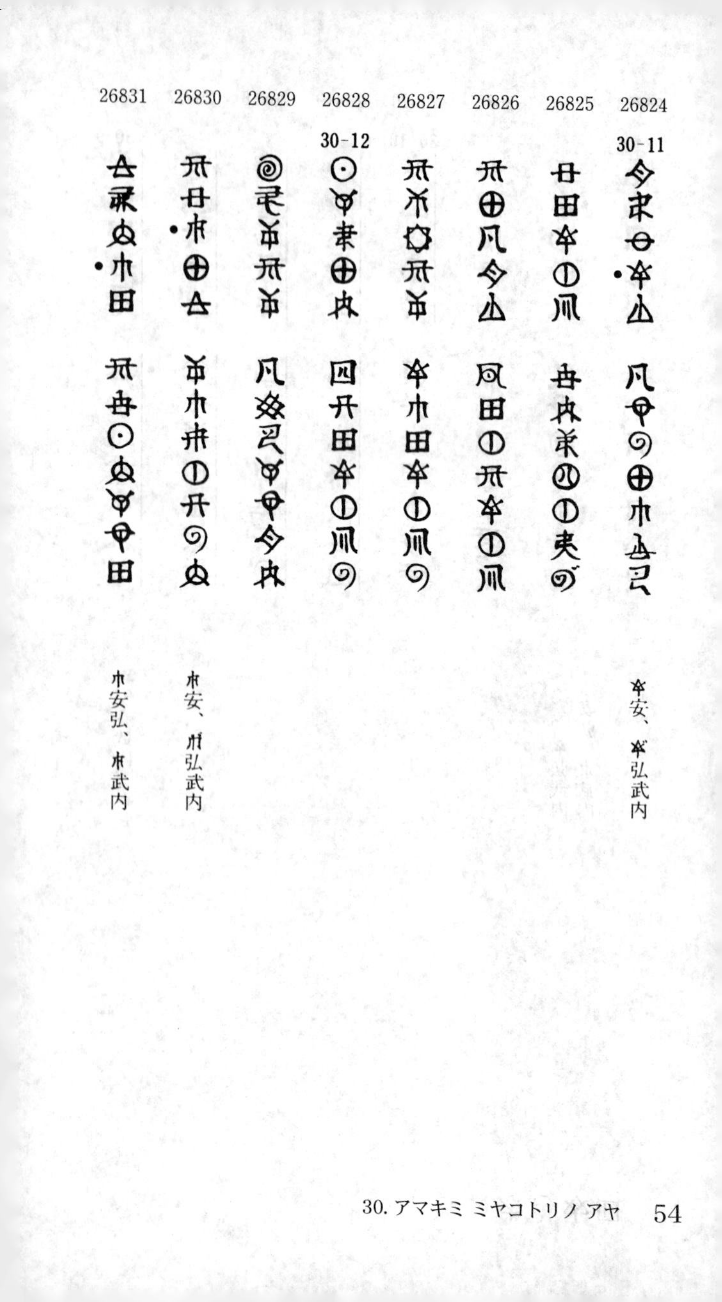

26824

30-11

安、弘武内

26825

26826

26827

26828

30-12

26829

26830

安、弘武内

26831

安弘、武内

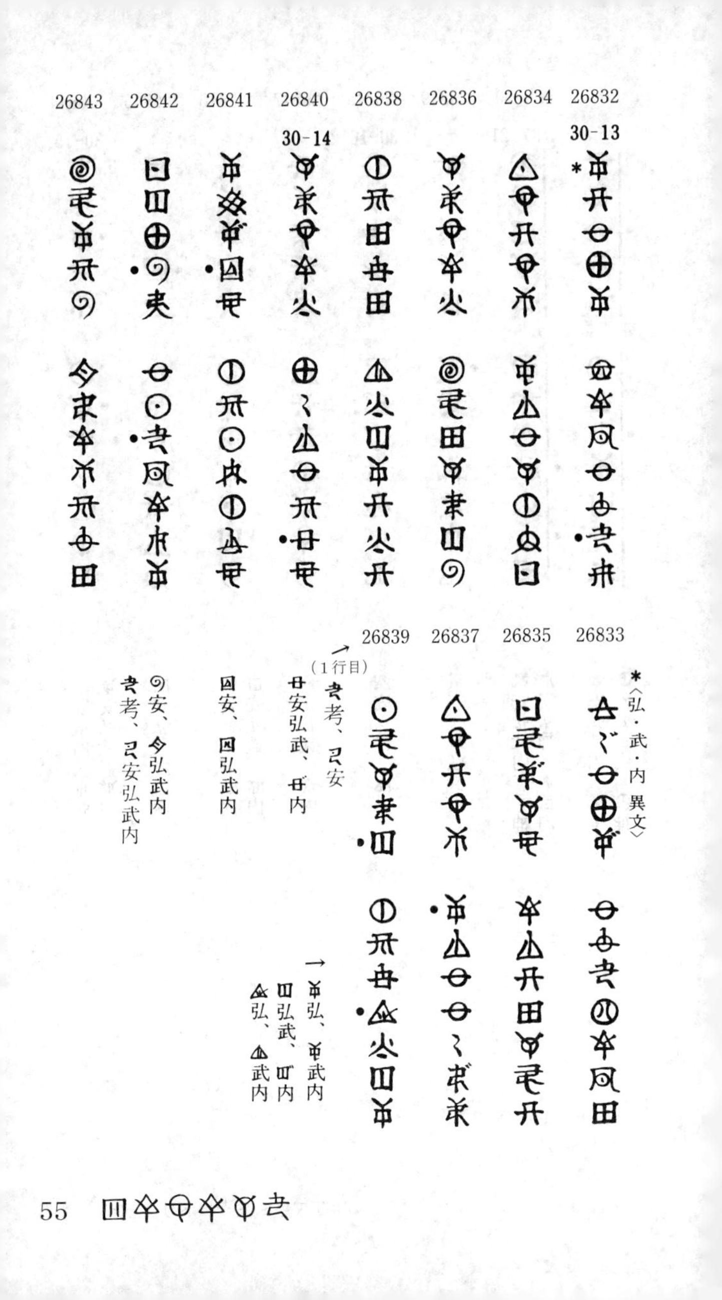

26832 30-13
26833
*〈弘・武・内 異文〉
26834
26835
26836
26837
26838
26839
（1行目）
考、安
26840 30-14
安弘武、内
弘、武内
弘武、内
弘、武内
26841
安、弘武内
26842
安、弘武内
考、安弘武内
26843

26844 30-15
[illegible]
[illegible]安武内、[illegible]弘
[illegible]安弘武、[illegible]内

26845
[illegible]
[illegible]安弘、[illegible]武内

26846
[illegible]
[illegible]安武、[illegible]弘内
[illegible]安弘武、[illegible]内

26847
[illegible]
[illegible]安弘武、[illegible]内

26848 30-16
[illegible]
[illegible]安武内、[illegible]弘

26849
[illegible]
[illegible]安、[illegible]弘武内

26850 神7-21
[illegible]
[illegible]安弘武内、[illegible]神
[illegible]安弘神、[illegible]武内

26851
[illegible]
[illegible]安弘武内、[illegible]神
[illegible]安弘武内、[illegible]神

安弘、武内神
安弘武、神内
安武神、弘内
安弘神、武内
安弘武内、神
安弘武内、神
安、弘武内神
安弘武内、神
安弘武内、神
安弘神、武内
安弘神、武内
安神、弘、武内
*安弘神、武内

↑（8行目）

安、弘武内神
安弘武内、神
安、弘武内神
安弘、武内神

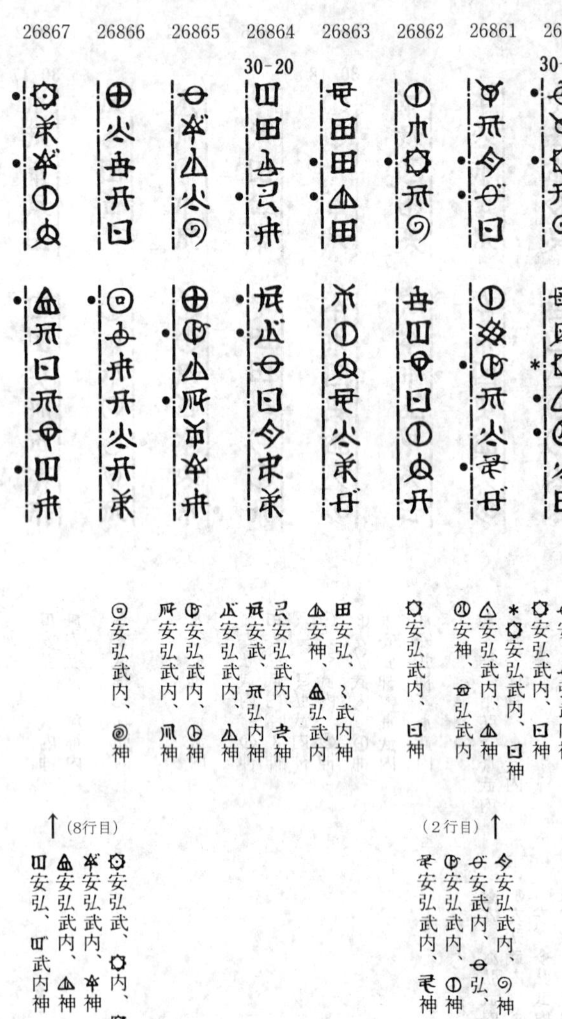

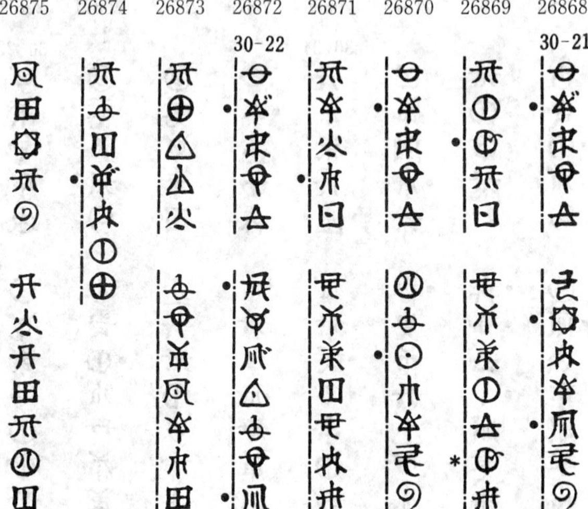

〓安武内神、〓弘
〓安弘武内、〓神
〓安、〓弘武内、〓神
〓安弘武内、〓神
＊〓安弘武内、〓神
〓安弘神、〓武内
〓安、〓弘武内、〓神
〓安弘神、〓武内
〓安弘武内、〓神
〓安武、〓弘内神
〓弘武内、〓神、安本ムシ、〓か〓か判別不能。
〓安、〓弘武内神

30-23

26876

26877

26878

26879

30-24

26880

26881

26882

26883

安、弘武内

安武内、弘

安武内、弘

安内、弘武

安弘、武内

安、弘武内

安武内、弘

安武内、弘

安武内、弘

安、弘武内

安、弘武内

安、弘武内

26884 30-25

26885

安、弘武内

26886

26887

26888 30-26

安、弘武内
安弘、武内

26889

26890

安、弘武内

26891

26892
30-27
[illegible]

26893
[illegible]

26894
[illegible]

26895
[illegible]

26896
30-28
[illegible]

26897
[illegible]

26898
[illegible]

26899
[illegible]

[illegible]安、[illegible]弘武内

[illegible]安武内、[illegible]弘

[illegible]安武内、[illegible]弘

[illegible]安、[illegible]弘武内

26900 30-29

26901

安、弘武内
安弘、武内
考、安弘武内

26902

26903

考、安弘武内

26904 30-30

安弘、武内
考、安弘武内

26905

26906

考、安、弘武内

26907

安、弘武内

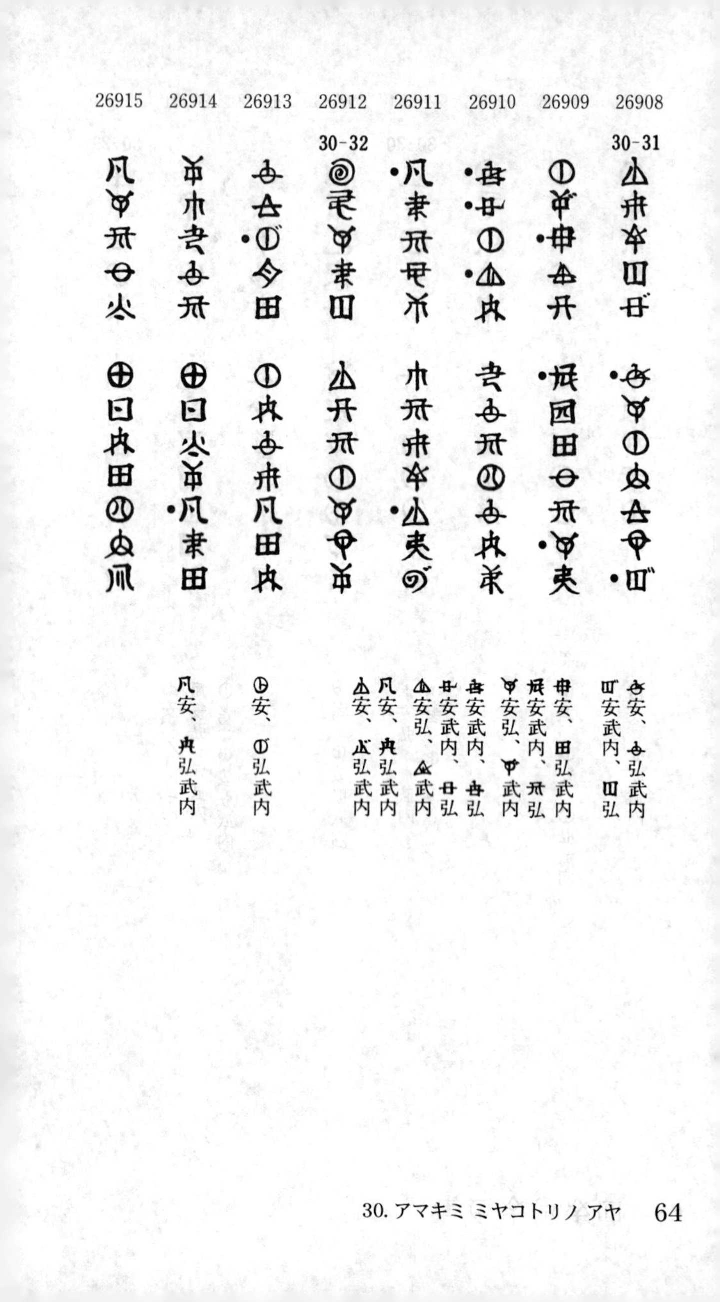

30-31

26908

26909

26910

26911

30-32

26912

26913

26914

26915

安、弘武内
安武内、弘

安、弘武内
安武内、弘

安弘、武内
安武内、弘

安武内、弘
安弘、武内

安、弘武内
安、弘武内

安、弘武内

安、弘武内

26916 30-33

安、弘武内

26917

26918

考、安弘武内

26919

26920 30-34

安弘武、内

安武内、弘

26921

安武内、弘

26922

安弘武、内

安弘武、内

26923

考、安弘武内

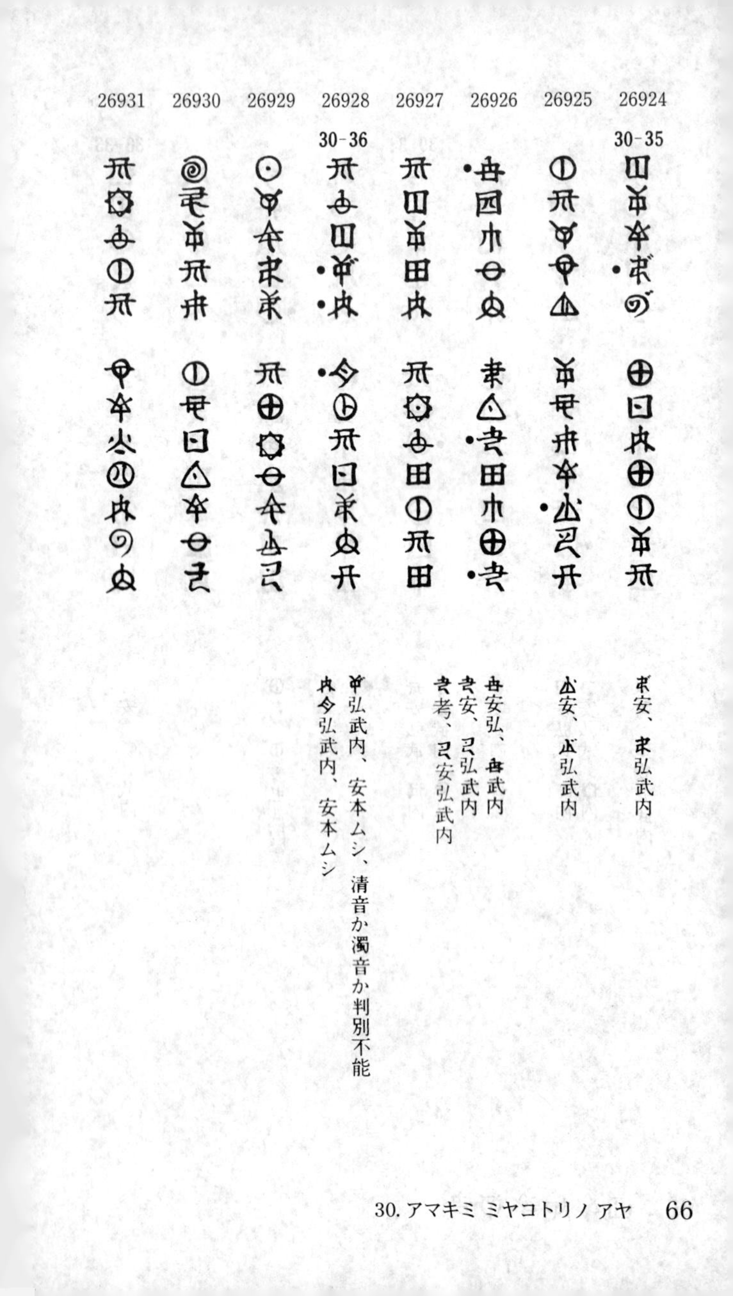

26924 30-35

安、弘武内

26925

安、弘武内

26926

安弘、武内
安、弘武内
考、安弘武内

26927

26928 30-36

弘武内、安本ムシ、清音か濁音か判別不能
弘武内、安本ムシ

26929

26930

26931

26932

30-37

26933

安、弘武内

26934

安、弘武内

安武内、弘

26935

考、安弘武内

26936

30-38

弘武内、安本ムシ

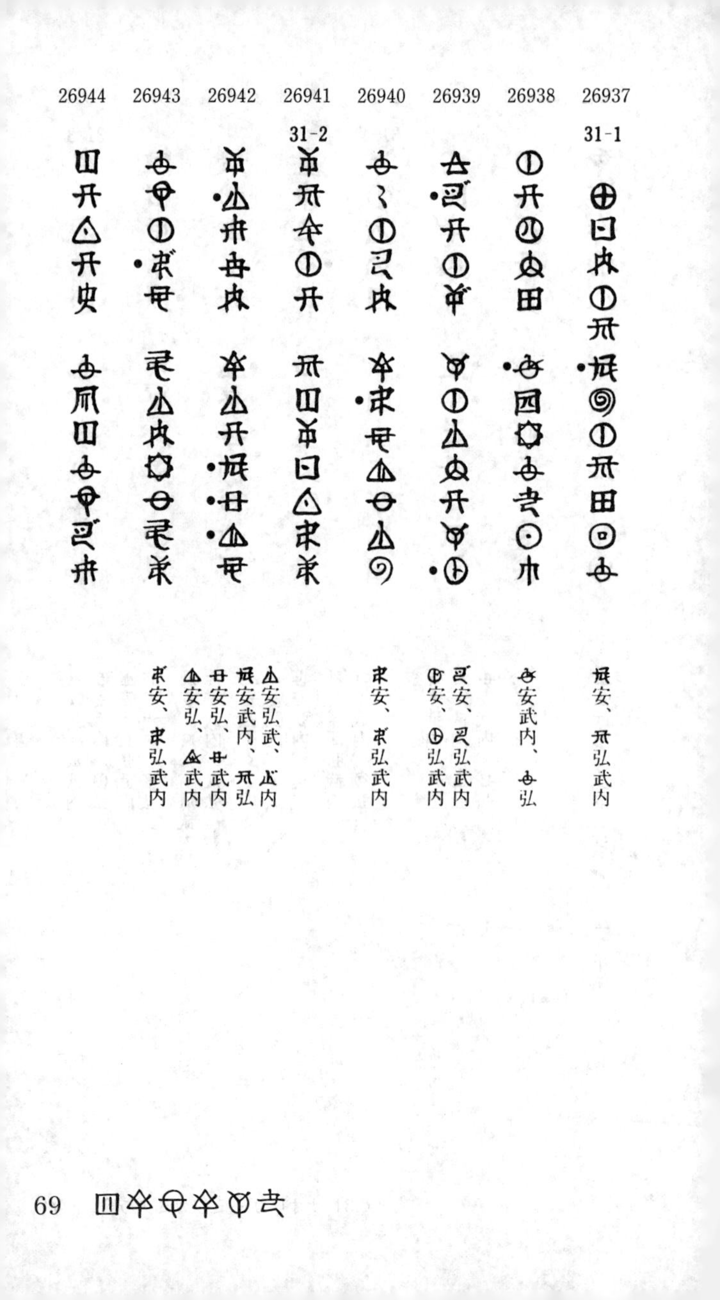

26944	26943	26942	26941	26940	26939	26938	26937
			31-2				31-1

安、弘武内

安武内、弘

安、弘武内

安、弘武内

安、弘武内

安弘武、内

安武内、弘

安弘、武内

安弘、武内

安、弘武内

26952 26951 26950 26949 26948 26947 26946 26945

31-4 31-3

安弘、武内
安武内、弘
安、弘武内
安武内、弘
安、弘、武内
安武内、弘
安弘、武内
安弘内、武
安弘内、武
安、弘武内
安武内、弘
安武内、弘
安武内、弘
安武内、弘

弘武内、安本ムシ、か か不明。

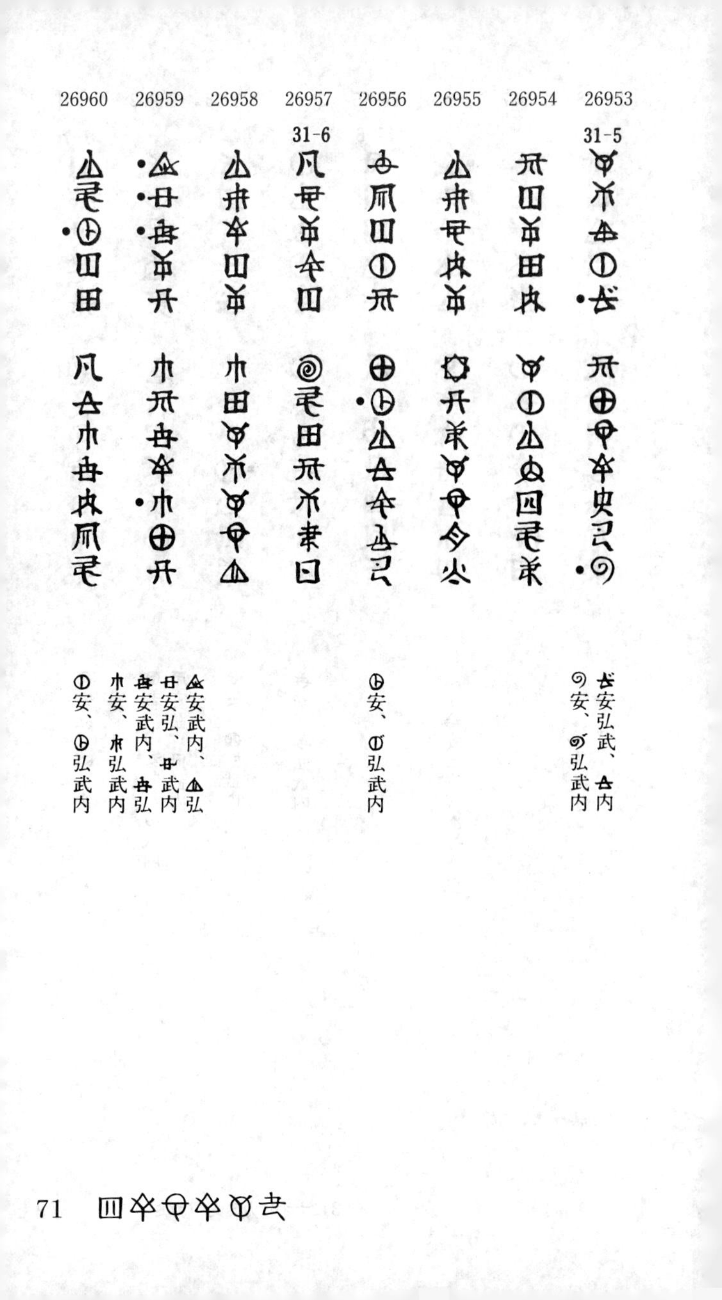

26953
31-5
安弘武、内
安、弘武内

26954

26955

26956
安、弘武内

26957
31-6

26958

26959
安武内、弘
安弘、武内
安武内、弘
安、弘武内

26960
安、弘武内

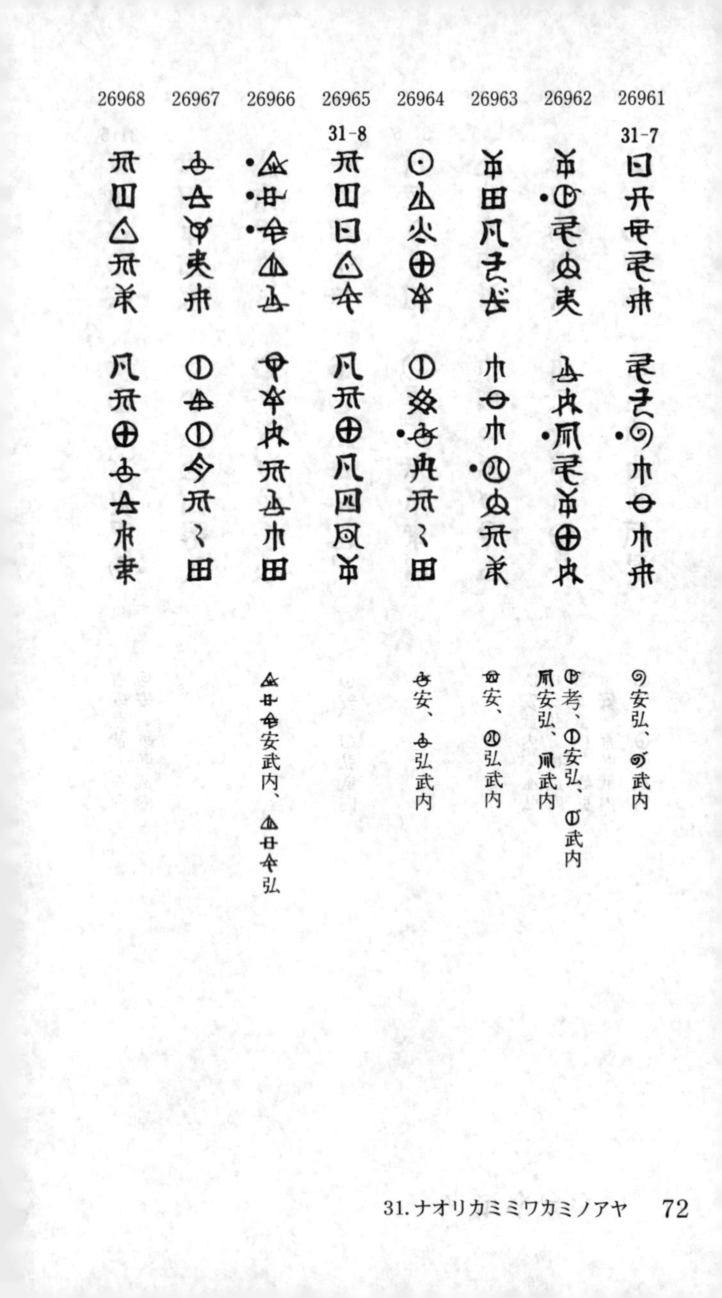

26961 31-7

安弘、武内

26962

考、安弘、武内
安弘、武内

26963

安、弘武内

26964

安、弘武内

26965 31-8

26966

安武内、弘

26967

26968

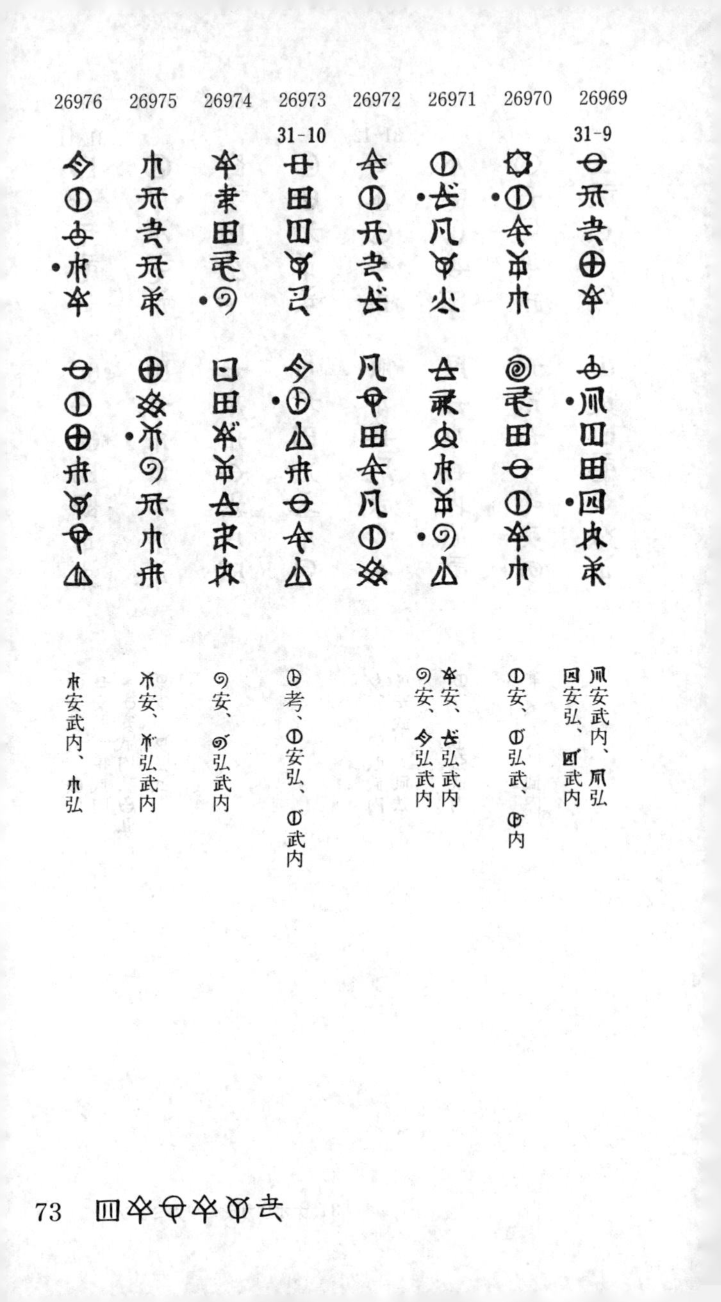

26969
31-9

安武内、弘
安弘、武内

26970

安、弘武、内

26971

安、弘武内
安、弘武内

26972

26973
31-10

考、安弘、武内

26974

安、弘武内

26975

安、弘武内

26976

安武内、弘

26977 31-11

安武内、弘
安弘、武内
*安武内、弘

26978

安、弘武内

26979

26980

26981 31-12

安、弘武内
安武内、弘

26982

安、弘武内

26983

安、弘武内

26984

26985

31-13

〓安、〓弘武内

26986

26987

26988

〓安、〓弘武内
〓安弘武、〓内

26989

31-14

〓安、〓弘武内

26990

26991

〓安武内、〓弘

26992

〓安、〓弘武内
〓安弘内、〓武

26993 31-15

26994

26995

安武内、 弘

26996

26997 31-16

安、 弘武内

⊙安、 弘武内

26998

安弘、 武内

安、 弘武内

26999

安、 弘武内

27000

安、 弘武内

27001

31-17

安、弘武内

27002

弘武内、安本ムシ、清音か濁音か判別不能。

27003

27004

27005

31-18

安、弘武内

27006

27007

安、弘武内

27008

安弘武、内

27009 31-19

27010

27011

27012

27013 31-20

27014

27015

27016

安、弘武内

安、弘武内

安弘、武内

安武、弘内

安弘内、武

安武内、弘

↑(8行目)

安武、弘内

考、安弘武内

27017 31-21

[illegible]

[illegible]安、[illegible]弘武内

27018

[illegible]

[illegible]安、[illegible]弘武内

27019

[illegible]

[illegible]安、[illegible]弘武内

27020

[illegible]

[illegible]安、[illegible]弘武内

27021 31-22

[illegible]

27022

[illegible]

27023

[illegible]

[illegible]安武内、[illegible]弘

[illegible]安弘、[illegible]武内

27024

[illegible]

[illegible]安、[illegible]弘、[illegible]武内

27025 31-23

27026

27027

安、弘武内

27028

27029 31-24

安、弘武内

安武、弘内

考、安弘武内

27030

安弘、武内

27031

安、弘武内

*弘武内ともに の異文

27032

安、弘、武内

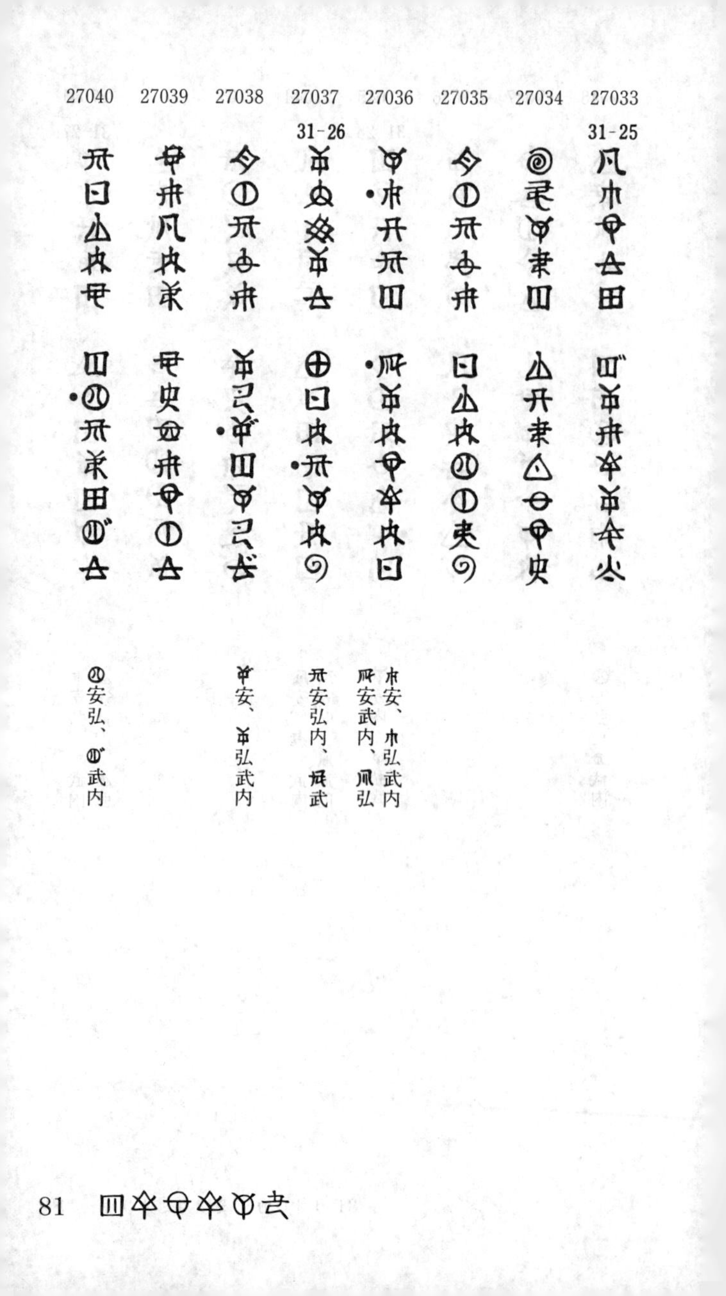

27033 31-25

27034

27035

27036

[glyph]安、[glyph]弘武内
[glyph]安武内、[glyph]弘

27037 31-26

[glyph]安弘内、[glyph]武

27038

[glyph]安、[glyph]弘武内

27039

27040

[glyph]安弘、[glyph]武内

27041
31-27

安弘、武内
安武内、弘

27042

27043

27044

安、弘武内
安弘、武内

27045
31-28

安内、弘武

27046

27047

27048

安弘、武内

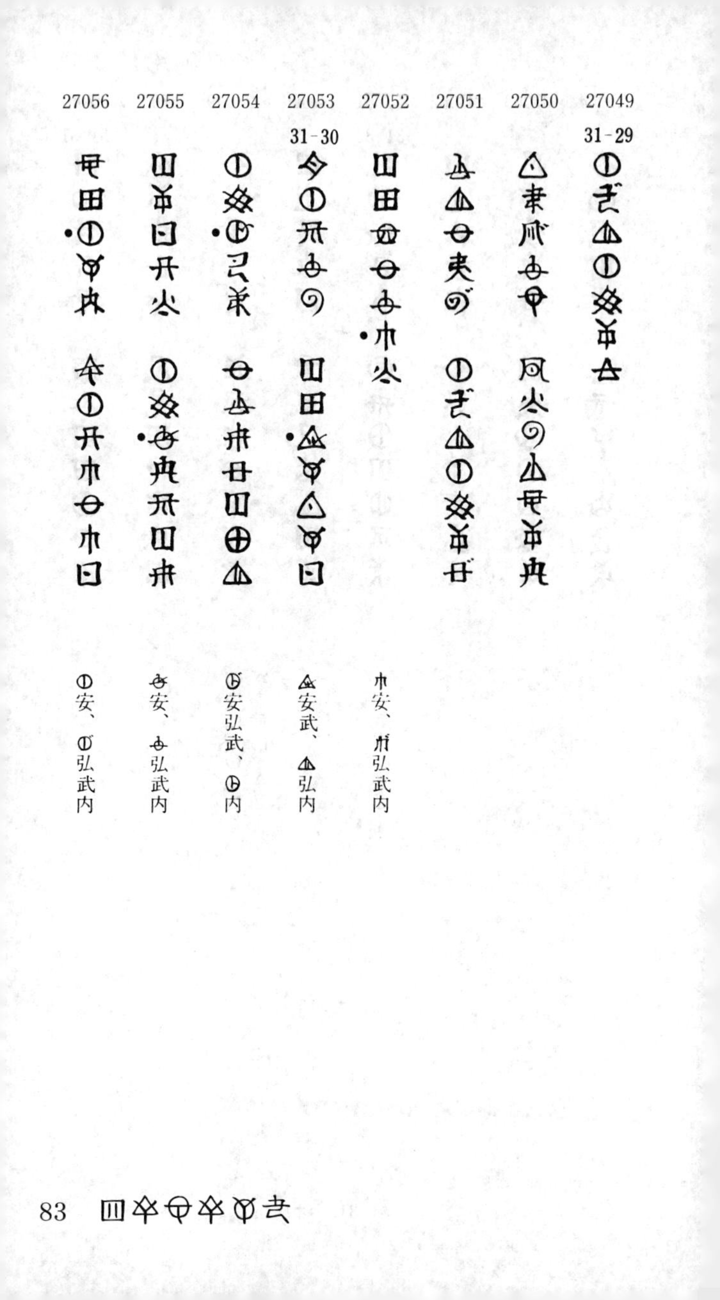

27049

31-29

27050

27051

27052

□安、□弘武内

27053

31-30

□安武、□弘内

27054

□安弘武、□内

27055

□安、□弘武内

27056

□安、□弘武内

27057
31-31

27058

27059

27060

27061
31-32

27062

27063

27064

(27059) 安弘、武内 / 安武内、弘

(27061) 安武内、弘

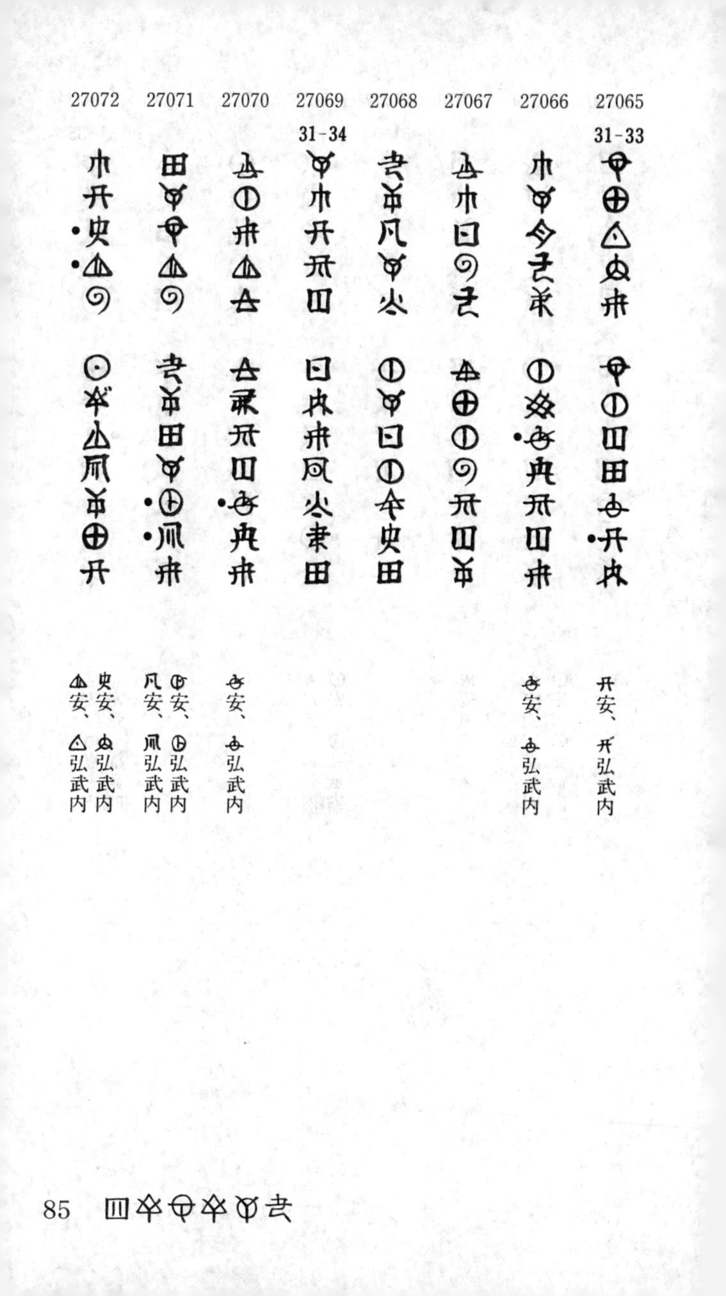

27065
31-33
安、
弘
武内

27066
安、
弘
武内

27067

27068

27069
31-34

27070
安、
弘
武内

27071
安、安、
弘 弘
武 武
内 内

27072
安、安、
弘 弘
武 武
内 内

27073 31-35

安、弘武内
安弘、武内

27074

27075

27076

安武、弘内
安、弘武内

27077 31-36

27078

安武内、弘

27079

安武、弘内
安、弘武内

27080

27081
31-37
安、弘武内

27082
安武内、弘

27083

27084

27085
31-38
⊙安、回弘武内

27086

27087
安、弘武内

27088

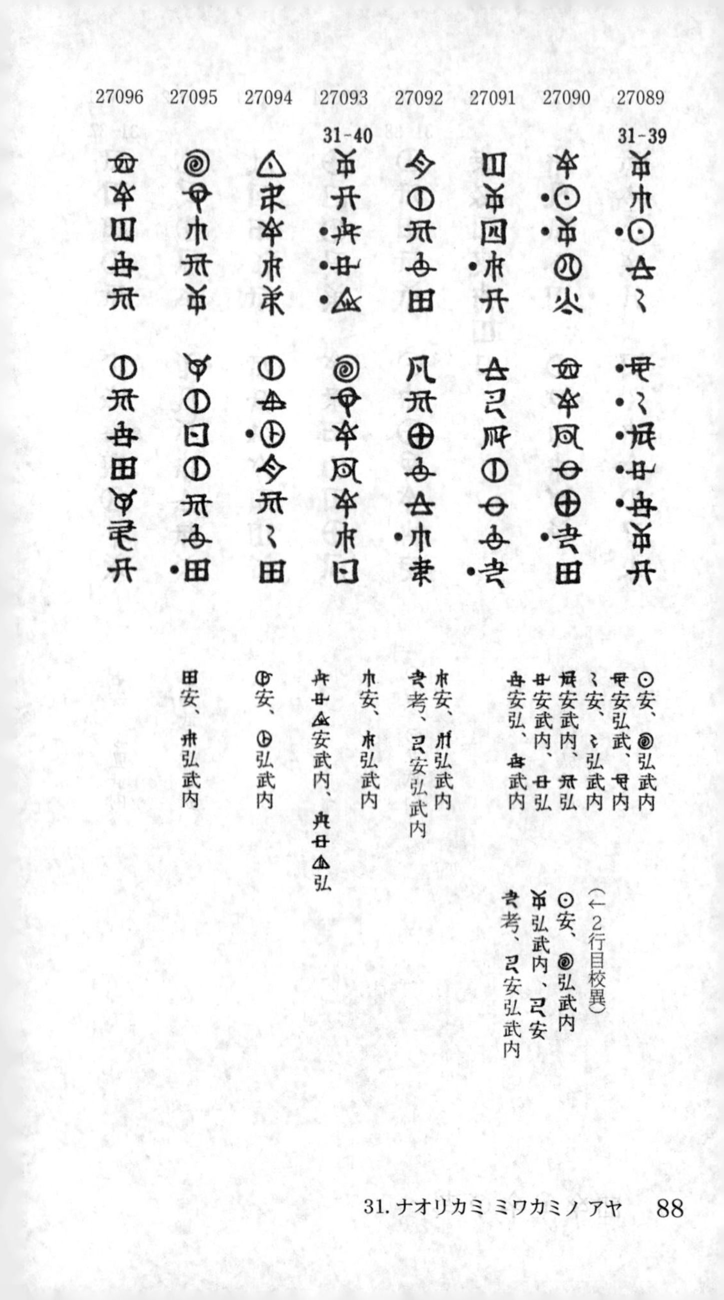

27089 31-39

27090

27091

27092

27093 31-40

27094

27095

27096

〓安、◎弘武内

〓安弘武、〓内

〓安、〓弘武内

〓安武内、〓弘

〓安武内、〓弘

〓安弘、〓武内

（←2行目校異）

⊙安、◎弘武内

〓弘武内、〓安

〓考、〓安弘武内

〓安、〓弘武内

〓考、〓安弘武内

〓安、〓弘武内

〓〓〓安武内、〓〓〓弘

〓安、〓弘武内

〓安、〓弘武内

27097 31-41
[illegible]
[illegible]安、[illegible]弘武内

27098
[illegible]
[illegible]安、[illegible]弘武内

27099
[illegible]
[illegible]安、[illegible]弘武内
[illegible]安、[illegible]弘武内

27100
[illegible]
[illegible]安武、[illegible]弘内
[illegible]安、[illegible]弘武内

27101 31-42
[illegible]
[illegible]安、[illegible]弘武内

27102
[illegible]
[illegible]安弘武、[illegible]内

27103
[illegible]
[illegible]安、[illegible]弘武内

27104
[illegible]

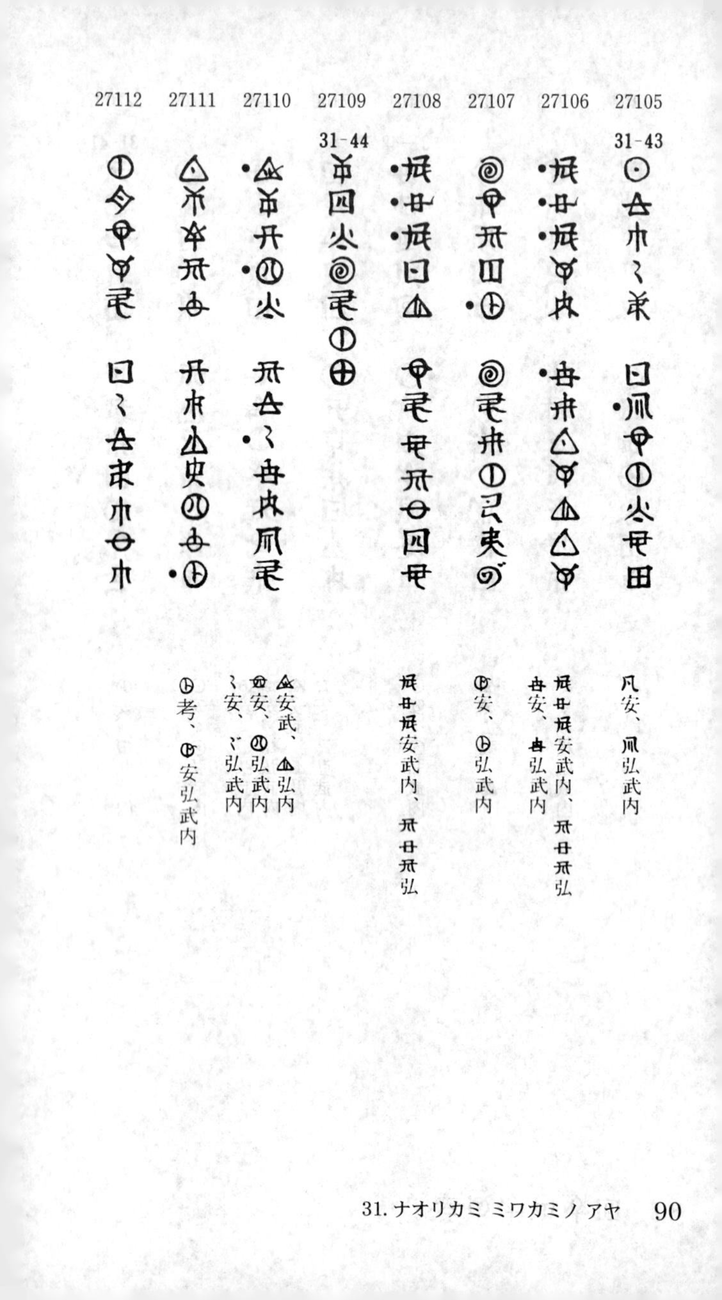

27105 31-43

安、弘武内

27106

安武内、弘

安、弘武内

27107

安、弘武内

27108

安武内、弘

27109 31-44

27110

安武、弘内

安、弘武内

安、弘武内

27111

考、安弘武内

27112

27113

31-45

⊙安武内、〓弘

〓安、〓弘武内

〓安武内、〓弘

〓安、〓弘武内

*〓安、〓弘武内

27114

27115

日安武内、〓弘

27116

〓安弘、〓武、〓内

27117

31-46

27118

〓安、〓弘、〓武内

27119

27120

〓安、〓弘武内

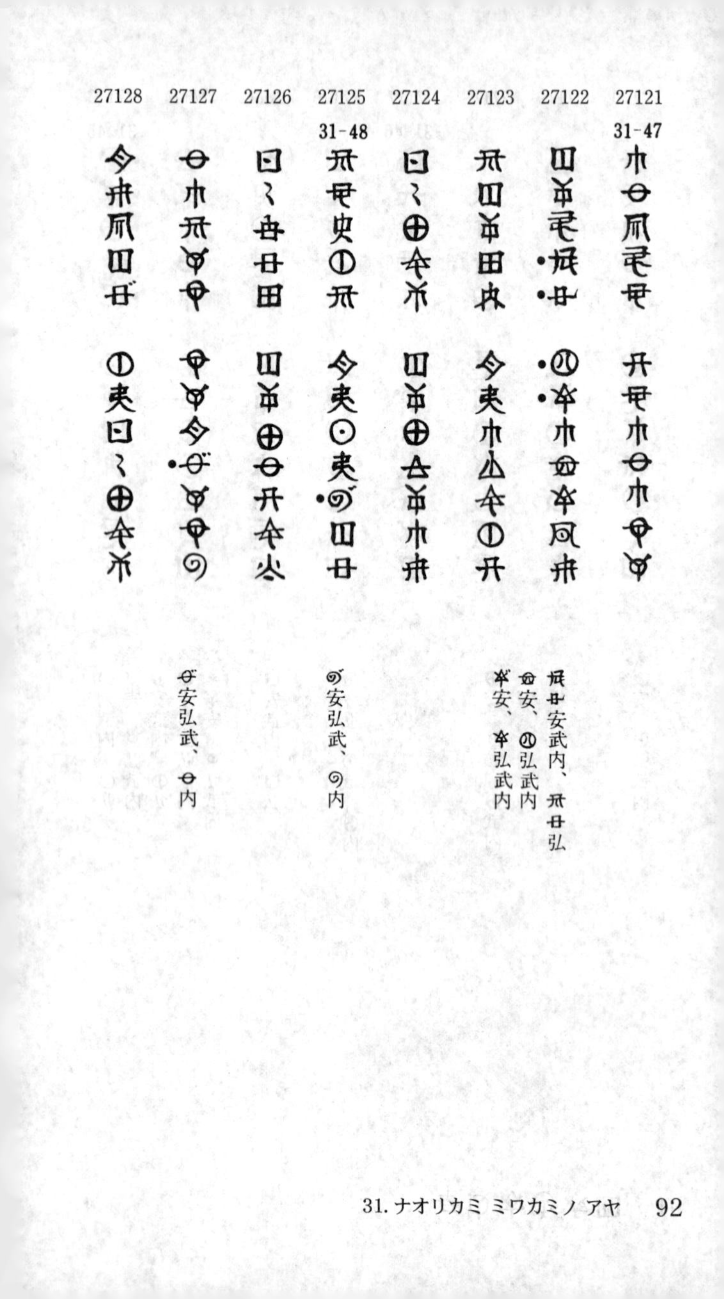

27121

31-47

27122

安武内、弘

安、弘武内

27123

安、弘武内

27124

27125

31-48

安弘武、内

27126

27127

安弘武、内

27128

27129 31-49

安武内、弘

27130

安弘武、内

27131

安武、弘内

安、弘武内

27132

考、安弘武内

27133 31-50

安武内、弘

27134

安、弘武内

27135

安武内、弘

27136

↑（8行目）

安弘武、内

安武内、弘

安武内、弘

安武内、弘

安武内、弘

安、弘武内

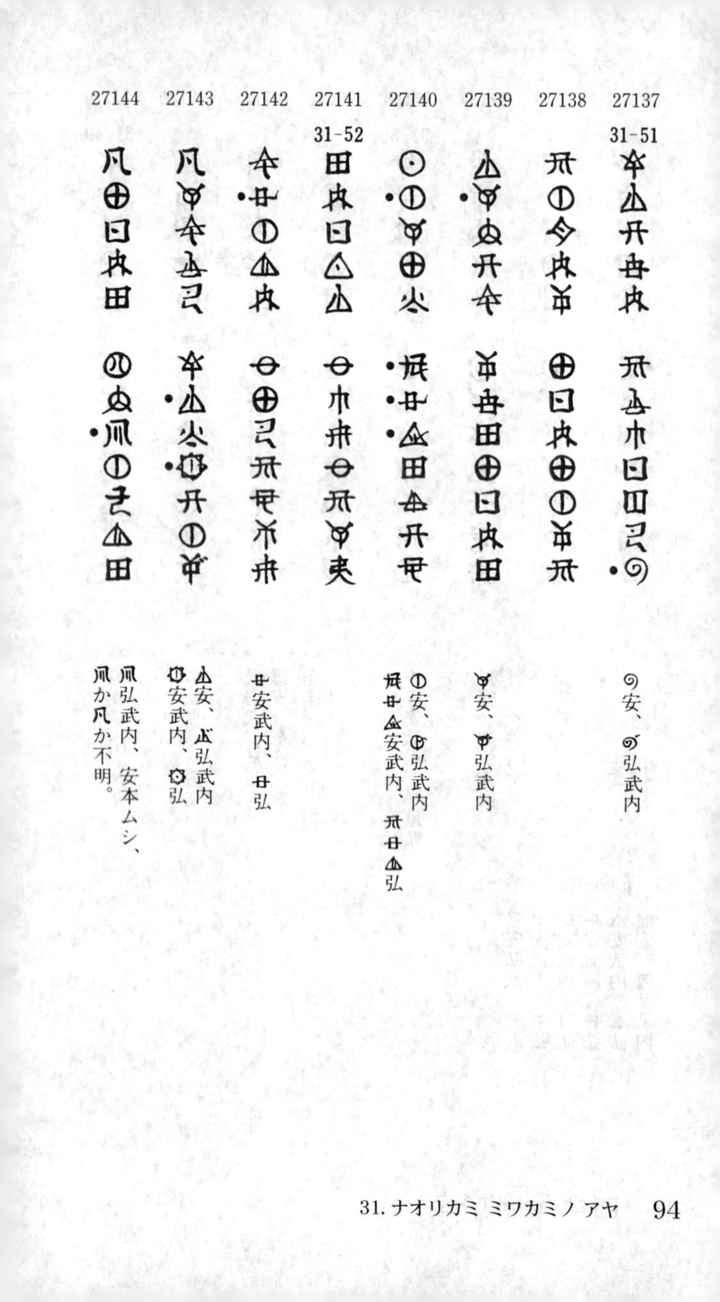

27137

31-51

27138

27139

27140

27141

31-52

27142

27143

27144

安、弘武内

安、弘武内

安、弘武内
安武内、弘

安武内、弘

安、弘武内
安武内、弘

弘武内、安本ムシ、
か か不明。

27145
31-53

27146

27147

27148

…安、…弘武内
…安、…弘武内

27149
31-54

27150

…安弘、…武内

27151

27152

27153
31-55

〓安、〓弘武内
〓安、〓弘武内

27154

27155

〓安武内、〓弘
〓安武内、〓弘

27156

27157
31-56

〓安、〓弘武内

27158

〓安弘武、〓内

27159

〓安武内、〓弘
〓安、〓弘武内

27160

27161 31-57

27162

27163

27164

27165 31-58

27166

27167

27168

〓安武内、〓弘
〓安武、〓弘内

〓安弘内、〓武
〓安弘内、〓武

〓安武内、〓弘
〓安武内、〓弘

〓安弘武、〓内
〓安弘、〓武内

〓安弘、〓武内
〓安弘、〓武内
〓安弘、〓武内

〓安弘、〓武内
〓安弘、〓武内

（3行目）↑
〓安内、〓弘武
〓安武内、〓弘
〓安武、〓弘内
〓弘武内、安本〓に作るも、漢訳文に廿壹載とあることから〓を掲げた。

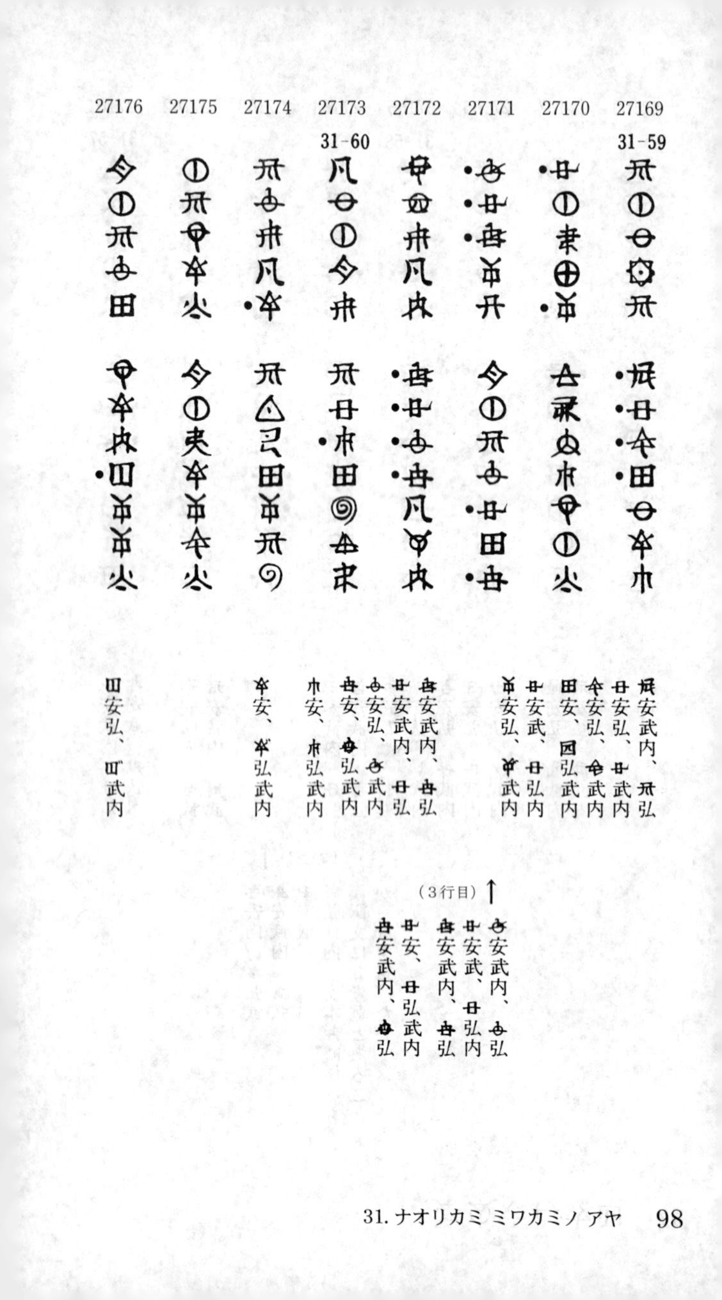

27169 31-59

27170

27171

27172

27173 31-60

27174

27175

27176

安武内、弘

安弘、武内

安弘、武内

安、弘武内

安武、弘内

安弘、武内

安武内、弘

安武内、弘

安弘、武内

安、弘武内

安、弘武内

安、弘武内

安弘、武内

（3行目）↑

安武内、弘

安武、弘内

安武内、弘

安、弘武内

安武内、弘

27177
31-61

⊙安、◎弘武内

27178

[illegible]安、[illegible]弘武内
＊[illegible]安弘、[illegible]武内
[illegible]安、⊕弘武内
[illegible]安武内、[illegible]弘

27179

[illegible]安武、[illegible]弘内

27180

[illegible]安武内、[illegible]弘
[illegible]安、[illegible]弘武内

27181
31-62

[illegible]安弘武、[illegible]内

27182

27183

27184

[illegible]考、[illegible]安弘武内

27185 31-63

27186
安武、弘内
安弘武、内

27187

27188
安、弘武内
安、弘武内

27189 31-64
安弘武、内

27190
安武、弘内

27191
安、弘武内

27192
安弘武、内

27193 31-65

安、弘武内

27194

27195

安弘内、武

27196

27197 31-66

安内、弘武

27198

安弘武、内

安武内、弘

27199

安武内、弘

27200

27201 31-67

27202

27203

27204

27205 31-68

27206

27207

27208

安弘、武内
安、弘武内

安、弘武内

安、弘武内

安、弘武内
安、弘武内
安、弘武内
安、弘武内

安、弘武内

安、弘武内

27209 31-69

27210

安、弘武内
安、弘武内

27211

安、弘武内

27212

安弘内、武
安武内、弘

27213 31-70

27214

27215

27216

安、弘武内

27217
31-71
〓〓〓〓〓
〓〓〓〓・〓〓〓

27218
・〓・〓〓〓〓
〓〓〓・〓・〓〓〓

27219
〓〓〓〓〓
〓・〓〓〓・〓〓〓

27220
〓〓〓〓〓
・〓・〓〓〓〓・〓〓

27221
31-72
〓〓〓〓〓
〓〓・〓〓〓〓〓

27222
・〓〓〓〓〓
・〓・〓・〓〓〓〓〓

27223
〓〓〓・〓〓
〓〓〓・〓〓〓〓

27224
〓〓〓〓〓
〓〓〓〓・〓・〓・〓

〓安、〓弘武内
〓安弘、〓武内
〓安、〓弘武内
〓安、〓弘武内
〓安武内、〓弘
〓安、〓弘武内
〓安、〓弘武内
〓安、〓弘武内
〓安武内、〓弘
〓安武内、〓弘
〓安、〓弘武内
〓安、〓弘武内
〓安武内、〓弘
〓安武内、〓弘
〓安武、〓弘内
〓安、〓弘武内
〓安、〓弘武内
〓〓〓安武内、〓〓〓弘

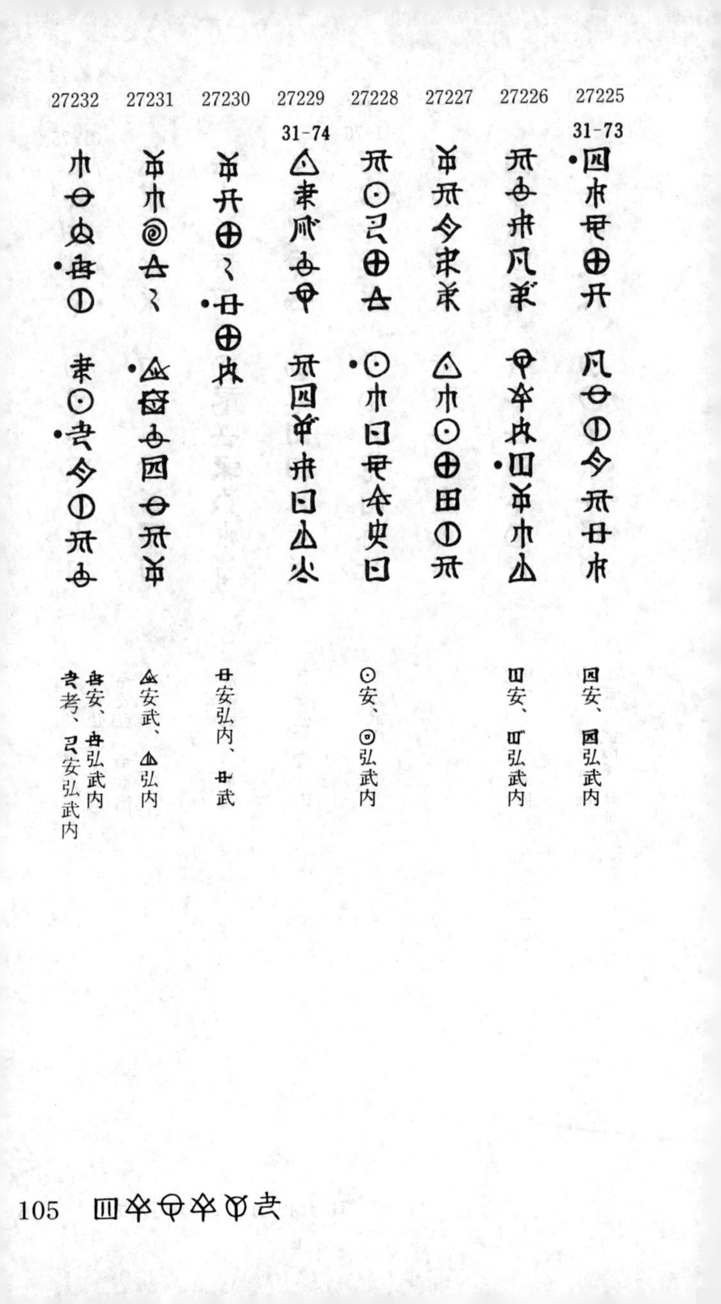

27225 31-73

安、弘武内

27226

安、弘武内

27227

27228

⊙安、弘武内

27229 31-74

27230

安弘内、武

27231

安武、弘内

27232

安、弘武内

考、安弘武内

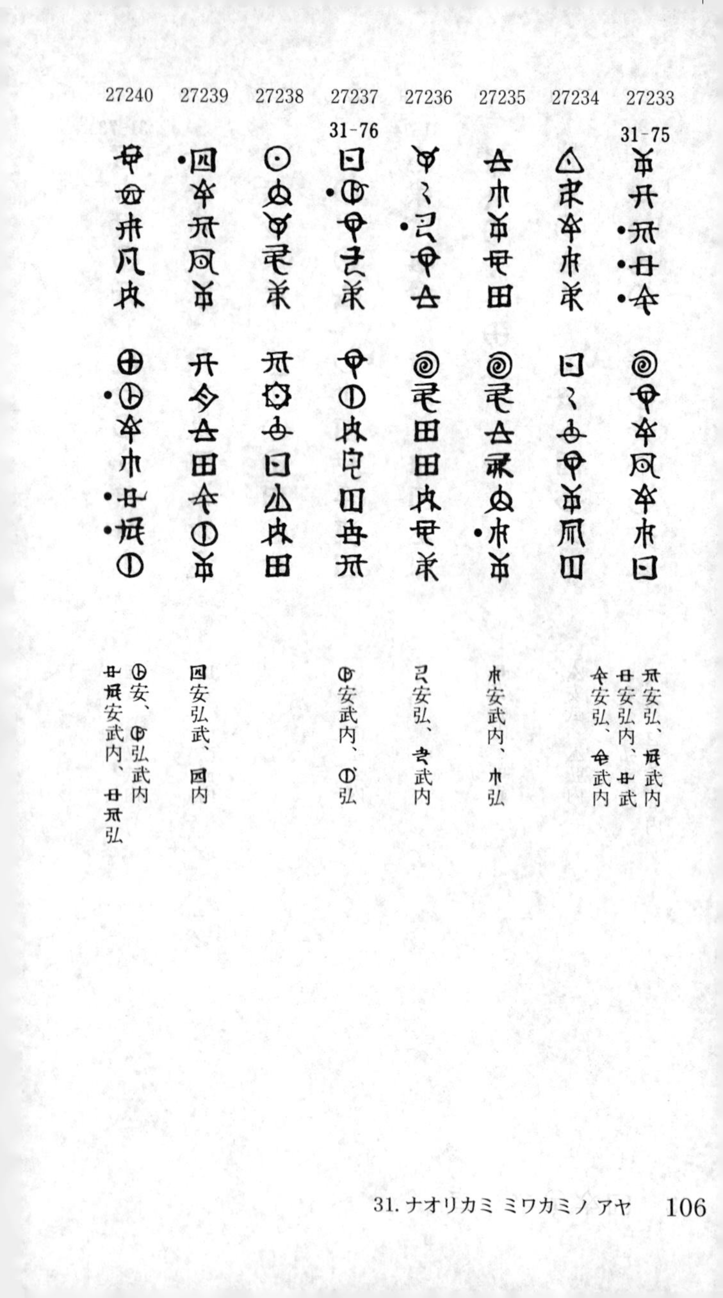

27233 31-75

27234

27235

27236

27237 31-76

27238

27239

27240

安弘、武内
安弘内、武
安弘、武内
安武内、弘
安弘、武内
安武内、弘
安弘武、内
安、弘武内
安武内、弘

27241 31-77

27242

27243

27244

27245 31-78

27246

27247

27248

〓安、〓弘武内

〓安武内、〓弘

〓安、〓弘、〓武内

〓安、〓弘武内

〓安、〓弘武内

〓〓安武内、〓〓弘

〓安弘、〓武内

〓安弘、〓武内

〓安、〓弘武内

〓安、〓弘、〓武内

〓安武内、〓弘

〓安、〓弘武内

27249 31-79

[ヲシテ]

27250

[ヲシテ]

27251

[ヲシテ]

[ヲシテ]安弘武、[ヲシテ]内

27252

[ヲシテ]

[ヲシテ]考、[ヲシテ]安弘武内
[ヲシテ]安、[ヲシテ]弘武内

27253 31-80

[ヲシテ]

27254

[ヲシテ]

[ヲシテ]安武内、[ヲシテ]弘
[ヲシテ]安武、[ヲシテ]弘内

27255

[ヲシテ]

[ヲシテ]安弘武、[ヲシテ]内
[ヲシテ]考、[ヲシテ]安弘武内

27256

[ヲシテ]

[ヲシテ]安武内、[ヲシテ]弘
[ヲシテ]安武、[ヲシテ]弘内

27257 31-81

27258

27259

27260

27261 31-82

27262

27263

27264

〓安武、〓弘内

〓安武内、〓弘

〓安弘内、〓武

〓安、〓弘、〓武内

〓安弘内、〓武

〓安、〓弘武内

〓〓安武内、〓〓弘

〓安弘、〓武内

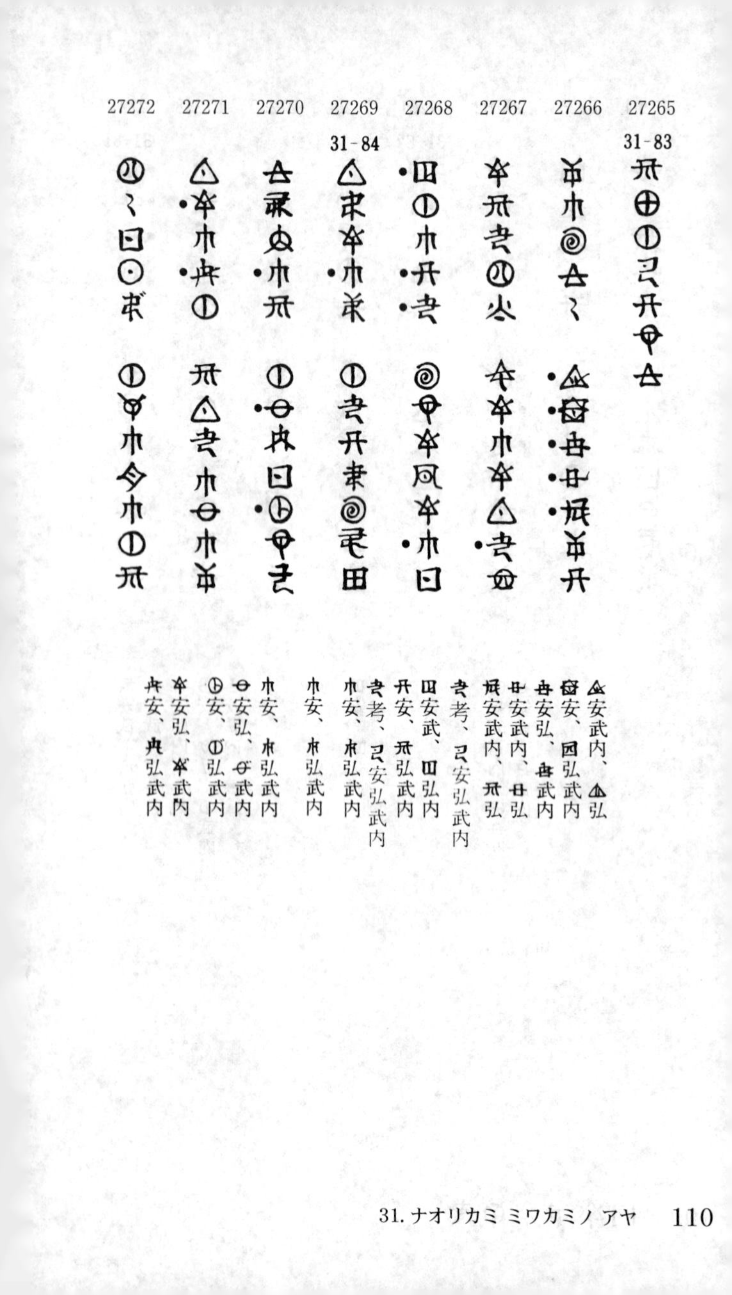

27265 31-83

27266

27267

27268

27269 31-84

27270

27271

27272

[illegible]安武内、[illegible]弘
[illegible]安、[illegible]弘武内
[illegible]安弘、[illegible]武内
[illegible]安武内、[illegible]弘
[illegible]安武内、[illegible]弘
[illegible]考、[illegible]安弘武内
[illegible]安武、[illegible]弘内
[illegible]安、[illegible]弘武内
[illegible]考、[illegible]安弘武内
[illegible]安、[illegible]弘武内
[illegible]安、[illegible]弘武内
[illegible]安、[illegible]弘武内
[illegible]安弘、[illegible]武内
[illegible]安、[illegible]弘武内
[illegible]安弘、[illegible]武内
[illegible]安、[illegible]弘武内

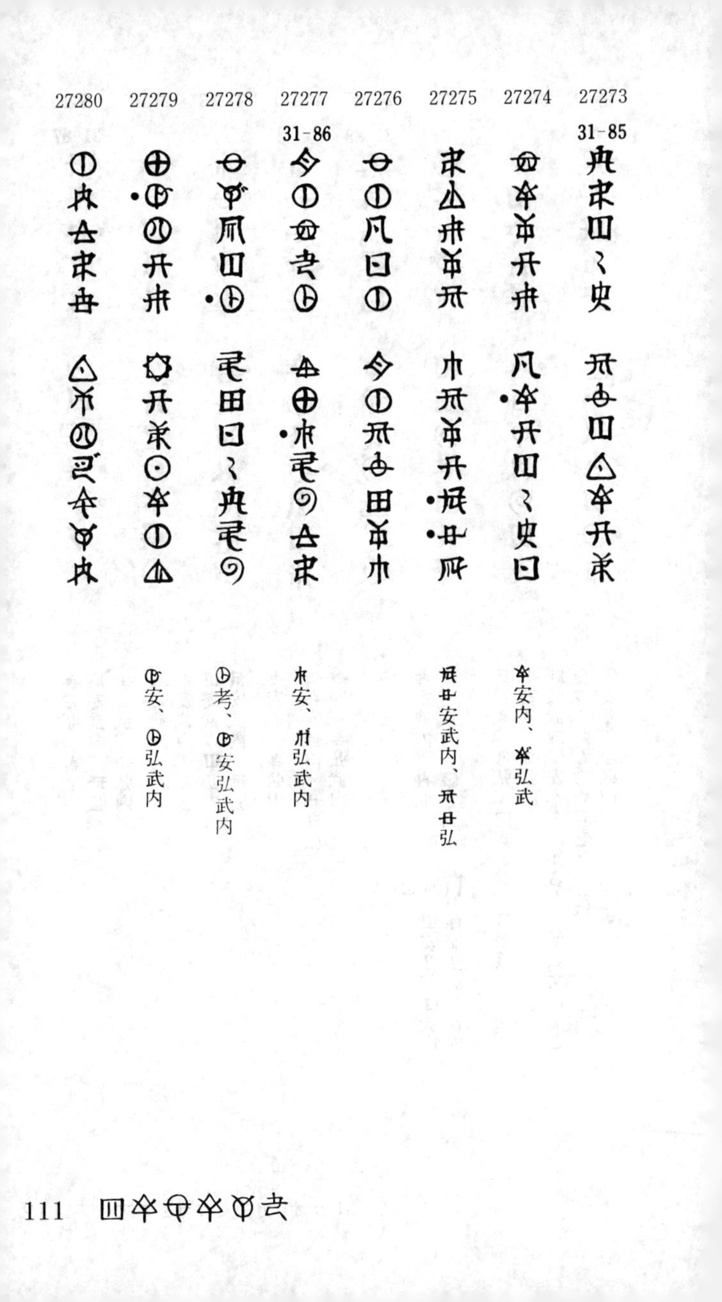

27273 31-85

27274

[illegible]安内、[illegible]弘武

27275

[illegible]安武内、[illegible]弘

27276

27277 31-86

[illegible]安、[illegible]弘武内

27278

[illegible]考、[illegible]安弘武内

27279

[illegible]安、[illegible]弘武内

27280

27281	27282	27283	27284	27285	27286	27287	27288
31-87				31-88			

〓安弘、〓武内
〓安武内、〓弘
〓安武、〓弘内
〓安武内、〓弘
〓安武、〓弘内
〓安武内、〓弘
〓安武、〓弘内
〓〓安武内、〓〓弘
〓安、〓弘武内
〓安武内、〓弘
〓安武内、〓弘

↑（7行目）
〓安弘、〓武内
〓安弘武、〓内

〓安武、〓弘、内本ムシ、〓か〓か不明。
〓安武、〓弘内
〓弘武内、安本〓に作るも、漢訳文に壹となっているため〓をとった。
〓安弘、〓武内

27289
31-89

27290

安武内、弘
安弘、武内
安武、弘内

27291

27292

安武内、弘

27293
31-90

安弘内、武
安武、弘内
安武、弘内

27294

27295

27296

27304 27303 27302 27301 27300 27299 27298 27297

31-92 31-91

安弘内、武
安武、弘内
安武、弘内
安弘内、武

安弘、武内

安弘内、武
安弘、武内
安武内、弘
安、弘武内
安武内、弘

安武内、弘
安弘、武内
安弘、武内
安武内、弘

安、弘武内

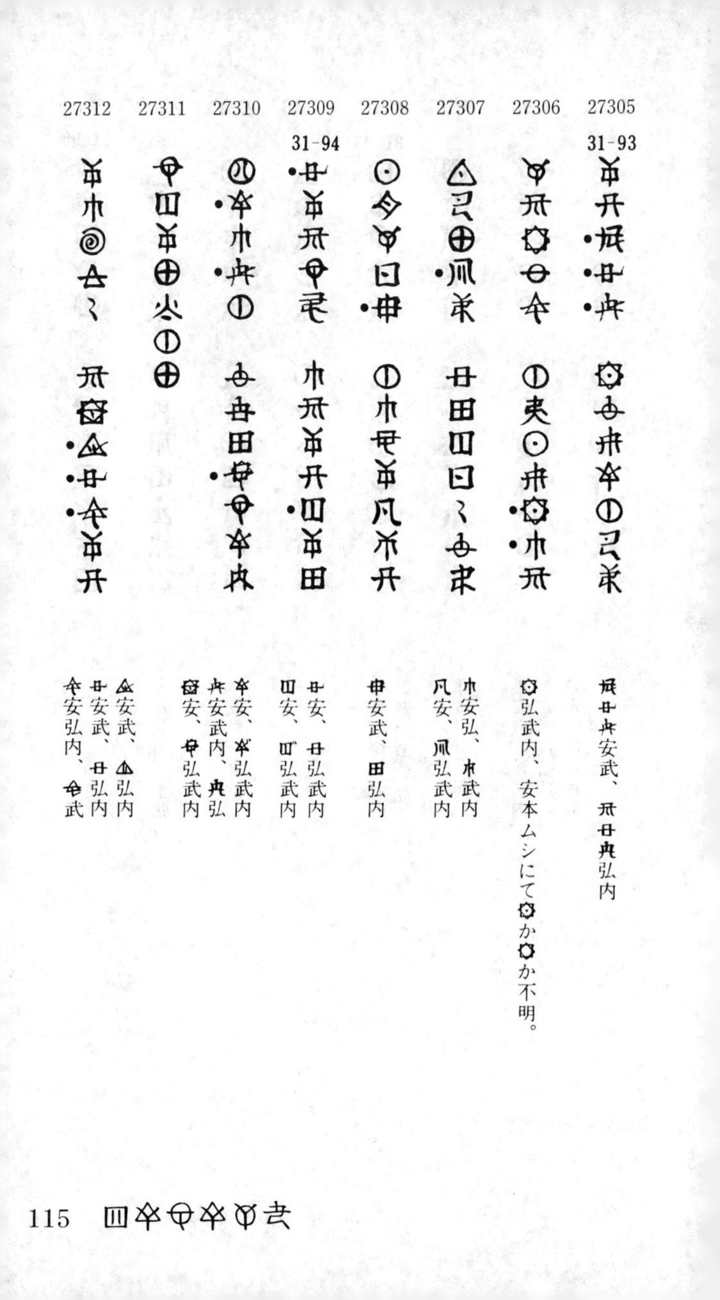

27305 31-93

〓〓〓安武、〓〓〓弘内

27306

〓弘武内、安本ムシにて〓か〓か不明。

27307

〓安弘、〓武内
〓安、〓弘武内

27308

〓安武、〓弘内

27309 31-94

〓安、〓弘武内
〓安、〓弘武内

27310

〓安、〓弘武内
〓安武内、〓弘
〓安、〓弘武内

27311

27312

〓安武、〓弘内
〓安武、〓弘内
〓安弘内、〓武

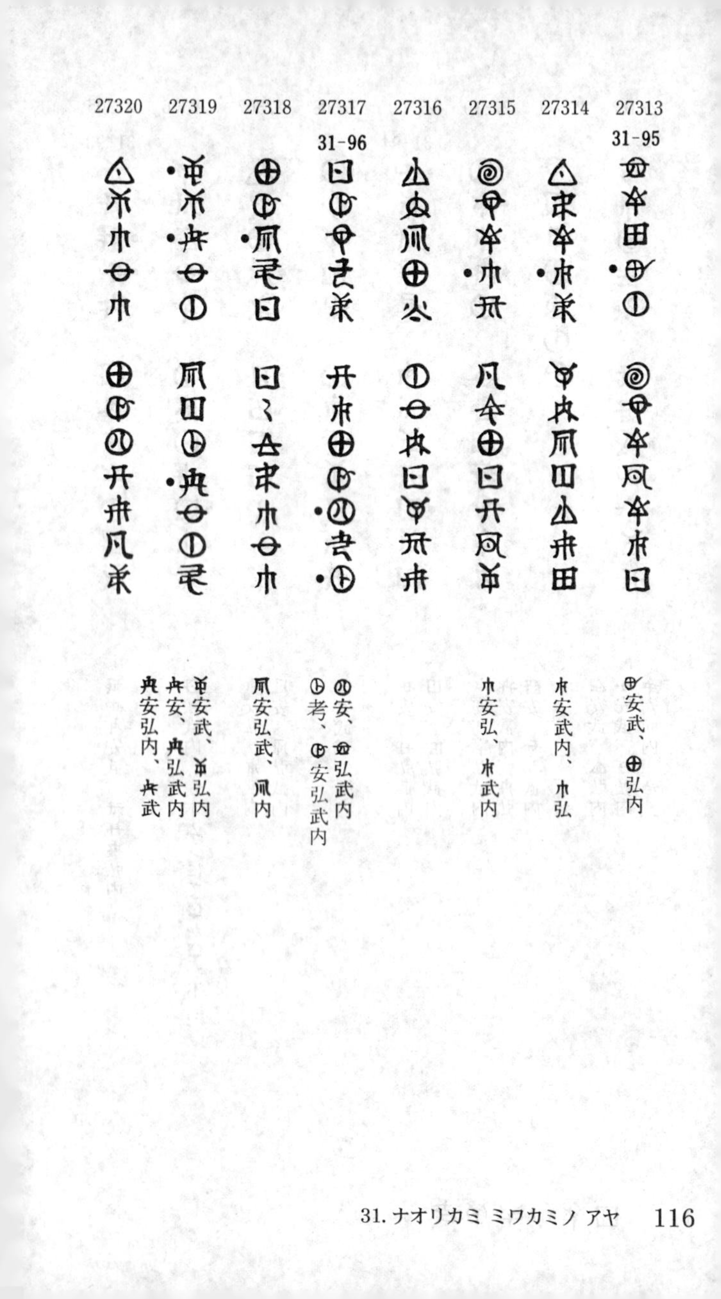

27313 31-95

安武、弘内

27314

安武内、弘

27315

安弘、武内

27316

27317 31-96

安、弘武内

考、安弘武内

27318

安弘武、内

27319

安武、弘内

安、弘武内

安弘内、武

27320

27321 31-97

27322

27323

27324

27325 31-98

27326

27327

27328

安、弘武内

安武、弘内

安武内、弘

安、弘武内

安武内、弘

安弘、武内

安、弘武内

安武内、弘

安弘、武内

安、弘武内

安、弘武内

安、弘武内

安武、弘内

安武内、弘

安弘、武内

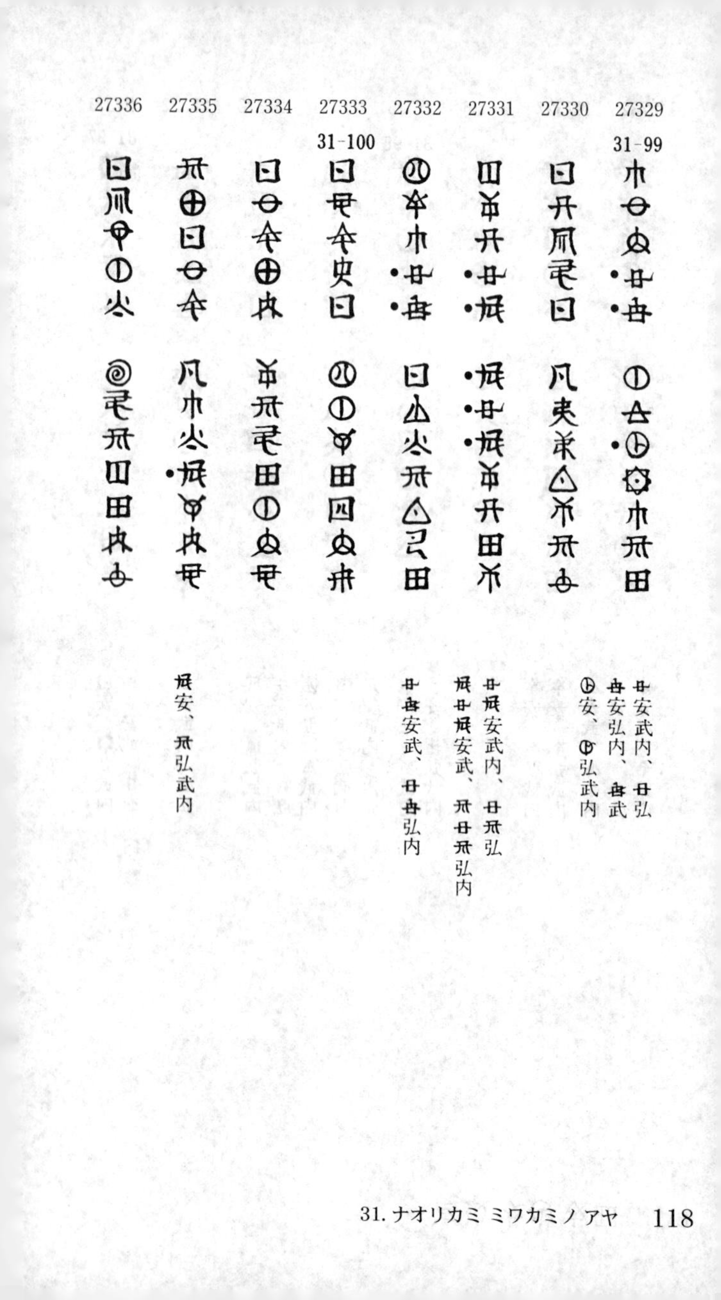

27329 31-99
〓〓〓・〓・〓 〓〓・〓〓〓〓〓

〓安武内、〓弘
〓安弘内、〓武

27330
〓〓〓〓〓 〓〓〓〓〓〓〓

〓安、〓弘武内

27331
〓〓〓・〓・〓 ・〓・〓・〓〓〓〓〓

〓〓安武内、〓〓弘
〓〓〓安武、〓〓〓弘内

27332
〓〓〓・〓・〓 〓〓〓〓〓〓〓

〓〓安武、〓〓弘内

27333 31-100
〓〓〓〓〓 〓〓〓〓〓〓〓

27334
〓〓〓〓〓 〓〓〓〓〓〓〓

27335
〓〓〓〓〓 〓〓〓・〓〓〓〓

〓安、〓弘武内

27336
〓〓〓〓〓 〓〓〓〓〓〓〓

27337 31-101

27338

27339

27340

27341 31-102

27342

27343

27344

[illegible]安武内、[illegible]弘
[illegible]安、[illegible]弘武内

[illegible]安、[illegible]弘武内
[illegible]安武、[illegible]弘内
[illegible]安、[illegible]弘武内
[illegible]安武内、[illegible]弘
[illegible]安武内、[illegible]弘
[illegible]安武内、[illegible]弘
[illegible]安弘内、[illegible]武
[illegible]安、[illegible]弘武内
[illegible]安、[illegible]弘武内
[illegible]安、[illegible]弘武内
[illegible]安武、[illegible]弘内
[illegible]安、[illegible]弘武内

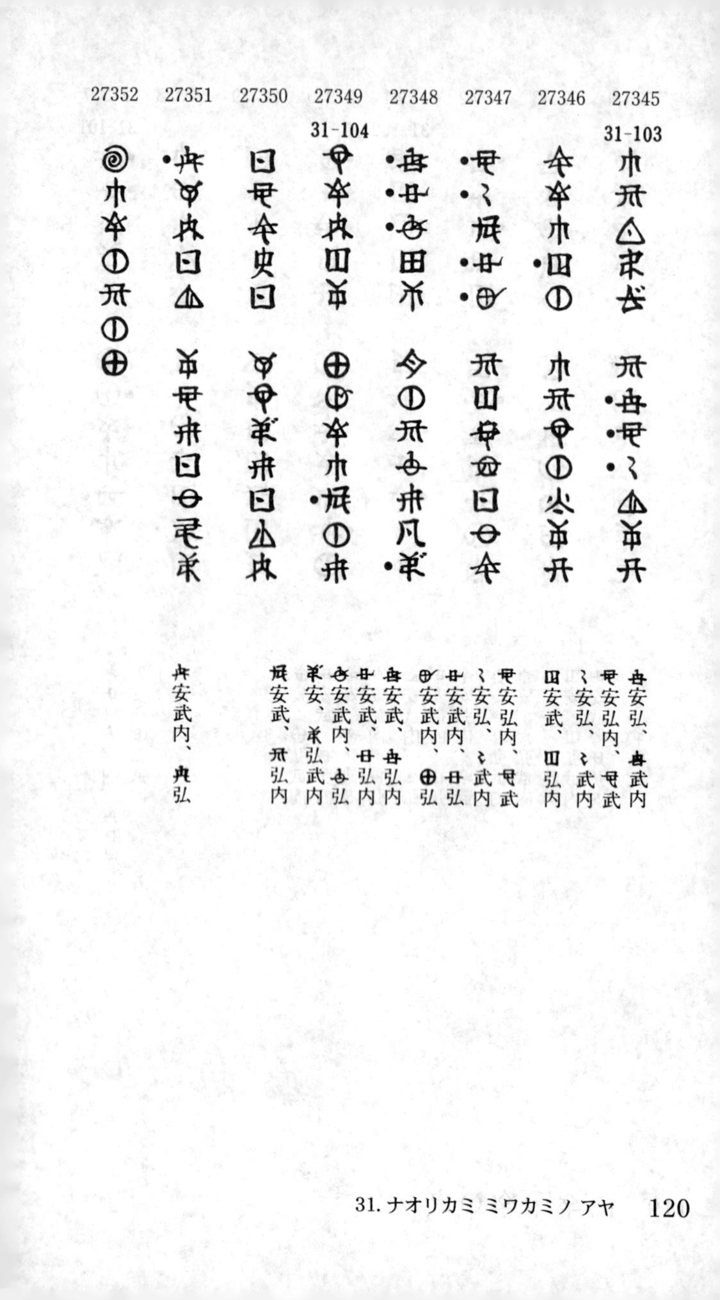

27345 27346 27347 27348 27349 27350 27351 27352

31-103

31-104

安弘、武内
安弘内、武
安弘、武内
安武、弘内
安弘内、武
安弘、武内
安武内、弘
安武内、弘
安武、弘内
安武、弘内
安武内、弘
安、弘武内
安武、弘内
安武内、弘

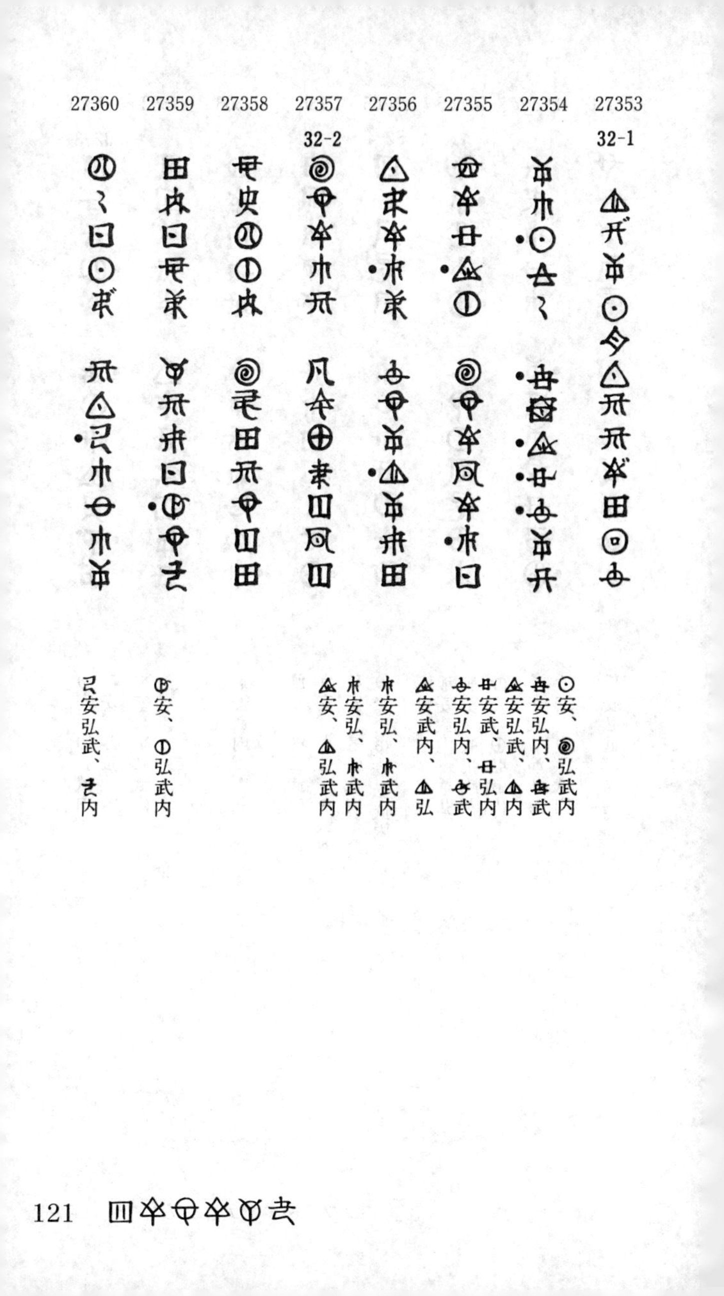

27353 32-1

27354

27355

27356

27357 32-2

27358

27359

27360

⊙安、◎弘武内
安弘内、武
安弘武、内
安武、弘内
安弘内、武
安武内、弘
安弘、武内
安弘、武内
安、弘武内

安、弘武内

安弘武、内

27361
32-3
〓〓〓・〓〓
・〓〓〓〓〓〓・〓〓

〓安、〓弘武内
〓安、〓弘武内

27362
〓〓〓〓〓
〓〓〓〓〓〓〓〓

〓安、〓弘武内

27363
〓〓〓〓〓
〓〓〓〓〓〓・〓

〓安武内、〓弘

27364
〓・〓〓〓〓
〓・〓〓〓〓・〓・〓

〓安、〓弘武内
〓安、〓弘、〓武内

27365
32-4
〓〓〓〓〓
〓〓〓〓〓〓〓

〓安、〓弘武内
〓考、〓安弘武内

27366
・〓・〓〓〓・〓
〓〓〓〓〓〓〓

〓安武内、〓弘
〓安、〓弘武内
〓安、〓弘武内

27367
〓〓〓〓〓
・〓〓〓〓〓〓・〓

〓安武、〓弘内
〓安、〓弘武内

27368
〓〓〓・〓〓
〓〓〓〓〓〓〓

〓安弘武、〓内

27369 32-5

安、弘武内
安弘内、武

27370

安、弘武内

27371

安、弘武内

27372

考、安弘武内

27373 32-6

安、弘武内
安、弘武内

27374

安、弘武内

27375

27376

安、弘武内
安武内、弘

27377 32-7

27378

安武、弘内
安武内、弘
安、弘武内
安武、弘内

27379

27380

27381 32-8

27382

安武、弘内
安武内、弘

27383

27384

安、弘、武内

27385
32-9
〓〓〓〓〓 〓〓〓〓〓〓〓
〓安弘内、〓武
〓安武内、〓弘
〓安武内、〓弘
〓安武内、〓弘

27386
〓〓〓〓〓 〓〓〓〓〓〓〓
〓考、〓安、〓弘武内

27387
〓〓〓〓〓 〓〓〓〓〓〓〓
〓安、〓弘、〓武内
〓安武、〓弘内

27388
〓〓〓〓〓 〓〓〓〓〓〓〓
〓安、〓弘武内
〓安、〓弘武内

27389
32-10
〓〓〓〓〓 〓〓〓〓〓〓〓

27390
〓〓〓〓〓 〓〓〓〓〓〓〓
〓安、〓弘武内

27391
〓〓〓〓〓 〓〓〓〓〓〓〓
〓安、〓弘武内

27392
〓〓〓〓〓 〓〓〓〓〓〓〓
〓安、〓弘武内

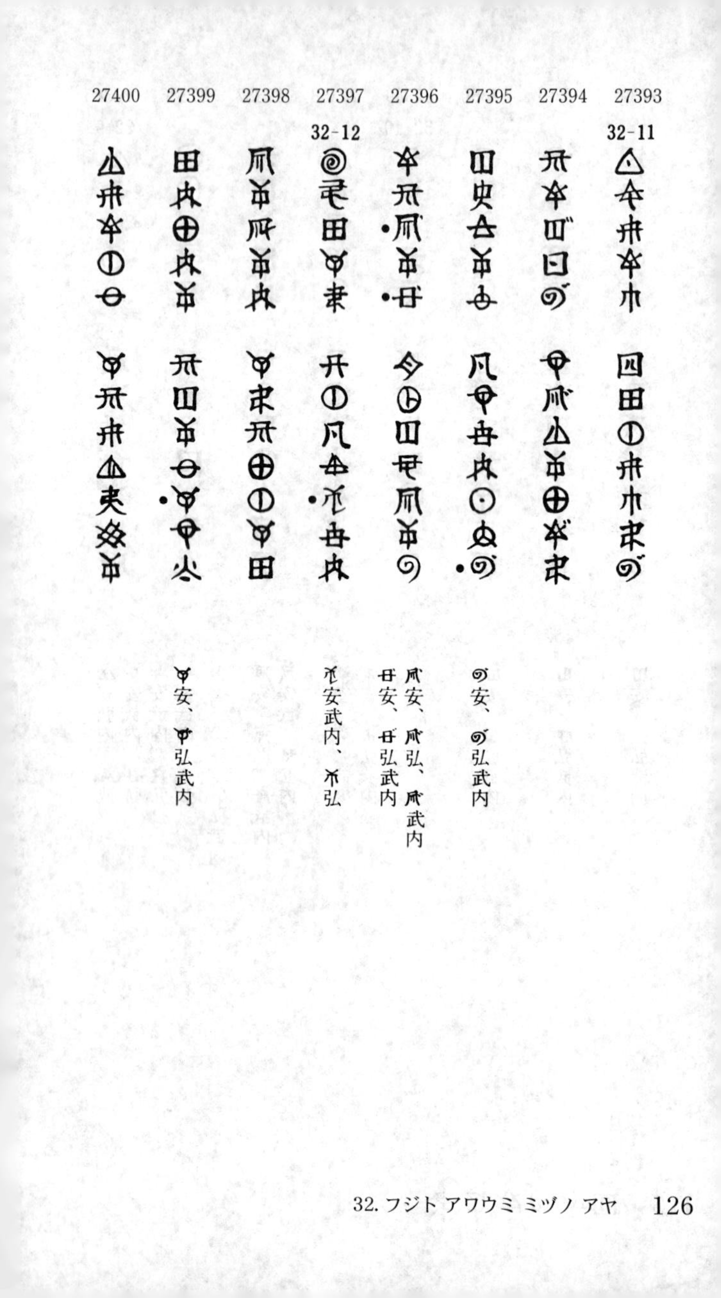

27393 32-11

27394

27395

安、弘武内

27396

安、弘、武内

安、弘武内

27397 32-12

安武内、弘

27398

27399

安、弘武内

27400

27408	27407	27406	27405	27404	27403	27402	27401
			32-14				32-13

[illegible]安武内、[illegible]弘
[illegible]安武、[illegible]弘内

[illegible]安、[illegible]弘武内
[illegible]安、[illegible]弘武内
[illegible]安武内、[illegible]弘
[illegible]安内、[illegible]弘武

27409 32-15

安、弘武内

安、弘武内

27410

27411

安、弘武内

27412

27413 32-16

安武、弘内

27414

安、弘武内

27415

27416

安武内、弘

27424	27423	27422	27421	27420	27419	27418	27417
			32-18				32-17

27418: 安、弘武内

27418: 安武、弘内

27418: 安、弘武内

27419: 安武内、弘

27419: 安内、弘武

27419: 安弘、武内

27420: 安、弘武内

27422: 安、弘武内

27424: 安、弘武内

27424: 安、弘、武内

27425 32-19

27426

27427

27428

27429 32-20

27430

27431

27432

安、弘武内

安、弘武内

安、弘武内

安、弘武内

安、弘武内

27433 32-21

27434

27435

27436

27437 32-22

27438

27439

27440

27433: ⊙安、⊡弘武内

27434: 安武内、弘

27436: ⊙安武内、⊡弘

27437: 安弘内、武 *安弘内、武

27438: 安、弘武内

27441
32-23

27442

27443

27444

27445
32-24

安弘内、武

27446

27447

27448

安、弘武内

27449 32-25

27450

27451
安弘、武内

27452
安弘、武内

27453 32-26
安、弘武内

27454
安弘内、武

27455
安弘、武内

27456
安、弘武内

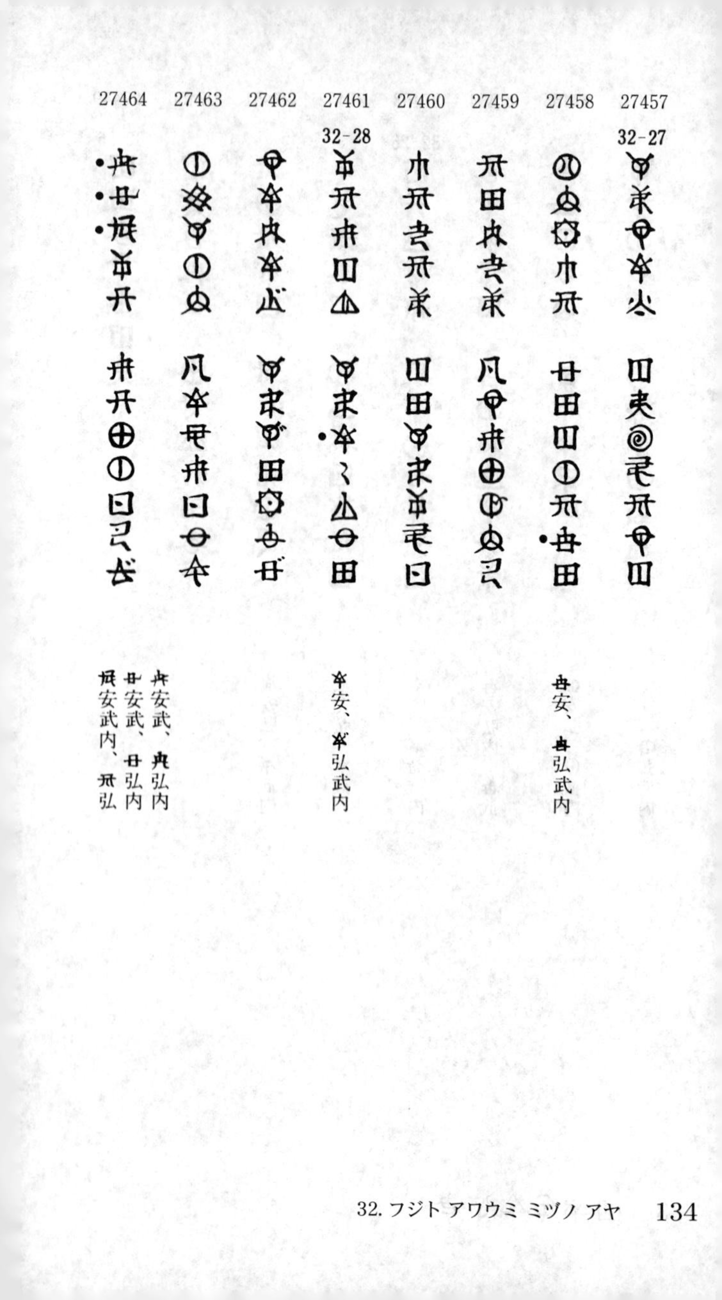

27457 32-27

27458

[glyph]安、[glyph]弘武内

27459

27460

27461 32-28

[glyph]安、[glyph]弘武内

27462

27463

27464

[glyph]安武、[glyph]弘内
[glyph]安武、[glyph]弘内
[glyph]安武内、[glyph]弘

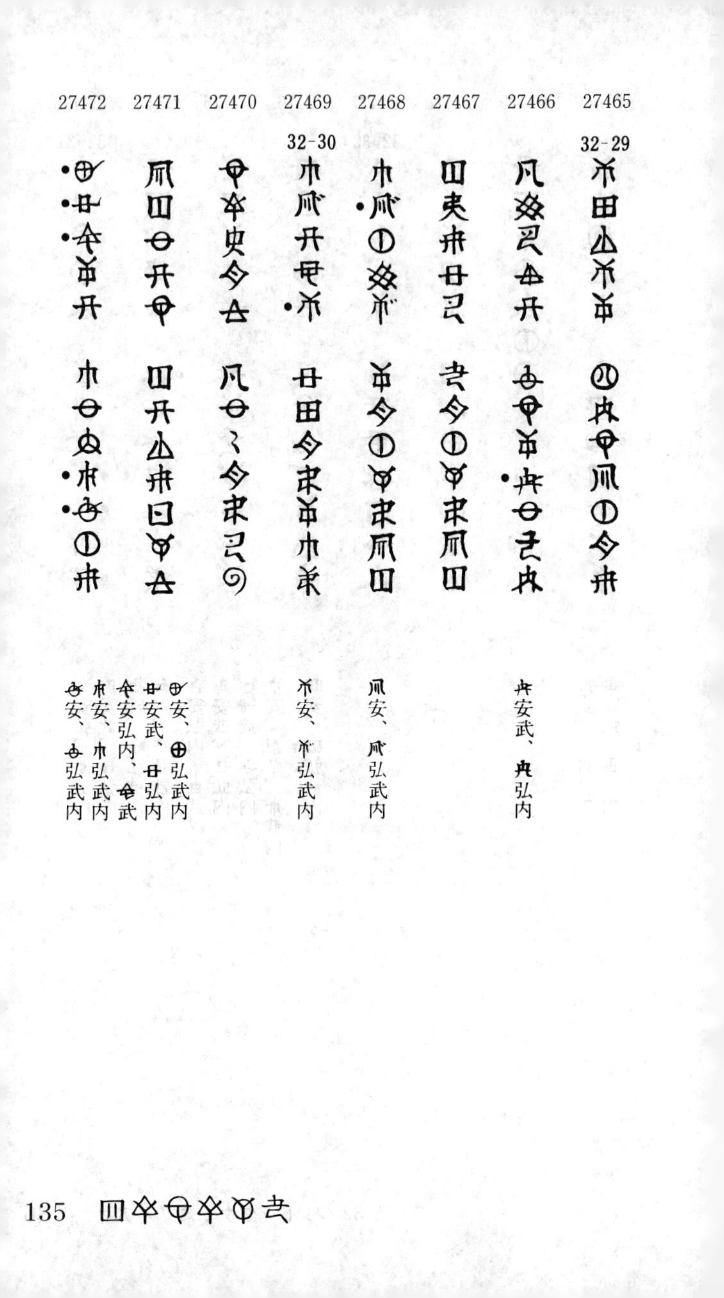

27465 32-29

27466

安武、弘内

27467

27468

安、弘武内

27469 32-30

安、弘武内

27470

27471

安、弘武内

安武、弘内

27472

安弘内、武

安、弘武内

安、弘武内

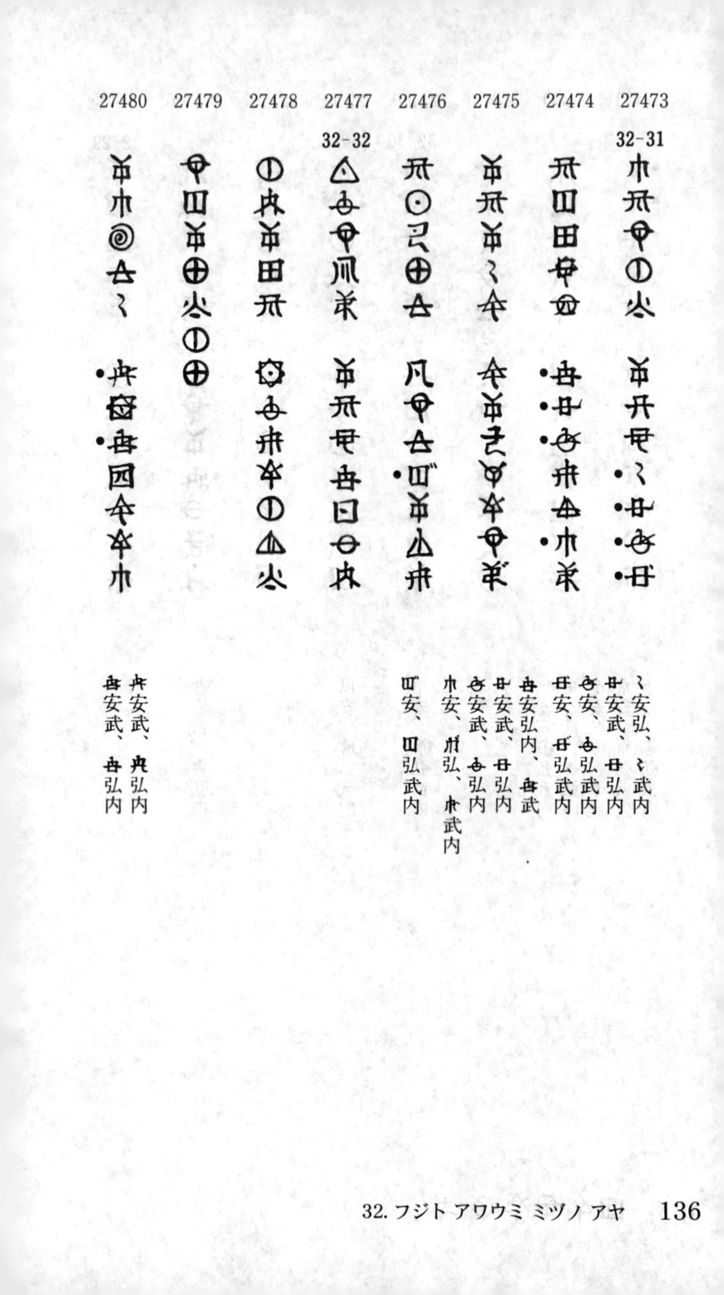

27473 32-31

27474

27475

27476

27477 32-32

27478

27479

27480

安弘、武内
安武、弘内
安、弘武内
安、弘武内
安弘内、武
安武、弘内
安武、弘内
安、弘、武内
安、弘武内

安武、弘内
安武、弘内

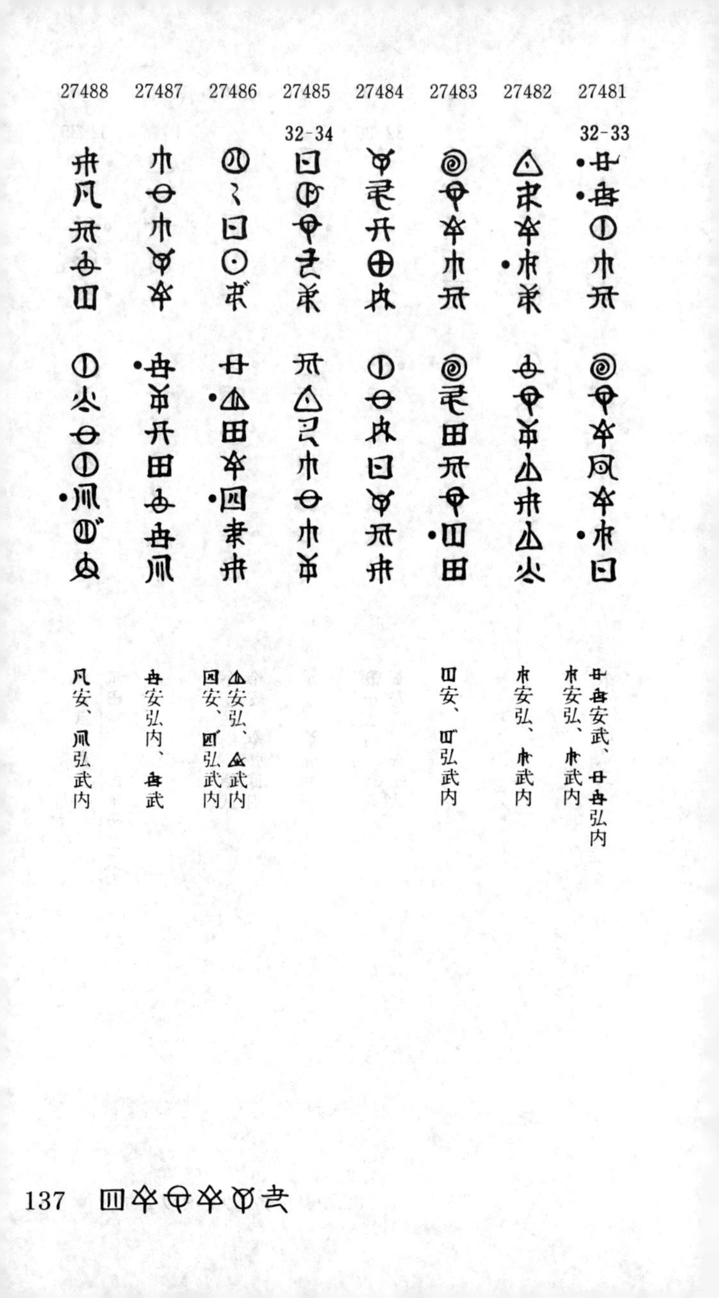

27481 32-33

安武、弘内

安弘、武内

27482

安弘、武内

27483

安、弘武内

27484

27485 32-34

27486

安弘、武内

安、弘武内

27487

安弘内、武

27488

安、弘武内

27489

32-35

安武、弘内

安、弘武内

27490

27491

安弘内、武

安、弘武内

27492

安、弘武内

27493

32-36

安弘内、武

安内、弘武

27494

27495

27496

安、弘武内

27497 32-37

27498

27499

□安武、□弘内

□安武、□弘内

□安武内、□弘

27500

□安、□弘、□武内

27501 32-38

□安、□弘武内

□安、□弘武内

27502

27503

□安弘武、□内

27504

27505
32-39
＊

27506
＊〈弘・武・内 異文〉

27507

27508

27509

27510

27511

27512

27513
32-40

安、 弘武内

→ 弘、 武内

弘内、 武

弘内、 武

弘、 武内

弘、 武内

27514

安弘、 武内

27515

安、 弘武内

安、 弘武内

27516

安、 弘武内

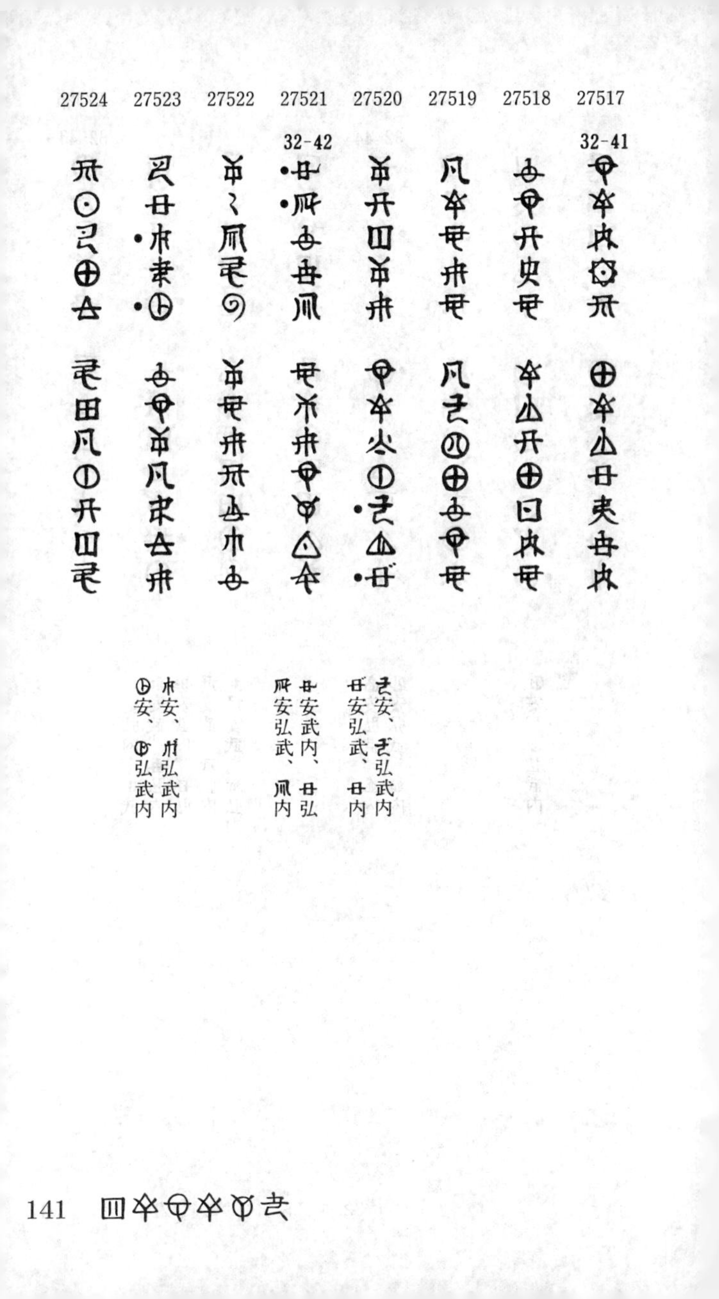

27517

32-41

27518

27519

27520

[illegible]安、[illegible]弘武内
[illegible]安弘武、[illegible]内

27521

32-42

[illegible]安武内、[illegible]弘
[illegible]安弘武、[illegible]内

27522

27523

[illegible]安、[illegible]弘武内
[illegible]安、[illegible]弘武内

27524

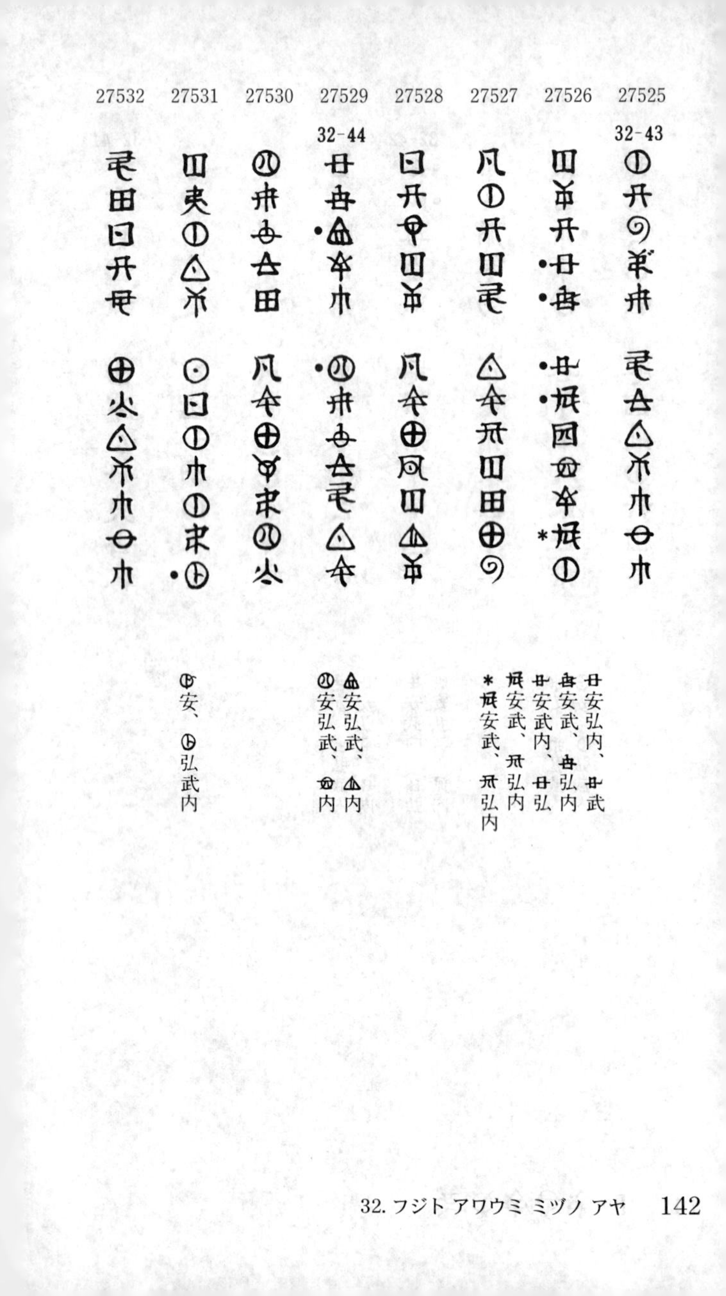

27525 32-43

27526

27527

27528

27529 32-44

27530

27531

27532

安弘内、武

安武、弘内

安武内、弘

安武、弘内

*安武、弘内

安弘武、内

安弘武、内

安、弘武内

27533 32-45

27534

27535

27536

27537 32-46

27538

27539

27540

[illegible]安弘武、[illegible]内
[illegible]安武内、[illegible]弘
*[illegible]安武、[illegible]弘内
[illegible]安武内、[illegible]弘
*[illegible]安武、[illegible]弘内
**[illegible]安、[illegible]弘武内
[illegible]安、[illegible]弘、[illegible]武内
[illegible]安弘、[illegible]武内
[illegible]安、[illegible]弘武内

[illegible]安、[illegible]弘武内
[illegible]安、[illegible]弘武内

[illegible]安弘内、[illegible]武
[illegible]安、[illegible]弘武内
[illegible]安武内、[illegible]弘
[illegible]安武、[illegible]弘内
[illegible]安、[illegible]弘、[illegible]武内

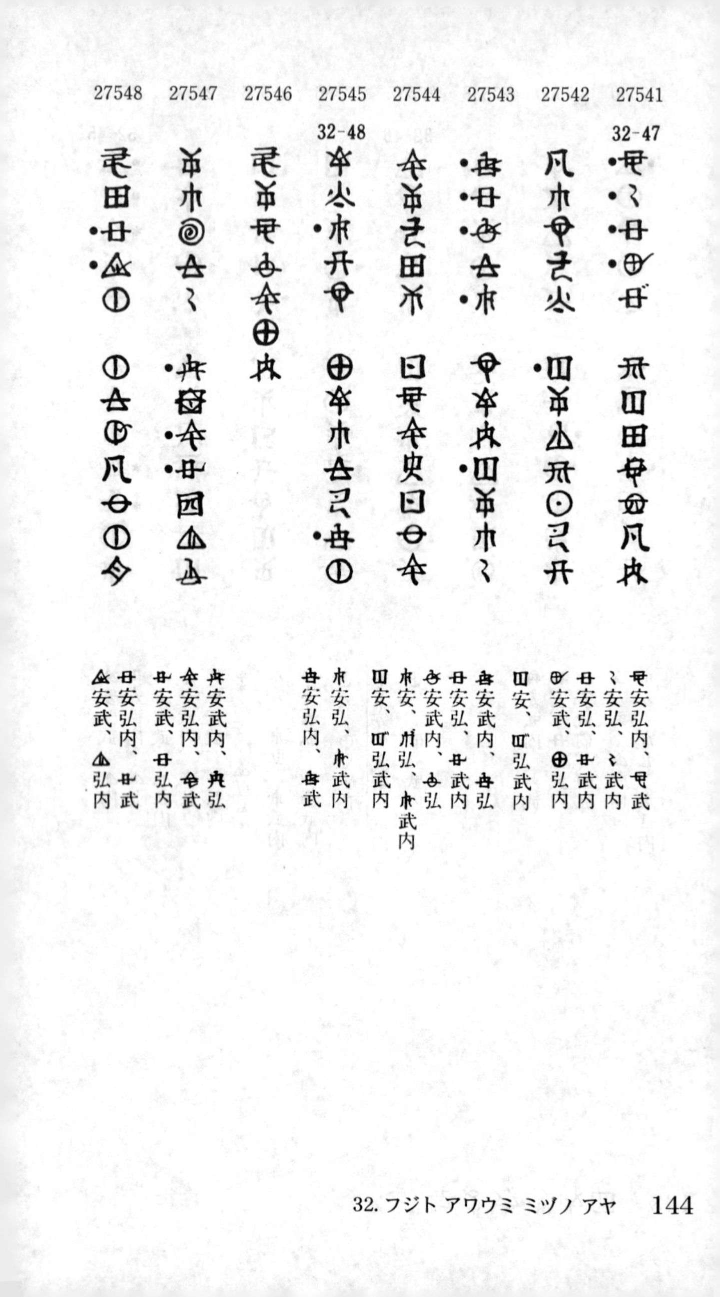

27541 32-47

安弘内、武
安弘、武内

27542

安武、弘内
安弘、武内

27543

安、弘武内
安武内、弘
安弘、武内

27544

安、弘、弘
武内
安、弘武内

27545 32-48

安弘、武内
安弘内、武

27546

27547

安武内、弘
安弘内、武
安武、弘内

27548

安弘内、武
安武、弘内

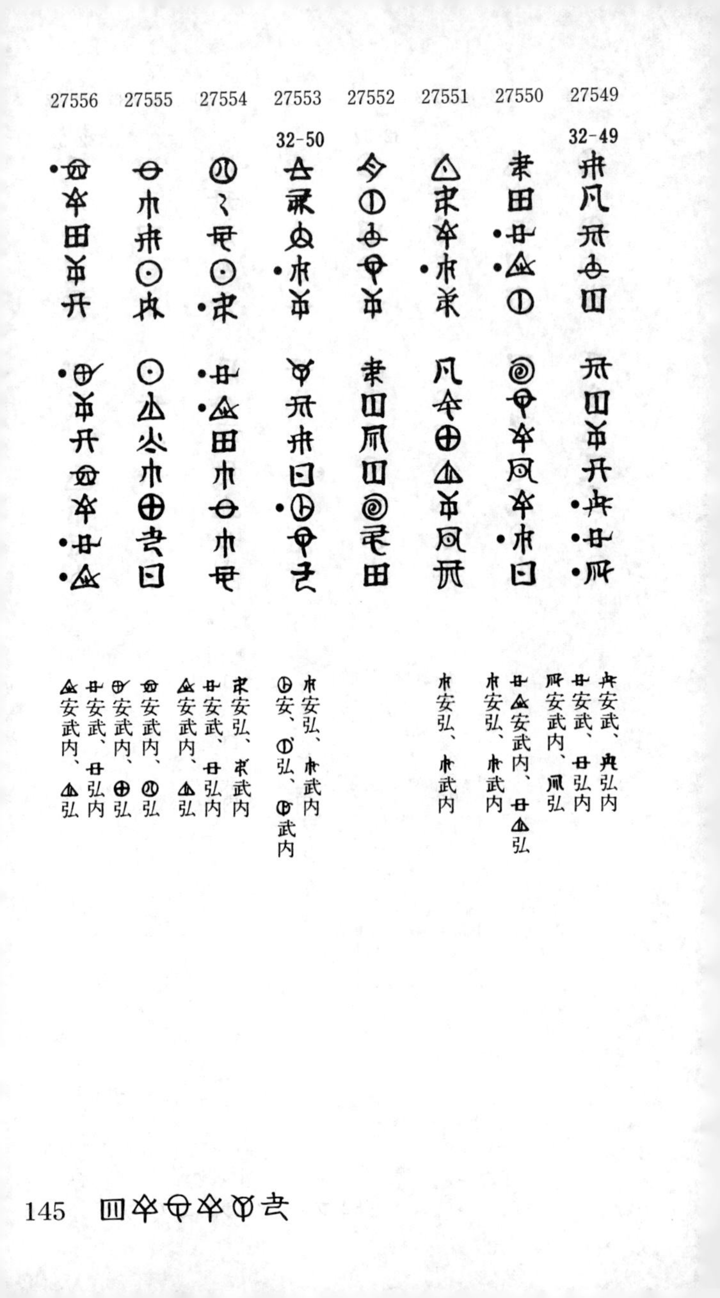

27549	27550	27551	27552	27553	27554	27555	27556
32-49				32-50			

27549: [illegible]安武、[illegible]弘内 / [illegible]安武、[illegible]弘内 / [illegible]安武内、[illegible]弘

27550: [illegible][illegible]安武内、[illegible][illegible]弘 / [illegible]安弘、[illegible]武内

27551: [illegible]安弘、[illegible]武内

27553: [illegible]安弘、[illegible]武内 / [illegible]安、[illegible]弘、[illegible]武内

27554: [illegible]安弘、[illegible]武内 / [illegible]安武、[illegible]弘内 / [illegible]安武内、[illegible]弘

27555: [illegible]安武内、[illegible]弘

27556: [illegible]安武内、[illegible]弘 / [illegible]安武、[illegible]弘内 / [illegible]安武内、[illegible]弘

27557 27558 27559 27560 27561 27562 27563 27564

32-51

32-52

安、弘武内

安武、弘内

安弘、武内

27565

32-53

[glyph]安弘、[glyph]武内

27566

27567

27568

[glyph]安、[glyph]弘武内

27569

32-54

[glyph]安武、[glyph]弘内

27570

27571

27572

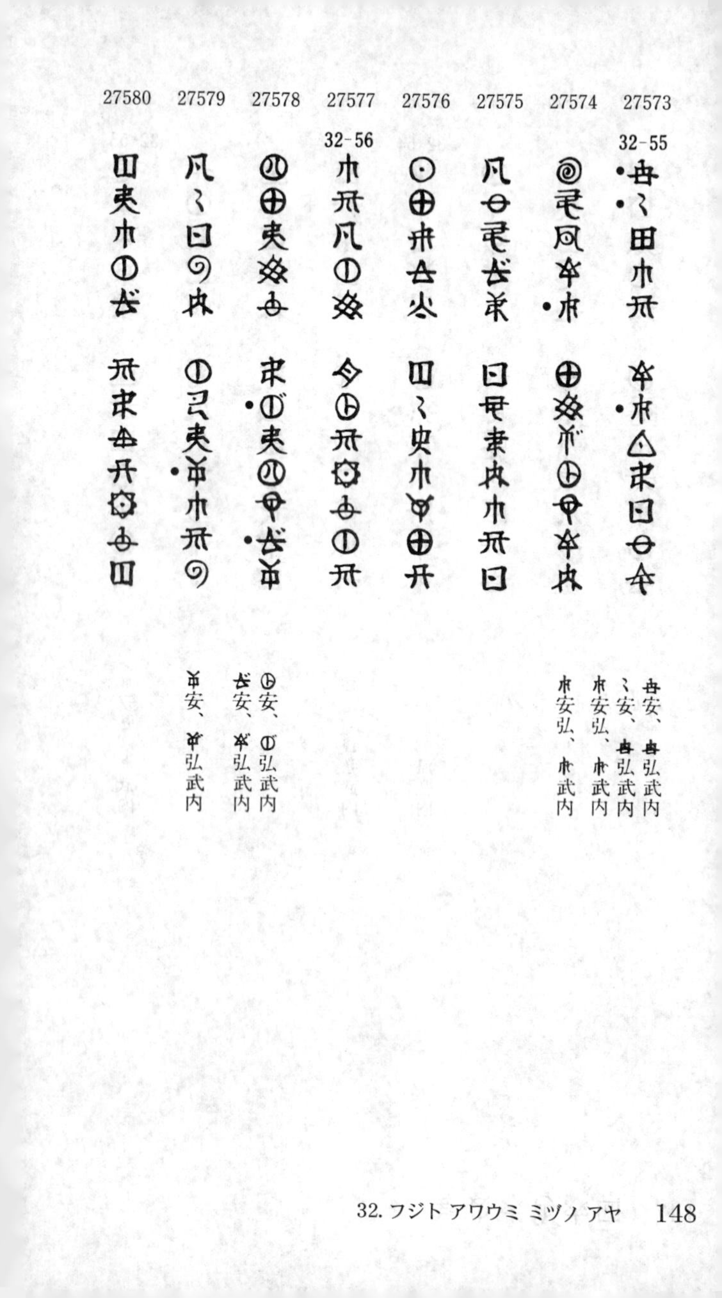

27573

32-55

27574

27575

27576

27577

32-56

27578

27579

27580

安、弘武内

安、弘武内

安弘、武内

安弘、武内

安、弘武内

安、弘武内

安、弘武内

27581
32-57

安、弘武内
安武、弘内
安武内、弘

27582

安、弘、武内
安、弘武内

27583

安、弘武内

27584

安弘内、武
安、弘武内
安、弘武内

27585
32-58

安、弘武内

27586

安武内、弘
安武、弘内

27587

27588

安武内、弘

27589 (32-59)

安弘内、武
安武、弘内

27590

安、弘武内
安内、弘武

27591

安、弘武内
安弘、武内

27592

安武、弘内
安武内、弘
安武、弘内

27593 (32-60)

27594

安武内、弘

27595

27596

安武、弘内
安弘、武内
安武内、弘

27597 32-61

安、弘、武内
安、弘武内

27598

安弘、武内
安弘内、武

27599

安、弘武内
安武内、弘
安武、弘内

27600

安武内、弘

27601 32-62

安弘内、武
安弘内、武
安弘、武内

27602

安、弘武内

27603

安、弘武内

27604

安、弘武内

27605 (33-1)

27606

27607

27608

27609 (33-2)

27610

27611

27612

□安、□弘武内

□安、□弘武内

□安武、□弘内

□安武内、□弘

□安、□弘武内

□安武内、□弘

□安、□弘武内

□考、□安弘武内

□安弘内、□武

□安武内、□弘

□考、□安表弘武内

□□安武、□□弘内

□安弘内、□武

□安、□弘武内

□安武、□弘内

□安弘、□武内

□安武内、□弘

□安、□弘武内

□安、□弘武内

27613 33-3

27614

安武内、弘
安弘内、武

27615

安武内、弘

27616

安、弘、武内

27617 33-4

安、弘武内
考、安弘武内

27618

安武、弘内

27619

考、安弘武内

27620

27621
33-5
考、安弘武内

27622

27623
安、弘武内
安、弘武内

27624
安、弘武内

27625
33-6
安、弘武内

27626
安、弘武内

27627
安弘、武内
安、弘武内

27628
安、弘武内
安弘、武内

27636 27635 27634 27633 27632 27631 27630 27629

33-8 (27633) 33-7 (27629)

安弘内、武

*安弘内、武

安弘、武内

安、弘武内

安弘内、武

安弘、武内

安弘内、武

安武内、弘

安武、弘内

27637

33-9

安、弘武内

安、弘、武内

27638

安、弘武内

27639

27640

27641

33-10

安、弘武内

27642

27643

27644

安弘、武内

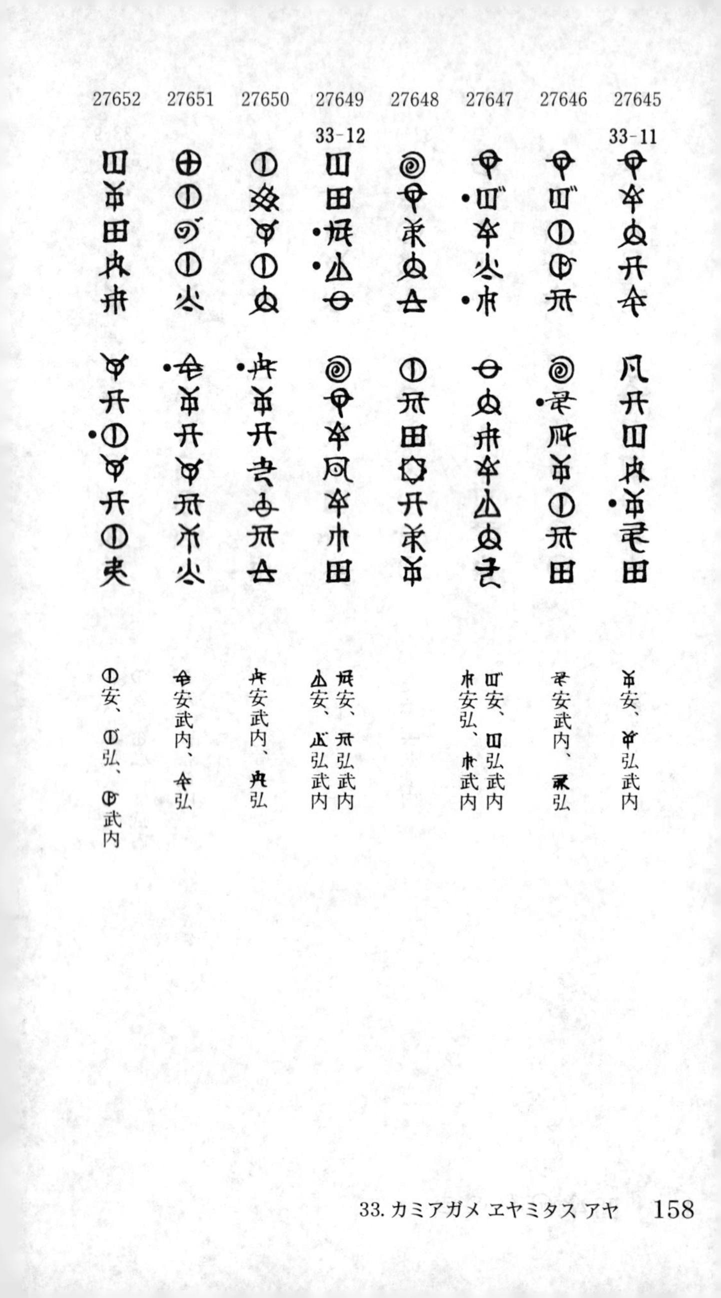

27645 33-11

安、弘武内

27646

安武内、弘

27647

安、弘武内
安弘、武内

27648

27649 33-12

安、弘武内
安、弘武内

27650

安武内、弘

27651

安武内、弘

27652

安、弘、武内

27653
33-13

27654

安武、弘内

27655

27656

安、弘武内

27657
33-14

27658

27659

27660

27661
33-15

27662

安、弘、武内

27663

安弘内、武

安弘内、武

27664

27665
33-16

安、弘武内

27666

安弘、武内

27667

安、弘武内

安弘武、内

27668

27669

33-17

安武内、弘

27670

27671

安、弘武内
安、タテ棒なし弘武内
安、弘武内

27672

27673

33-18

安、弘武内
安、弘武内

27674

27675

27676

27677

33-19

27678

27679

安、弘武内 / 安弘、武内

27680

27681

33-20

27682

安、弘武内

27683

安、弘武内

27684

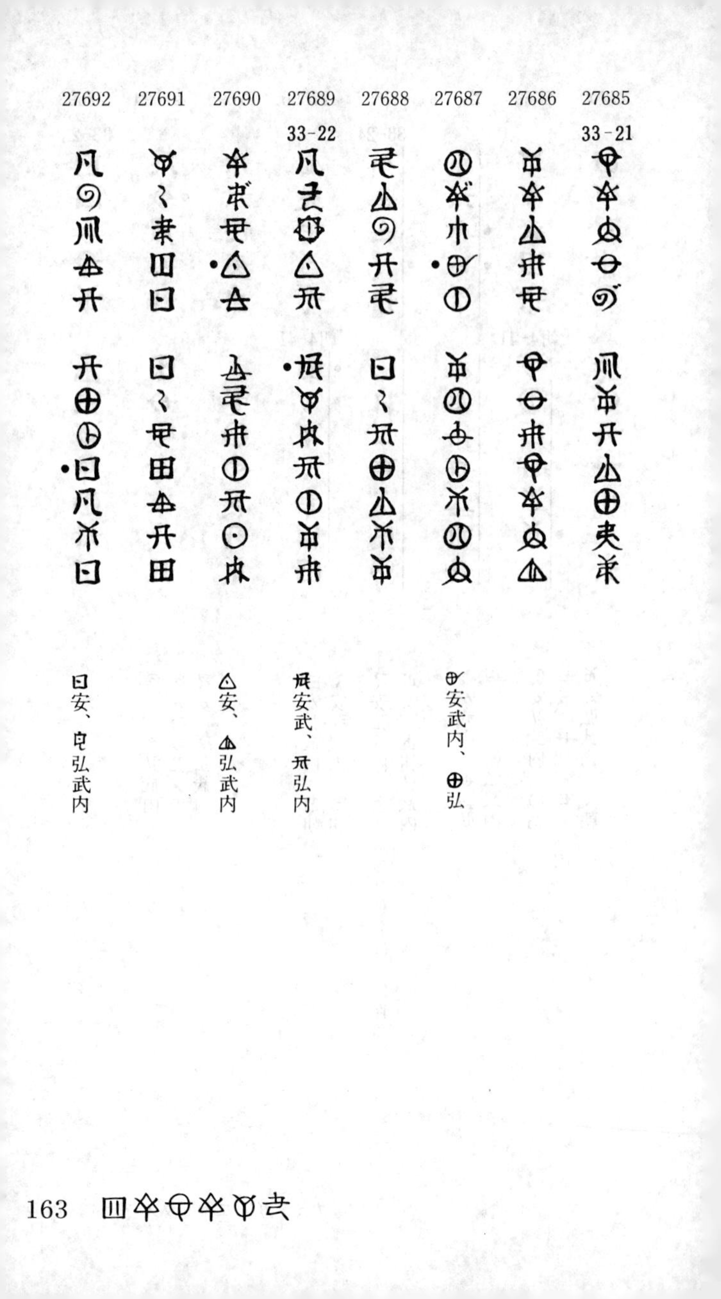

27685
33-21

27686

27687
[illegible]安武内、[illegible]弘

27688

27689
33-22
[illegible]安武、[illegible]弘内

27690
[illegible]安、[illegible]弘武内

27691

27692
[illegible]安、[illegible]弘武内

〓安、〓弘武内
〓安、〓弘武内
〓安、〓弘武内

〓安弘武内、〓朝
〓安弘武内、〓朝

〓安弘武内、〓朝（振り仮名はヱに作る）
〓安、〓朝弘武内

〓安武内、〓朝弘
〓安、〓朝弘武内

〓安弘武内、〓朝
〓安、〓朝、〓弘武内
〓安弘武内、〓朝

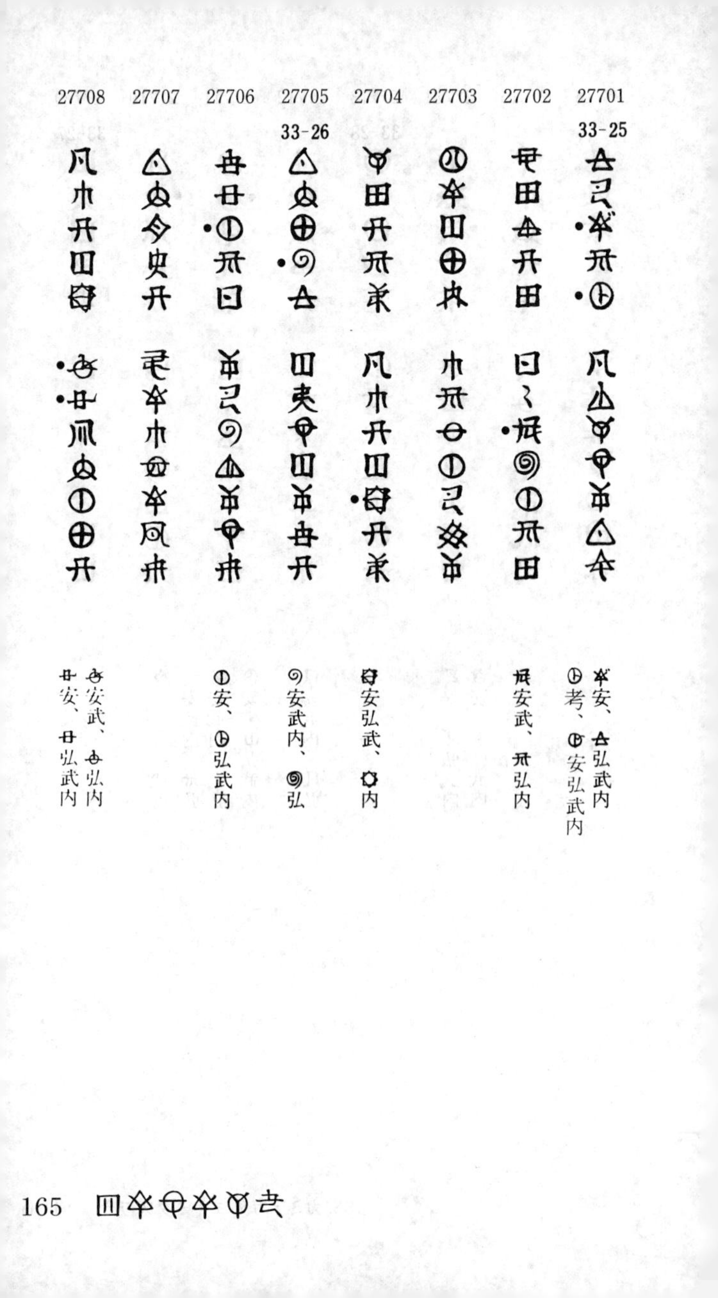

27701	27702	27703	27704	27705	27706	27707	27708
33-25				33-26			

〓安、〓弘武内
〓考、〓安弘武内

〓安武、〓弘内

〓安弘武、〓内

〓安武内、〓弘

〓安、〓弘武内

〓安武、〓弘内
〓安、〓弘武内

27709

33-27

〓〓〓〓〓 〓〓〓〓〓〓〓

27710

〓〓〓〓〓 〓〓〓〓〓〓〓

27711

〓〓〓〓〓 〓〓〓〓〓〓〓

27712

〓〓〓〓〓 〓〓〓〓〓〓〓

27713

33-28

〓〓〓〓〓 〓〓〓〓〓〓〓

27714

〓〓〓〓〓 〓〓〓〓〓〓〓

27715

〓〓〓〓〓 〓〓〓〓〓〓〓

27716

〓〓〓〓〓 〓〓〓〓〓〓〓

〓安、〓弘武内

〓安武内、〓弘

〓安武内、〓弘

〓安、〓弘武内

〓安武内、〓弘

〓安、〓弘武内

〓安、〓弘武内

27728 27727 27726 27725 27723 27721 27719 27717

33-30 (27725) 33-29 (27717)

27724 27722 27720 27718

*〈弘・武・内 異文〉

安、弘武内

→ 弘武、内

弘、武内

弘内、武

弘内、武

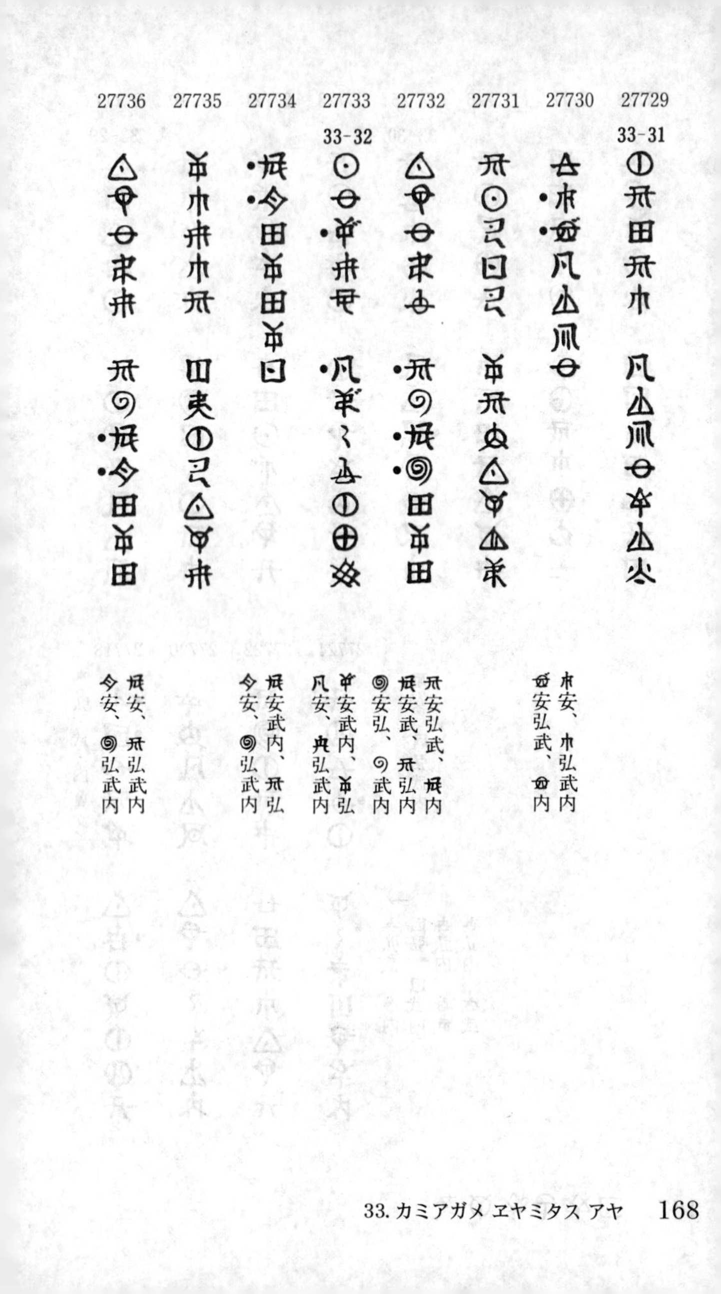

27729 33-31

27730

27731

27732

27733 33-32

27734

27735

27736

安、弘武内 / 安弘武、内

安弘武、内 / 安武、弘内 / 安弘、武内

安武内、弘 / 安、弘武内

安武内、弘 / 安、弘武内

安、弘武内 / 安、弘武内

27737 (33-33)

[illegible]

[illegible]安弘、[illegible]武内

27738

[illegible]

[illegible]安、[illegible]弘武内

27739

[illegible]

[illegible]安、[illegible]弘武内

27740

[illegible]

[illegible]安武、[illegible]弘内

[illegible]安弘、[illegible]武内

27741 (33-34)

[illegible]

27742

[illegible]

[illegible]安、[illegible]弘武内

27743

[illegible]

[illegible]安武、[illegible]弘内

27744

[illegible]

[illegible]安、[illegible]弘武内

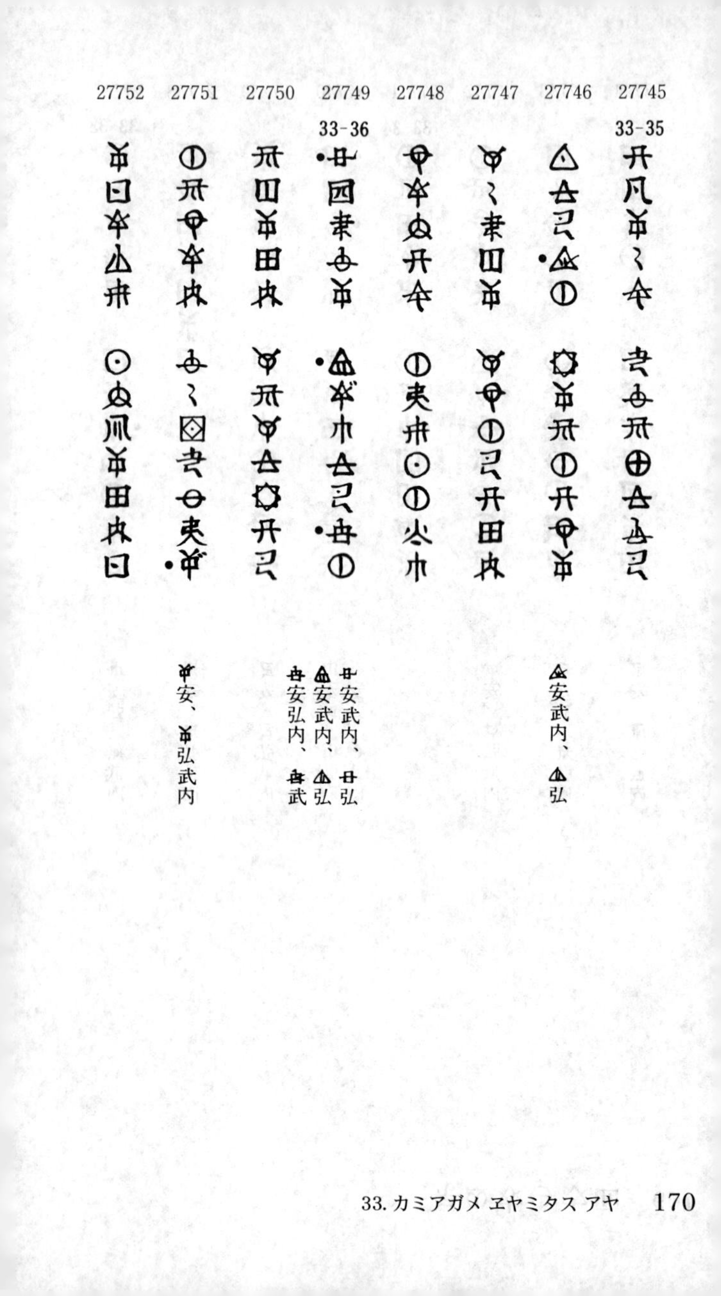

27745 33-35

27746

安武内、弘

27747

27748

27749 33-36

安武内、弘

安武内、弘

安弘内、武

27750

27751

安、弘武内

27752

27753

33-37

安弘、武内

安弘内、武

27754

27755

安武、弘内

27756

安、弘武内

安、弘武内

安、弘武内

27757

33-38

安、弘武内

安武内、弘

27758

27759

安弘武、内

27760

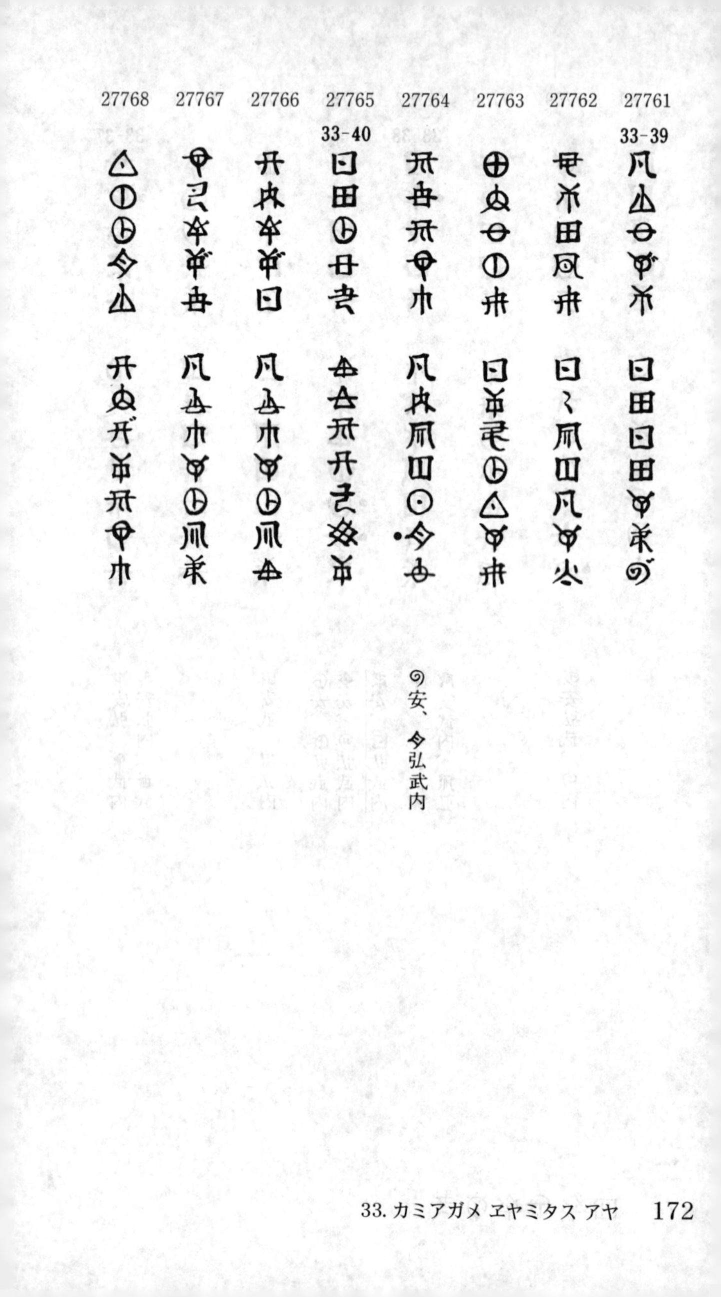

27761 33-39

27762

27763

27764

27765 33-40

27766

27767

27768

安、弘武内

27769 33-41

27770

27771

27772

27773 33-42

27774

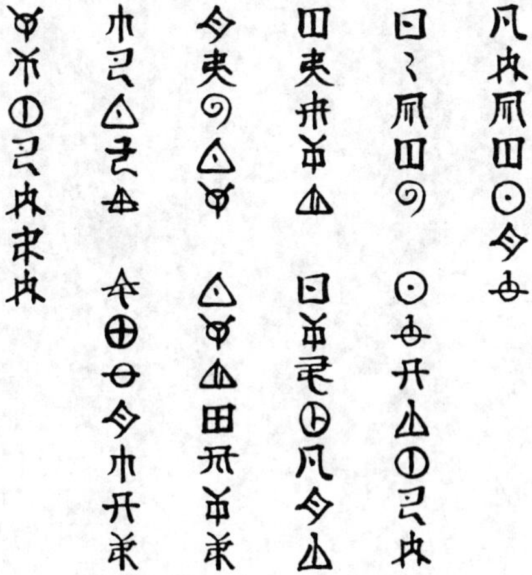

27782	27781	27780	27779	27778	27777	27776	27775
			34-2				34-1
〓安表武内、〓弘 〓安表、〓弘武内	〓安表、〓弘武内		〓安表、〓弘武内		〓安弘武内、〓表	〓安表弘、〓武内 〓安表武内、〓弘 〓安表武内、〓弘	〓安表、〓弘武内

27783

34-3

[illegible]安表、[illegible]弘武内

27784

[illegible]安表、[illegible]弘武内

27785

27786

27787

34-4

[illegible]安表、[illegible]弘武内

[illegible]安弘武内、[illegible]表

27788

27789

27790

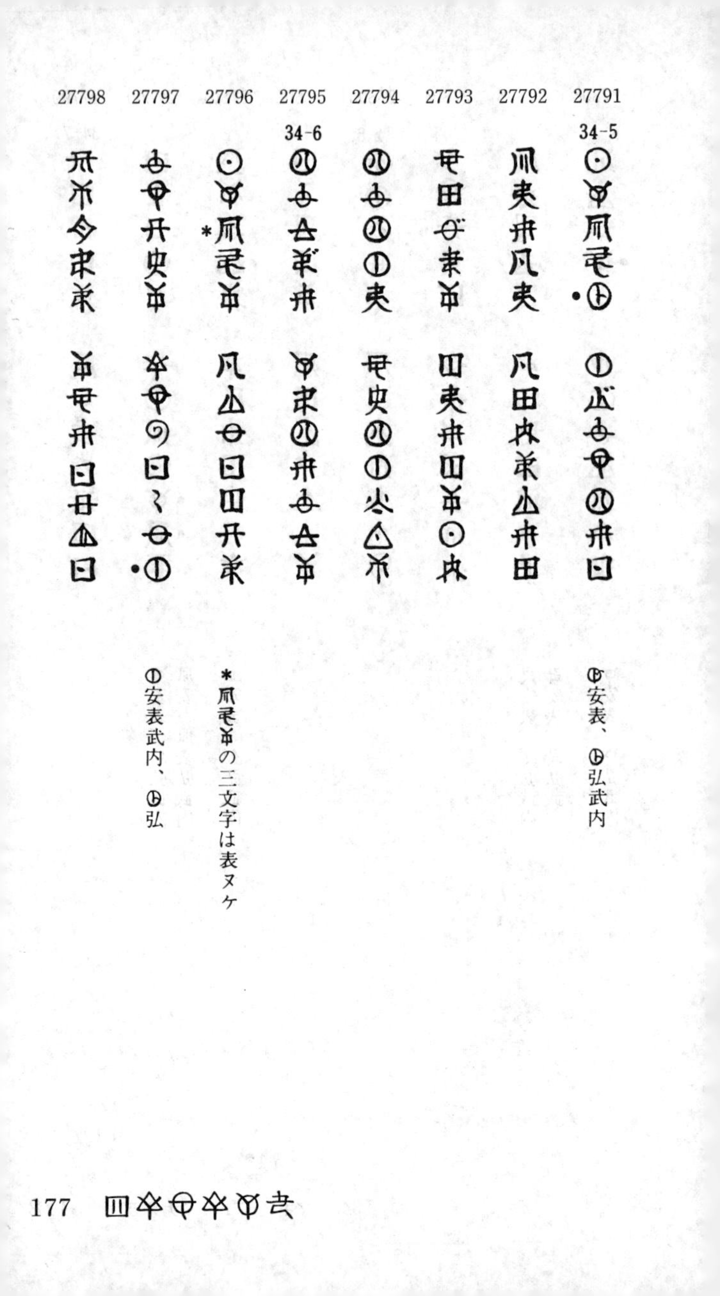

27791
34-5

安表、弘武内

27792

27793

27794

27795
34-6

27796

*の三文字は表ヌケ

27797

安表武内、弘

27798

34-7

27799

27800

〓安表、〓弘武内

〓安、〓表弘武内

27801

〓安表、〓弘武内

27802

34-8

27803

27804

27805

〓安表、〓弘武内

〓安表、〓弘武内

27806

〓安表、〓弘武内

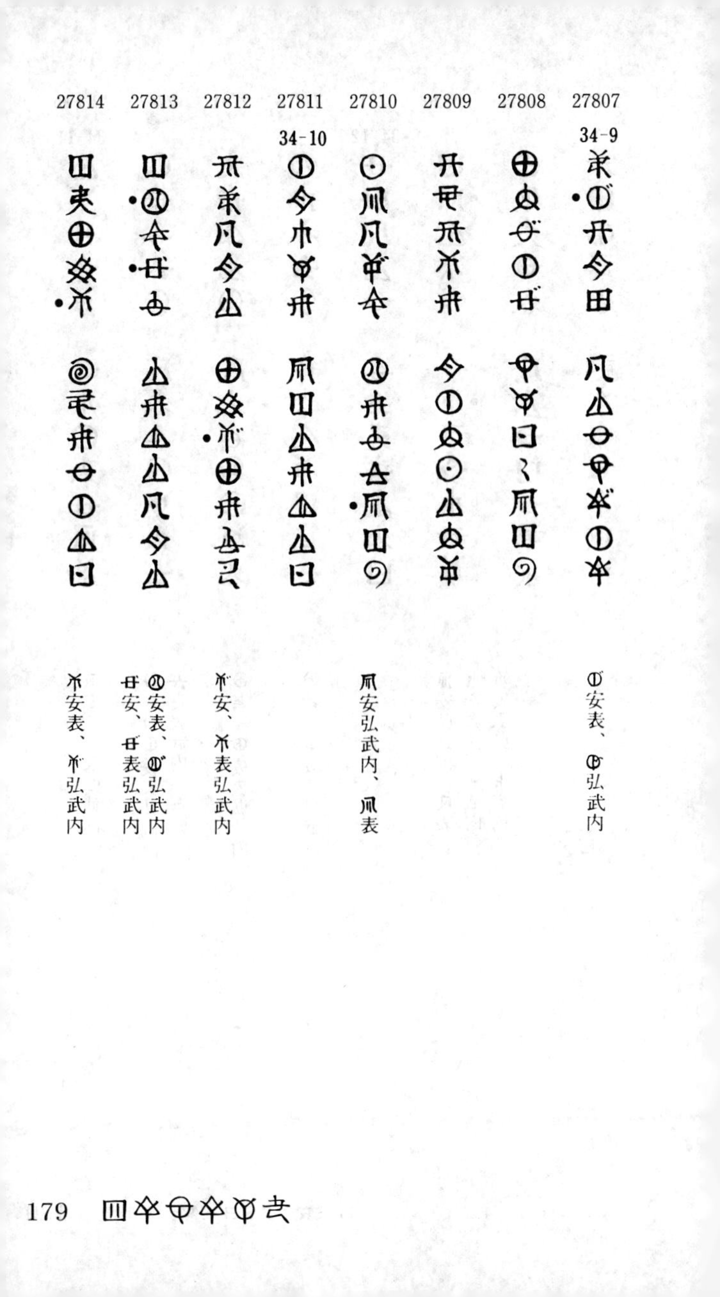

27807	27808	27809	27810	27811	27812	27813	27814
34-9				34-10			
安表、弘武内			安弘武内、表		安、表弘武内	安表、弘武内 / 安、表弘武内	安表、弘武内

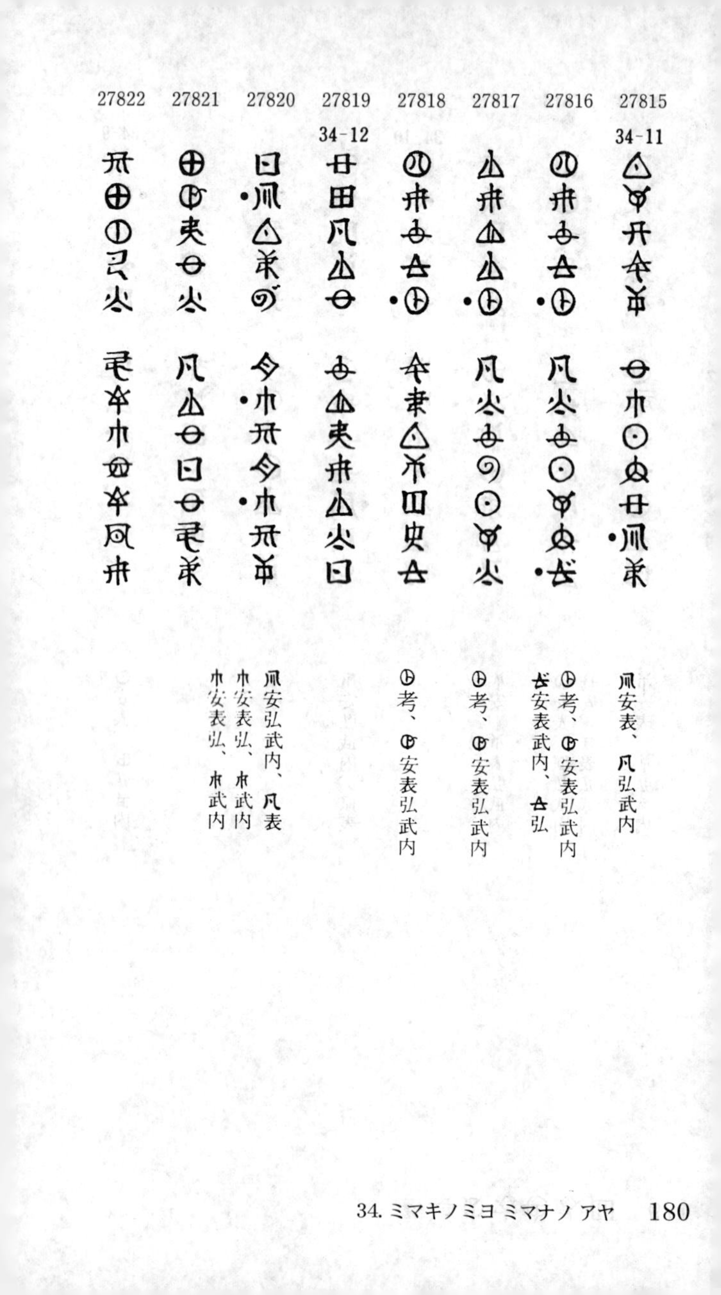

27815

34-11

安表、弘武内

27816

考、安表弘武内

安表武内、弘

27817

考、安表弘武内

27818

考、安表弘武内

27819

34-12

27820

安弘武内、表

安表弘、武内

安表弘、武内

27821

27822

27823 34-13

[illegible]

[illegible]安表、[illegible]弘武内

27824

[illegible]

[illegible]安表弘内、[illegible]武

27825

[illegible]

[illegible]安表、[illegible]弘武内

[illegible]安表弘、[illegible]武内

27826

[illegible]

[illegible]安表弘、[illegible]武内

27827 34-14

[illegible]

27828

[illegible]

27829

[illegible]

27830

[illegible]

[illegible]安、[illegible]表弘武内

27831
34-15
〓〓〓〓〓　〓〓〓・〓〓〓〓

〓安表武内、〓弘

27832
〓〓〓〓〓　〓〓〓〓〓〓〓

27833
〓・〓〓・〓〓　〓〓・〓〓〓〓〓

〓安表、〓弘武内
〓安表弘、〓武内
〓安、〓表弘武内

27834
〓〓〓〓〓　〓〓〓〓〓〓〓

27835
34-16
〓〓〓〓〓　〓〓〓〓〓〓・〓

〓安、〓表弘武内

27836
〓〓〓〓〓　〓〓〓・〓〓〓〓

〓安、〓表弘武内

27837
〓〓〓〓〓　〓〓・〓〓〓〓〓

〓安表、〓弘、〓武内

27838
〓〓〓〓〓　〓〓〓〓〓〓・〓

〓安表弘、〓武内

27839 34-17

〓〓〓〓〓 〓〓〓〓〓〓〓

〓安弘武内、〓表

27840

〓〓〓〓〓 〓〓〓〓〓〓〓

〓安表弘、〓武内

〓安表弘、〓武内

27841

〓〓〓〓〓 〓〓〓〓〓〓〓

〓安、〓表、〓弘武内

27842

〓〓〓〓〓 〓〓〓〓〓〓〓

27843 34-18

〓〓〓〓〓 〓〓〓〓〓〓〓

〓安表、〓弘武内

27844

〓〓〓〓〓 〓〓〓〓〓〓〓

27845

〓〓〓〓〓 〓〓〓〓〓〓〓

〓安、〓表弘武内

〓考、〓安弘、〓表、〓武内

27846

〓〓〓〓〓 〓〓〓〓〓〓〓

〓安表、〓弘武内

27847 34-19

安、表弘武内

27848

安表、弘武内

27849

安、表弘武内

27850

安表、弘武内

安表武内、弘

*安表武、弘内

安武内、表弘

安武内、表弘

27851 34-20

安表、弘武内

安表、弘武内

27852

27853

安表、弘、武内

27854

27855 34-21

〓安表、〓弘武内
*〓安表、〓弘武内

27856

〓安弘、〓表、〓武内

27857

〓安、〓表弘、〓武内

27858

27859 34-22

〓安弘武内、〓表
〓安表、〓弘武内

27860

27861

27862

〓安、〓表弘武内
〓安表武内、〓弘

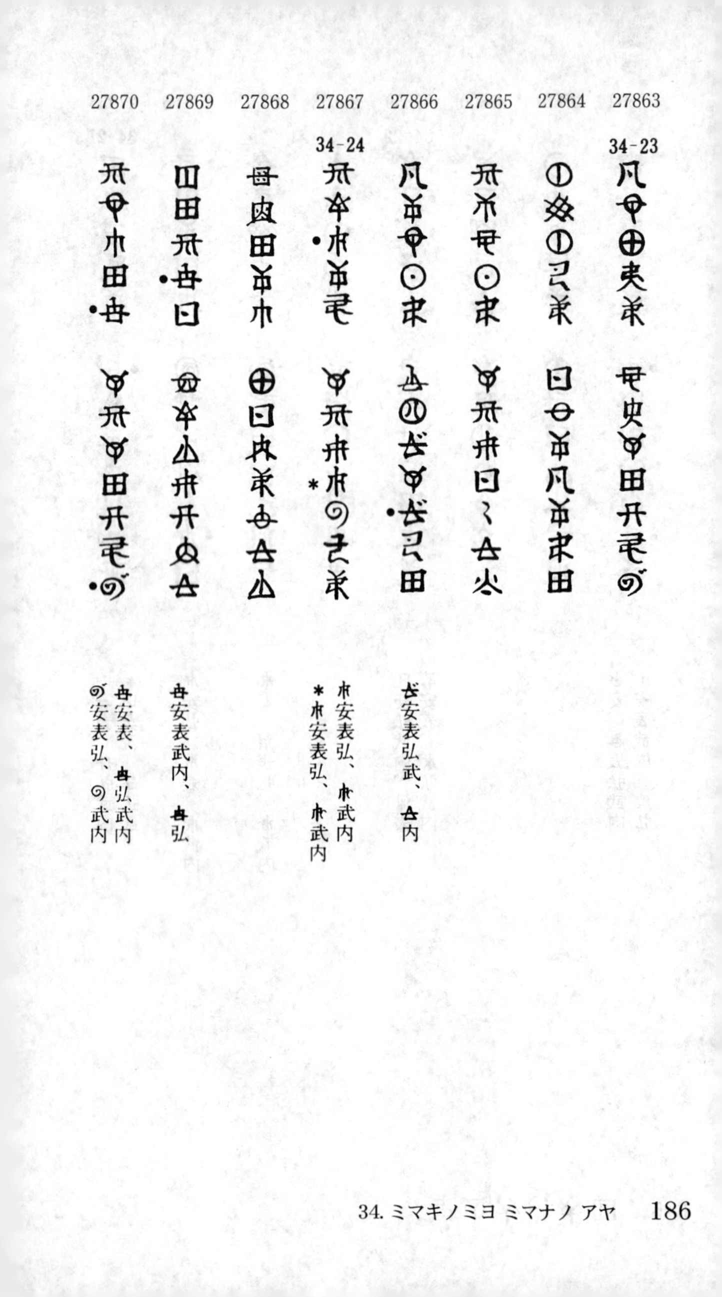

34-23

27863

27864

27865

27866

安表弘武、内

34-24

27867

安表弘、武内

*安表弘、武内

27868

27869

安表武内、弘

27870

安表、弘武内

安表弘、武内

27871 34-25

27872

安表弘、武内

安表、弘武内

27873

安表武内、弘

27874

安、表弘武内

安表武内、弘

安、表弘武内

27875 34-26

安表弘、武内

27876

安弘、表、武内

27877

安、表弘武内

安、表弘武内

安武、表弘内

27878

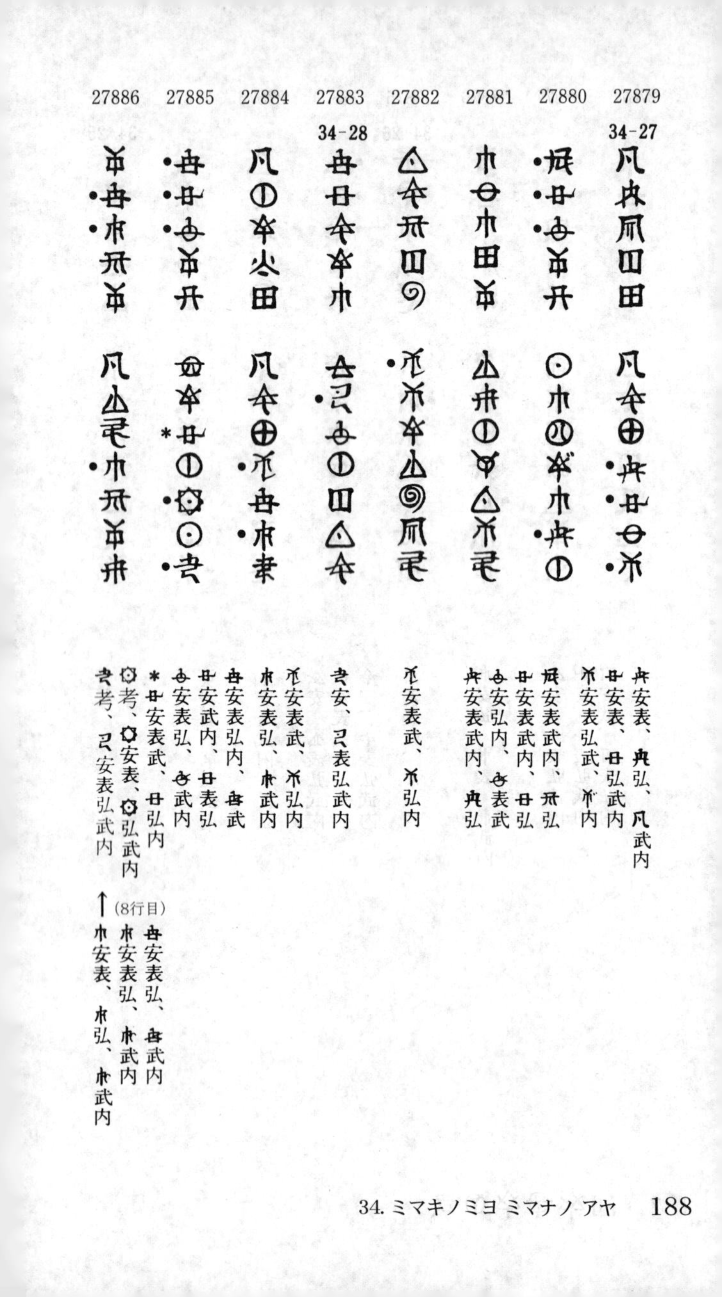

34-27

27879

27880

27881

27882

34-28

27883

27884

27885

27886

〓安表、〓弘、〓武内
〓安表、〓弘武内
〓安表弘武、〓内
〓安表武内、〓弘
〓安表武内、〓弘
〓安弘内、〓表武
〓安表武内、〓弘

〓安表武、〓弘内

〓安、〓表弘武内

〓安表武、〓弘内
〓安表弘、〓武内
〓安表弘内、〓武
〓安武内、〓表弘
〓安表弘、〓武内
*〓安表武、〓弘内
〓考、〓安表、〓弘武内
〓考、〓安表弘武内

↑(8行目)

〓安表弘、〓武内
〓安表弘、〓武内
〓安表、〓弘、〓武内

27887　34-29

安表、弘武内

27888

安表弘、武内

27889

安、表弘武内

27890

安表弘、武内

27891　34-30

安表、弘武内

安弘武内、表

安弘、表武内

27892

安、表弘武内

27893

安表、弘武内

27894

安表武内、弘

27895 27896 27897 27898 27899 27900 27901 27902

34-31 34-32

安、表、弘武内
*安表、弘武内
安、表弘武内
安弘武内、表
安武内、表、弘
安、表弘武内
安表弘内、武
安表武内、弘
安表弘、武内
安弘内、表武
考、安表弘武内
安表、弘武内
安弘武内、表
安表武内、弘
安表弘、武内
*安弘、表、武内
安弘武内、表
安表武内、弘

27903
34-33
[ヲシテ文字]

[ヲシテ]安弘武内、[ヲシテ]表
[ヲシテ]安表武、[ヲシテ]弘内

27904
[ヲシテ文字]

[ヲシテ]安表、[ヲシテ]弘武内
[ヲシテ]安武、[ヲシテ]表弘内

27905
[ヲシテ文字]

[ヲシテ]安表弘、[ヲシテ]武内
[ヲシテ]安、[ヲシテ]表弘武内
[ヲシテ]安表、[ヲシテ]弘武内

27906
[ヲシテ文字]

[ヲシテ]安弘武内、[ヲシテ]表

27907
34-34
[ヲシテ文字]

[ヲシテ]安表弘、[ヲシテ]武内

27908
[ヲシテ文字]

27909
[ヲシテ文字]

[ヲシテ]安弘武内、[ヲシテ]表

27910
[ヲシテ文字]

27911
34-35

27912
安弘武内、表

27913
安、表弘武内

27914

27915
34-36
安表武、弘内

27916
安表内、弘、武

27917
安表、弘武内

27918
安表、弘武内

27919 34-37

[illegible]安表、[illegible]弘武内

[illegible]安武内、[illegible]表弘

27920

[illegible]安、[illegible]表弘武内

27921

27922

の安弘武、の表内

27923 34-38

[illegible]安表武、[illegible]弘内

27924

[illegible]安表、[illegible]弘武内

27925

[illegible]安表、[illegible]弘武内

27926

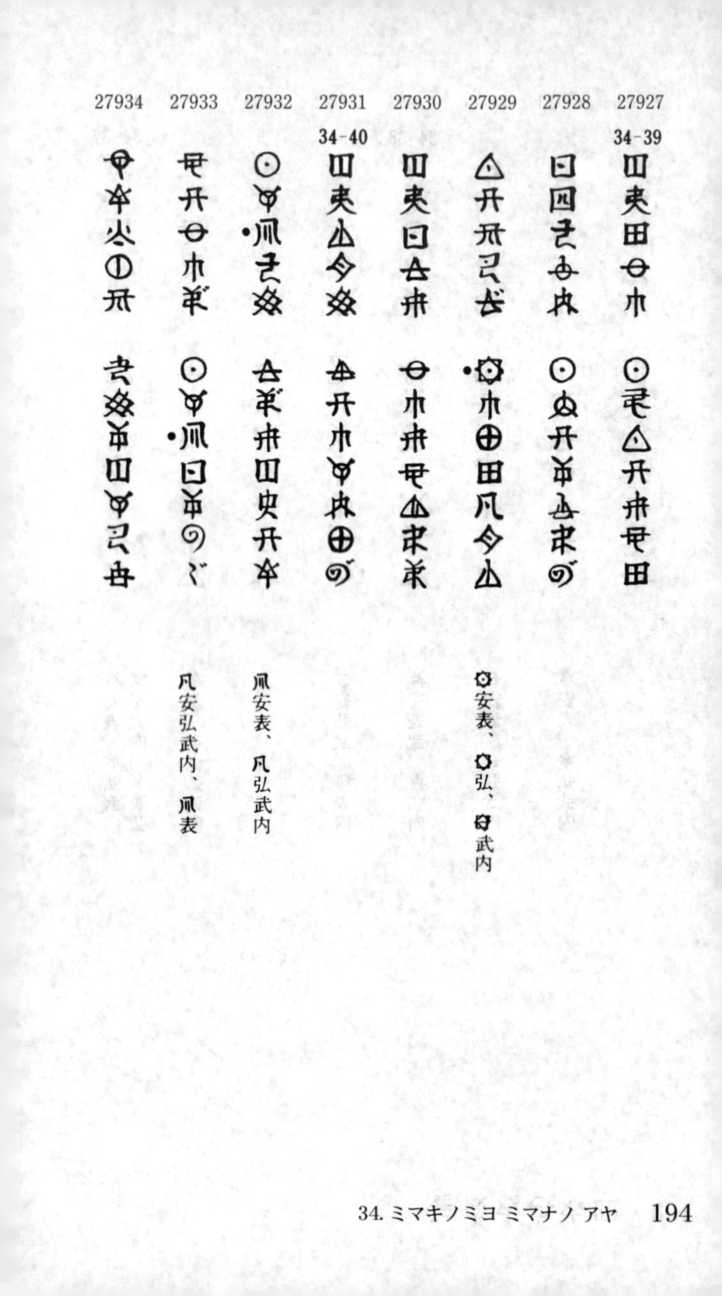

27927 34-39

27928

27929

安表、弘、武内

27930

27931 34-40

27932

爪安表、凡弘武内

27933

凡安弘武内、爪表

27934

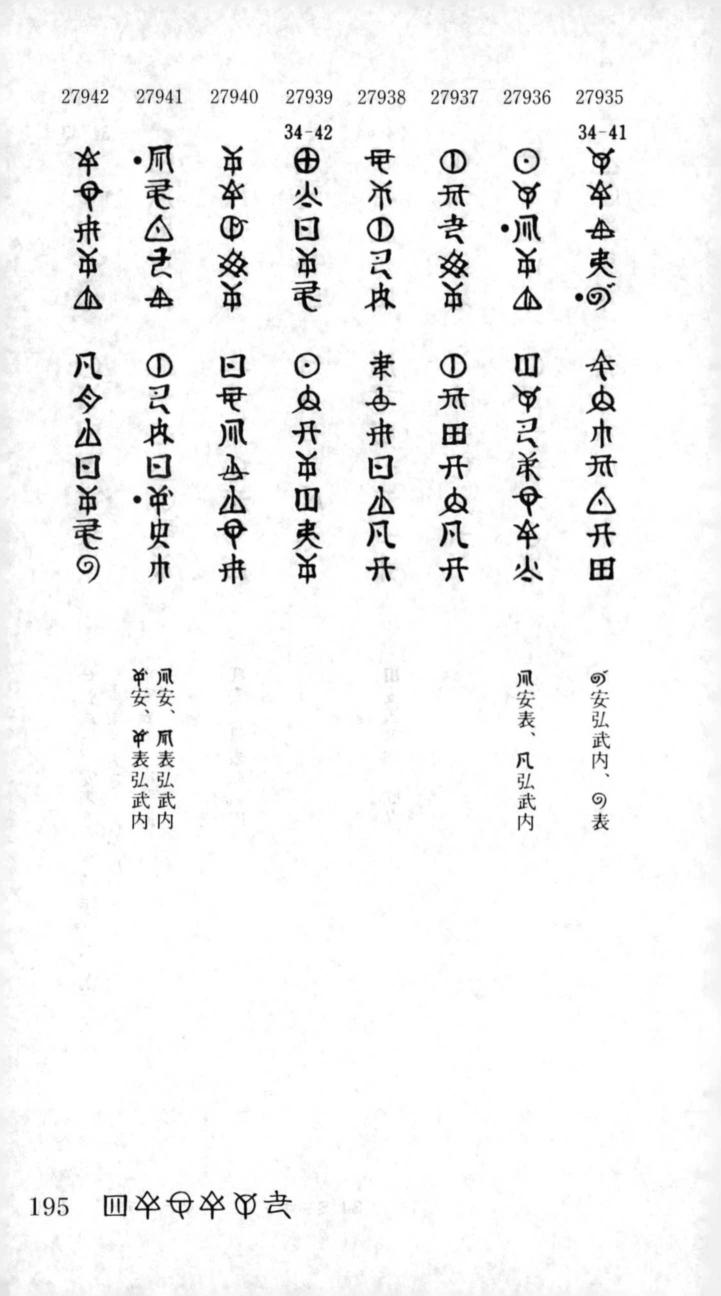

27935
34-41
[illegible]
[illegible]安弘武内、[illegible]表

27936
[illegible]
[illegible]安表、[illegible]弘武内

27937
[illegible]

27938
[illegible]

27939
34-42
[illegible]

27940
[illegible]

27941
[illegible]
[illegible]安、[illegible]表弘武内
[illegible]安、[illegible]表弘武内

27942
[illegible]

27943

34-43

弘武内、安表ともに作るが、漢訳文に東南とあることからをとった。

27944

安表内、弘武

27945

安、表弘武内

27946

27947

34-44

安表武内、弘

27948

27949

27950

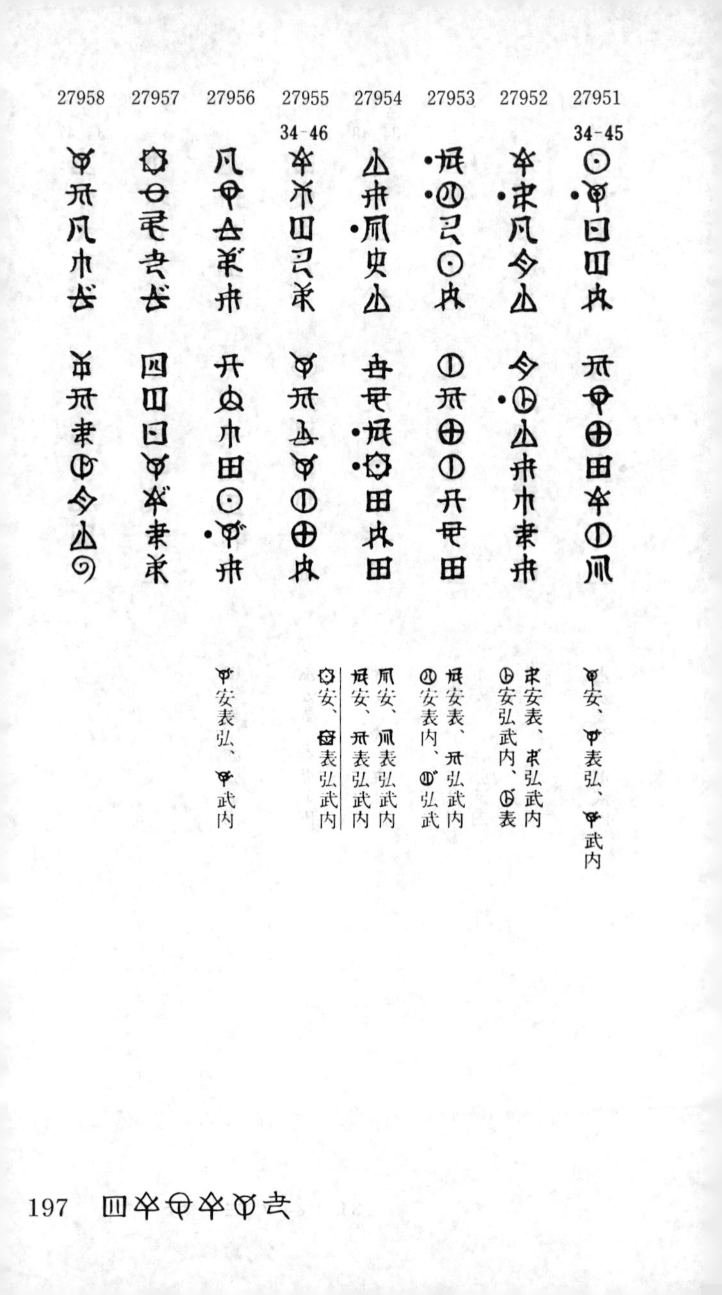

27958 27957 27956 27955 27954 27953 27952 27951

34-46 (27955) 34-45 (27951)

安、表弘、武内

安表、弘武内

安弘武内、表

安表、弘武内

安表内、弘武

安、表弘武内

安、表弘武内

安、表弘武内

安表弘、武内

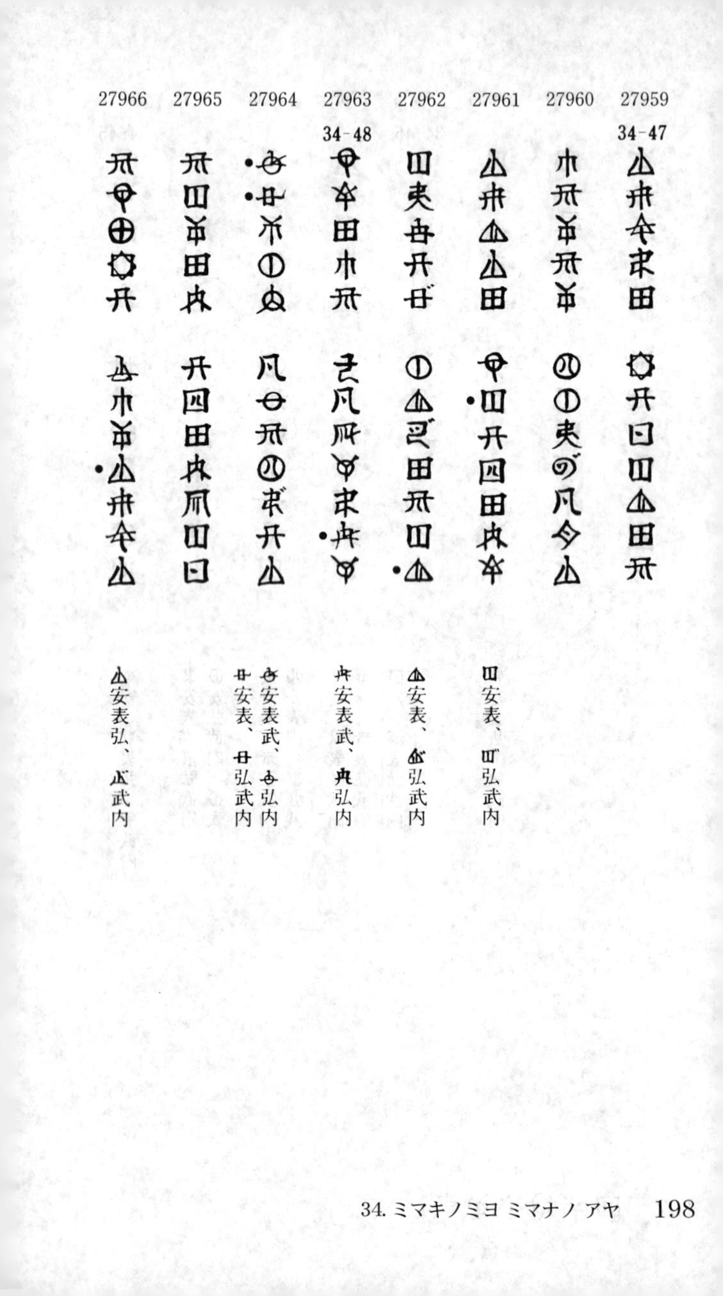

27959 34-47

27960

27961

[illegible]安表、[illegible]弘武内

27962

[illegible]安表、[illegible]弘武内

27963 34-48

[illegible]安表武、[illegible]弘内

27964

[illegible]安表武、[illegible]弘内

[illegible]安表、[illegible]弘武内

27965

27966

[illegible]安表弘、[illegible]武内

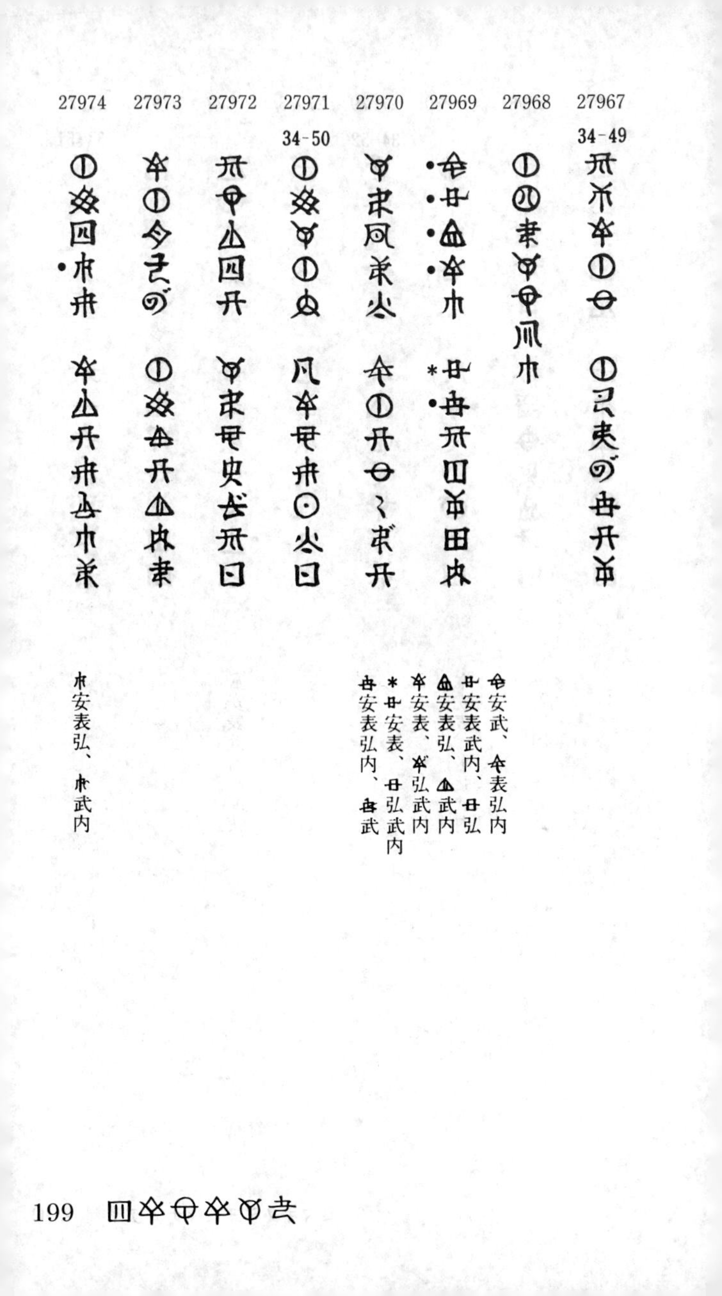

27967 34-49

27968

27969

27970

27971 34-50

27972

27973

27974

安武、表弘内

安表武内、弘

安表弘、武内

安表、弘武内

*安表、弘武内

安表弘内、武

安表弘、武内

27975 34-51

27976

27977

安表武内、弘

27978

27979 34-52

27980

安表、弘武内

27981

安弘内、表武

27982

27983
34-53
安表弘、武内

27984
考、安表弘武内

27985
考、安表弘武内

27986

27987
34-54
安弘武内、表

27988
安弘武内、表

27989

27990
安表弘、武内

27991 34-55

27992

27993

27994

27995 34-56

27996

27997

27998

安表武内、弘

安、表弘武内

安弘武内、表

安、表弘武内

安武内、表弘

＊考、安表弘武内

安表弘、武内

安表、弘武内

安表、弘武内

27999 34-57

28000

28001

28002

安表、弘武内

28003 34-58

28004

28005

28006

(27999 notes:) 安表、弘武内
安表弘、武内

28007 (34-59) 28008 28009 28010 28011 (34-60) 28012 28013 28014

28007: 安表、弘武内

28008: 安表、弘武内

28009: 安、表弘武内
*安弘、表武内

28013: 安表武内、弘

28015
34-61
〓〓〓•〓〓
〓〓〓〓〓〓〓
〓安、〓表弘武内

28016
〓〓〓〓〓
〓•〓〓〓〓〓〓
〓安表弘、〓武内

28017
〓〓〓〓〓
•〓•〓•〓〓〓〓〓
〓安表弘、〓武内
〓安、〓表弘武内
〓安表弘、〓武内

28018
〓〓〓〓〓
〓〓〓〓〓〓•〓
〓考、〓安表弘武内

28019
34-62
〓〓〓〓〓
〓〓•〓〓〓〓〓
〓安表武内、〓弘

28020
〓〓〓〓〓
〓〓〓〓〓〓〓

28021
〓〓〓〓〓
〓〓〓〓〓〓〓

28022
〓〓〓〓〓
〓〓〓〓•〓〓〓
〓安、〓表弘武内

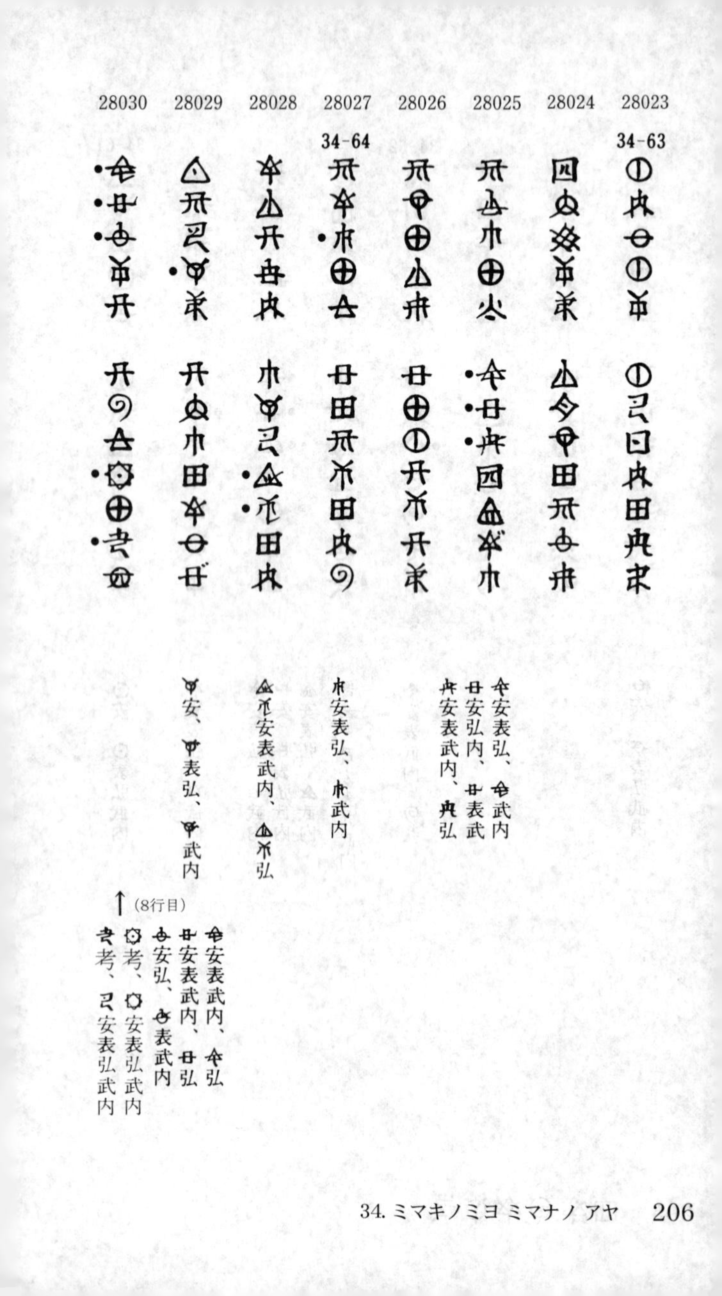

28023 34-63

28024

28025

安表弘、武内
安弘内、表武
安表武内、弘

28026

28027 34-64

安表弘、武内

28028

安表武内、弘

28029

安、表弘、武内

28030

↑（8行目）

安表武内、弘
安表武内、弘
安弘、表武内
考、安表弘武内
考、安表弘武内

28031 34-65

〓安表武、〓弘内
〓考、〓安表弘武内

28032

〓安弘武内、〓表

28033

〓考、〓安表弘武内
〓安表弘、〓武内
〓安弘、〓表武内

28034

〓安表弘、〓武内
〓安武内、〓表弘

28035 34-66

〓安表、〓弘武内
〓安弘武内、〓表
〓安表武内、〓弘

28036

〓安、〓表弘、〓武内
〓安武内、〓表弘

28037

〓安、〓表弘武内
〓安表、〓弘武内

28038

〓安武、〓表弘内
〓安表武内、〓弘

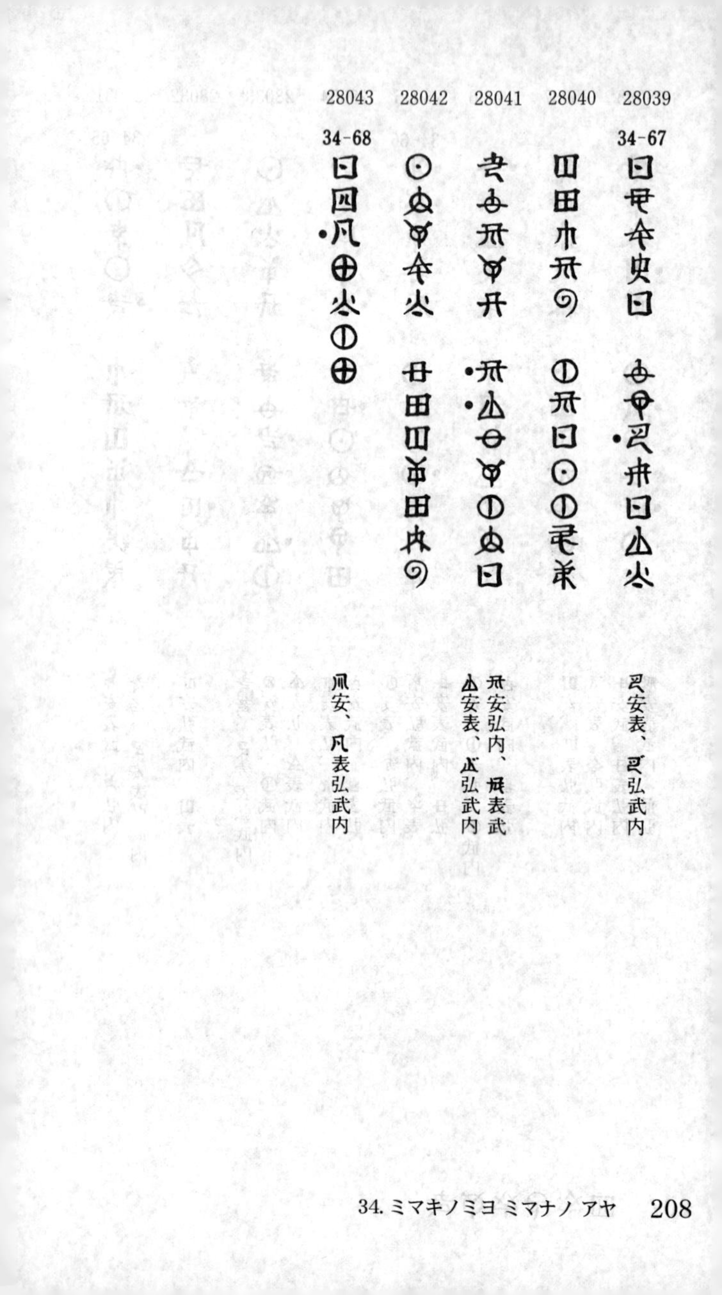

28039

34-67

安表、弘武内

28040

28041

安弘内、表武

安表、弘武内

28042

28043

34-68

安、表弘武内

28044 28045 28046 28047 28048 28049 28050 28051

35-1 35-2

〓安弘武内、〓表
〓安、〓表弘武内
〓安弘武内、〓表
〓安表弘内、〓武
〓安表武、〓弘内
〓安武、〓表弘内
〓安表武、〓弘内
〓考、〓安表弘武内
〓考、〓安表弘武内
〓安表武内、〓弘
〓安表武、〓弘内
〓安表、〓弘武内
〓安表、〓弘、〓武内
〓安、〓表弘武内
〓安表、〓弘武内

（5行目）↑
〓安表武、〓弘内
〓安表武内、〓弘
〓安表武内、〓弘
〓安表弘、〓武内

28052 35-3

28053

28054

28055

28056 35-4

28057

28058

28059

安表弘、武内

安表、弘武内

安表武内、弘

安表、弘武内

安表武、弘内

安表武内、弘

安表武、弘内

安表武内、弘

安、表弘、武内

安表、弘武内

安、表弘武内

28060

35-5

28061

安、表弘武内

安表、弘武内

28062

28063

安表弘、武内

安表弘、武内

安表、弘武内

28064

35-6

28065

安表、弘武内

28066

28067

考、安表弘武内

28068	28069	28070	28071	28072	28073	28074	28075
35-7				35-8			

28068 〓安表、〓弘武内

28069 〓安表武内、〓弘

28070 〓安表、〓弘武内
〓考、〓安表弘武内

28071 〓安表、〓弘武内

28072 〓表弘武内、安本ムシ〓か〓か不明。
〓安弘武内、〓表

28073 〓安表、〓弘武内

28074 〓安表、〓弘武内

28075 〓安表、〓弘武内
〓安、〓表弘武内

28083 28082 28081 28080 28079 28078 28077 28076

35-10 35-9

〓安、〓表弘武内

〓安表武内、〓弘

〓安表武、〓弘内

〓安、〓表弘武内

〓安表、〓弘武内

〓安表、〓弘武内

〓安表、〓弘武内

〓安表、〓弘武内

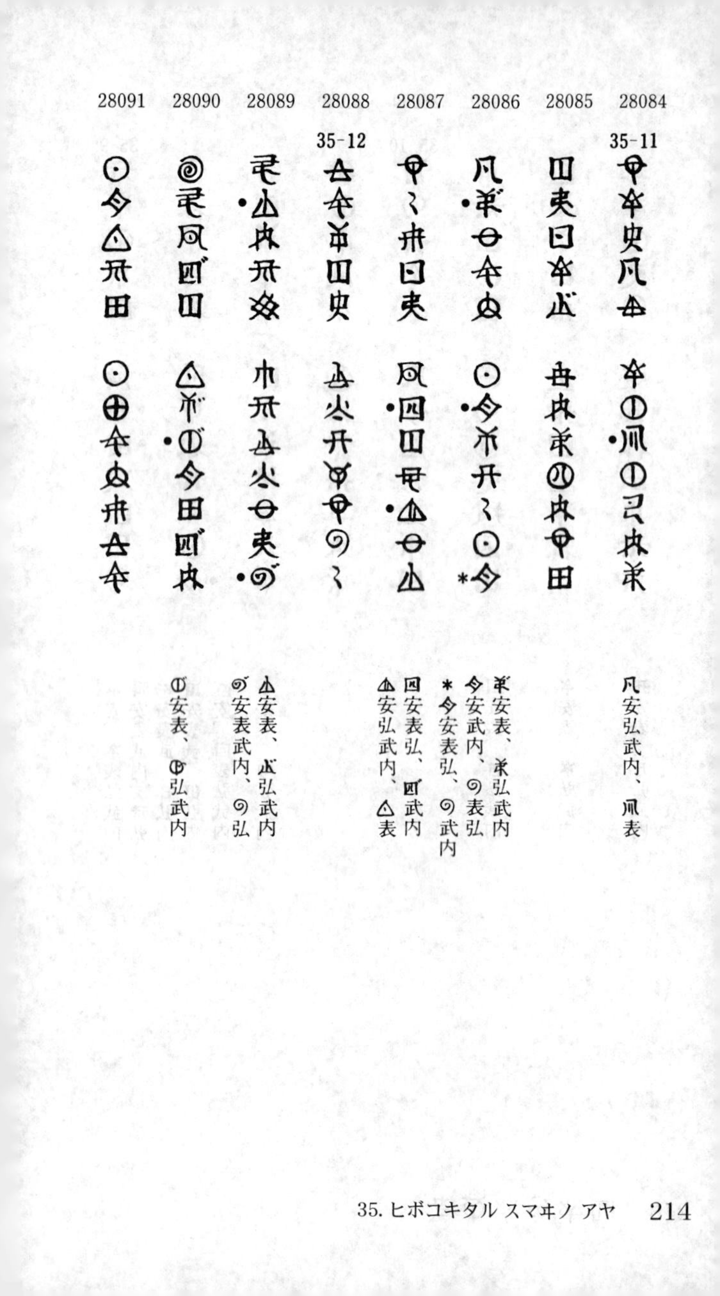

28084

35-11

安弘武内、表

28085

28086

安表、弘武内

安武内、表弘

*安表弘、武内

28087

安表弘、武内

安弘武内、表

28088

35-12

28089

安表、弘武内

安表武内、弘

28090

安表、弘武内

28091

28092
35-13

28093
〓安弘武内、〓表
〓安、〓表、〓弘武内

28094
〓安、〓表弘武内
〓安、〓表弘武内

28095
〓考、〓安表弘武内
〓安、〓表弘武、〓内
〓安表、〓弘武内

28096
35-14

28097
〓安表弘、〓武内

28098
〓安表弘、〓武内
〓安表、〓弘武内

28099

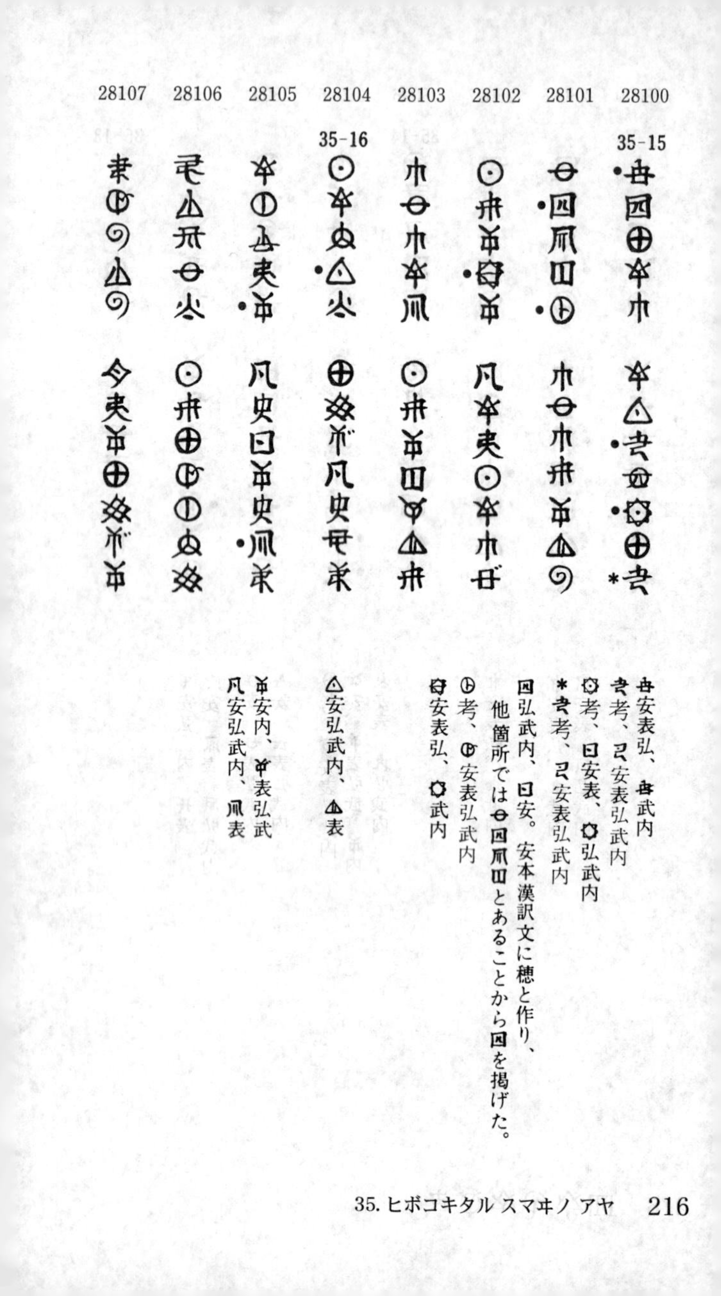

28100 35-15

28101

28102

28103

28104 35-16

28105

28106

28107

安表弘、武内

考、安表弘武内

考、安表、弘武内

*考、安表弘武内

弘武内、安。安本漢訳文に穂と作り、
他箇所ではとあることからを掲げた。

考、安表弘武内

安表弘、武内

安弘武内、表

安内、表弘武

安弘武内、表

28108
35-17
〓〓〓〓〓
〓〓〓〓〓〓〓
〓安表、〓弘武内

28109
〓〓〓〓〓
〓〓〓〓〓〓〓

28110
〓〓〓〓〓
〓〓〓〓〓〓〓
〓安弘武内、〓表
〓安表弘、〓武内

28111
〓〓〓〓〓
〓〓〓〓〓〓〓
〓安表、〓弘武内
〓安弘、〓表武内

28112
35-18
〓〓〓〓〓
〓〓〓〓〓〓〓
〓安表武内、〓弘

28113
〓〓〓〓〓
〓〓〓〓〓〓〓
〓安表、〓弘武内

28114
〓〓〓〓〓
〓〓〓〓〓〓〓

28115
〓〓〓〓〓
〓〓〓〓〓〓〓

28116

35-19

安表弘、武内

28117

28118

安表弘武、内

28119

安、表弘武内

安弘武内、表

28120

35-20

28121

安表、弘武内

28122

28123

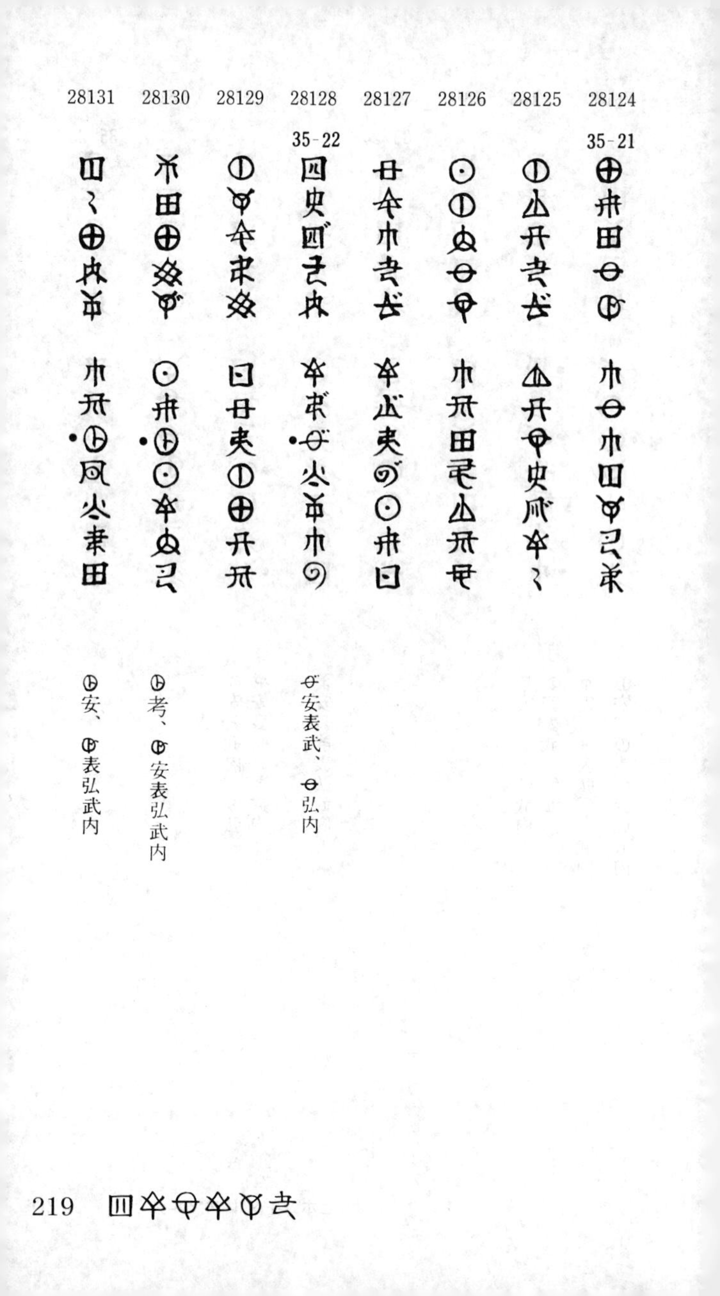

28124 35-21

28125

28126

28127

28128 35-22

安表武、弘内

28129

28130

考、安表弘武内

28131

安、表弘武内

28132 35-23

28133

28134

の安表武内、の弘
安表弘、武内

28135

安、表弘武内

28136 35-24

28137

28138

安、表弘武内
の安表武、の弘内

28139

安、表弘、武内
安、表、弘武内

28140 35-25

28141

28142

28143

28144 35-26

28145

28146

28147

安表武、弘内
安、表弘武内

安表弘、武内
安表弘、武内

安弘武内、表

安内、表弘、武
安表弘、武内
安弘武、表内

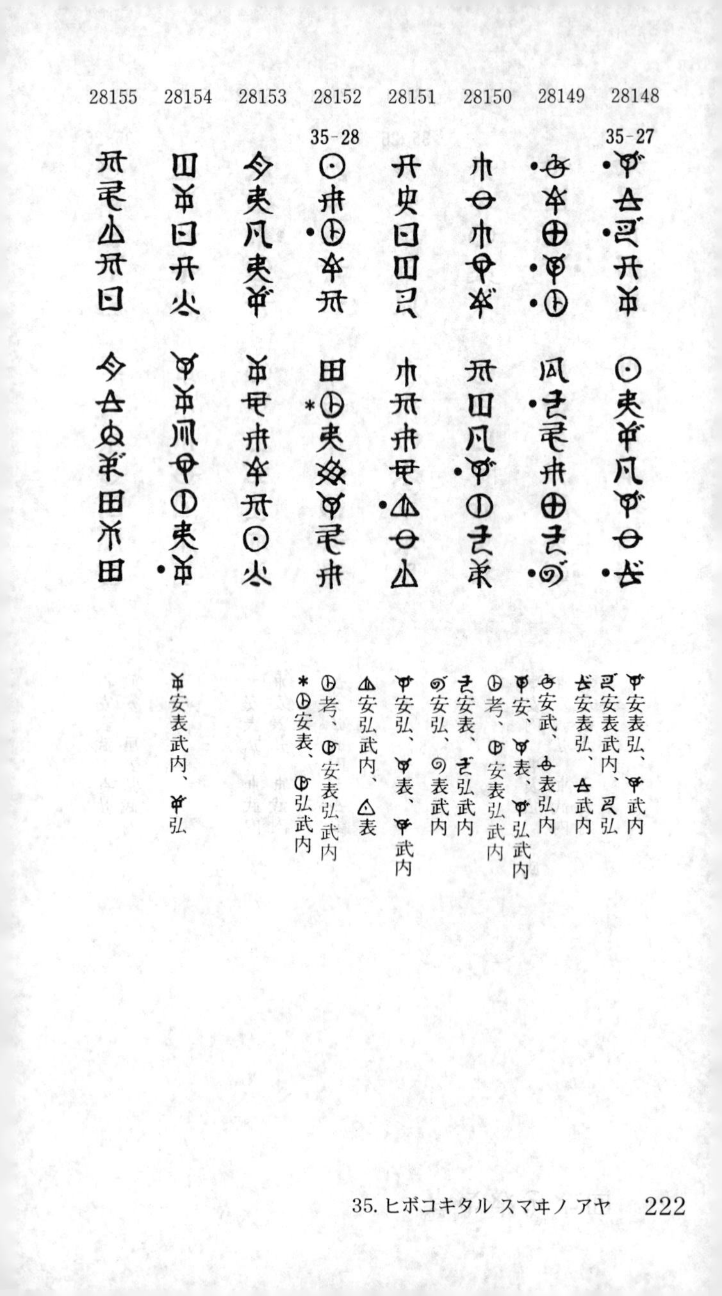

28148　28149　28150　28151　28152　28153　28154　28155

35-27

35-28

安表弘、武内

安表武内、弘

安表弘、武内

安武、表弘内

安、表、弘武内

考、安表弘武内

安表、弘武内

安弘、表武内

安弘、表、武内

安弘武内、表

考、安表弘武内

*安表、弘武内

安表武内、弘

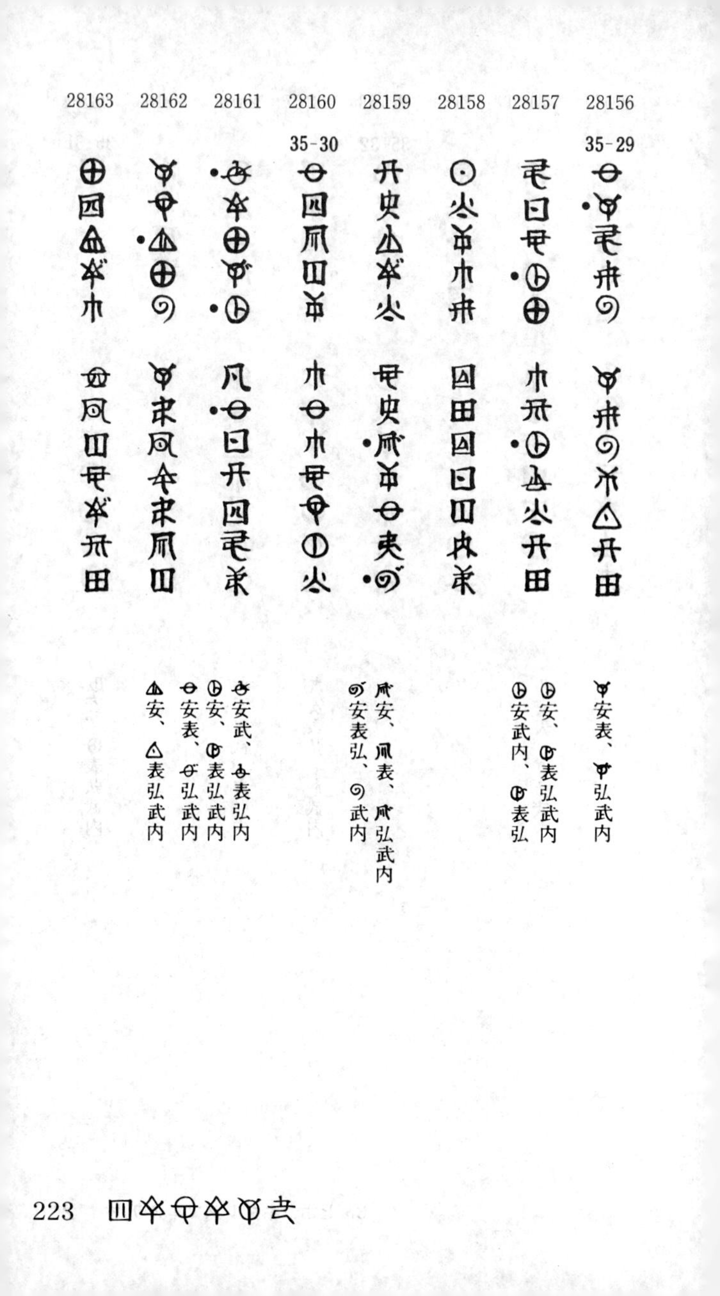

28156 35-29

安表、弘武内

28157

安、表弘武内
安武内、表弘

28158

28159

安、表、弘武内
安表弘、武内

28160 35-30

28161

安武、表弘内
安、表弘武内
安表、弘武内

28162

安、表弘武内

28163

28164	28165	28166	28167	28168	28169	28170	28171
35-31				35-32			

28164	28165	28166	28167	28168	28169	28170	28171
安、表弘武内		安表武、弘内	安表弘、武内			安表、弘武内	

28172 35-33

28173

安表武内、弘
安表、弘武内

28174

安表、弘武内

28175

28176 35-34

安表、弘武内

28177

28178

安弘武内、表

28179

28180 35-35

安、表弘武内

安、表弘、武内

28181

安表、弘武内

28182

安、表弘武内

28183

28184 35-36

安表、弘武内

安、表弘武内

28185

安表、弘武内

28186

28187

安表、弘武内

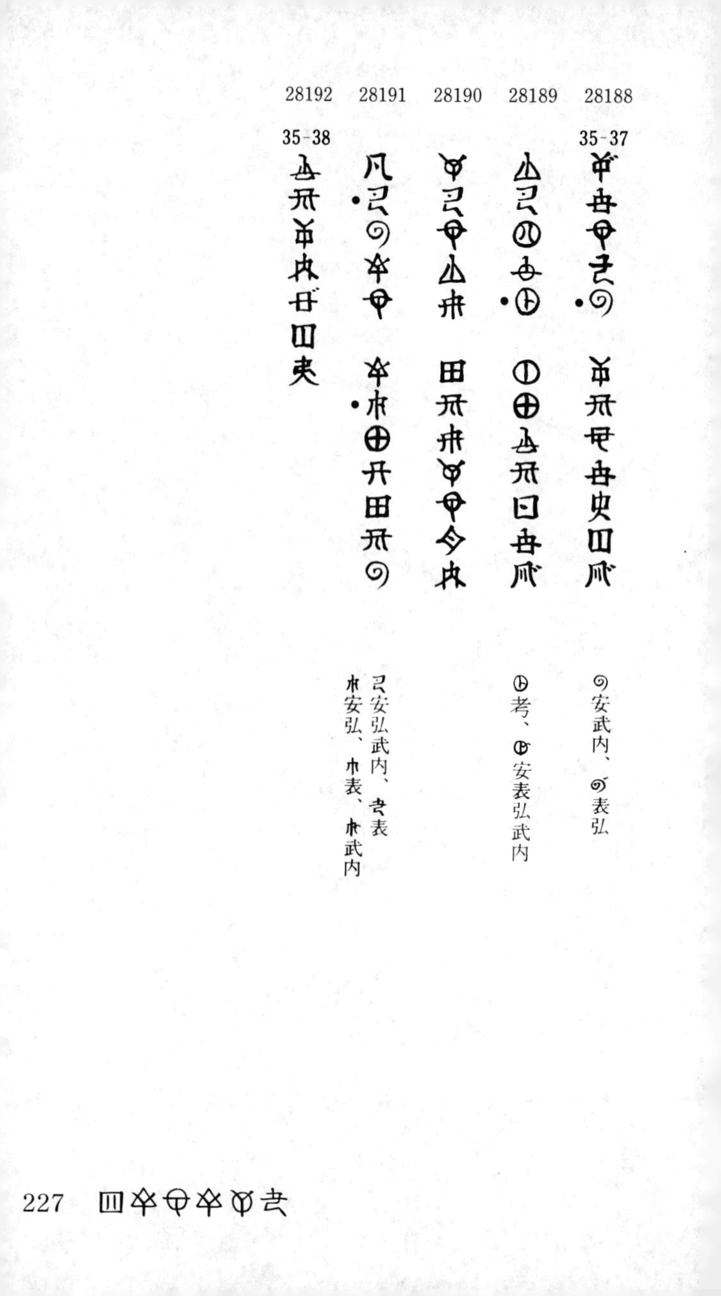

28188 35-37

[illegible]安武内、[illegible]表弘

28189

[illegible]考、[illegible]安表弘武内

28190

28191

[illegible]安弘武内、[illegible]表

[illegible]安弘、[illegible]表、[illegible]武内

28192 35-38

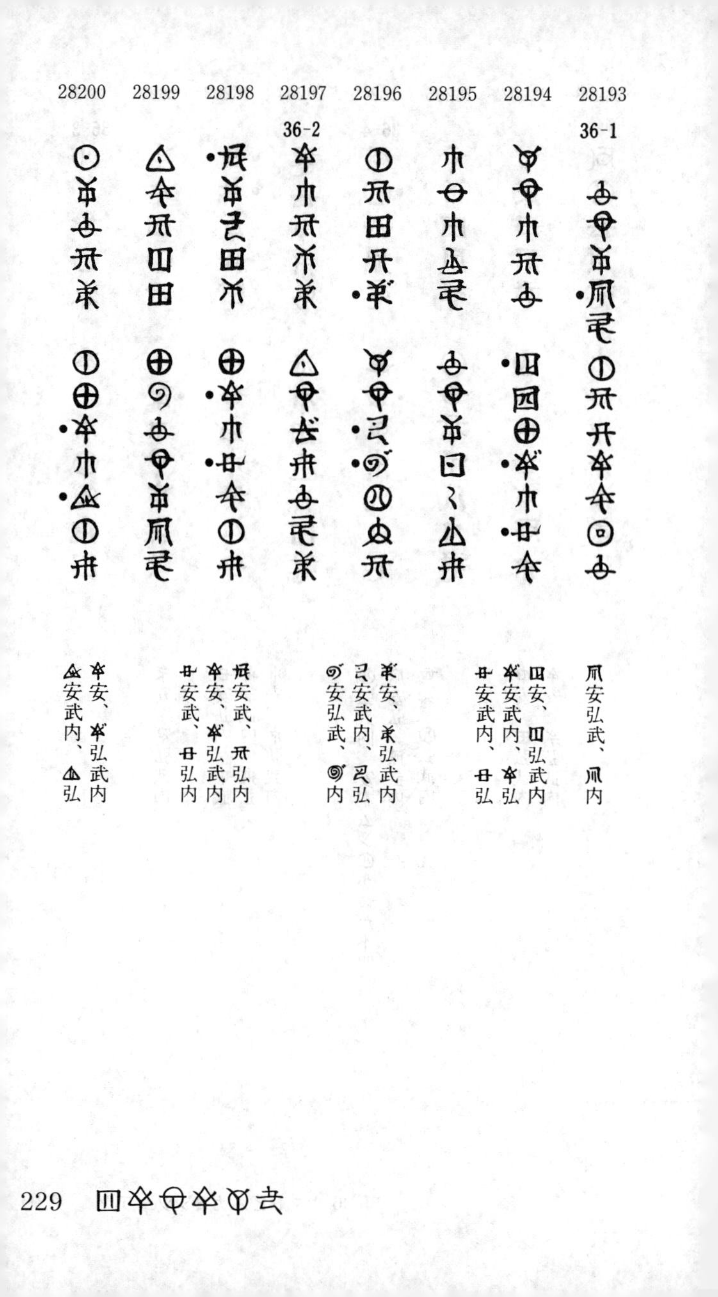

28193 36-1

安弘武、内

28194

安、弘武内
安武内、弘
安武内、弘

28195

28196

安、弘武内
安武内、弘
安弘武、内

28197 36-2

28198

安武、弘内
安、弘武内
安武、弘内

28199

28200

安、弘武内
安武内、弘

28201
36-3
〓〓〓〓〓　〓〓〓〓〓〓〓

28202
〓〓〓〓〓　〓〓〓〓〓〓〓

28203
〓〓〓〓〓　〓〓〓〓〓〓〓

28204
〓〓〓〓〓　〓〓〓〓〓〓〓

28205
36-4
〓〓〓〓〓　〓〓〓〓〓〓〓

28206
〓〓〓〓〓　〓〓〓〓〓〓〓

28207
〓〓〓〓〓　〓〓〓〓〓〓

28208
〓〓〓〓〓　〓〓〓〓〓〓〓

〓安、〓弘武内

〓安弘内、〓武
〓安武内、〓弘
〓安、〓弘武内

〓弘武内、安本ムシ〓か〓か不明。
〓安弘、〓武内
〓安、〓弘武内

〓安、〓弘武内
〓安、〓弘武内

28209
36-5
安、弘武内

28210
安、弘武内

28211

28212
安武、弘内

28213
36-6
安武、弘内

28214
安武、弘内
安弘内、武
安弘、武内

28215
安弘、武内
安武、弘内

28216
安、弘武内

28217 36-7

安、弘武内

28218

安、弘武内

28219

安弘武、内

28220

考、安弘武内

28221 36-8

28222

安武内、弘

安武、弘内

安武内、弘

28223

安、弘武内

考、安弘武内

28224

安武内、弘

安、弘武内

28225
36-9

28226

28227

安弘内、武

28228

安、弘武内

28229
36-10

安弘武、内

安弘武、内

安弘内、武

28230

28231

28232

安、弘武内

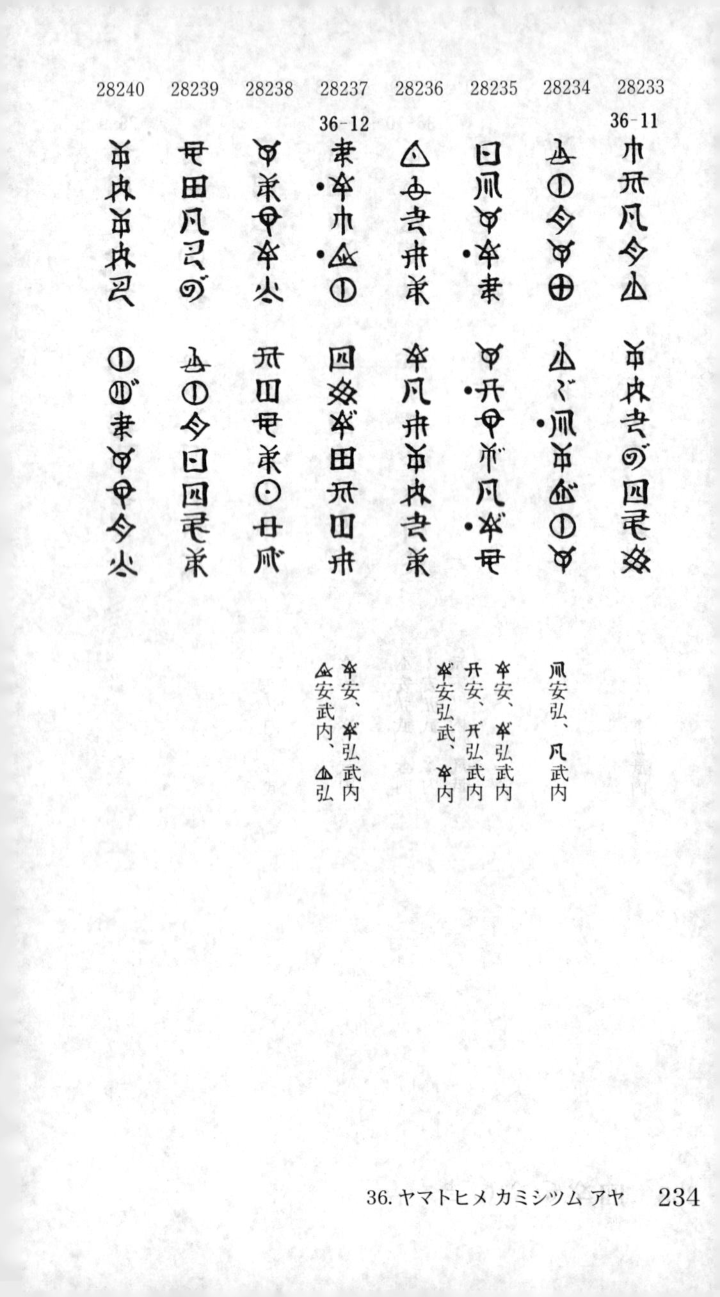

28233

36-11

28234

28235

28236

28237

36-12

28238

28239

28240

安弘、武内

安、弘武内

安、弘武内

安弘武、内

安、弘武内

安武内、弘

28241	28242	28243	28244	28245	28246	28247	28248
36-13				36-14			

28241: 〓安武、〓弘内 / 〓安武、〓弘内 / 〓安武内、〓弘 / 〓安、〓弘武内 / 〓安弘内、〓武

28244: 〓安武内、〓弘

28245: 〓安、〓弘武内

28247: 〓安、〓弘、〓武内

28249 36-15

安、弘武内

28250

28251

安、弘武内

28252

28253 36-16

28254

28255

28256

28257 36-17

28258

28259

28260

28261 36-18

28262

28263

28264

[illegible]安、[illegible]弘武内
[illegible]安武内、[illegible]弘
[illegible]安武内、[illegible]弘
[illegible]安武、[illegible]弘内
*[illegible]安武内、[illegible]弘
[illegible]安、[illegible]弘武内

[illegible]安、[illegible]弘武内

28265 36-19

28266
安弘、武内

28267

28268
安武内、弘

28269 36-20

28270
安、弘武内
安、弘武内

28271

28272
安、弘武内

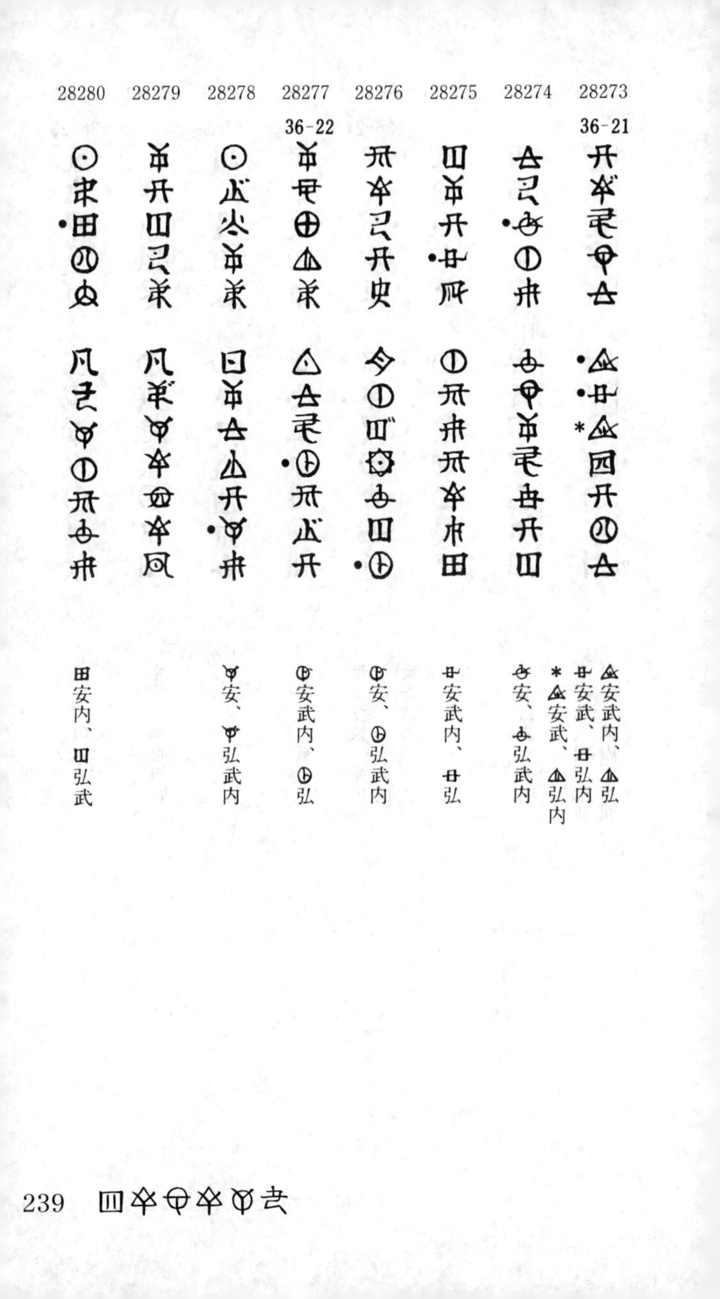

28280	28279	28278	28277	28276	28275	28274	28273
			36-22				36-21

28273: [illegible]安武内、[illegible]弘 / [illegible]安武、[illegible]弘内 / *[illegible]安武、[illegible]弘内

28274: [illegible]安、[illegible]弘武内

28275: [illegible]安武内、[illegible]弘

28276: [illegible]安、[illegible]弘武内

28277: [illegible]安武内、[illegible]弘

28278: [illegible]安、[illegible]弘武内

28280: 田安内、[illegible]弘武

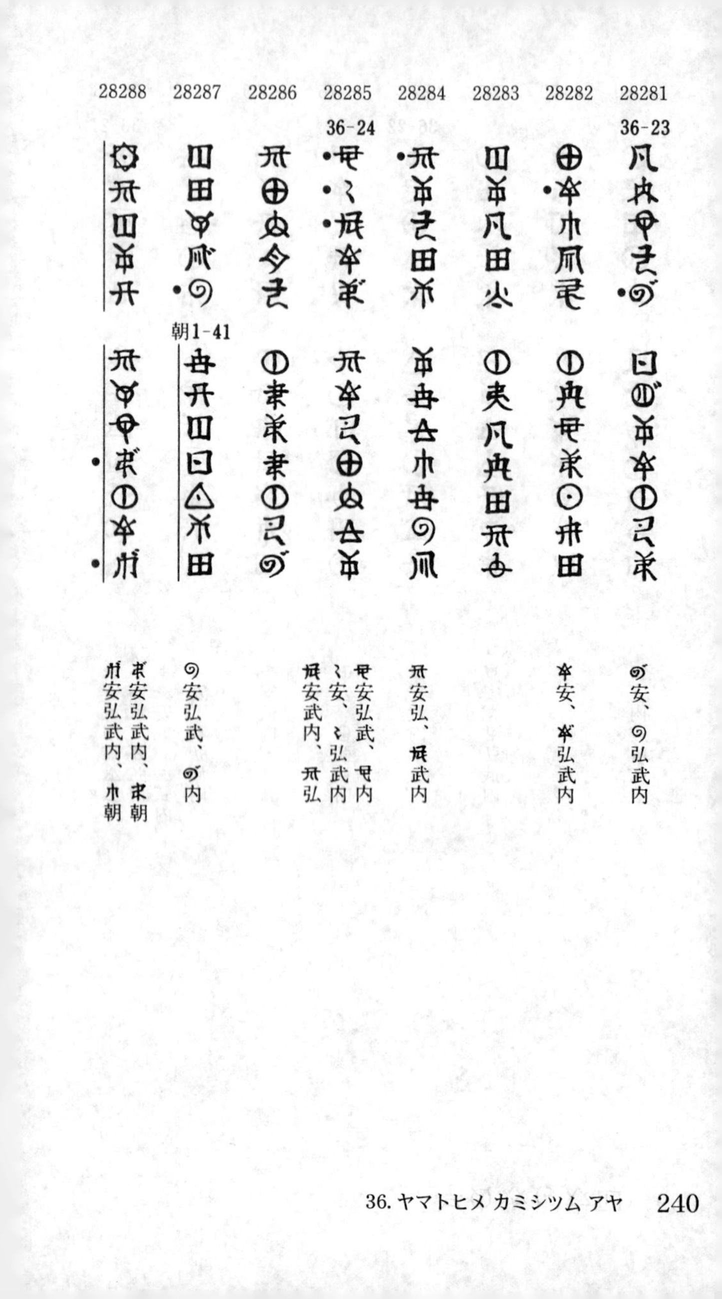

28281 36-23

28282

28283

28284

28285 36-24

28286

28287 朝1-41

28288

28281：安、弘武内

28282：安、弘武内

28284：安弘、武内

28285：安弘武、内　安、弘武内　安武内、弘

28287：安弘武、内

28288：安弘武内、朝　安弘武内、朝

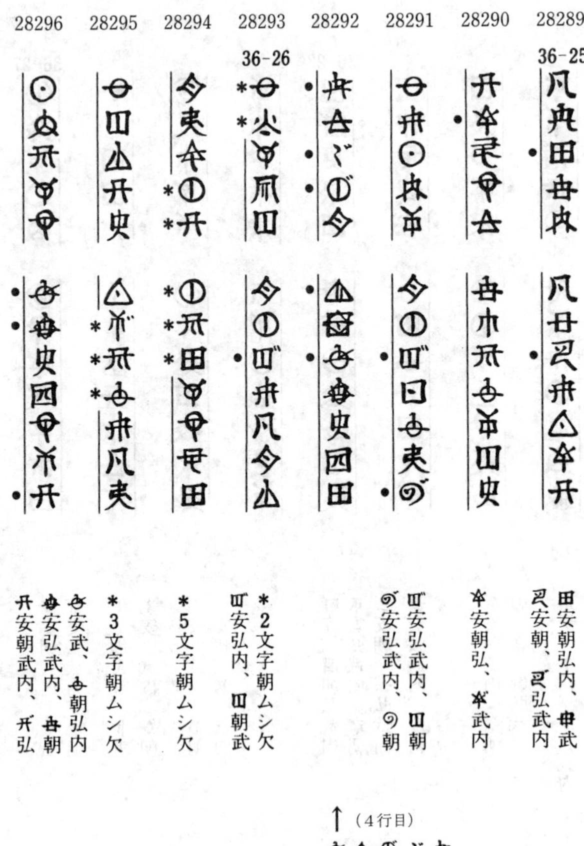

↑（4行目）

安武、朝弘内
安弘武内、朝
安朝弘、武内
安武、朝弘内

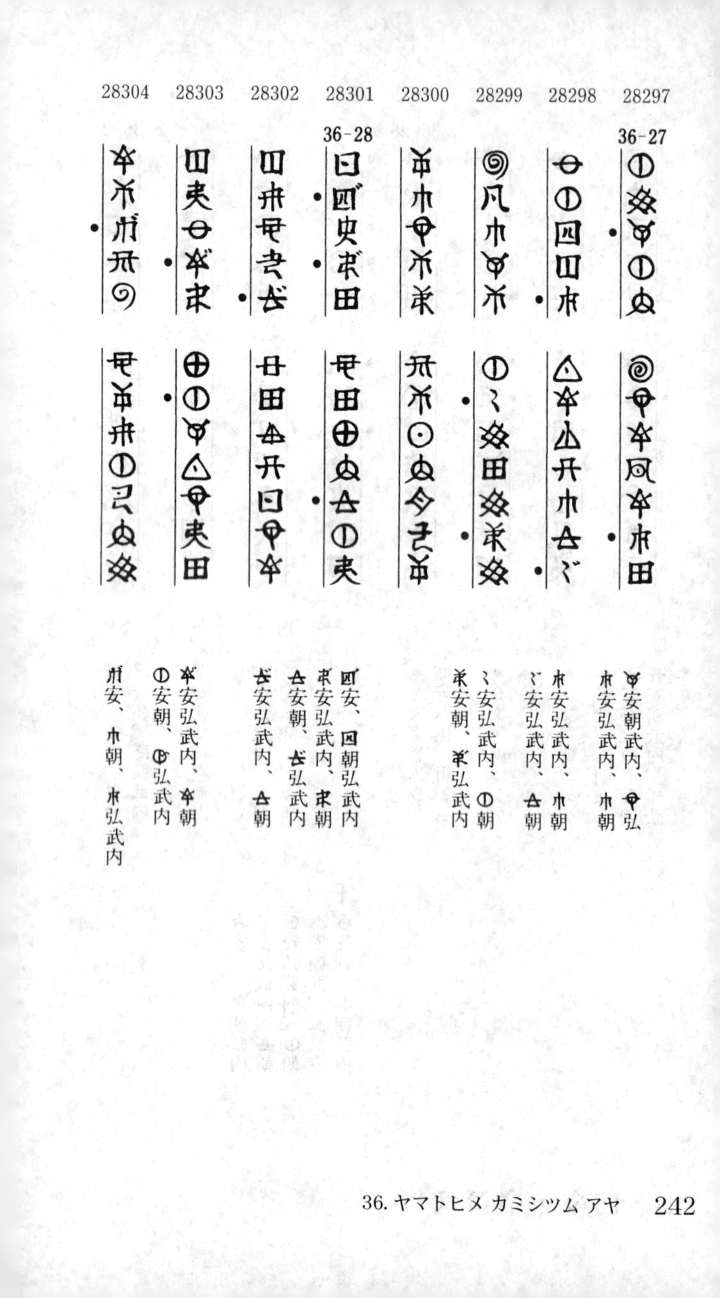

28297 (36-27) [illegible]

28298 [illegible]

28299 [illegible]

28300 [illegible]

28301 (36-28) [illegible]

28302 [illegible]

28303 [illegible]

28304 [illegible]

[illegible]安朝武内、[illegible]弘
[illegible]安弘武内、[illegible]朝
[illegible]安弘武内、[illegible]朝
[illegible]安弘武内、[illegible]朝
[illegible]安弘武内、[illegible]朝
[illegible]安朝、[illegible]弘武内

[illegible]安、[illegible]朝弘武内
[illegible]安弘武内、[illegible]朝
[illegible]安朝、[illegible]弘武内
[illegible]安弘武内、[illegible]朝

[illegible]安弘武内、[illegible]朝
[illegible]安朝、[illegible]弘武内
[illegible]安、[illegible]朝、[illegible]弘武内

28305 朝1-47 36-29　28306　28307　28308　28309 36-30　28310　28311　28312

(Columns of Woshite script characters, not representable in Unicode)

*6文字朝ムシ欠
〓安弘武内、〓朝
〓安弘武内、〓朝
〓安弘武内、〓朝
〓安弘武内、〓朝
〓安弘武内、〓朝
〓安弘武内、〓朝
〓安弘武内、〓朝
〓安弘武内、〓朝
〓安弘武内、〓朝
〓安弘、〓武内
〓安弘内、〓武

↑(8行目)
〓〓安武内、〓〓弘
〓安、〓弘武内

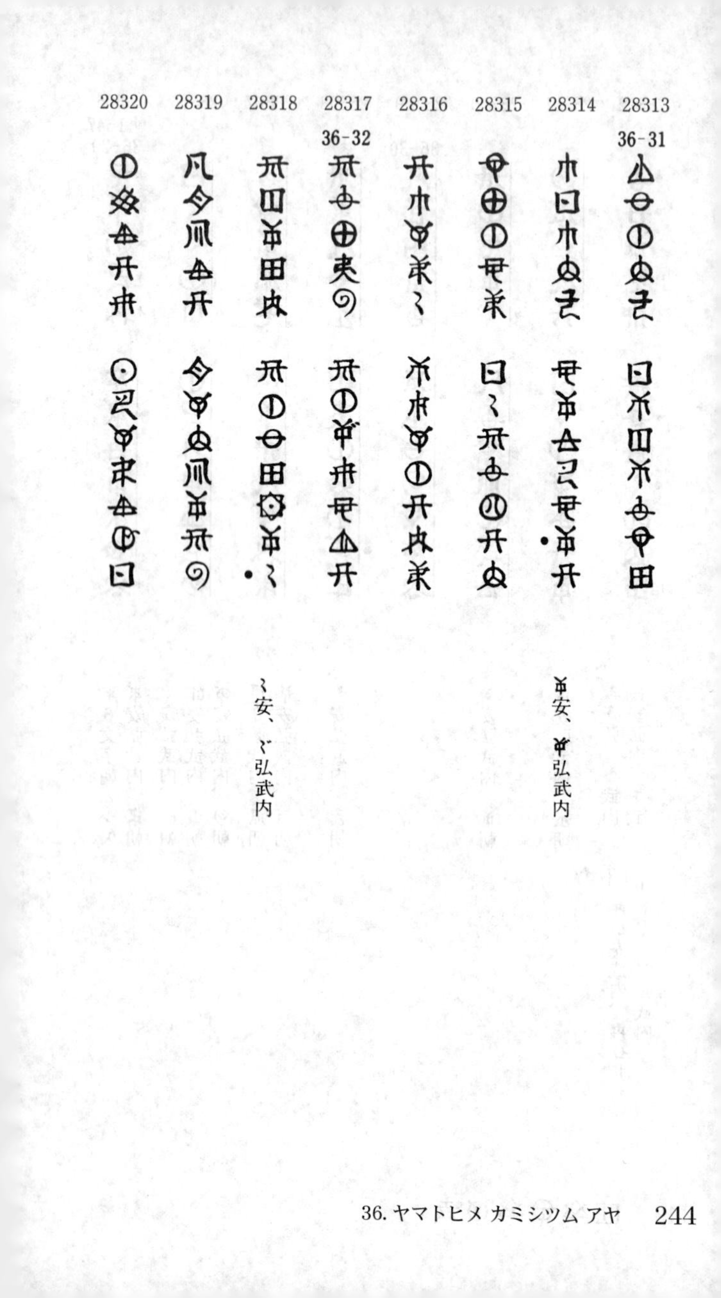

28313
36-31

28314

28315

28316

28317
36-32

28318

28319

28320

安、弘武内

安、弘武内

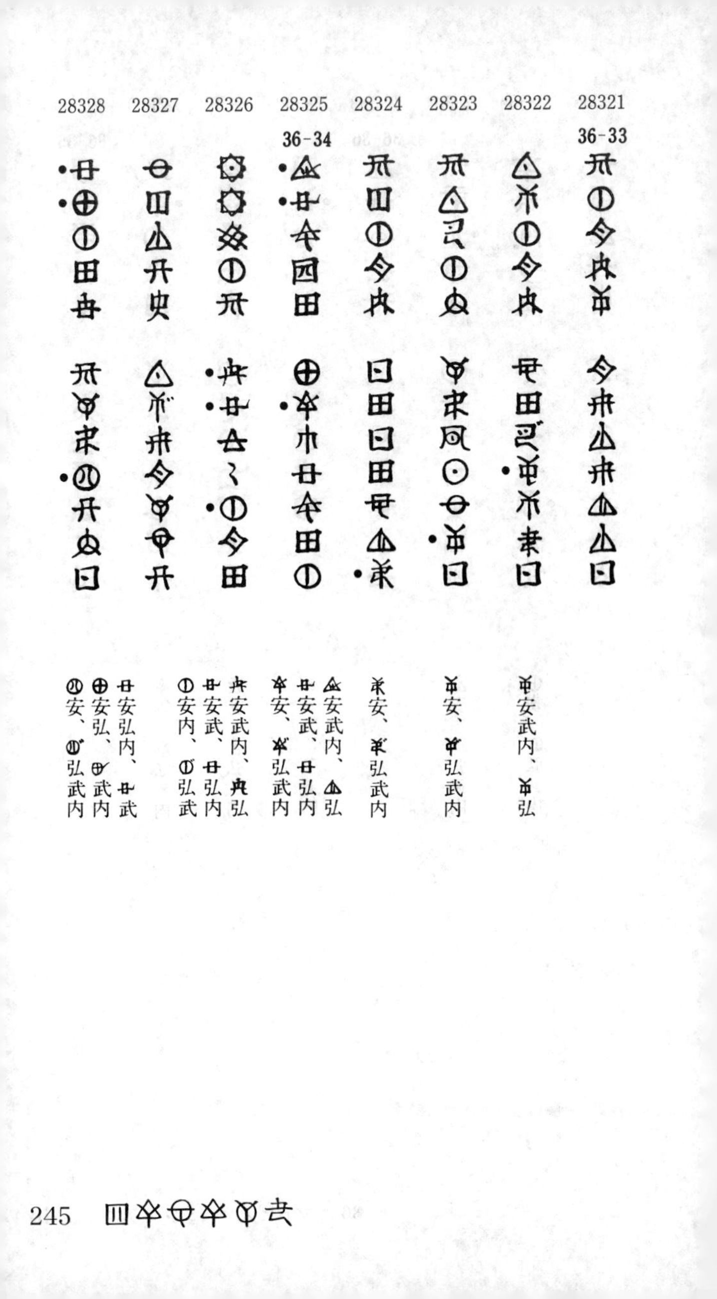

28321 36-33

28322

安武内、弘

28323

安、弘武内

28324

安、弘武内

28325 36-34

安武内、弘

安武、弘内

安、弘武内

28326

安武内、弘

安武、弘内

安内、弘武

28327

28328

安弘内、武

安弘、武内

安、弘武内

28329 36-35

28330
安、弘武内

28331
安、弘武内

28332
安、弘武内

28333 36-36

28334
安、弘武内

28335
安、弘武内

28336

28337
36-37
[illegible]
[illegible]
[illegible]安、[illegible]弘武内

28338
[illegible]
[illegible]

28339
[illegible]
[illegible]

28340
[illegible]
[illegible]

28341
36-38
[illegible]
[illegible]

28342
[illegible]
[illegible]
[illegible]安武内、[illegible]弘

28343
[illegible]
[illegible]
[illegible]安、[illegible]弘武内

28344
[illegible]
[illegible]

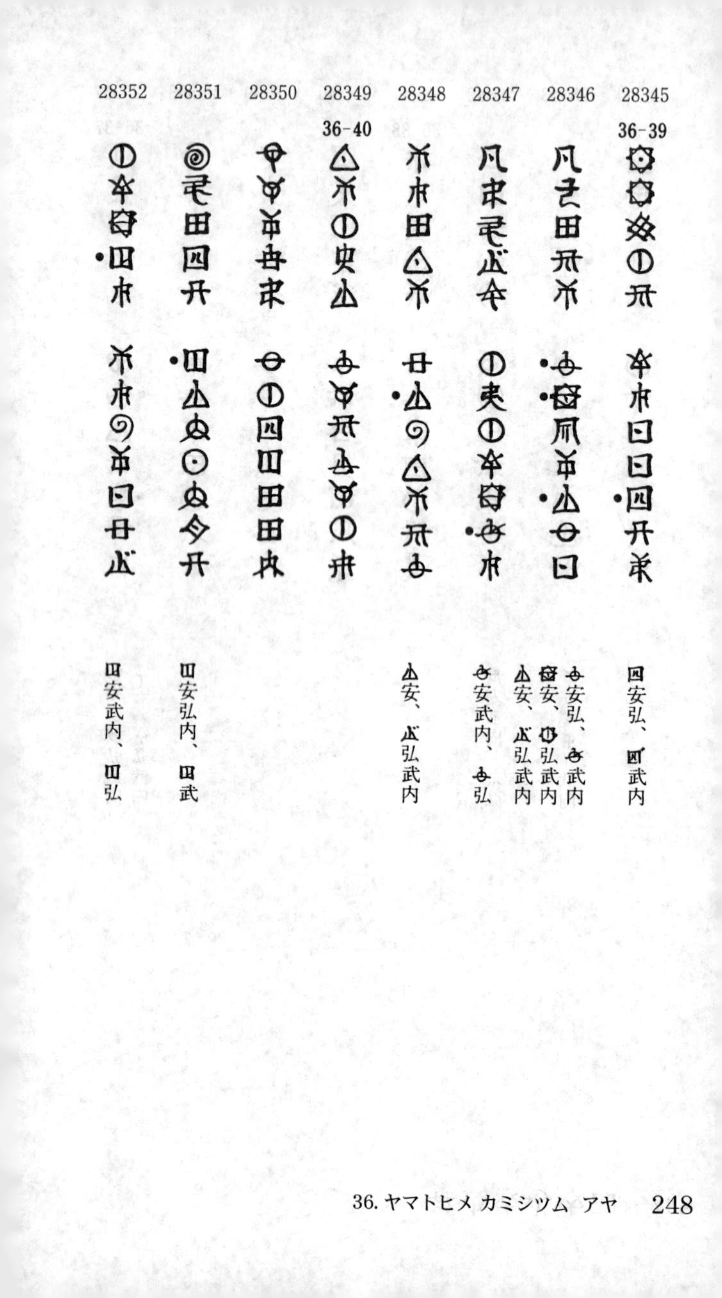

28345
36-39

安弘、武内

28346

安弘、武内
安、弘武内
安、弘武内

28347

安武内、弘

28348

安、弘武内

28349
36-40

28350

28351

安弘内、武

28352

安武内、弘

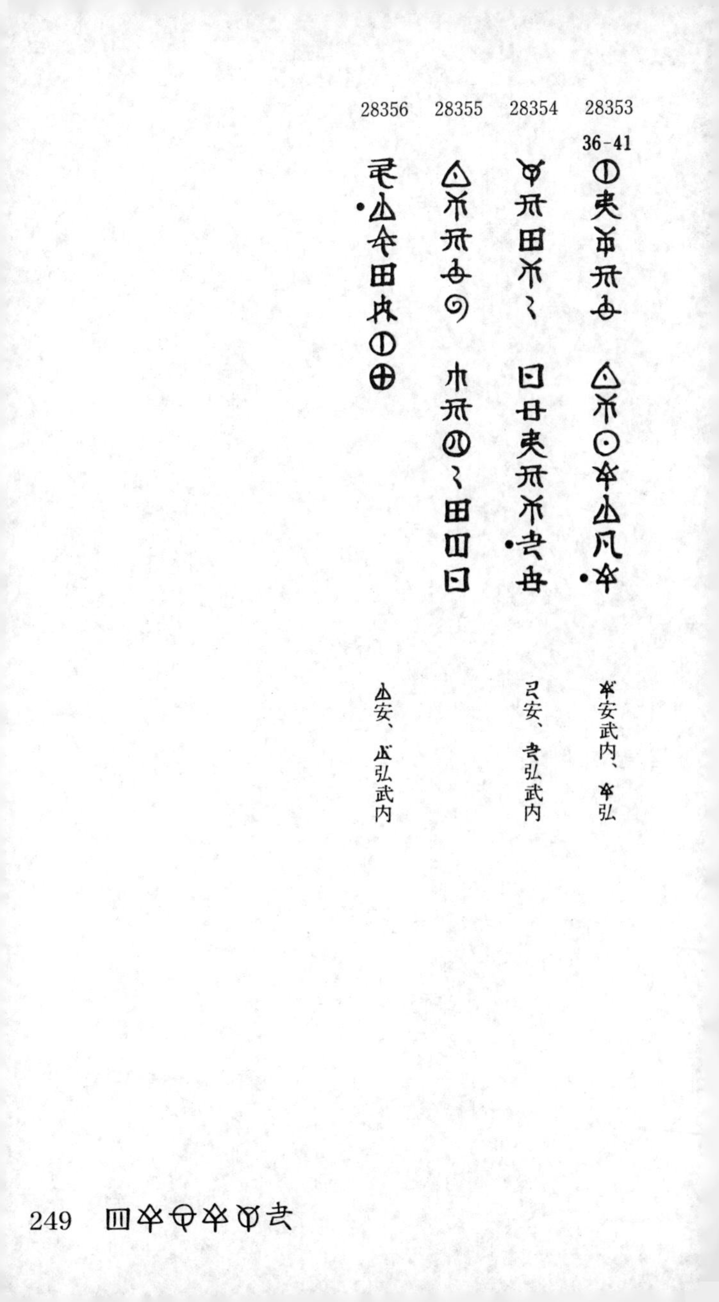

28353

36-41

安武内、弘

28354

安、弘武内

28355

28356

安、弘武内

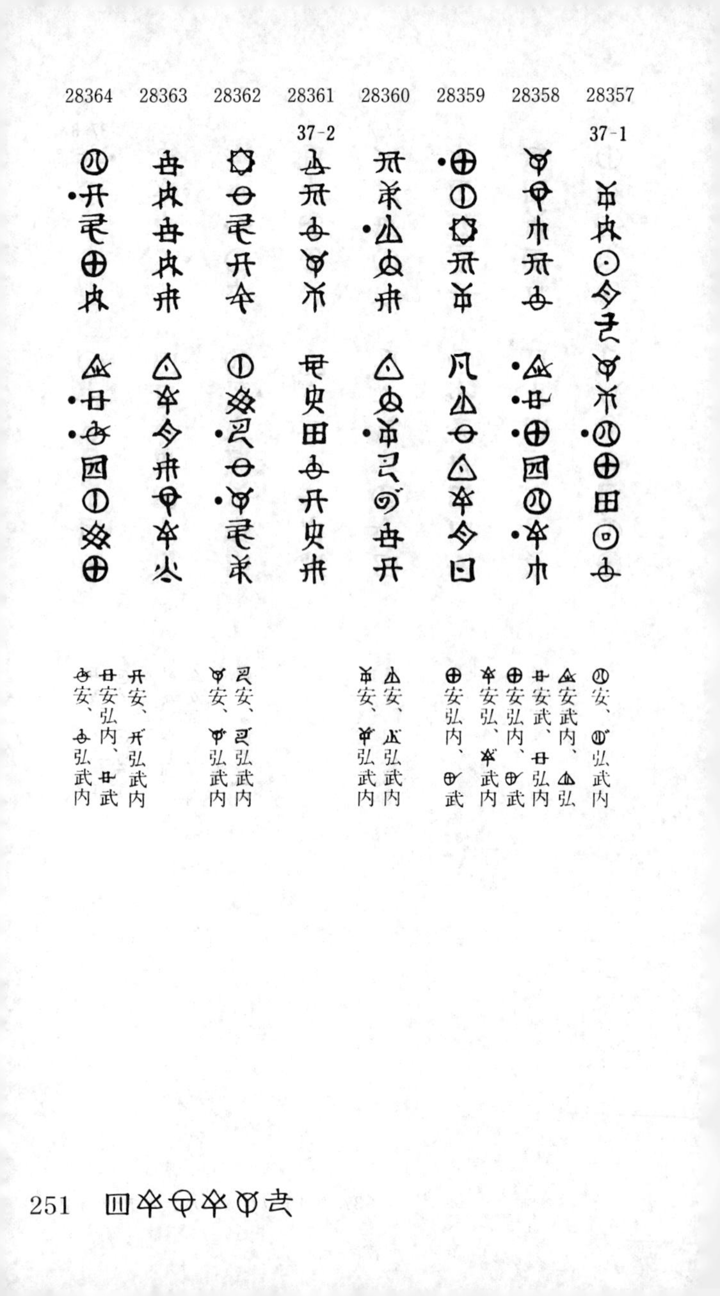

28364 28363 28362 28361 28360 28359 28358 28357

37-2　37-1

安、弘武内
安武内、弘
安武、弘内
安弘内、武
安弘、武内
安弘内、武

安、弘武内
安、弘武内

安、弘武内
安、弘武内

安、弘武内
安弘内、武
安、弘武内

28365 37-3

28366

28367

28368

28369 37-4

28370

28371

28372

28373	28374	28375	28376	28377	28378	28379	28380
37-5				37-6			
〓〓〓〓〓 〓〓〓〓〓〓〓	〓〓〓〓〓 〓〓〓〓〓〓〓	〓〓〓〓〓 〓〓〓〓〓〓〓	〓〓〓〓〓 〓〓〓〓〓〓〓	〓〓〓〓〓 〓〓〓〓〓〓〓	〓〓〓〓〓 〓〓〓〓〓〓〓	〓〓〓〓〓 〓〓〓〓〓〓〓	〓〓〓〓〓 〓〓〓〓〓〓〓
	〓安武内、〓弘 〓安、〓弘武内	〓安武内、〓弘 〓安武内、〓弘 〓安、〓弘武内		〓安武、〓弘内 〓安武内、〓弘		〓安、〓弘武内 〓安武内、〓弘	〓安、〓弘武内

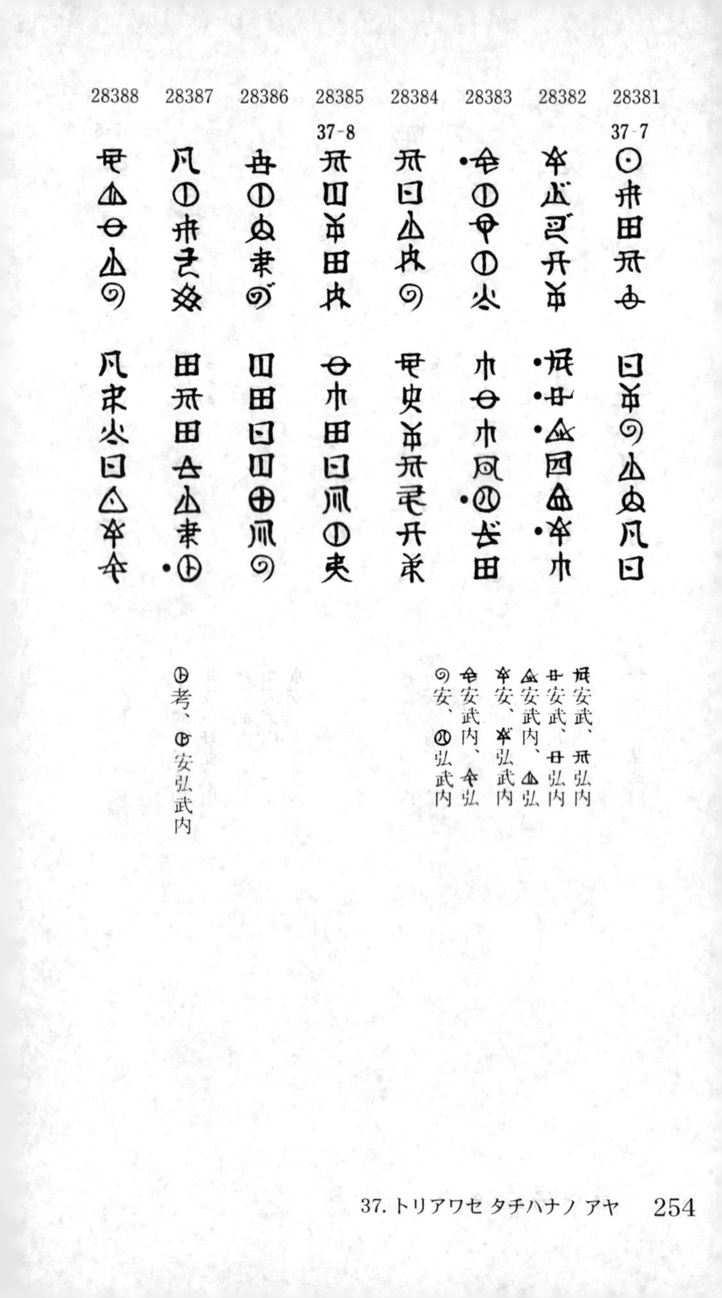

28381

37-7

28382

28383

28384

28385

37-8

28386

28387

28388

安武、弘内

安武、弘内

安武内、弘

安、弘武内

安武内、弘

安、弘武内

考、安弘武内

28389

37-9

⊙安、[illegible]弘武内

28390

28391

[illegible]安弘、[illegible]武内

28392

[illegible]安、[illegible]弘武内

28393

37-10

28394

28395

28396

[illegible]安、[illegible]弘武内

28397 37-11

28398

28399

28400

28401 37-12

28402

28403

28404

安武内、弘

安、弘武内

安武、弘内

安武、弘内

*安武内、弘

**安武内、弘

考、安弘武内

37-13

28405

安武内、弘

28406

安武、弘内

28407

安武内、弘

28408

37-14

28409

28410

28411

28412

28413
37-15

28414

28415

28416

28417
37-16

28418

28419

28420

安、弘武内

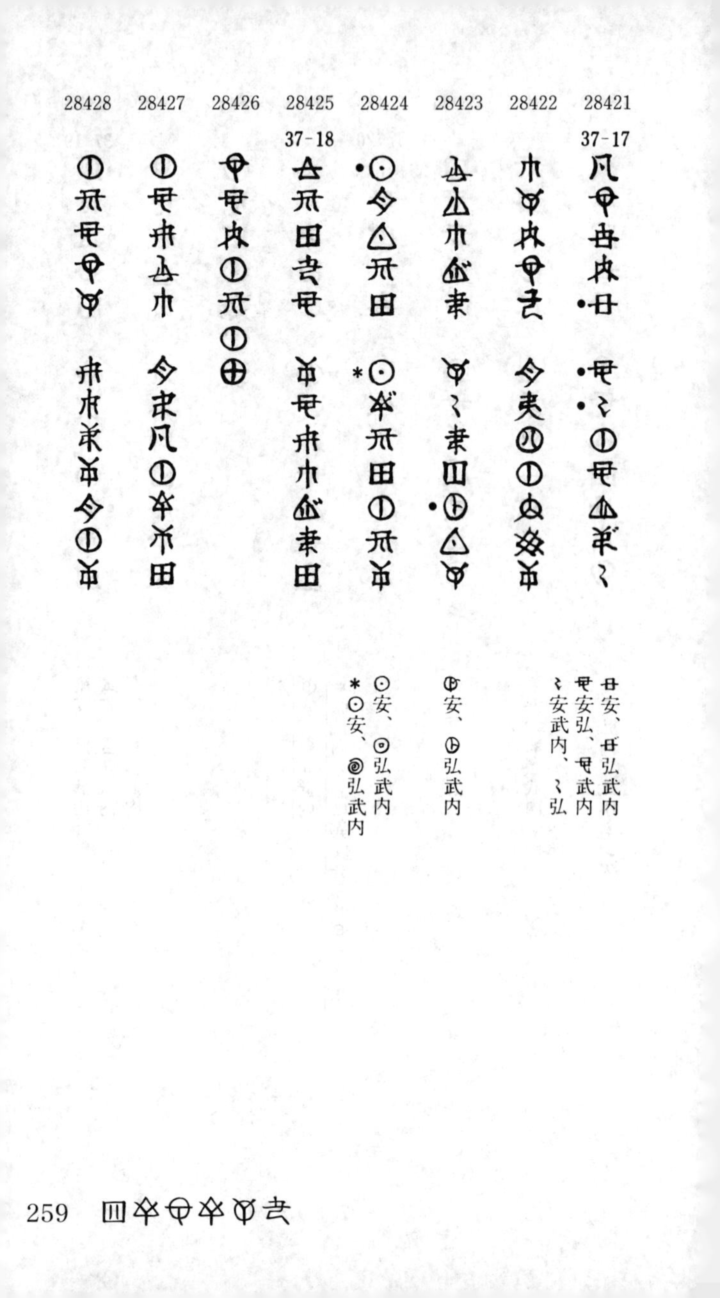

28428 28427 28426 28425 28424 28423 28422 28421

37-18 (28425)

37-17 (28421)

安、弘武内
安弘、武内
安武内、弘

安、弘武内

⊙安、◎弘武内
*⊙安、◎弘武内

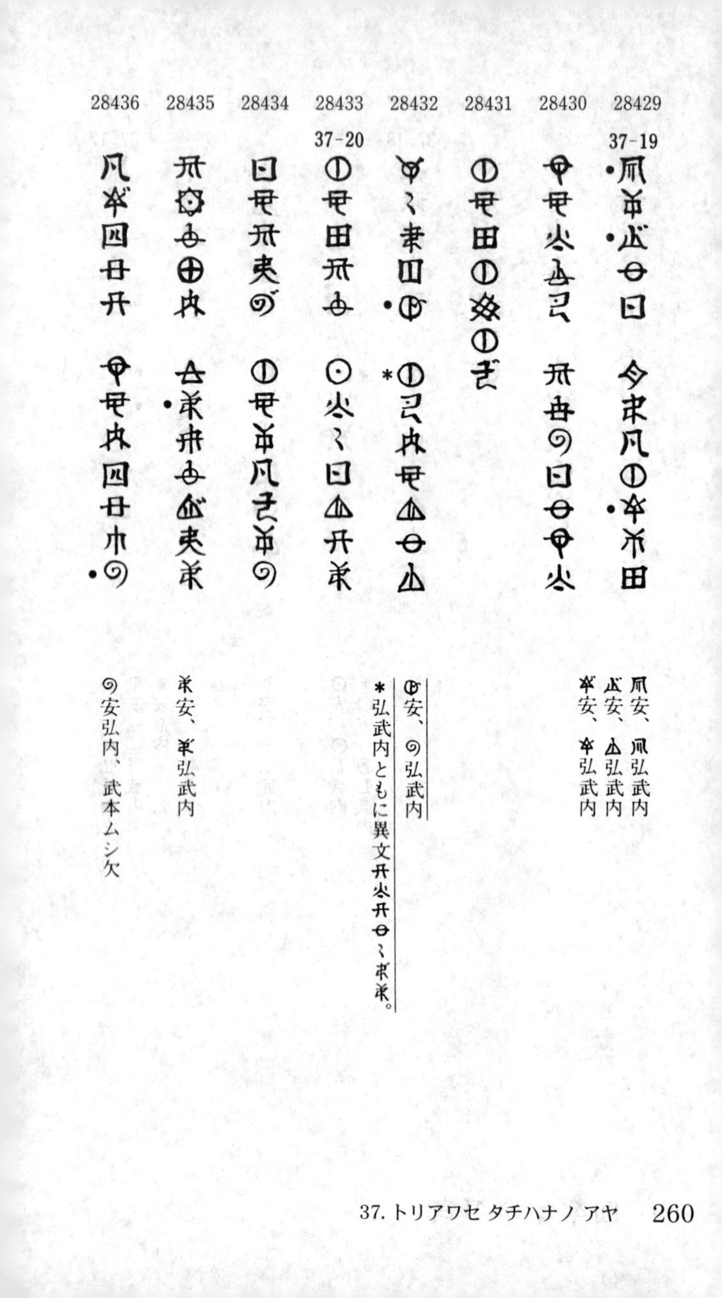

28429
37-19

安、弘武内
安、弘武内
安、弘武内

28430

28431

28432

安、弘武内
*弘武内ともに異文。

28433
37-20

28434

28435

安、弘武内

28436

安弘内、武本ムシ欠

28437

37-21

安弘内、武本ムシ欠

28438

考、安弘武内

安、弘武内

28439

安武内、弘

28440

28441

37-22

28442

28443

28444

安、弘武内

28445

37-23

28446

28447

28448

28449

37-24

28450

28451

28452

安弘、武内

安武内、弘

安、弘武内

考、安弘武内

安武、弘内

28453
37-25

28454

安武内、弘

28455

安、弘武内
考、安弘武内
安、弘武内

28456

28457
37-26

考、安弘武内

28458

28459

28460

考、安弘武内

28461
37-27

28462

安、弘武内
考、安弘武内

28463

28464

安、弘武内
安武、弘内

28465
37-28

安、弘武内

28466

28467

安、弘武内

28468

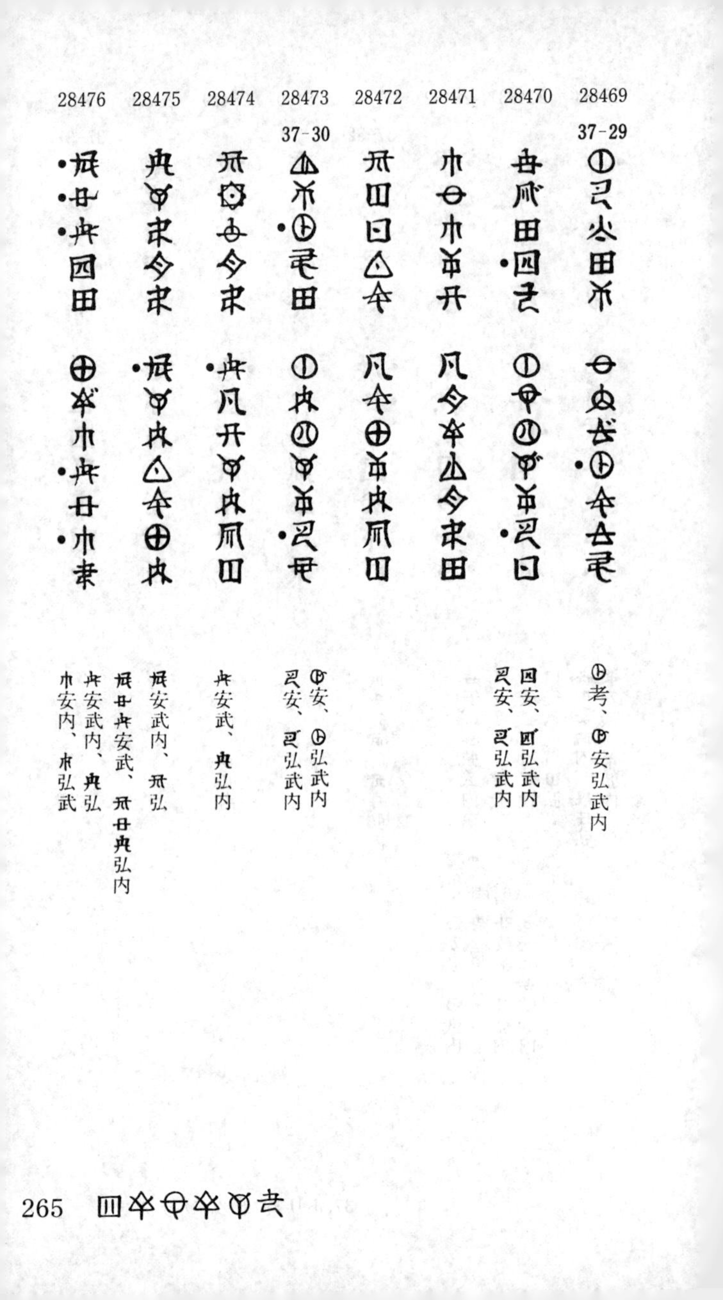

28469
37-29
〓考、〓安弘武内

28470
〓安、〓弘武内
〓安、〓弘武内

28471

28472

28473
37-30
〓安、〓弘武内
〓安、〓弘武内

28474
〓安武、〓弘内

28475
〓安武内、〓弘
〓〓〓安武、〓〓〓弘内

28476
〓安武内、〓弘
〓安内、〓弘武

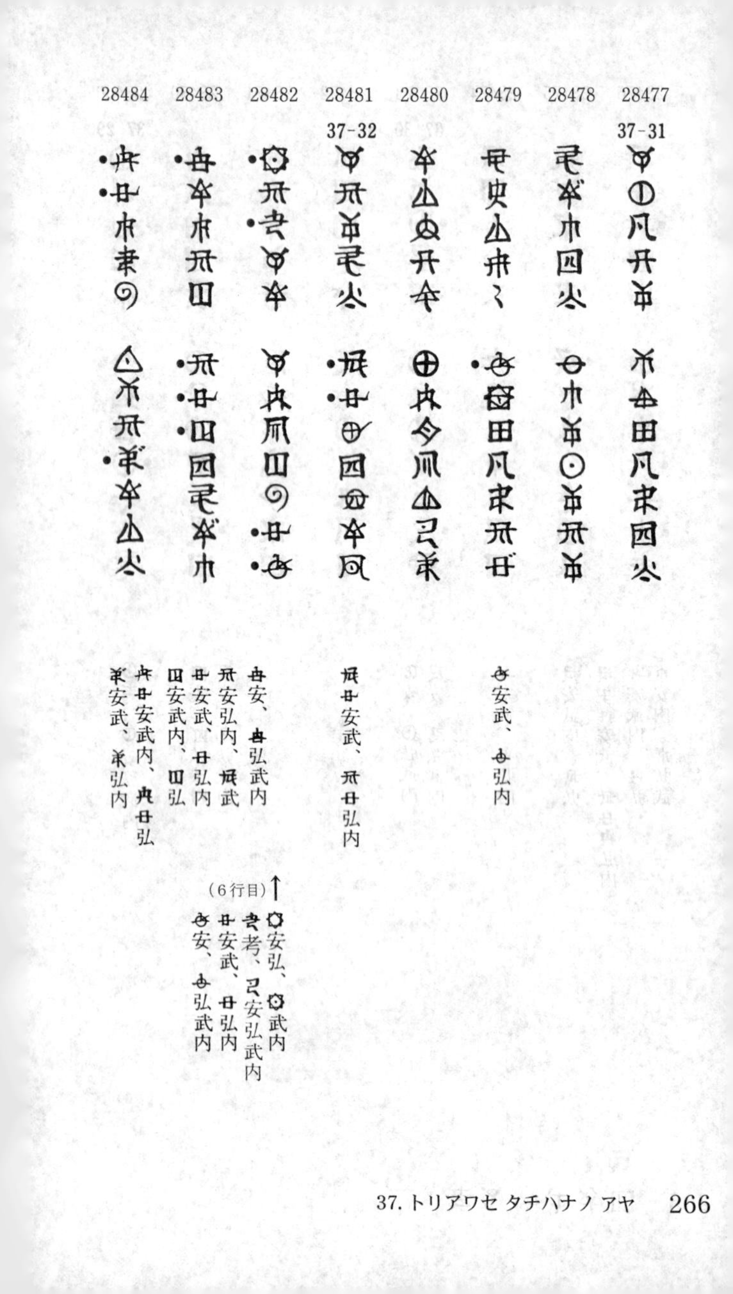

28477 37-31

28478

28479

安武、弘内

28480

28481 37-32

安武、弘内

28482

安、弘武内

安弘内、武

（6行目）↑

安弘、武内

考、安弘武内

28483

安武、弘内

安武内、弘

安武、弘内

安、弘武内

28484

安武内、弘

安武、弘内

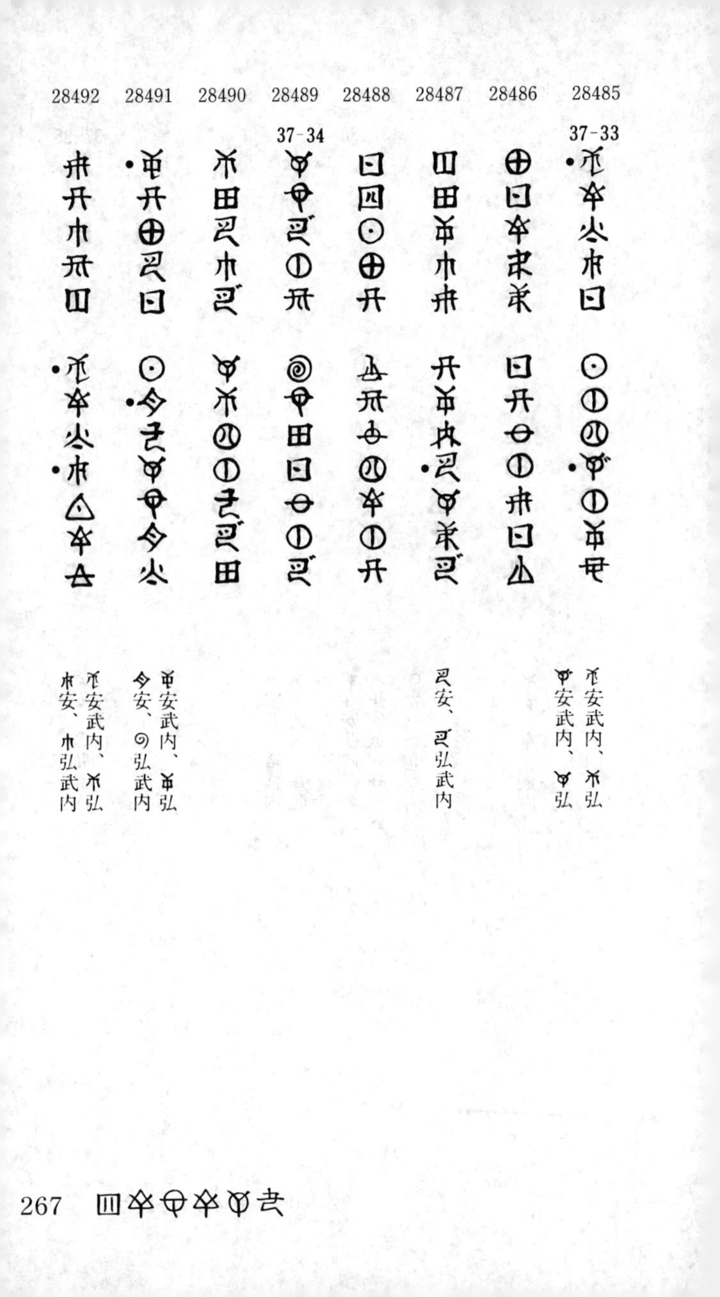

28485 37-33

安武内、弘
安武内、弘

28486

28487

安、弘武内

28488

28489 37-34

28490

28491

安武内、弘
安、弘武内

28492

安武内、弘
安、弘武内

37-35

28493

安、弘武内

28494

28495

28496

安弘、武内

安武内、弘

*安弘内、武

*安武、弘内

37-36

28497

安、弘武内

28498

28499

安、弘武内

28500

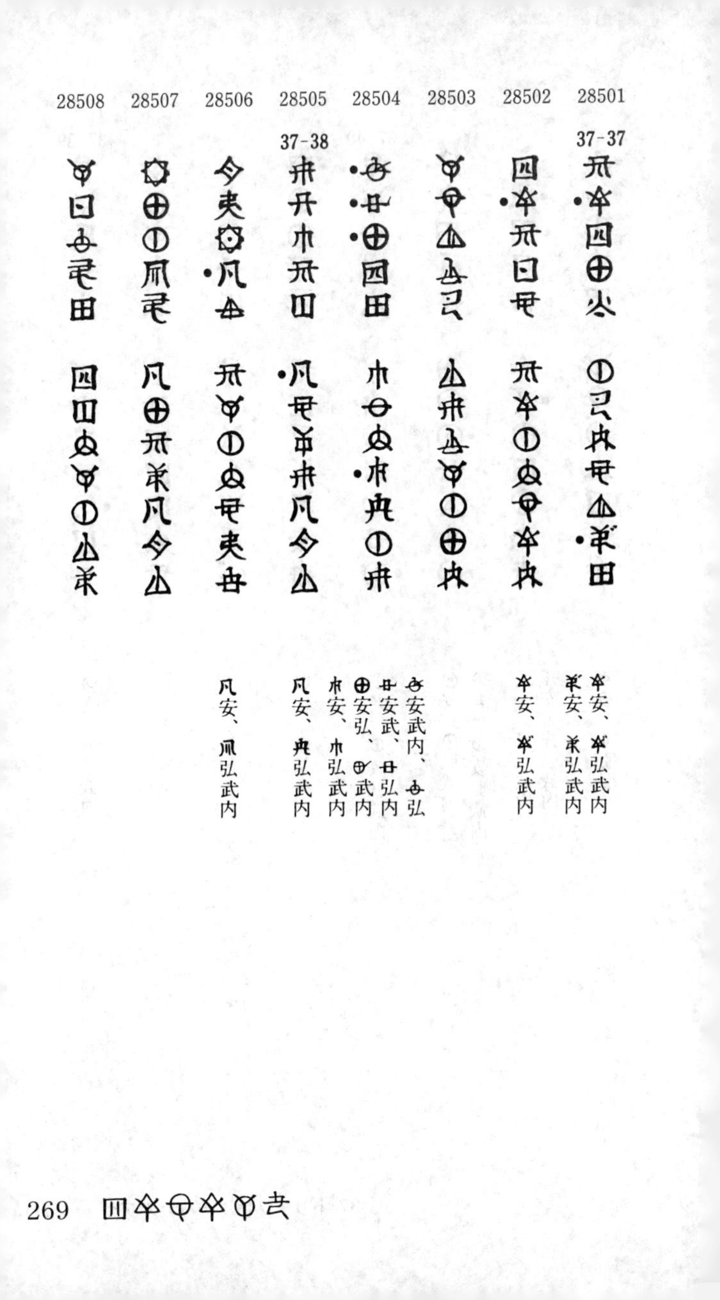

28501 37-37

安、弘武内

安、弘武内

28502

安、弘武内

28503

28504

安武内、弘

安武、弘内

安弘、武内

安、弘武内

28505 37-38

安、弘武内

28506

安、弘武内

28507

28508

28509 37-39

安、弘武内

28510

28511

28512

安、弘武内

28513 37-40

考、安弘武内

28514

安、弘武内

考、安弘武内

28515

安、弘武内

安、弘武内

28516

安、弘武内

28517 37-41

[glyph]安武、[glyph]弘内

[glyph]安弘、[glyph]武内

[glyph]安弘内、[glyph]武

28518

[glyph]安武、[glyph]弘内

28519

[glyph]安、[glyph]弘武内

[glyph]安、[glyph]弘武内

28520

[glyph]安、[glyph]弘武内

28521 37-42

[glyph]安、[glyph]弘武内

[glyph]安内、[glyph]弘武

28522

28523

28524

[glyph]安、[glyph]弘武内

[glyph]安、[glyph]弘武内

28525
37-43

安、弘武内

28526

安弘、武内

28527

安武、弘内

安、弘武内

28528

安、弘武内

安、弘武内

28529
37-44

安、弘武内

28530

28531

28532

28533
37-45
[illegible]安、[illegible]弘武内

28534
[illegible]安、[illegible]弘武内

28535

28536

28537
37-46
[illegible]安武内、[illegible]弘

28538
[illegible]安、[illegible]弘武内

28539

28540

28541 37-47

28542

28543

28544

28545 37-48

28546

28547

28548

安武内、弘

安、弘武内

安弘、武内

安武、弘内
安弘、武内

安、弘武内

28549 37-49

28550

28551

28552

28553 37-50

28554

28555

28556

安、弘武内

安武、弘内

安、弘武内

安武、弘内

安、弘武内

安弘武、内

安弘内、武

安武、弘内

安武、弘内

安武内、弘

安武、弘内

安武、弘内

安、弘武内

安、弘武内

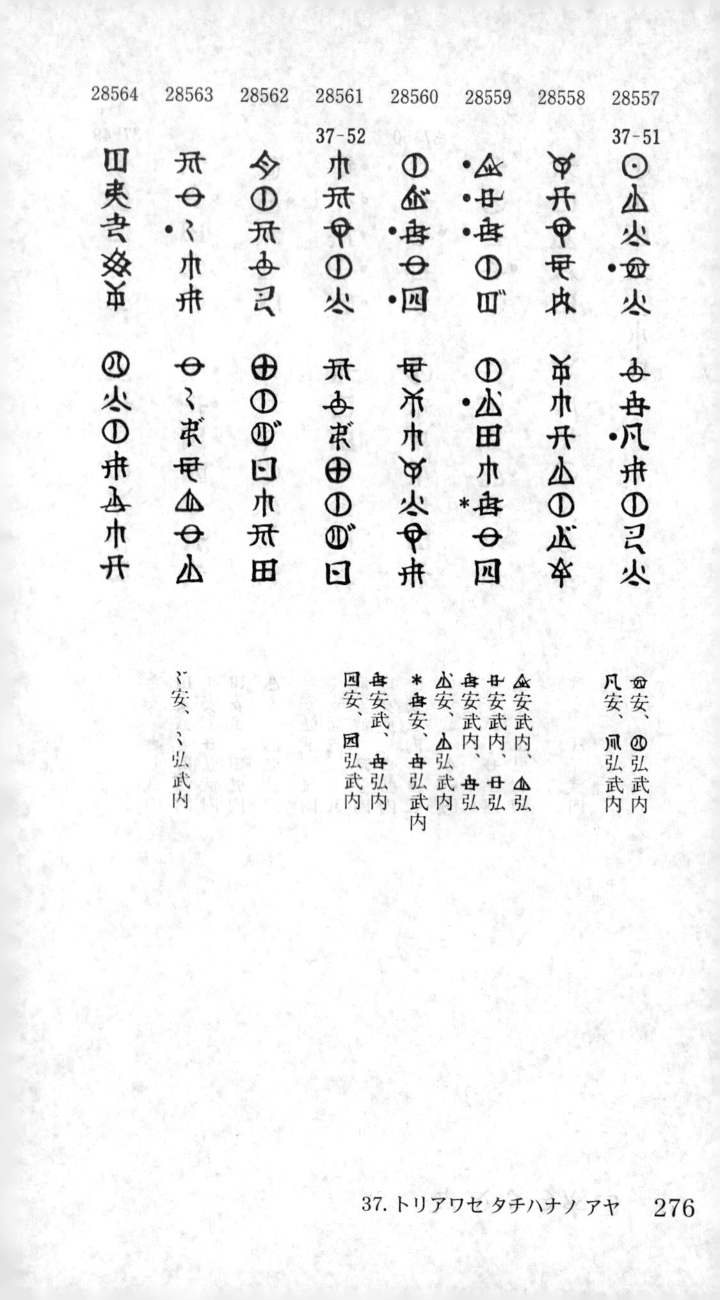

28557 37-51

28558

28559

28560

28561 37-52

28562

28563

28564

安、弘武内

安、弘武内

安武内、弘

安武内、弘

安武内、弘

安、弘武内

*安、弘武内

安武、弘内

安、弘武内

安、弘武内

28565
37-53
[illegible]

28566
[illegible]
[illegible]安、[illegible]弘武内

28567
[illegible]
[illegible]安武内、[illegible]弘
[illegible]安、[illegible]弘武内

28568
[illegible]
[illegible]安弘、[illegible]武内

28569
37-54
[illegible]

28570
[illegible]

28571
[illegible]

28572
[illegible]

28573
37-55

安弘内、武

28574

安弘内、武
安、弘武内

28575

28576

考、安弘武内

28577
37-56

28578

28579

安、弘武内

28580

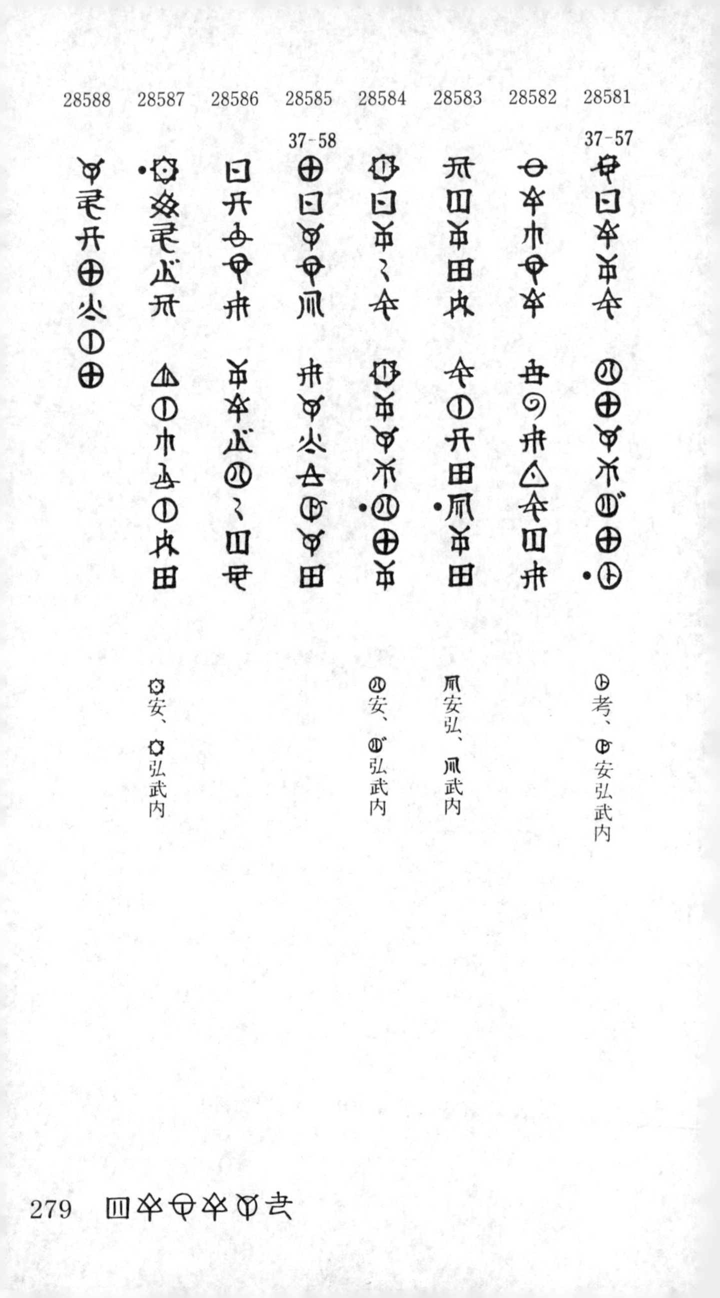

28581 37-57

考、安弘武内

28582

28583

安弘、武内

28584

安、弘武内

28585 37-58

28586

28587

安、弘武内

28588

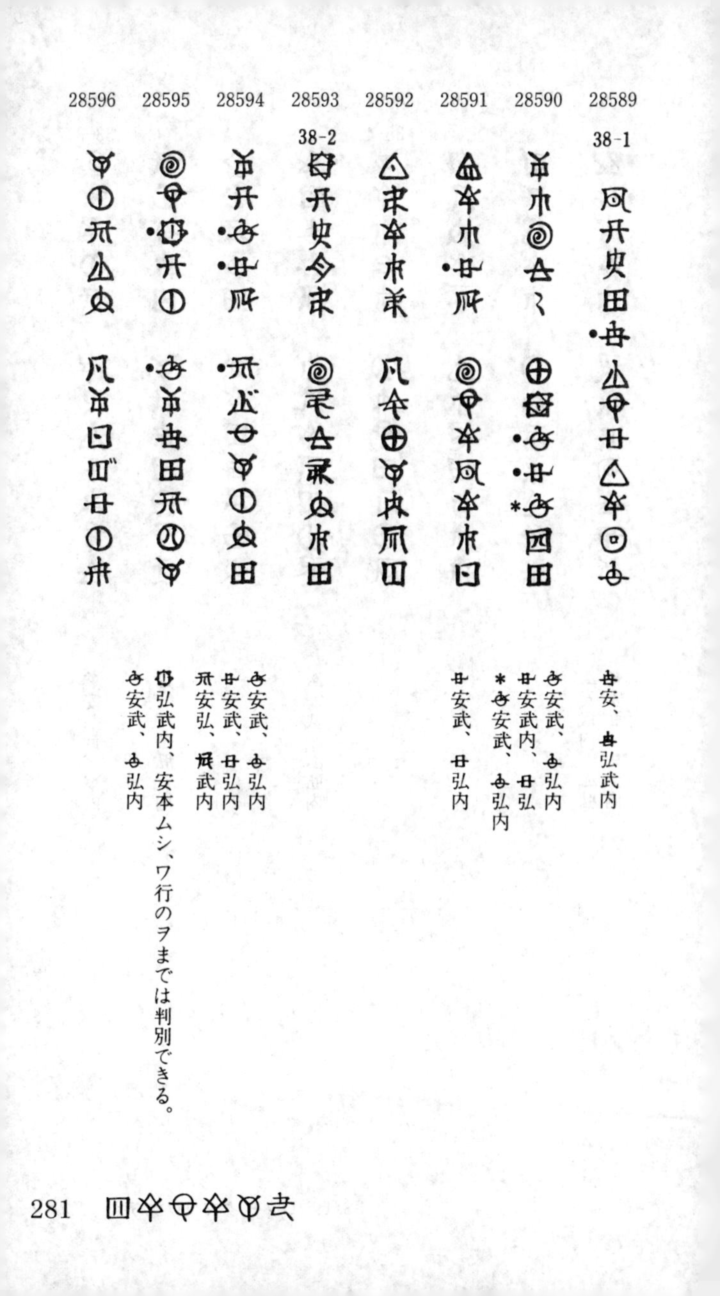

28589 38-1

28590

28591

28592

28593 38-2

28594

28595

28596

安、弘武内

安武、弘内
安武内、弘
＊安武、弘内

安武、弘内

安武、弘内
安武、弘内
安弘、武内
弘武内、安本ムシ、ワ行のヲまでは判別できる。
安武、弘内

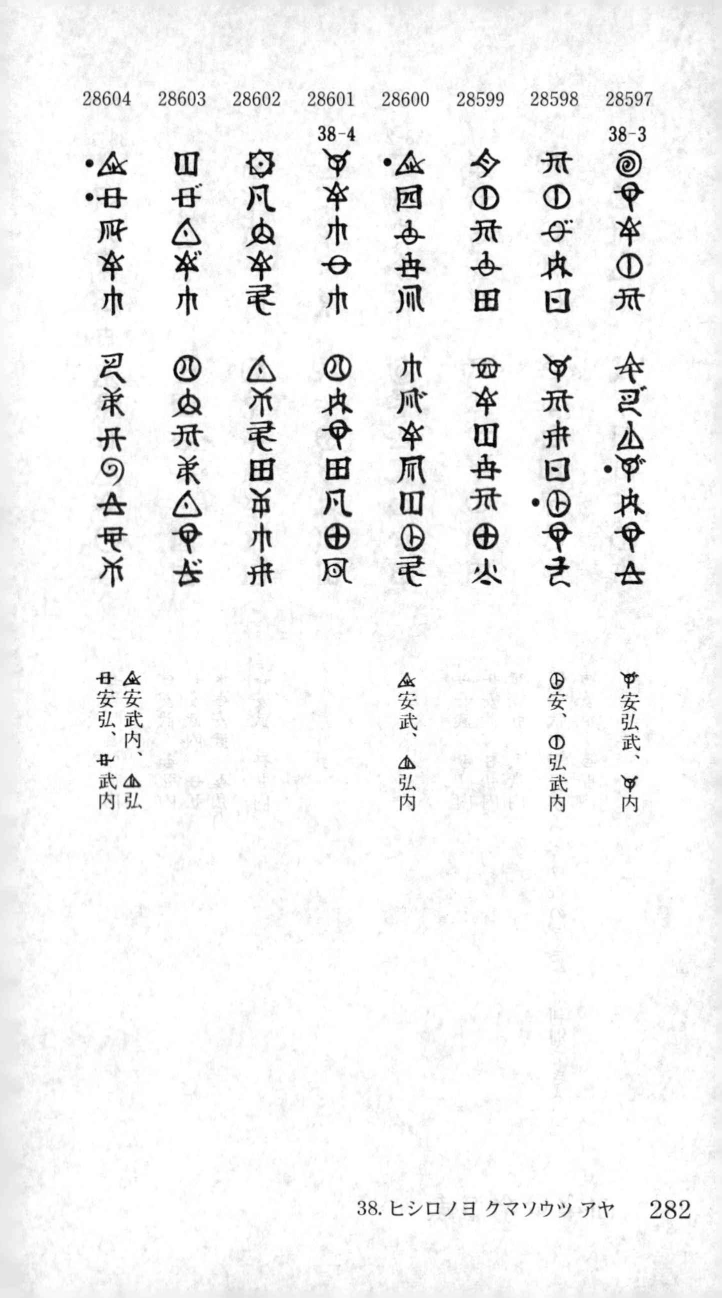

28597 38-3

28598

28599

28600

28601 38-4

28602

28603

28604

28597: 安弘武、内

28598: 安、弘武内

28600: 安武、弘内

28604: 安武内、弘 / 安弘、武内

28605

38-5

[illegible]

28606

[illegible]

[illegible]安武内、[illegible]弘

28607

[illegible]

28608

[illegible]

[illegible]安内、[illegible]弘武

28609

38-6

[illegible]

28610

[illegible]

[illegible]安武、[illegible]弘内

[illegible]安武内、[illegible]弘

28611

[illegible]

[illegible]安弘内、[illegible]武

[illegible]安、[illegible]弘武内

28612

[illegible]

28613 38-7

28614

28615

28616

28617 38-8

28618

28619

28620

安、弘武内

安、弘武内

安武、弘内

考、安弘武内

安、弘武内

安弘内、武

28621 38-9

28622

28623

28624

28625 38-10

28626

28627

28628

28621: ◎安、⊙弘武内
安弘、武内

28626: 安、弘武内

28636	28635	28634	28633	28632	28631	28630	28629
			38-12				38-11

28637	28638	28639	28640	28641	28642	28643	28644
38-13				38-14			
[illegible]	[illegible]	[illegible]	[illegible]	[illegible]	[illegible]	[illegible]	[illegible]

[illegible]安、[illegible]弘武内

[illegible]安、[illegible]弘武内

[illegible]安武、[illegible]弘内

*[illegible]安武内、[illegible]弘

[illegible]安内、[illegible]弘武

[illegible]安、[illegible]弘武内

[illegible]安、[illegible]弘武内

[illegible]考、[illegible]安弘武内

[illegible]安、[illegible]弘武内

[illegible]考、[illegible]安弘武内

[illegible]安、[illegible]弘武内

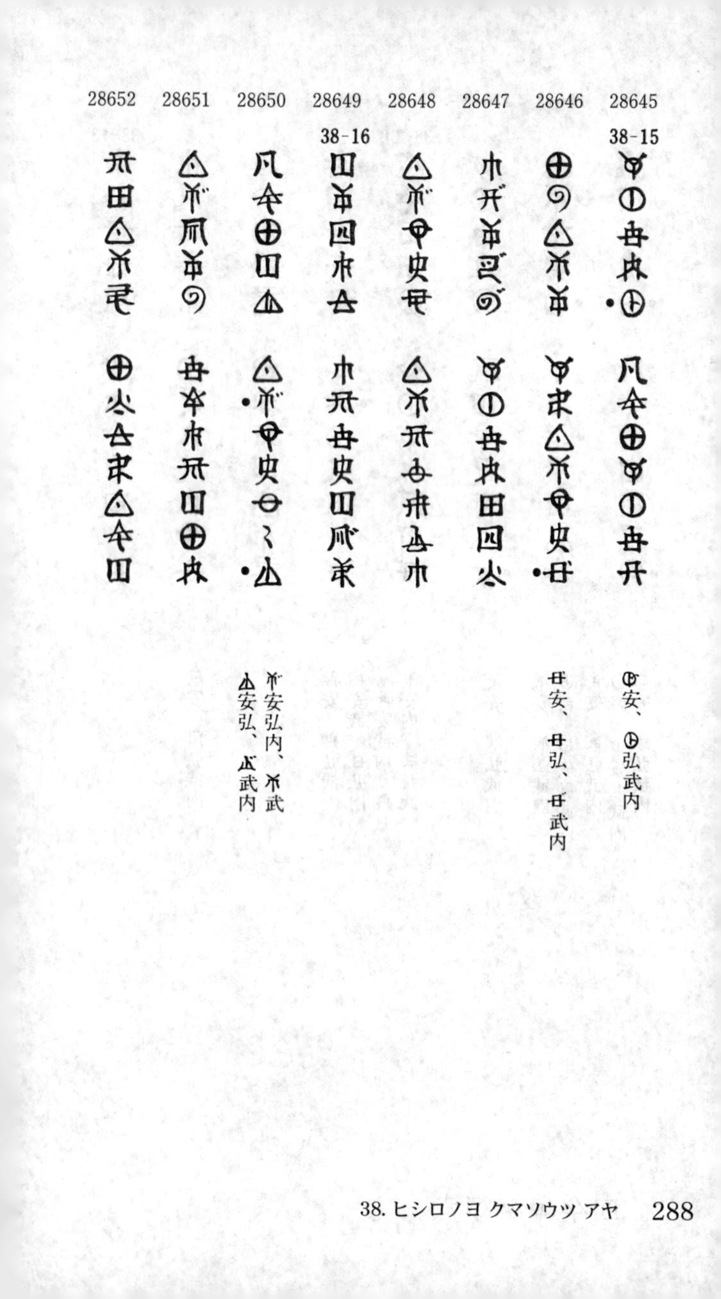

38-15

28645

安、弘武内

28646

安、弘、武内

28647

28648

38-16

28649

28650

安弘内、武

安弘、武内

28651

28652

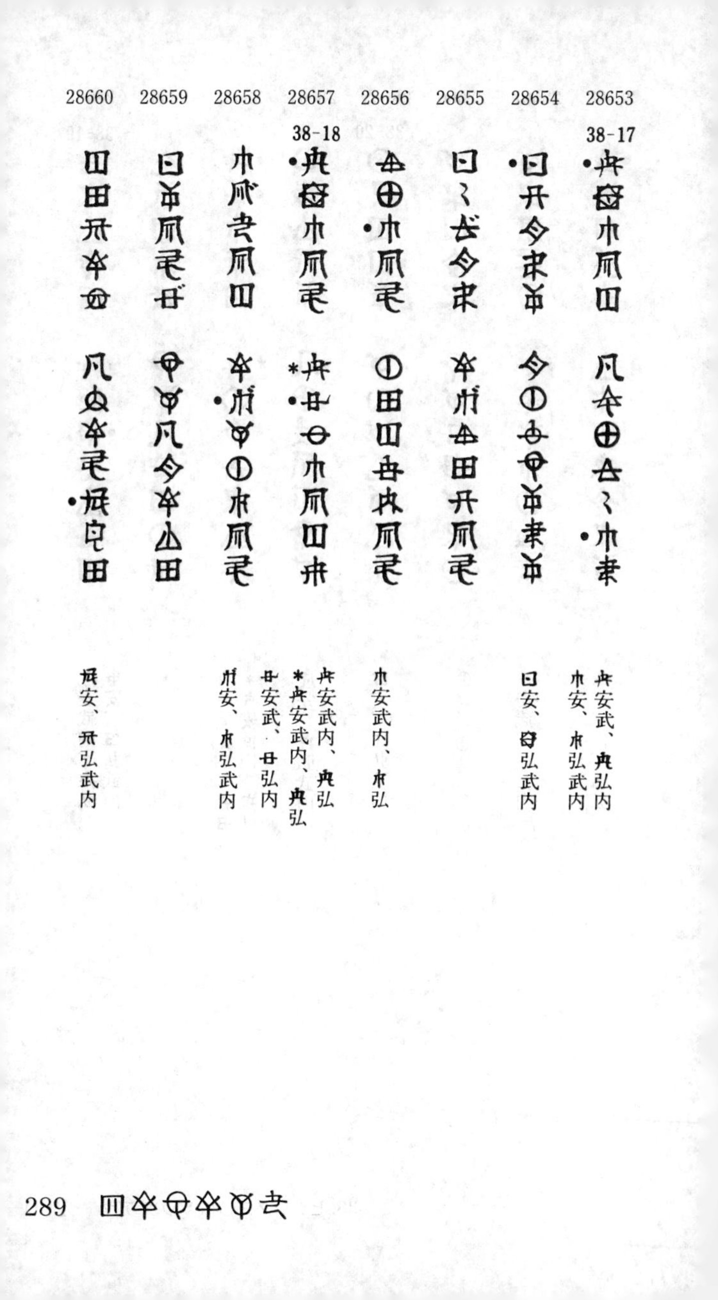

28653 38-17

安武、弘内
安、弘武内

28654

安、弘武内

28655

28656

安武内、弘

28657 38-18

安武内、弘
*安武内、弘
安武、弘内

28658

安、弘武内

28659

28660

安、弘武内

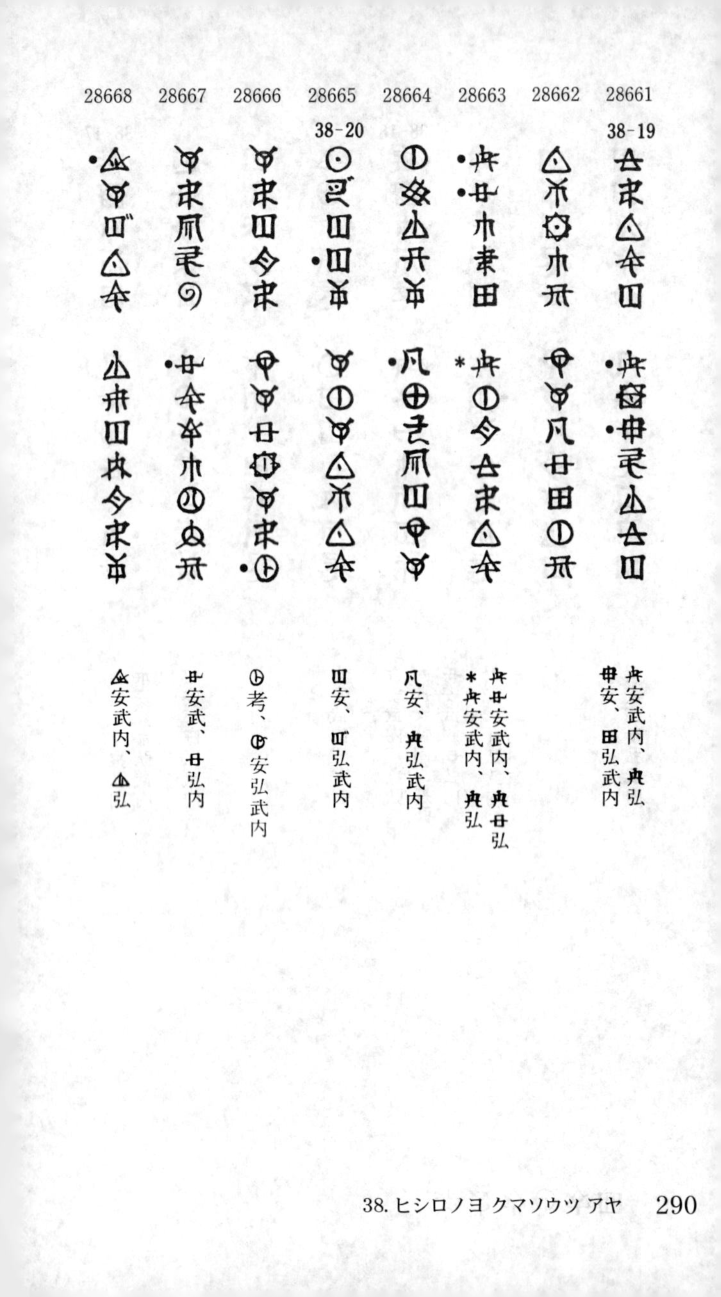

28661

38-19

28662

28663

28664

28665

38-20

28666

28667

28668

28661: 安武内、弘
安、弘武内

28663: 安武内、弘
*安武内、弘

28664: 安、弘武内

28665: 安、弘武内

28666: 考、安弘武内

28667: 安武、弘内

28668: 安武内、弘

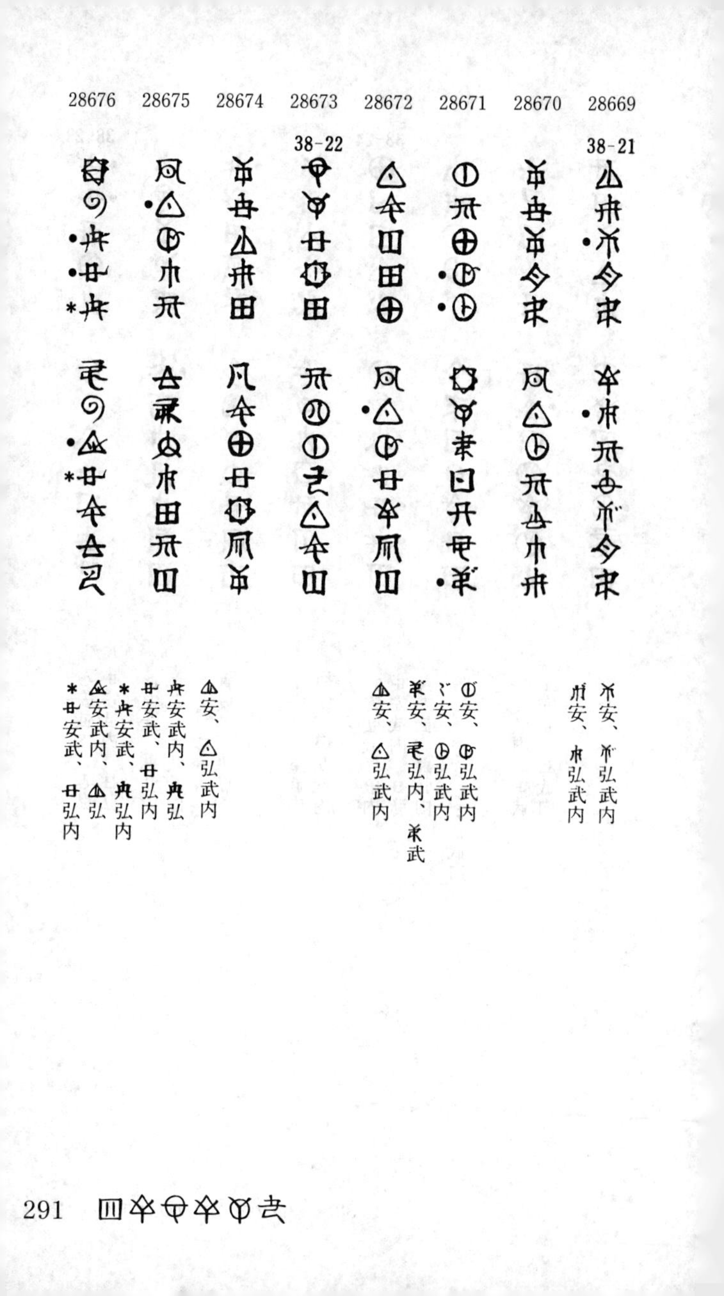

28669 38-21

28670

28671

28672

28673 38-22

28674

28675

28676

安、弘武内
安、弘武内

安、弘武内
安、弘武内
安、弘内、武
安、弘武内

安、弘武内

安武内、弘
安武、弘内
*安武、弘内
安武内、弘
*安武、弘内

28677 38-23

[illegible]

[illegible]安武内、[illegible]弘
[illegible]安武内、[illegible]弘

28678

[illegible]

[illegible]安武、[illegible]弘内
[illegible]安、[illegible]弘武内

28679

[illegible]

[illegible]安武、[illegible]弘内

28680

[illegible]

[illegible]安弘、[illegible]武内
[illegible]安、[illegible]弘武内

28681 38-24

[illegible]

[illegible]安弘武、[illegible]内
[illegible]安武内、[illegible]弘
[illegible]安武、[illegible]弘内

28682

[illegible]

[illegible]考、[illegible]安、[illegible]弘武内

28683

[illegible]

[illegible]安弘内、[illegible]武
[illegible]安弘、[illegible]武内

28684

[illegible]

[illegible]考、[illegible]安弘武内

28692	28691	28690	28689	28688	28687	28686	28685
			38-26				38-25

安、弘武内

安、弘武内

安、弘武内

安武、弘内

安武内、弘

28700	28699	28698	28697	28696	28695	28694	28693
			38-28				38-27
[illegible]安弘内、[illegible]武				[illegible]安、[illegible]弘武内 / [illegible]安、[illegible]弘武内	[illegible]安武内、[illegible]弘	[illegible]安、[illegible]弘武内	

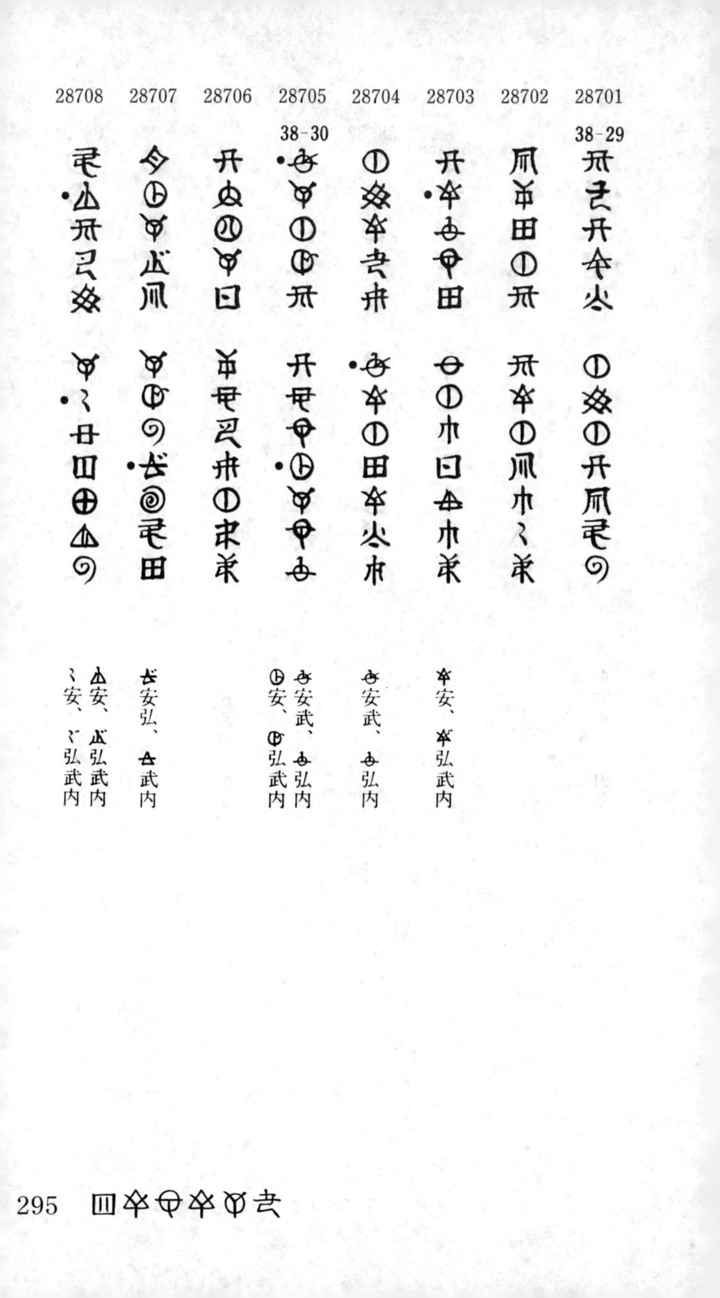

28701 38-29

28702

28703

安、弘武内

28704

安武、弘内

28705 38-30

安武、弘内

安、弘武内

28706

28707

安弘、武内

28708

安、弘武内

安、弘武内

28709
38-31

[illegible]安、[illegible]弘武内
[illegible]安、[illegible]弘武内

28710

28711

[illegible]安武内、[illegible]弘

28712

28713
38-32

28714

[illegible]安武、[illegible]弘内

28715

28716

[illegible]安、[illegible]弘武内
[illegible]安武内、[illegible]弘

28717

38-33

[illegible]

28718

[illegible]

28719

[illegible]

28720

[illegible]

28721

38-34

[illegible]

[illegible]安、[illegible]弘武内

28722

[illegible]

28723

[illegible]

[illegible]安、[illegible]弘武内

28724

[illegible]

[illegible]安、[illegible]弘武内

28725 38-35

28726

28727

安、弘武内

28728

考、安弘武内

28729 38-36

安武内、弘

28730

安、弘武内

安武内、田弘

28731

安武、弘内

安弘内、武

28732

安武、弘内

28733 38-37

安、弘武内

28734

安、弘武内

*安、弘武内

28735

28736

安、弘武内

28737 38-38

28738

安、弘武内

28739

安、弘武内

28740

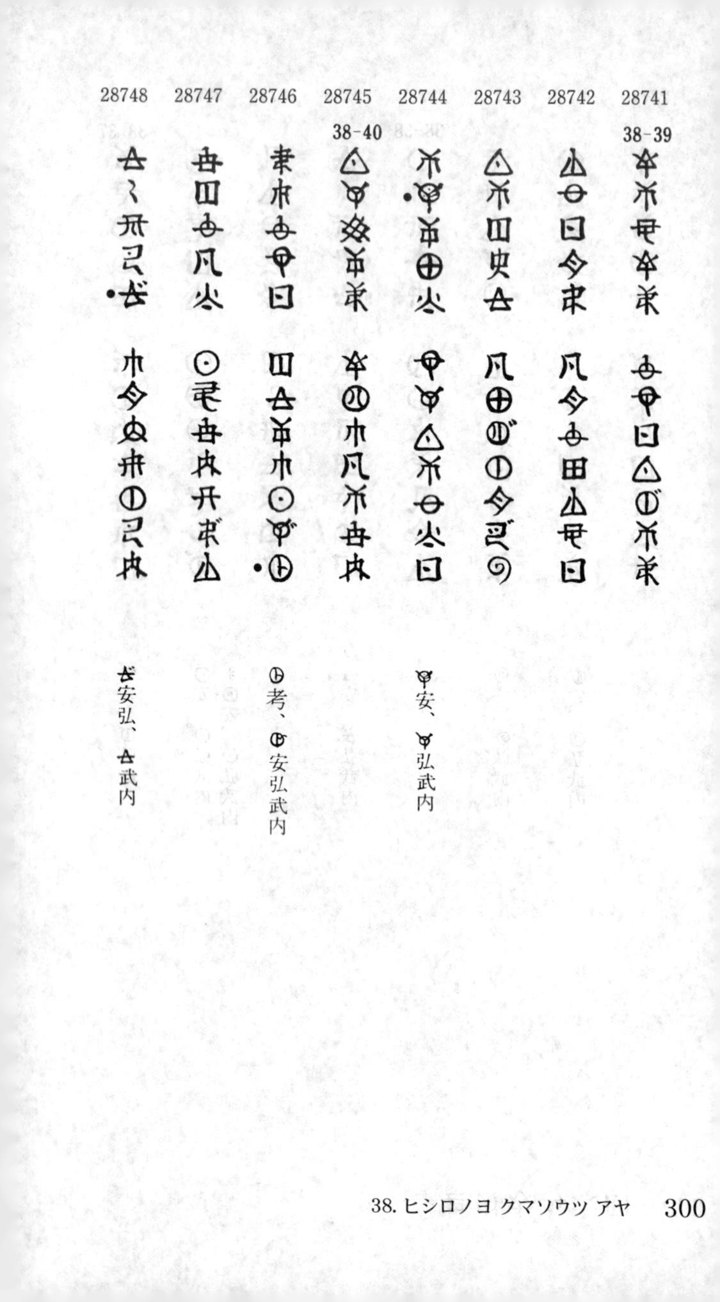

28741 38-39

28742

28743

28744

安、 弘武内

28745 38-40

28746

考、 安弘武内

28747

28748

安弘、 武内

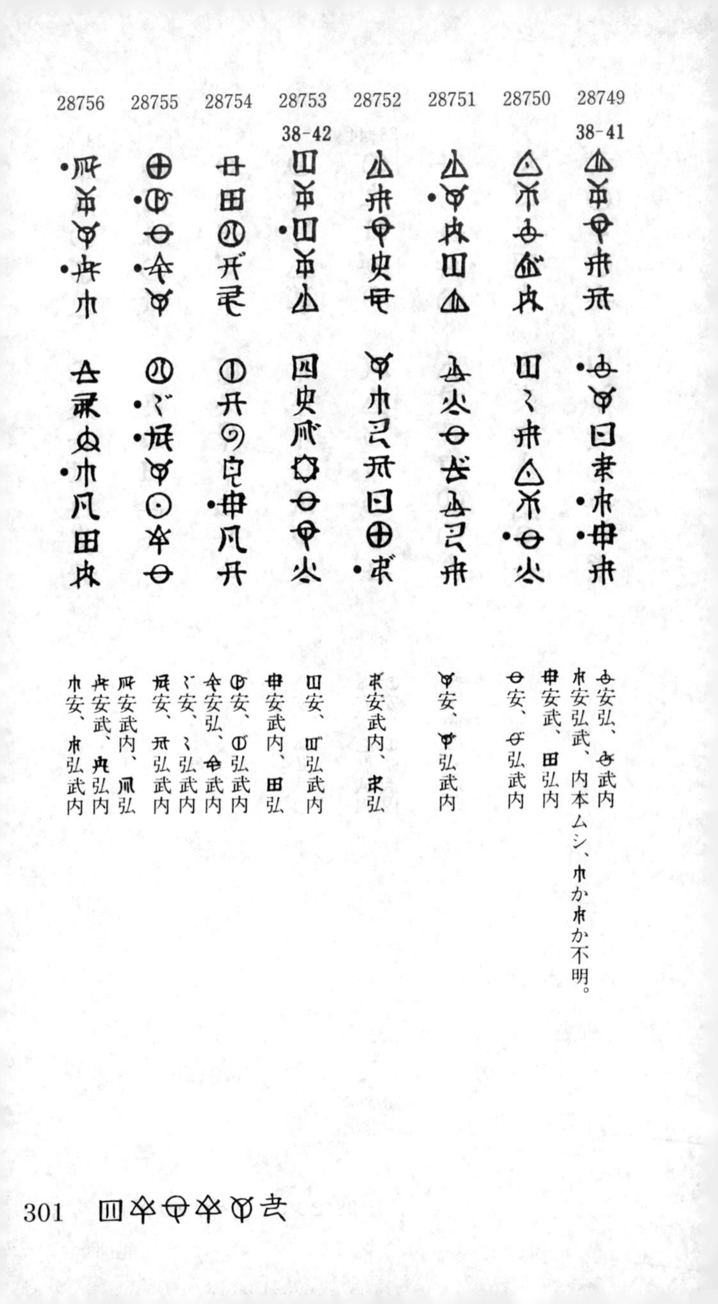

28756	28755	28754	28753	28752	28751	28750	28749
			38-42				38-41

〓安、〓弘武内
〓安武、〓弘内
〓安武内、〓弘
〓安、〓弘武内
〓安、〓弘武内
〓安弘、〓武内
〓安、〓弘武内
〓安武内、〓弘
〓安、〓弘武内
〓安武内、〓弘
〓安、〓弘武内
〓安、〓弘武内
〓安武、〓弘内
〓安弘武、内本ムシ、〓か〓か不明。
〓安弘、〓武内

28757 38-43

28758

28759

28760

安、弘武内

28761 38-44

安、弘武内

安、弘武内

28762

安武内、弘

28763

28764

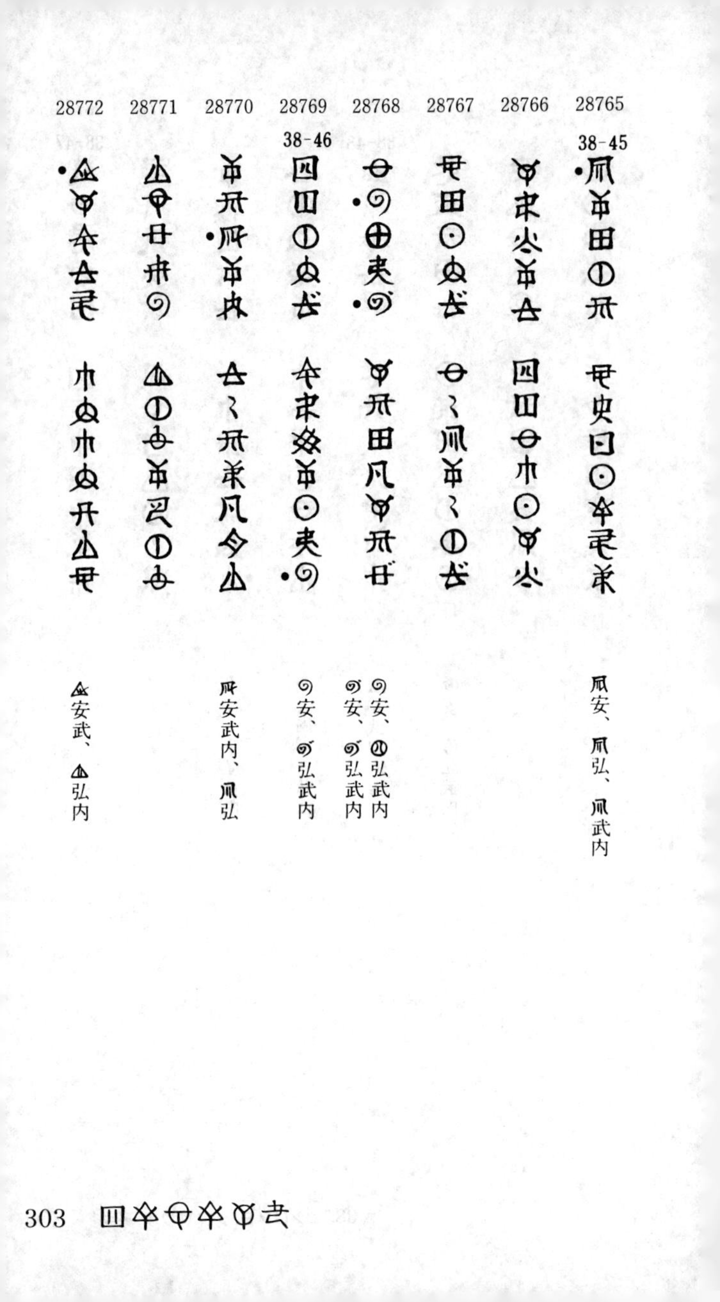

28765

38-45

安、弘、武内

28766

28767

28768

安、弘武内

安、弘武内

28769

38-46

安、弘武内

28770

安武内、弘

28771

28772

安武、弘内

28773 38-47

28774

28775

安、弘武内

28776

安内、弘武

28777 38-48

安武内、弘

28778

安、弘武内

28779

28780

28781 38-49

28782

[illegible]安、[illegible]弘武内

28783

[illegible]安、[illegible]弘、[illegible]武内

[illegible]安、[illegible]弘武内

28784

28785 38-50

[illegible]安、[illegible]弘武内

28786

28787

[illegible]安、[illegible]弘武内

[illegible]安、[illegible]弘武内

28788

28789 38-51

[illegible]

28790

[illegible]

28791

[illegible]

28792

[illegible]

28793 38-52

[illegible]

28794

[illegible]

28795

[illegible]

28796

[illegible]

[illegible]安武内、[illegible]弘

[illegible]安、[illegible]弘武内

[illegible]安武内、[illegible]弘

[illegible]安武内、[illegible]弘、

28797
38-53

28798
安、弘武内

28799

28800
安、弘武内

28801
38-54

28802
安、弘武内

28803
安、弘武内

28804

28805
38-55
[illegible]

[illegible]安内、[illegible]弘武

28806
[illegible]

[illegible]安、[illegible]弘武内

28807
[illegible]

28808
[illegible]

28809
38-56
[illegible]

28810
[illegible]

[illegible]安、[illegible]弘武内

28811
[illegible]

28812
[illegible]

38-57

28813

28814

28815

28816

28817

38-58

安、弘武内

28818

28819

安武、弘内

安武内、弘

28820

安、弘武内

28828 28827 28826 28825 28824 28823 28822 28821

38-60 38-59

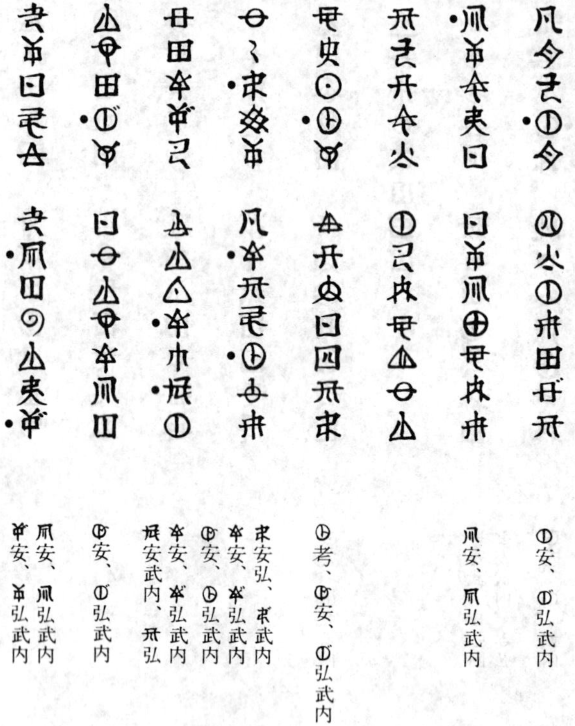
安、弘武内
安、弘武内
考、安、弘武内
安弘、武内
安、弘武内
安、弘武内
安、弘武内
安武内、弘
安、弘武内
安、弘武内
安、弘武内

28829

38-61

28830

安、弘武内

安、弘武内

28831

安武内、弘

安、弘武内

28832

安、弘武内

28833

38-62

安弘、武内

28834

28835

安弘武、内

28836

安武内、弘

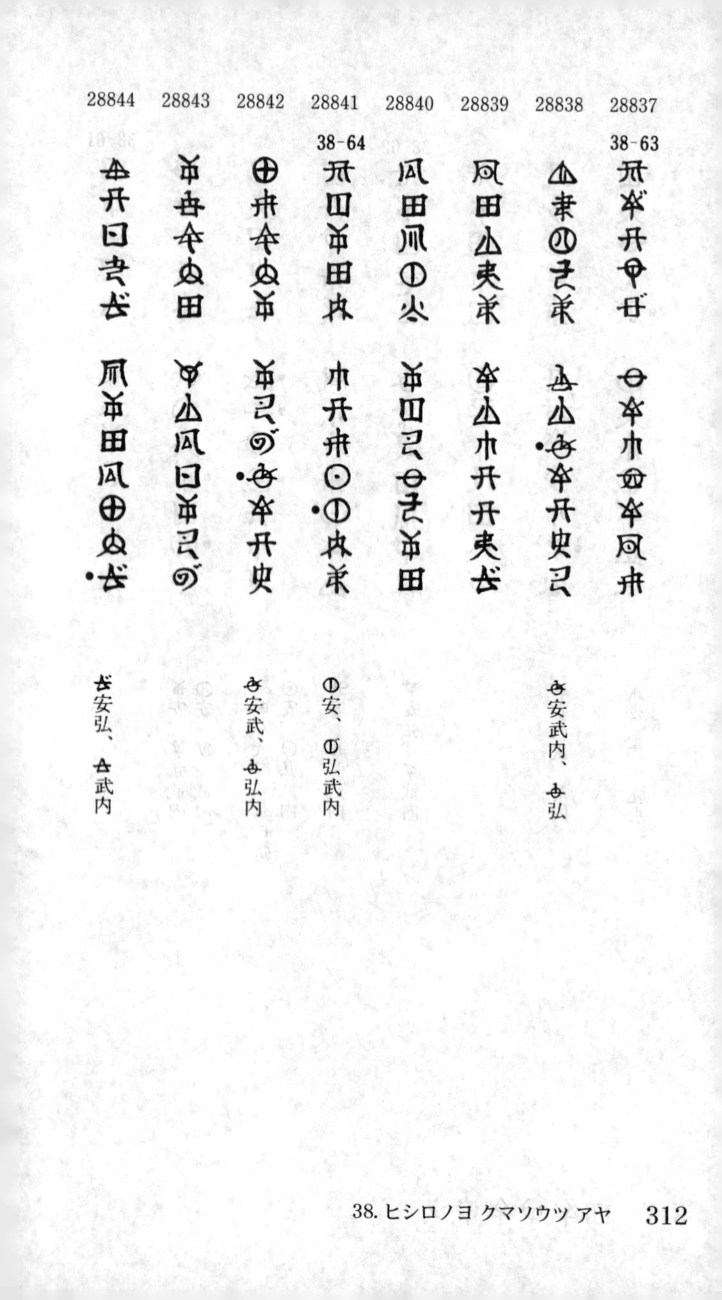

28837 38-63

28838

28839

28840

28841 38-64

28842

28843

28844

28838: 安武内、弘

28841: 安、弘武内

28842: 安武、弘内

28844: 安弘、武内

28845 (38-65)
[ヲシテ文字 本文]

28846
[ヲシテ文字 本文]
〔ヲシテ〕安、〔ヲシテ〕弘武内

28847
[ヲシテ文字 本文]
〔ヲシテ〕安、〔ヲシテ〕弘武内

28848
[ヲシテ文字 本文]
〔ヲシテ〕安、〔ヲシテ〕弘武内

28849 (38-66)
[ヲシテ文字 本文]
〔ヲシテ〕安武、〔ヲシテ〕弘内
〔ヲシテ〕安弘、〔ヲシテ〕武内
〔ヲシテ〕安、〔ヲシテ〕弘武内

28850
[ヲシテ文字 本文]
〔ヲシテ〕安、〔ヲシテ〕弘武内
〔ヲシテ〕安、〔ヲシテ〕弘武内

28851
[ヲシテ文字 本文]

28852
[ヲシテ文字 本文]
〔ヲシテ〕安武、〔ヲシテ〕弘内

28853

38-67

28854

安、弘武内

28855

28856

28857

38-68

28858

28859

安、弘武内

28860

安武内、弘

28861 38-69

28862

28863

28864

28865 38-70

28866

28867

28868

安武、弘内

安弘内、武

安武、弘内

安、弘武内

安、弘武内

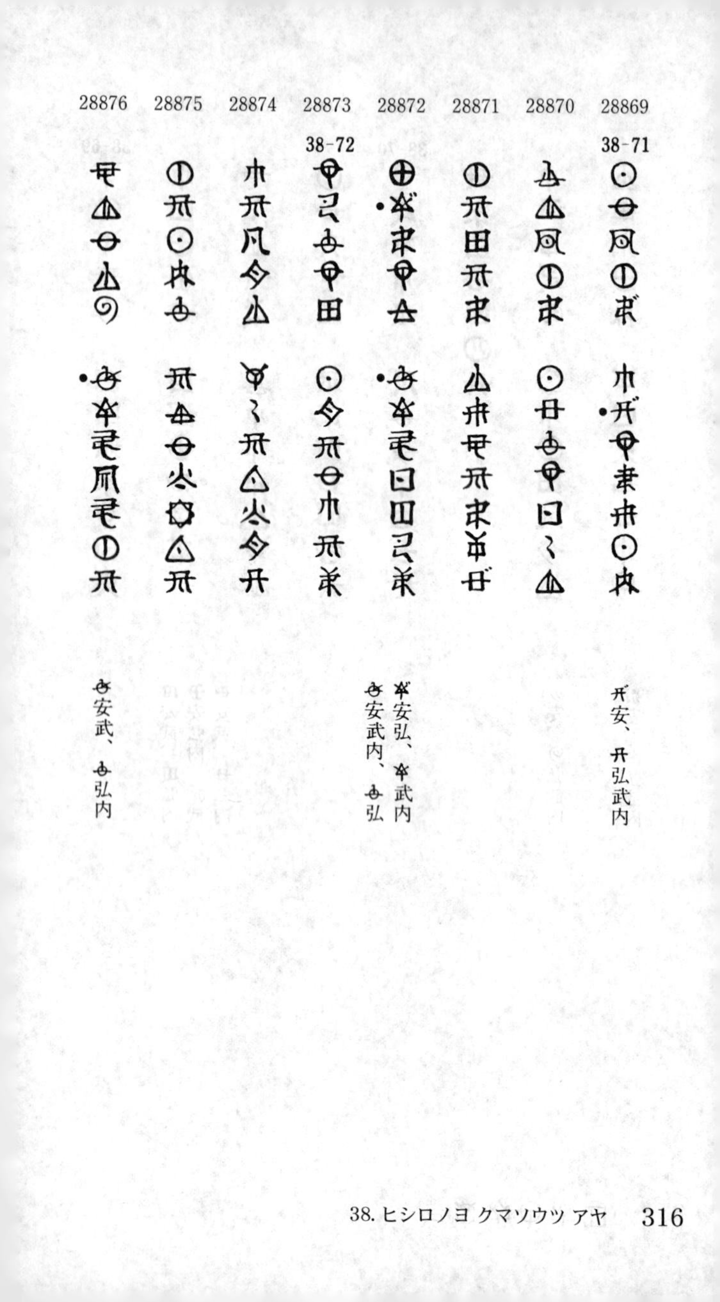

28869

38-71

安、弘武内

28870

28871

28872

安弘、武内

安武内、弘

28873

38-72

28874

28875

28876

安武、弘内

28877

38-73

28878

28879

安、弘武内

安、弘武内

28880

28881

38-74

28882

安、弘武内

安、弘武内

28883

安、弘武内

28884

28885 38-75

28886

28887

28888

28889 38-76

28890

28891

28892

安武、弘内
安弘内、武
安武内、弘

安武内、弘
安武、弘内
安、弘、武内
安武、弘内
安武、弘内
安武、弘内

安武、弘内
安武内、弘

安弘内、武
安武、弘内
安武、弘内

28893 38-77
〓〓〓〓〓 〓〓〓〓〓〓〓

28894
〓〓〓〓〓 〓〓〓〓〓〓〓

28895
〓〓〓〓〓 〓〓〓〓〓〓〓

28896
〓〓〓〓〓 〓〓〓〓〓〓〓

28897 38-78
*〓〓〓〓〓 〓〓〓〓〓〓〓

28898 朝1-49
〓〓〓〓〓 〓〓〓〓〓〓〓

28899
〓〓〓〓〓 〓〓〓〓〓〓〓

28900
〓〓〓〓〓 〓〓〓〓〓〓〓

〓安武内、〓弘
〓安武、〓弘内
〓安武、〓弘内
〓安弘、〓武内
〓安武内、〓弘
〓安武、〓弘内

*これより8行、武内ともにヌケ。

〓安弘、〓朝
〓安弘、〓朝
〓安弘、〓朝
〓安弘、〓朝
〓安弘、〓朝
〓安弘、〓朝
〓安、〓弘、〓朝

28901 38-79

28902

28903

28904

28905 38-80

28906

28907

28908

安弘、朝

安、弘

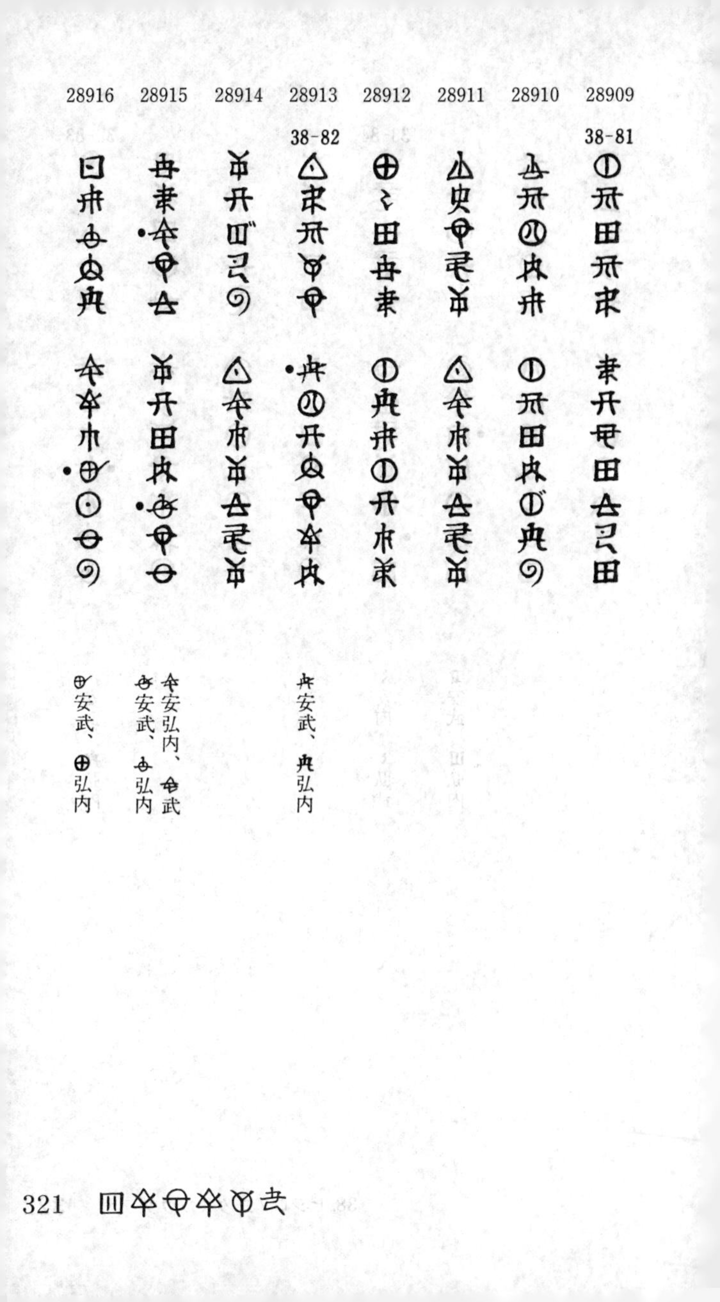

28909 38-81

28910

28911

28912

28913 38-82

[glyph]安武、[glyph]弘内

28914

28915

[glyph]安弘内、[glyph]武

[glyph]安武、[glyph]弘内

28916

[glyph]安武、[glyph]弘内

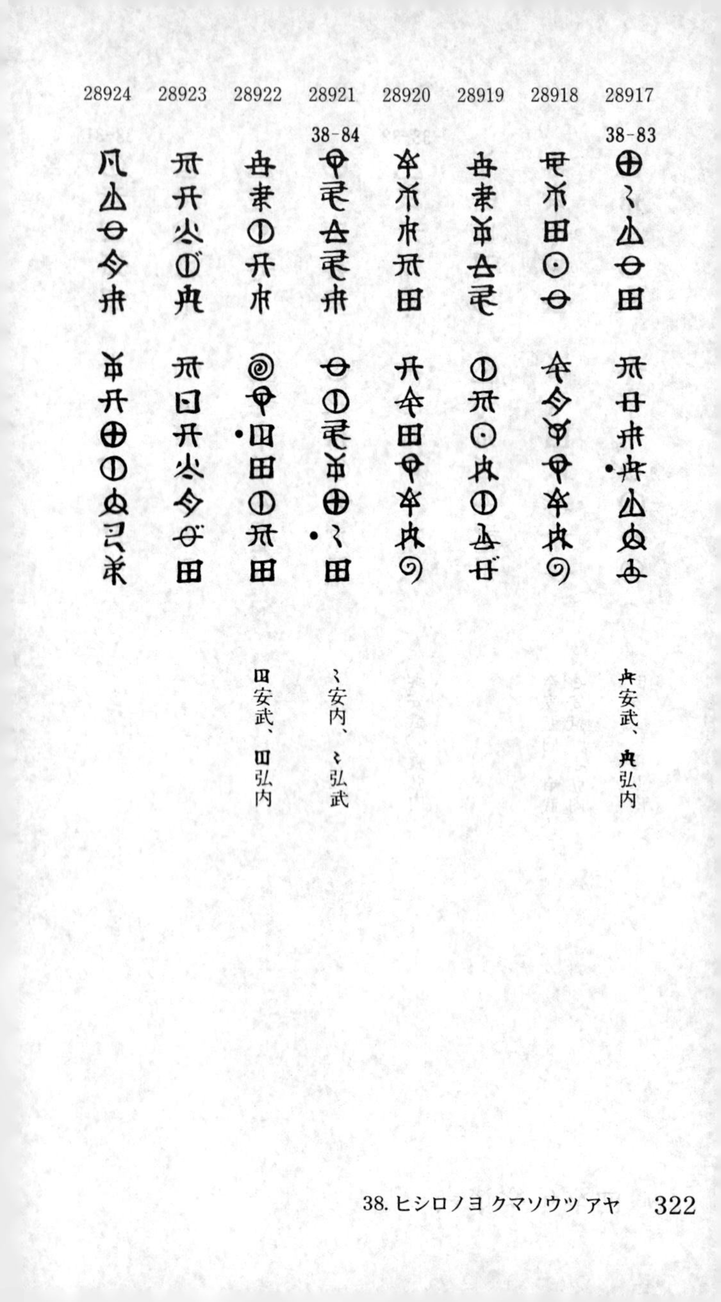

28924 28923 28922 28921 28920 28919 28918 28917

38-84 (28921)

38-83 (28917)

28917: 安武、弘内

28921: 安内、弘武

28922: 安武、弘内

28925

38-85

〓〓〓〓〓　・〓・〓〓〓〓〓〓

〓安、〓弘、〓武内

〓安弘、〓武内

28926

〓〓〓〓〓　〓〓〓〓〓〓〓

28927

〓〓〓〓〓　〓〓〓〓〓〓〓

28928

〓〓〓〓〓〓〓

28929

38-86

〓〓〓〓〓　〓〓〓〓〓〓〓

28930

・〓・〓・〓〓〓　・〓・〓〓〓〓〓〓

〓安武内、〓弘

〓安武、〓弘内

〓安、〓弘武内

〓安武、〓弘内

28931

〓〓〓〓〓　〓〓〓〓〓〓〓

28932

〓〓〓〓〓　〓〓〓〓〓〓〓

28933 38-87

28934

28935

28936

28937 38-88

28938

28939

28940

28933：[illegible]安、 [illegible]弘武内

28934：[illegible]安、 [illegible]弘武内 / [illegible]安武内、 [illegible]弘

28936：[illegible]安弘内、 [illegible]武 / [illegible]安弘、 [illegible]武内

28937：[illegible]安、 [illegible]弘武内

28938：[illegible]安、 [illegible]弘武内 / [illegible]安、 [illegible]弘武内

28939：[illegible]安、 [illegible]弘武内 / [illegible]安、 [illegible]弘武内

28948	28947	28946	28945	28944	28943	28942	28941
			38-90				38-89
[illegible]	[illegible]	[illegible]	[illegible]	[illegible]	[illegible]	[illegible]	[illegible]
[illegible]	[illegible]	[illegible]	[illegible]	[illegible]	[illegible]	[illegible]	[illegible]

[illegible]安、[illegible]弘武内

[illegible]安、[illegible]弘武内

[illegible]安弘内、[illegible]武

[illegible]安、[illegible]弘武内

*[illegible]安、[illegible]弘武内

[illegible]安、[illegible]弘武内

[illegible]安、[illegible]弘武内

[illegible]安、[illegible]弘武内

[illegible]安、[illegible]弘武内

[illegible]考、[illegible]安弘武内

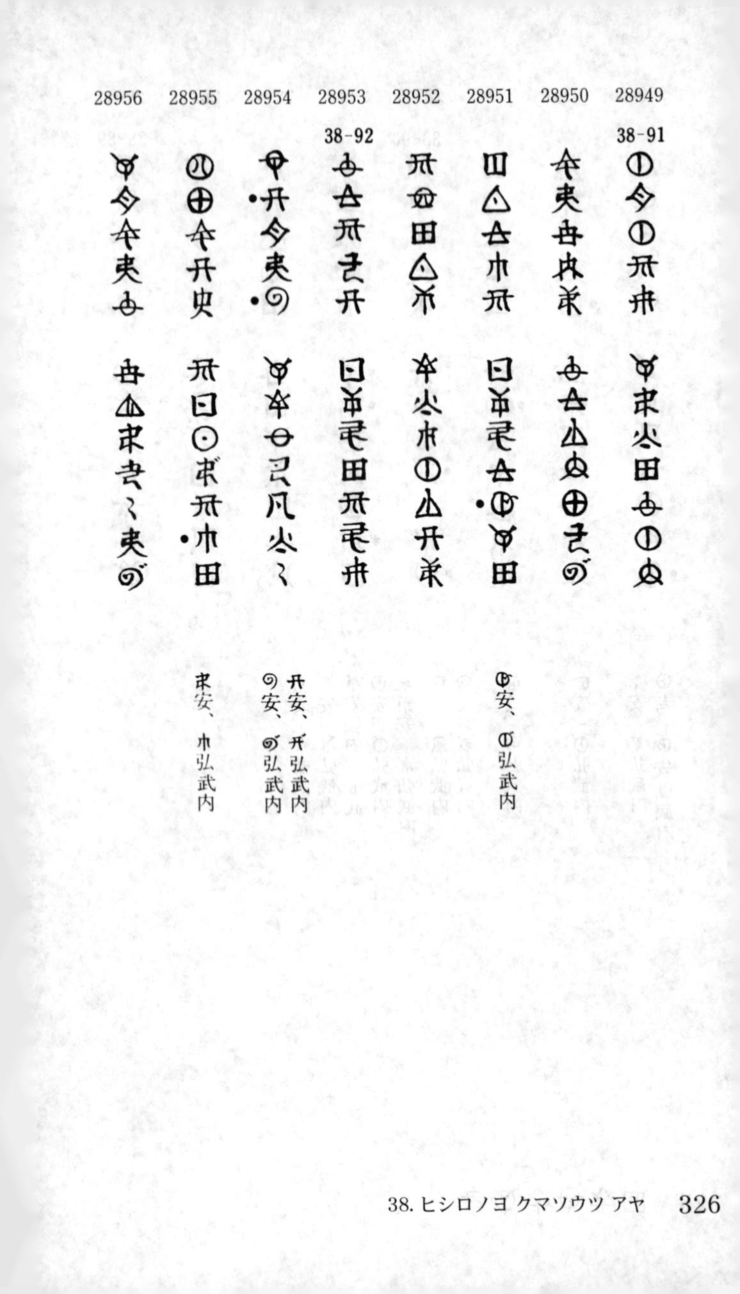

28949 38-91

28950

28951

安、弘武内

28952

28953 38-92

28954

安、弘武内

安、弘武内

28955

安、弘武内

28956

28957 38-93

28958

28959

28960

28961 38-94

28962

28963

28964

安、弘武内

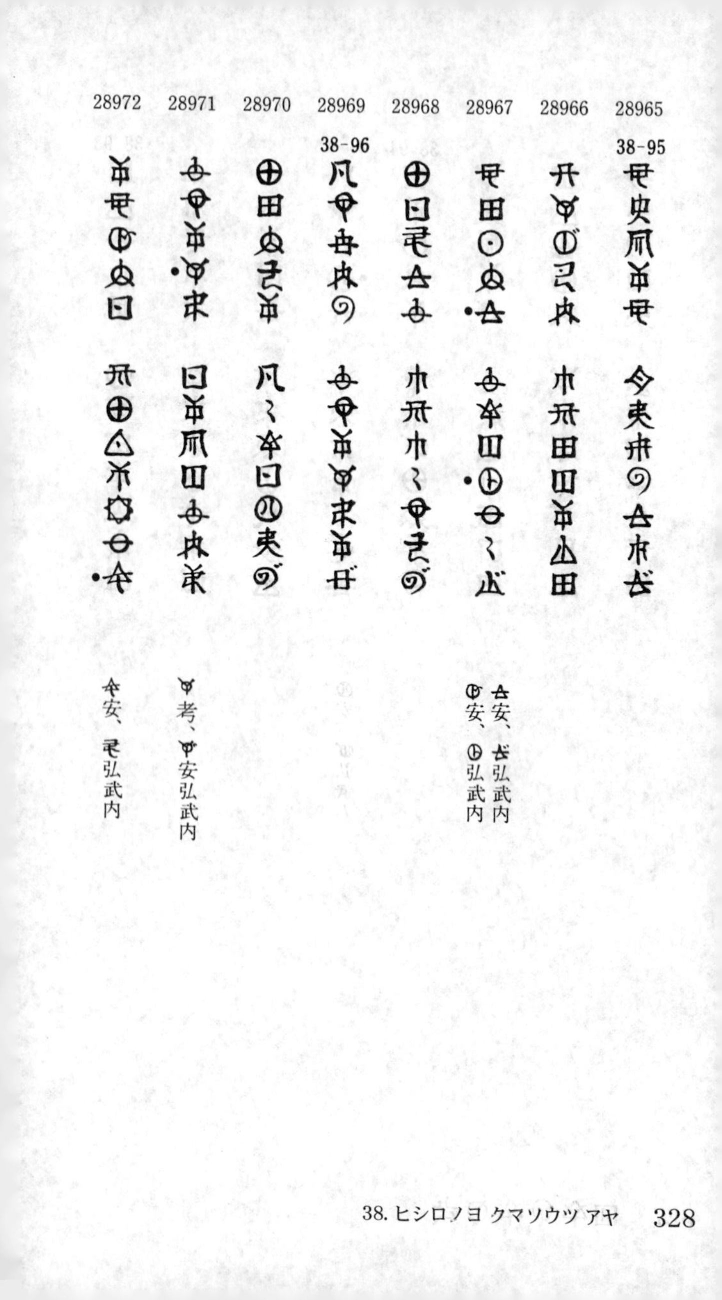

28965 38-95

28966

28967

安、弘武内

安、弘武内

28968

28969 38-96

28970

28971

考、安弘武内

28972

安、弘武内

28973

38-97

安、弘武内

28974

28975

28976

28977

38-98

安武内、弘

安、弘武内

安武内、弘

28978

28979

安、弘武内

28980

28981 38-99

28982

28983

28984

安、弘武内

28985 38-100

28986

安、弘武内

28987

28988

28989

38-101 [illegible]

28990 39-1

安、弘武内

28991

安武、弘内

28992

安、弘武内

安武内、弘

28993

28994 39-2

28995

安弘、武内

28996

安、弘武内

28997

安、弘武内

28998

39-3

28999

安武内、弘

29000

安弘、武内

29001

安武、弘内

29002

39-4

29003

安、弘武内

29004

29005

安、弘武内

29006

39-5

29007

安、弘武内

29008

29009

29010

39-6

安弘、武内

29011

安弘、武内

29012

安、弘武内

安、弘武内

29013

安弘、武内

安、弘武内

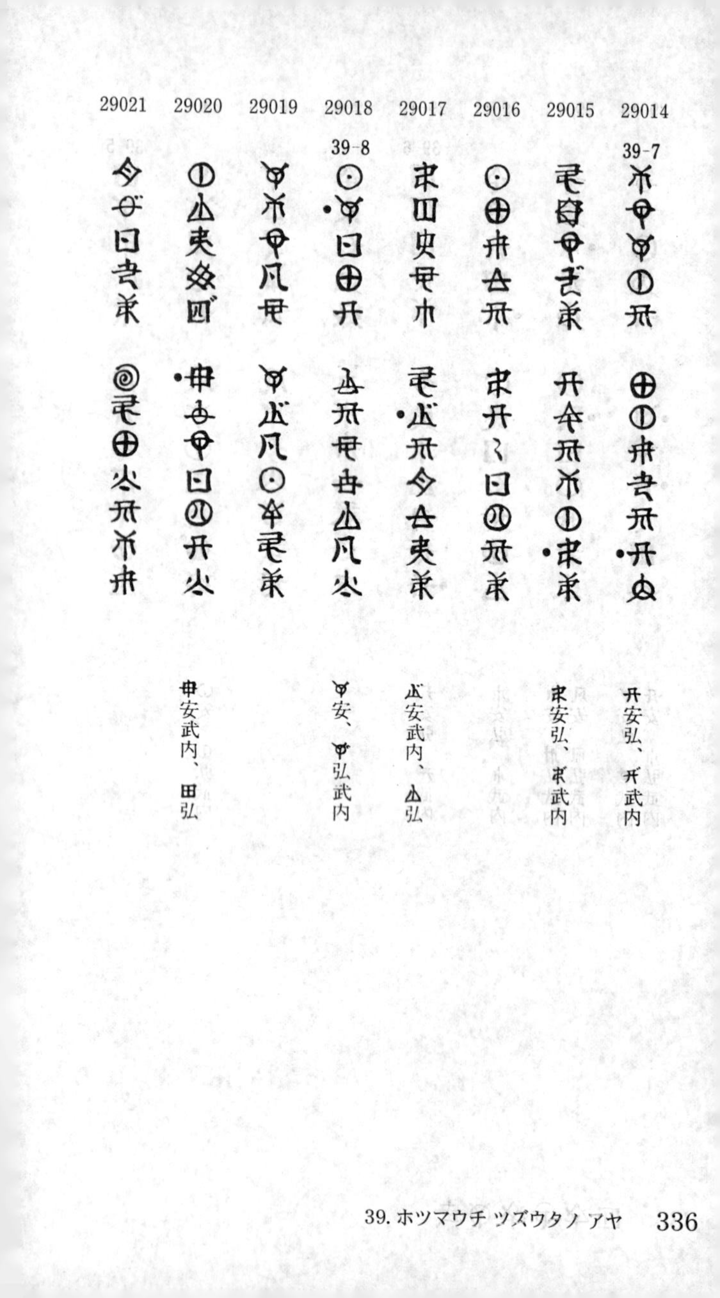

29014 39-7

安弘、武内

29015

安弘、武内

29016

29017

安武内、弘

29018 39-8

安、弘武内

29019

29020

安武内、弘

29021

29022 39-9

29023

安弘武、内

29024

安武、弘内

29025

安弘、武内

安弘、武内

29026 39-10

29027

29028

安、弘武内

29029

29030

39-11

安、弘武内

29031

29032

安、弘武内

29033

安内、弘武

29034

39-12

安、弘武内

29035

安、弘武内

29036

29037

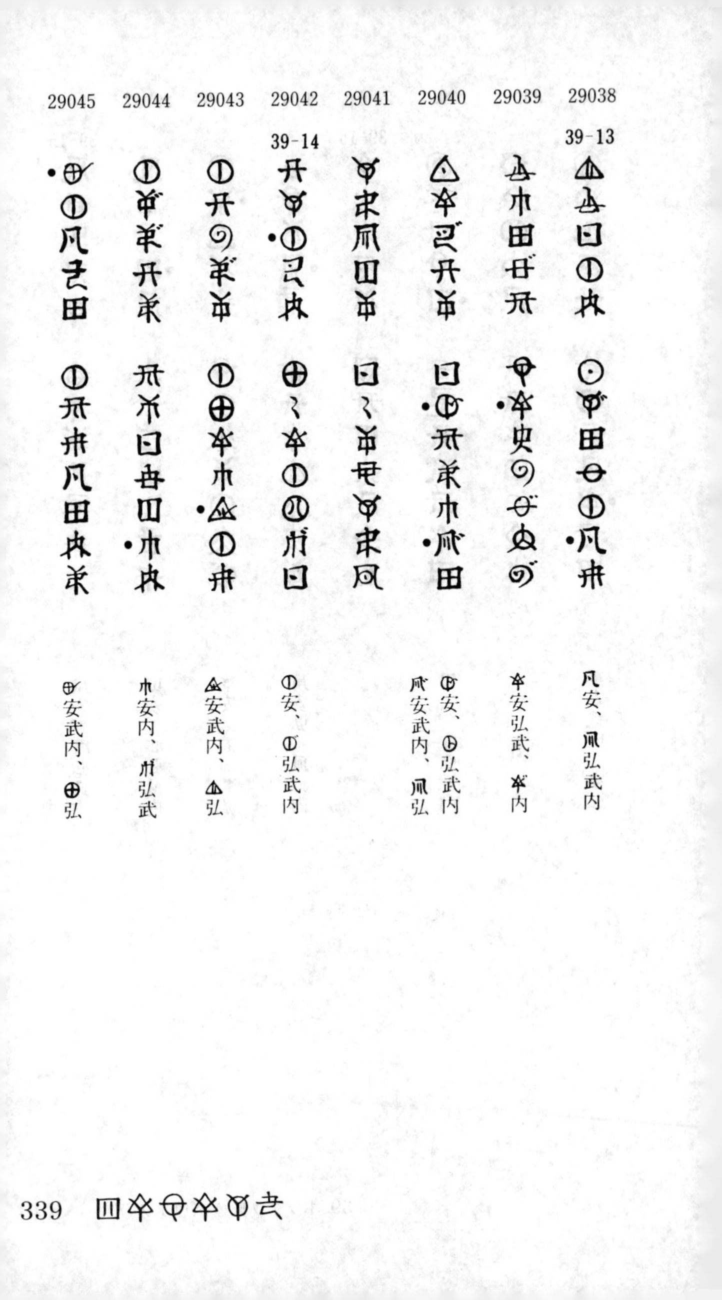

29038 39-13

安、弘武内

29039

安弘武、内

29040

安、弘武内

安武内、弘

29041

29042 39-14

安、弘武内

29043

安武内、弘

29044

安内、弘武

29045

安武内、弘

29046
39-15
[illegible]
[illegible]安、[illegible]弘武内

29047
[illegible]
[illegible]安、[illegible]弘武内

29048
[illegible]
[illegible]安武内、[illegible]弘

29049
[illegible]
[illegible]安弘、[illegible]武内

29050
39-16
[illegible]

29051
[illegible]
[illegible]安、[illegible]弘武内

29052
[illegible]

29053
[illegible]
[illegible]安武内、[illegible]弘

29054
39-17

29055

29056

安弘、 武内

29057

考、 安弘武内

29058
39-18

29059

29060

安、 弘武内

29061

安、 弘武内

29062

39-19

安弘、武内

29063

29064

29065

安、弘武内

安弘、武内

29066

39-20

安、弘武内

29067

安、弘武内

29068

安弘武、内

29069

安弘、武内

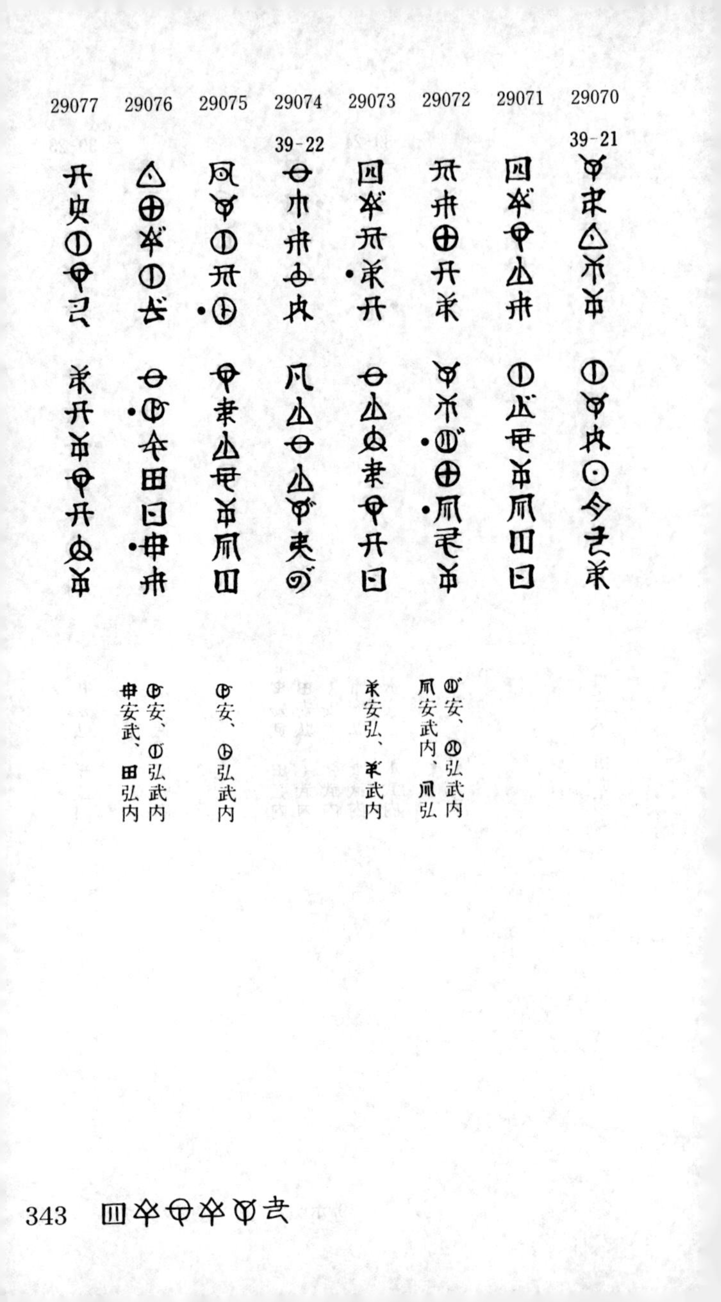

29070

39-21

29071

29072

[illegible]安、[illegible]弘武内
[illegible]安武内、[illegible]弘

29073

[illegible]安弘、[illegible]武内

29074

39-22

29075

[illegible]安、[illegible]弘武内

29076

[illegible]安、[illegible]弘武内
[illegible]安武、[illegible]弘内

29077

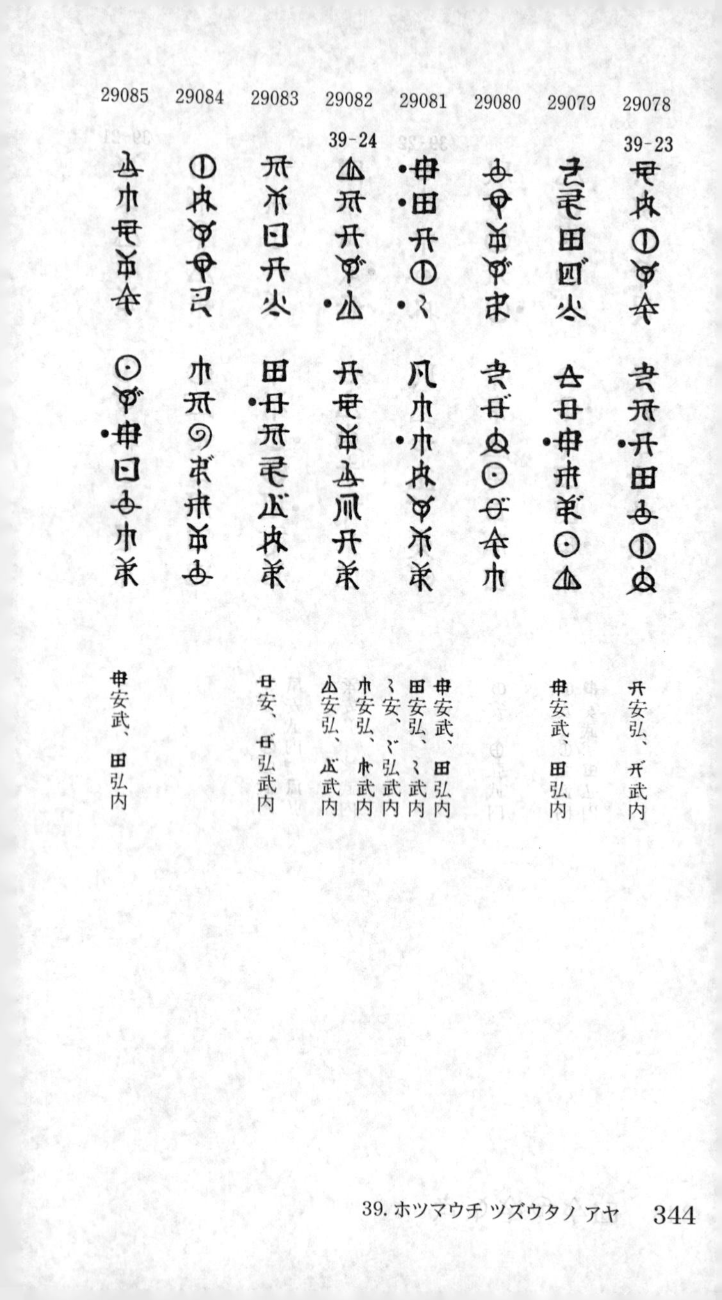

29078

39-23

安弘、武内

29079

安武、弘内

29080

29081

安武、弘内

安、弘武内

29082

39-24

安弘、武内

安弘、武内

29083

安、弘武内

29084

29085

安武、弘内

29086 39-25

29087

29088

29089

29090 39-26

29091

29092

29093

[illegible]安、[illegible]弘武内

[illegible]安、[illegible]弘武内

[illegible]安、[illegible]弘武内

[illegible]安武内、[illegible]弘

[illegible]安、[illegible]弘武内

[illegible]安弘武、[illegible]内

[illegible]安武内、[illegible]弘

[illegible]安、[illegible]弘武内

[illegible]安武内、[illegible]弘

[illegible]安、[illegible]弘武内

29094
39-27
安弘、武内
安武、弘内

29095
安、弘武内
安武内、弘

29096
安、弘武内
安弘内、武

29097
安武内、弘
安武、弘内

29098
39-28
安、弘武内
安弘、武内

29099
安武内、弘
安、弘武内

29100
安弘、武内

29101

39-29

29102

安武内、弘

29103

29104

29105

39-30

29106

安武内、弘

29107

29108

29109

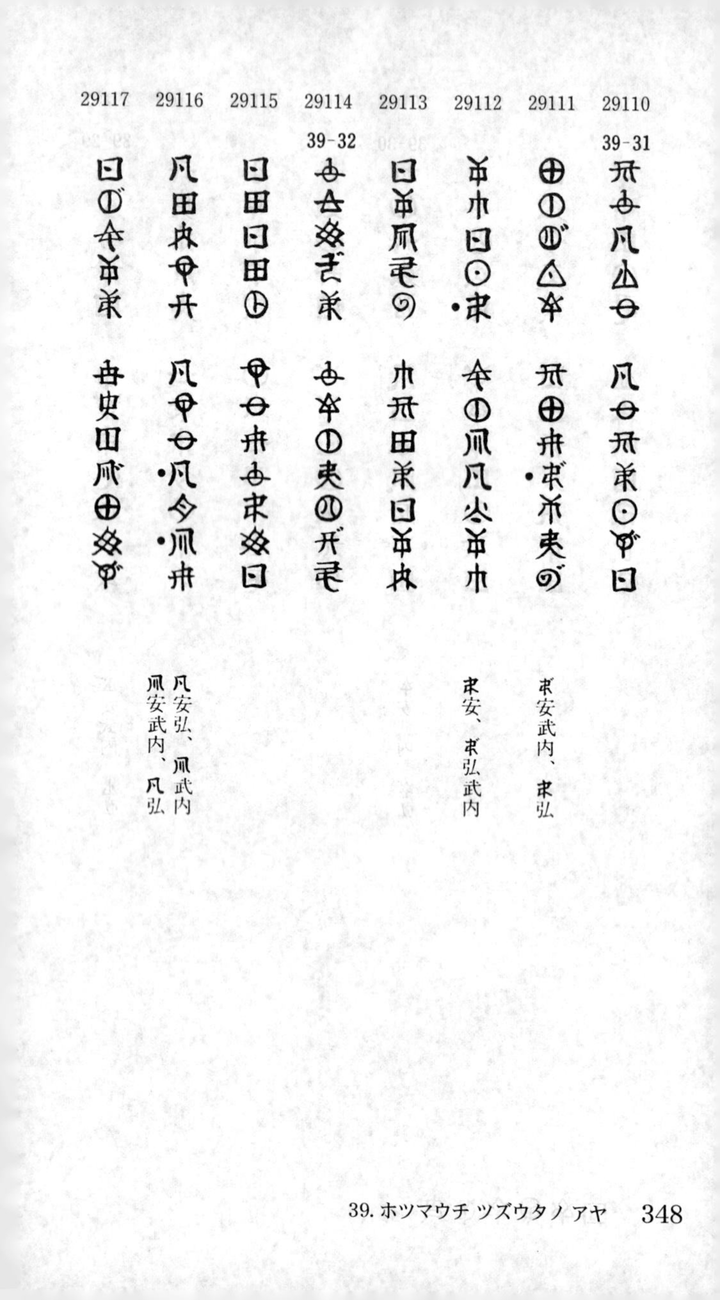

29110

39-31

29111

[illegible]安武内、[illegible]弘

29112

[illegible]安、[illegible]弘武内

29113

29114

39-32

29115

29116

[illegible]安弘、[illegible]武内

[illegible]安武内、[illegible]弘

29117

29118

39-33

〓安、〓弘武内

29119

〓安武内、〓弘

29120

〓安弘、〓武内

29121

29122

39-34

〓安武内、〓弘

〓安武内、〓弘

29123

29124

29125

〓弘武内、安本〓に作るが、漢訳文に艤とあることから〓を掲げた。

29126
39-35
安、弘武内

29127

29128
安、弘武内

29129

29130
39-36

29131

29132
安弘、武内

29133
安、弘武内

29134
39-37
[illegible]

29135
[illegible]

29136
[illegible]

29137
[illegible]

[illegible]弘武内、[illegible]安
[illegible]安弘、[illegible]武内

29138
39-38
[illegible]

29139
[illegible]

29140
[illegible]

29141
[illegible]

[illegible]安弘、[illegible]武内

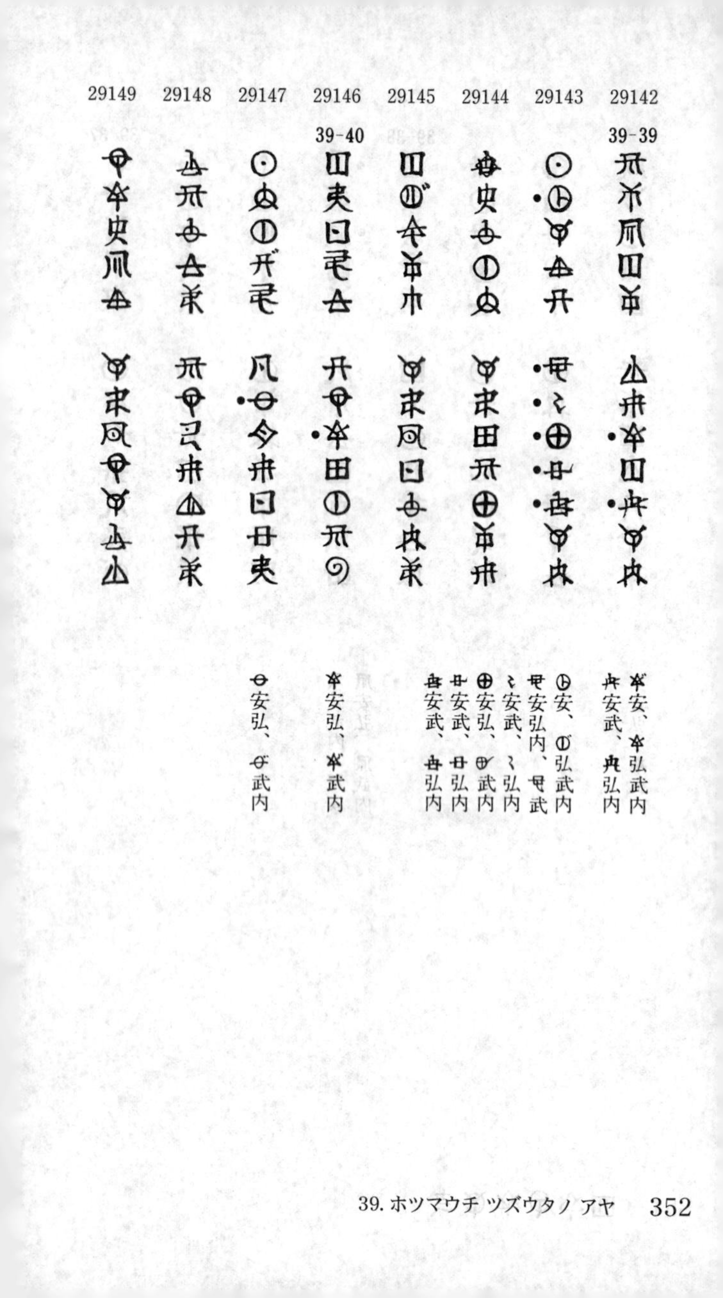

29142 39-39

29143

29144

29145

29146 39-40

29147

29148

29149

安、弘武内

安武、弘内

安、弘武内

安弘内、武

安武、弘内

安弘、武内

安武、弘内

安武、弘内

安弘、武内

安弘、武内

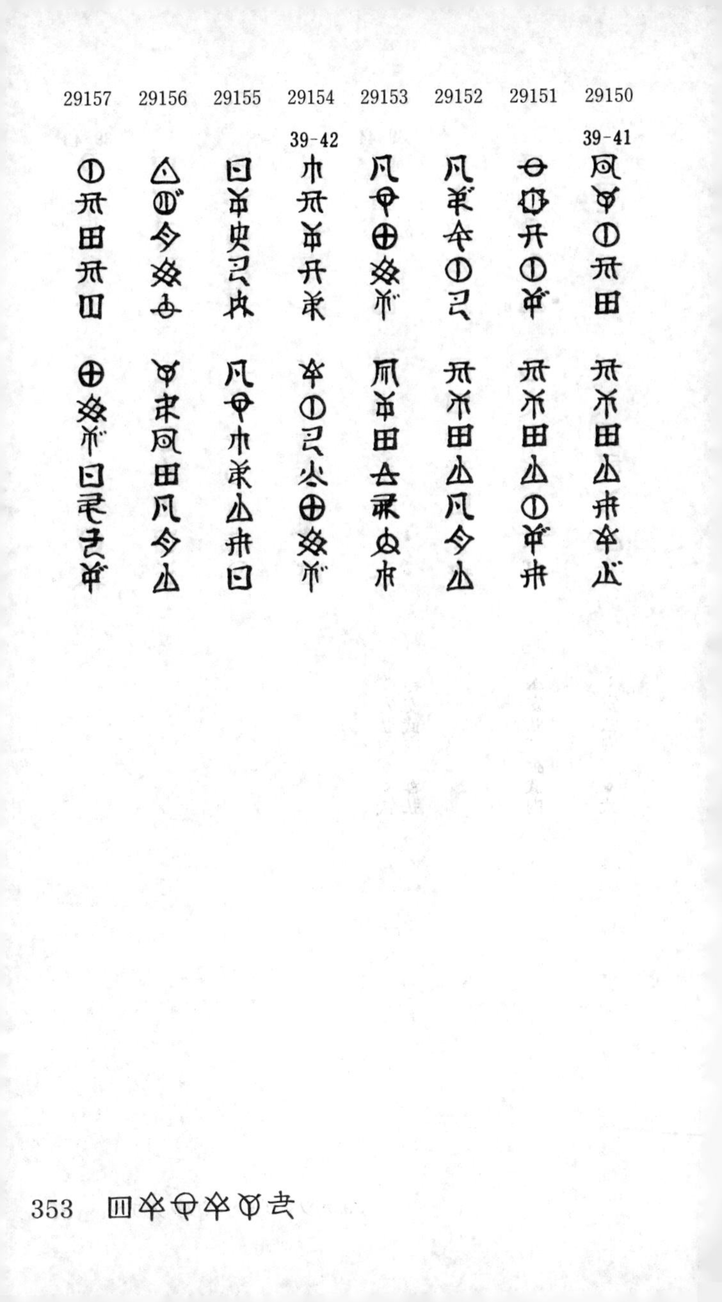

29150 39-41

29151

29152

29153

29154 39-42

29155

29156

29157

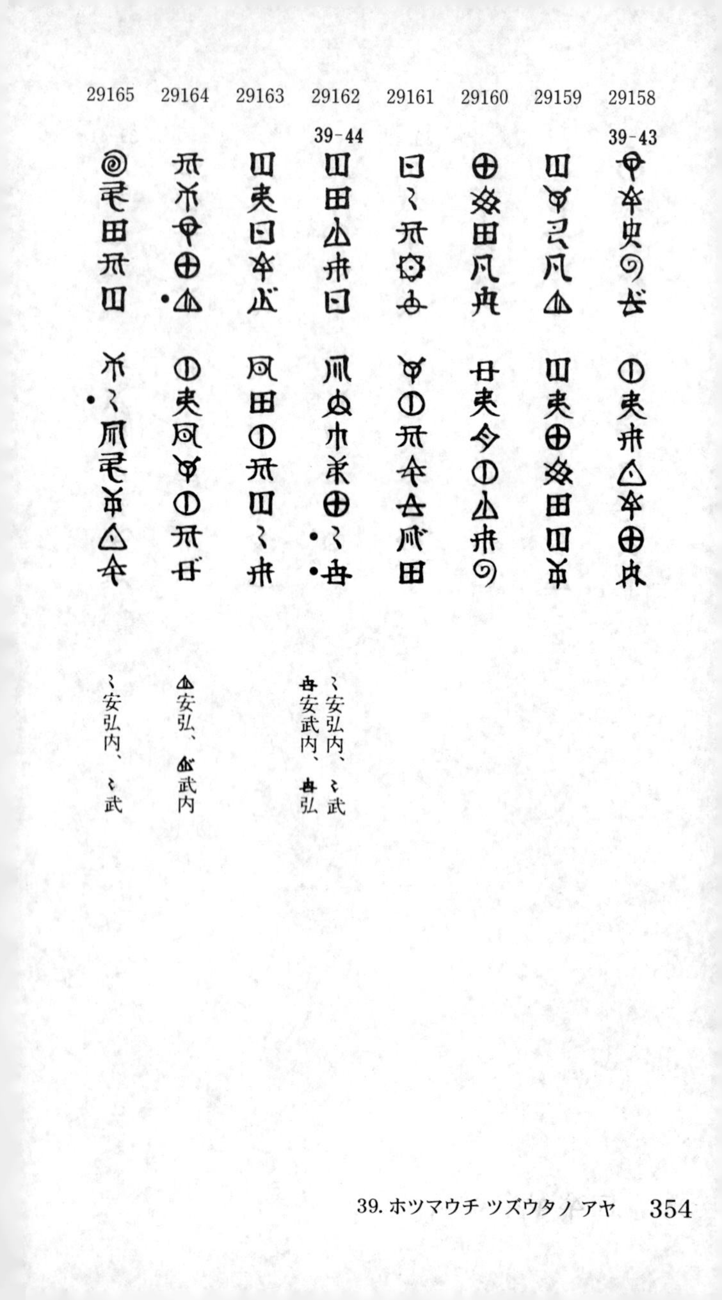

29158 39-43

29159

29160

29161

29162 39-44

安弘内、 武
安武内、 弘

29163

29164

安弘、 武内

29165

安弘内、 武

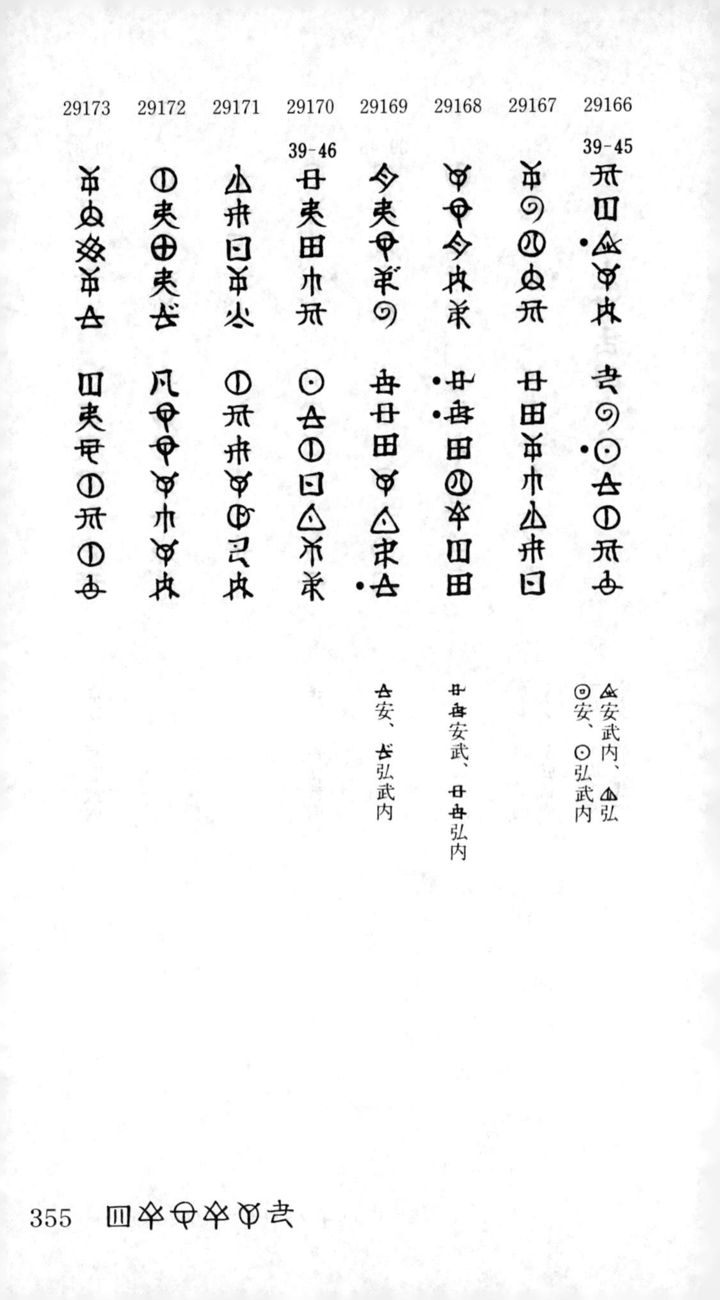

29166 39-45

29167

29168

29169

29170 39-46

29171

29172

29173

安武内、弘

安、⊙弘武内

安武、弘内

安、弘武内

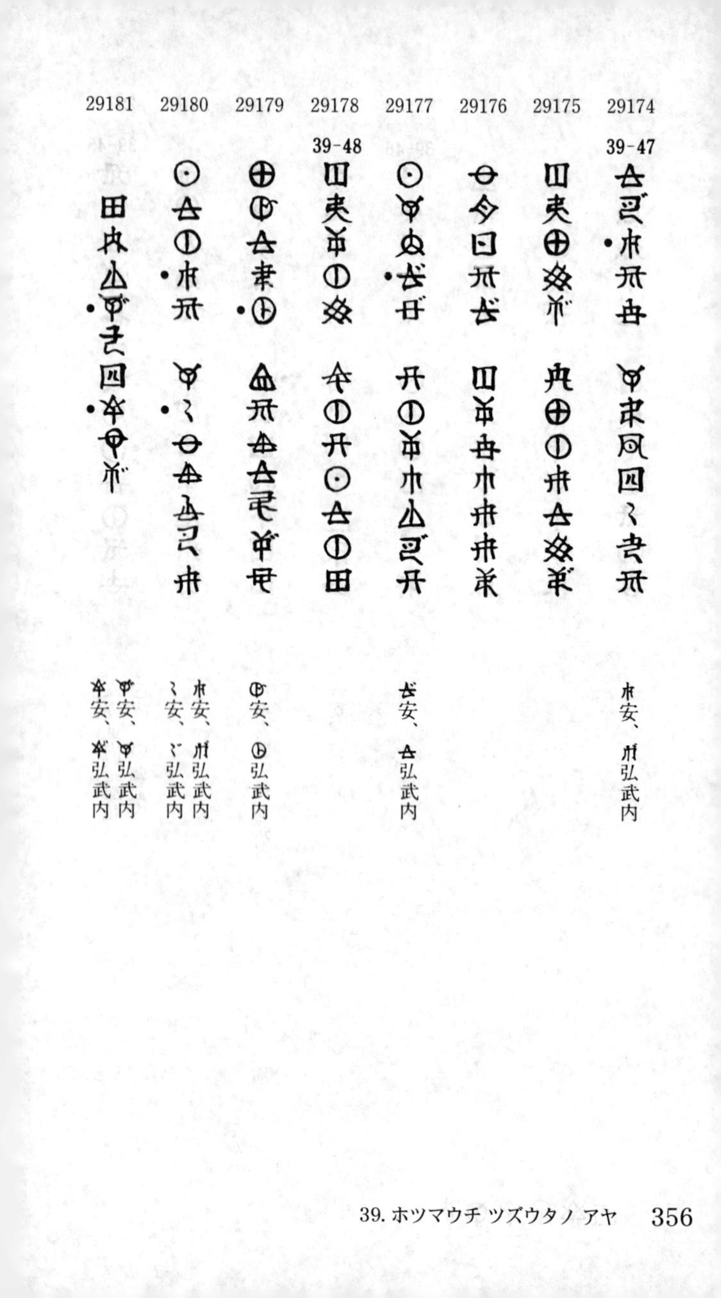

29174

39-47

安、
弘
武
内

29175

29176

29177

安、
弘
武
内

29178

39-48

29179

安、
弘
武
内

29180

安、
弘
武
内

安、
弘
武
内

29181

安、
弘
武
内

安、
弘
武
内

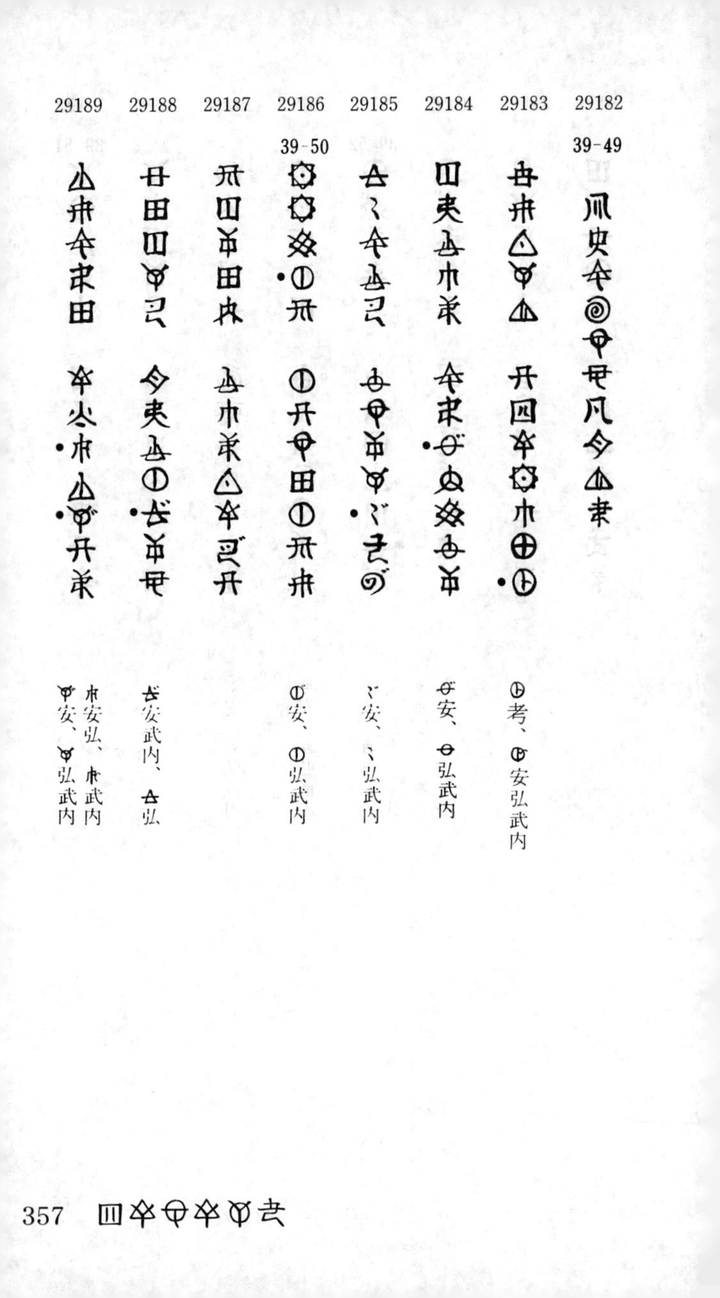

29182

39-49

29183

考、安弘武内

29184

安、弘武内

29185

安、弘武内

29186

39-50

安、弘武内

29187

29188

安武内、弘

29189

安弘、武内

安、弘武内

29190
39-51
[illegible]

29191
[illegible]

29192
[illegible]

[illegible]安、[illegible]弘武内

29193
[illegible]

[illegible]安、[illegible]弘武内

29194
39-52
[illegible]

[illegible]安、[illegible]弘武内
[illegible]安弘内、[illegible]武
*[illegible]安弘、[illegible]武内

29195
[illegible]

29196
[illegible]

29197
[illegible]

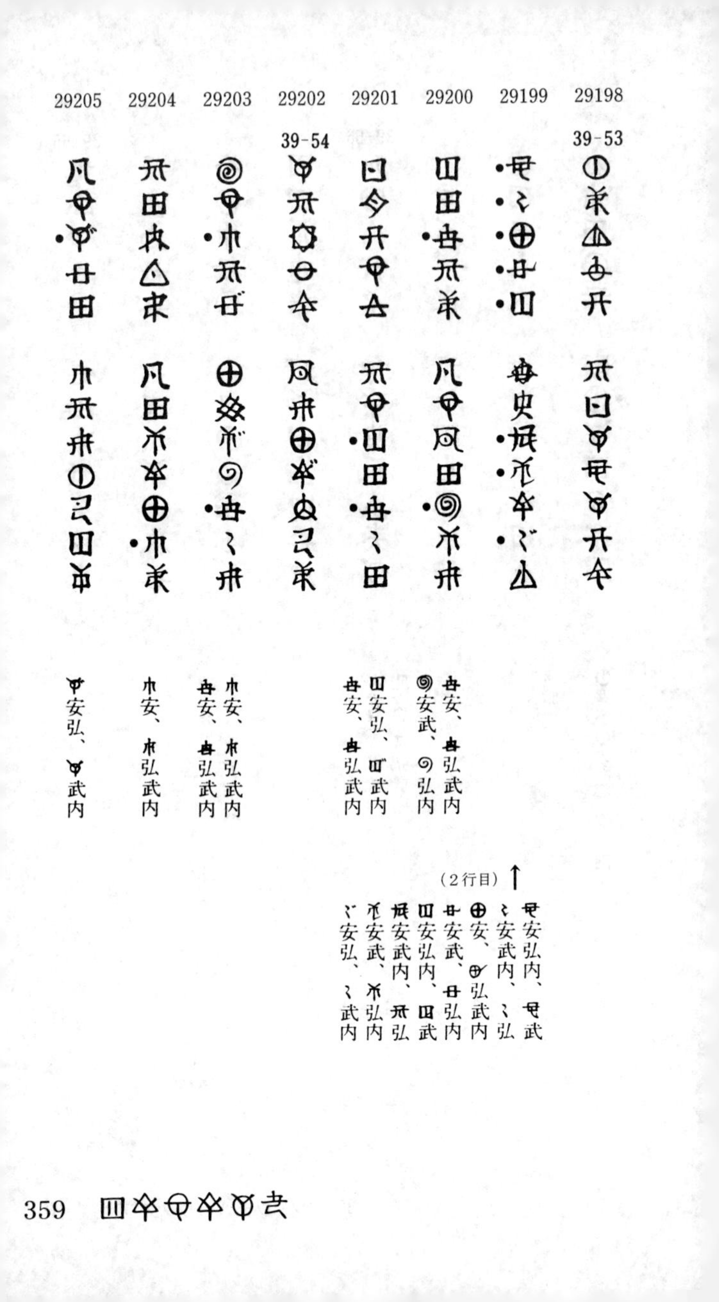

29198 39-53

29199

29200

29201

29202 39-54

29203

29204

29205

安、弘武内

安武、弘内

安弘、武内

安、弘武内

安、弘武内

安、弘武内

安、弘武内

安弘、武内

（２行目）↑

安弘内、武

安武内、弘

安、弘武内

安武、弘内

安弘内、武

安武内、弘

安武、弘内

安弘、武内

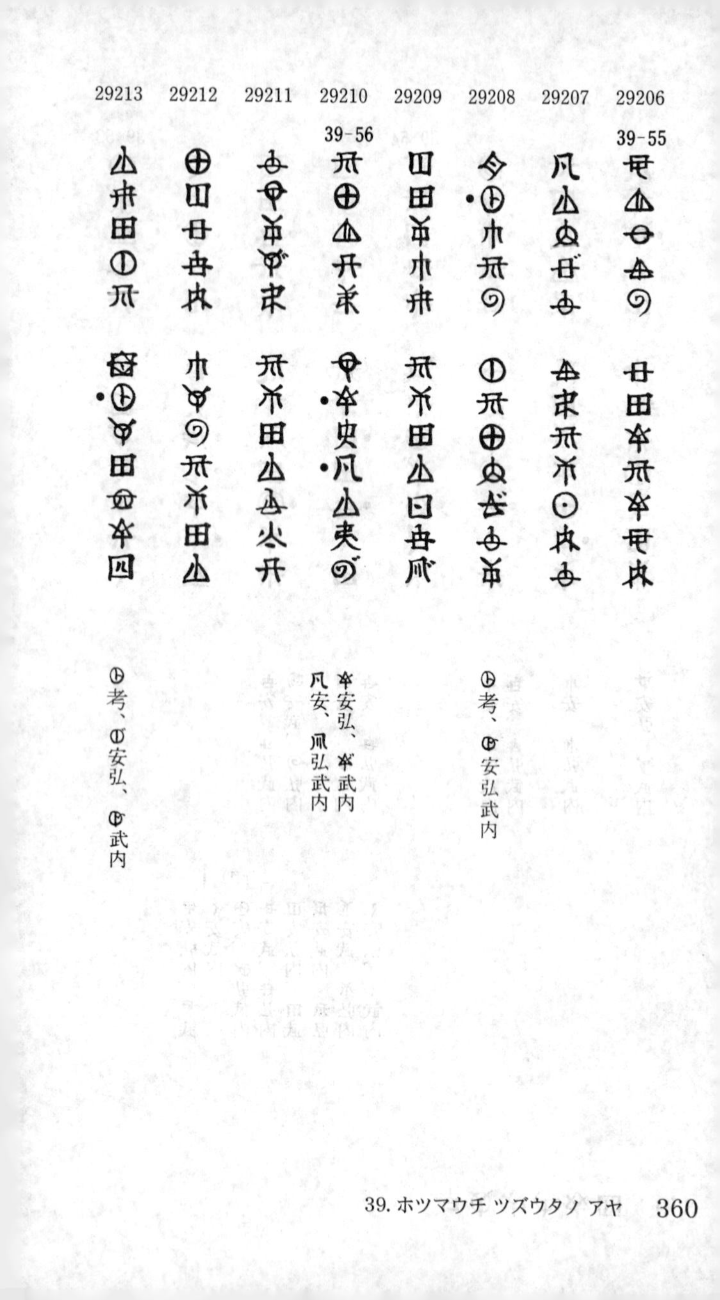

29206
39-55

29207

29208

考、安弘武内

29209

29210
39-56

安弘、武内
安、弘武内

29211

29212

29213

考、安弘、武内

29214
39-57

29215

29216

29217

29218
39-58

29219

29220

29221

安、弘、武内
安弘、武内
安弘、武内
安武、弘内
安、弘武内
安弘内、武
安、弘武内
安内、弘武
安弘、武内
安、弘武内
安、弘武内
安武、弘内
安、弘武内

29222 39-59

29223

29224

29225

29226 39-60

29227

29228

29229

安弘、武内

安弘武、内
安弘、武内
安武、弘内

安武、弘内
安、弘武内
安弘内、武
安弘、武内

安武内、弘
安、弘武内

安弘内、武

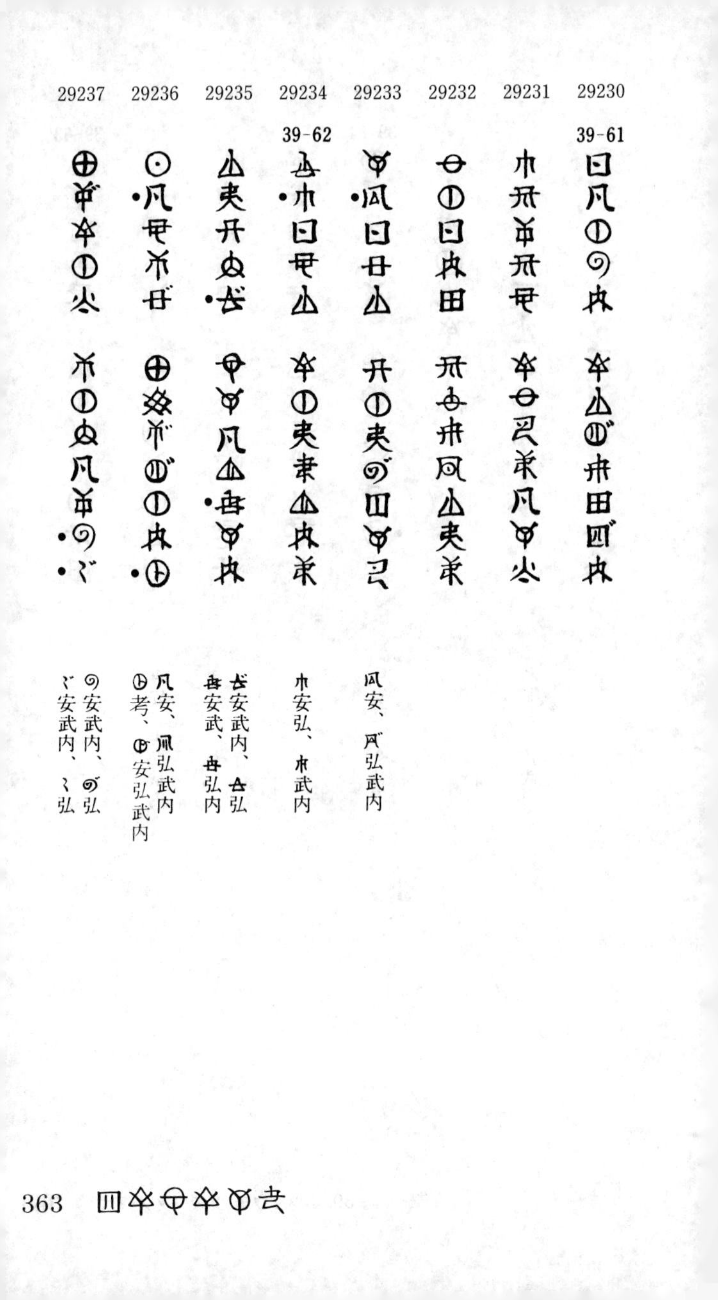

29230 39-61

29231

29232

29233

…安、…弘武内

29234 39-62

…安弘、…武内

29235

…安武内、…弘
…安武、…弘内

29236

…安、…弘武内
…考、…安弘武内

29237

…安武内、…弘
…安武内、…弘

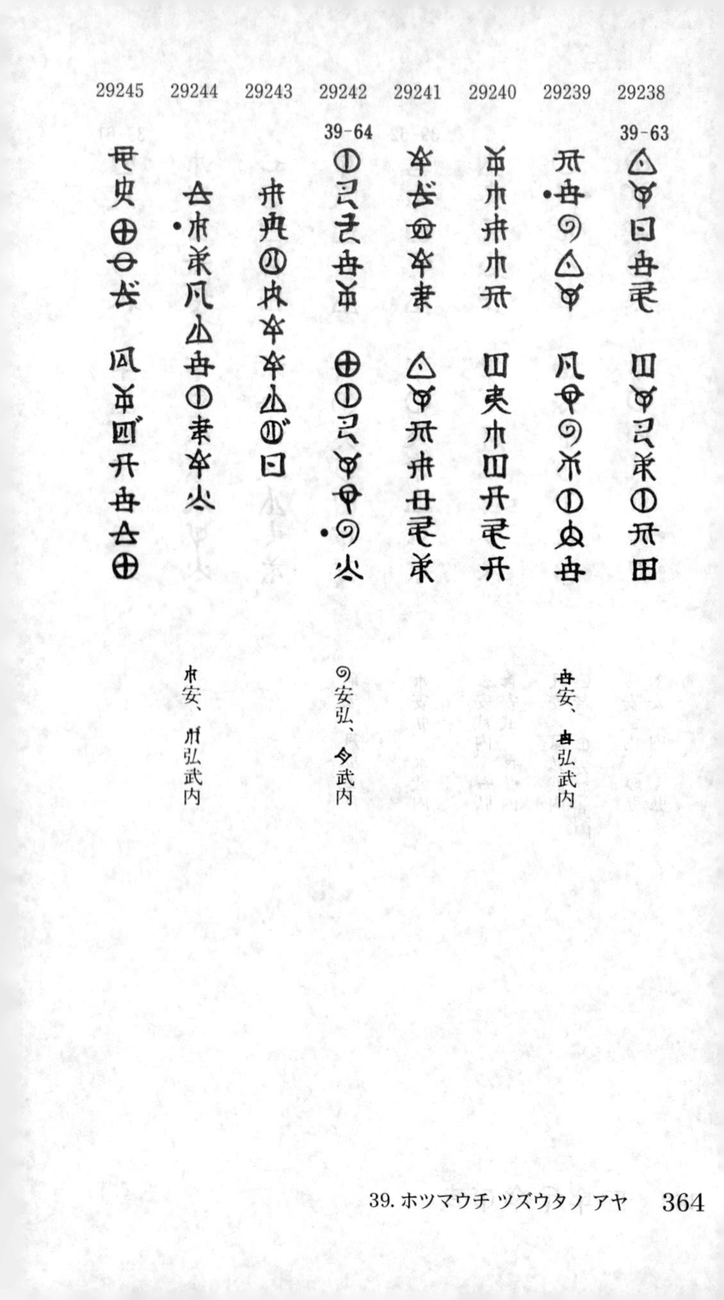

29238

39-63

29239

安、弘武内

29240

29241

29242

39-64

安弘、武内

29243

29244

安、弘武内

29245

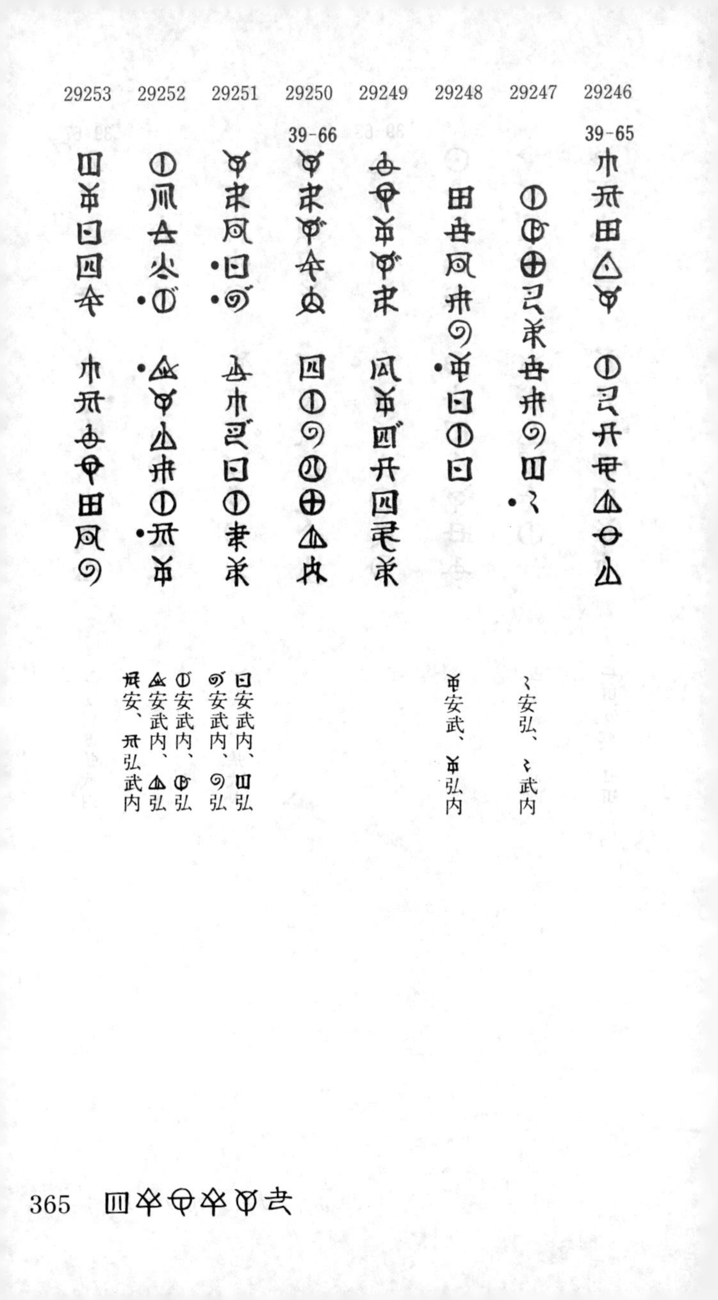

29246

39-65

29247

安弘、武内

29248

安武、弘内

29249

29250

39-66

29251

安武内、弘

安武内、弘

29252

安武内、弘

安武内、弘

29253

安、弘武内

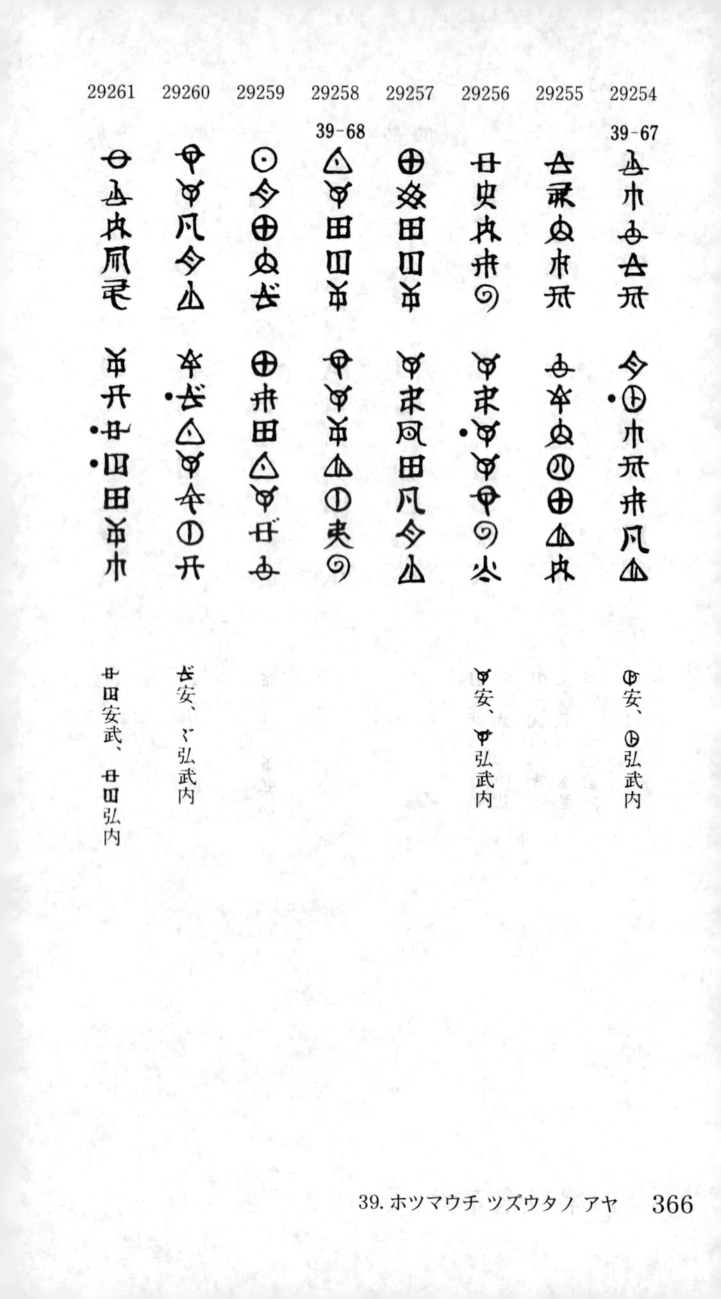

29254
39-67
安、弘武内

29255

29256
安、弘武内

29257

29258
39-68

29259

29260
安、ゞ弘武内

29261
安武、弘内

29262 39-69

安、弘武内

29263

考、安弘武内

安、弘武内

29264

安弘、武内

29265

29266 39-70

29267

安、弘武内

29268

安内、弘武

29269

29270

39-71

29271

29272

安弘武、内

29273

29274

39-72

安武、弘内

安、弘武内

29275

29276

安武、弘内

29277

安、弘、武内

29278 29279 29280 29281 29282 29283 29284 29285

39-73 39-74

安武、弘内

安、弘武内
安武内、弘

安弘内、武
安弘内、武
安武内、弘
安、弘武内
安武、弘内

安、弘武内
安武、弘内
安弘、武内
安弘、武内
安弘、武内

（3行目）↑
安弘、武内
安武、弘内
安武内、弘
安弘、武内

29293 29292 29291 29290 29289 29288 29287 29286

39-76 (29290) 39-75 (29286)

安、弘武内

安武、弘内

安武、弘内

安武内、弘

＊安武内、弘

安武内、弘

安武、弘内

安、弘武内

安武内、弘

安武内、弘

安武、弘内

安武、弘内

(4行目)↑

安、弘武内

安武、弘内

安武内、弘

安弘、武内

安弘内、武

↑(8行目)

＊安武内、弘

安武、弘内

＊安武、弘内

安弘内、武

29294

39-77

〓〓〓•〓〓 •〓〓〓〓〓•〓•〓

29295

〓〓〓〓〓 •〓〓〓〓•〓•〓＊〓

29296

〓〓〓〓〓 •〓〓〓〓〓〓〓

29297

〓〓〓〓〓 〓〓〓〓〓〓〓

29298

39-78

〓〓〓〓〓 〓•〓〓〓〓〓〓

29299

•〓•〓〓〓〓 〓〓〓〓〓〓〓

29300

〓〓•〓〓〓〓〓

29301

〓〓〓〓〓 •〓•〓〓•〓•〓〓〓

〓安、〓弘武内

〓安武、〓弘内

〓安武、〓弘内

〓安武、〓弘内

〓安武、〓弘内

〓安武、〓弘内

＊〓安武、〓弘内

〓安武、〓弘内

〓安、〓弘武内

〓安武、〓弘内

〓安弘内、〓武

〓安、〓弘武内

〓〓安武、〓〓弘内

〓安弘、〓武内

〓安武、〓弘内

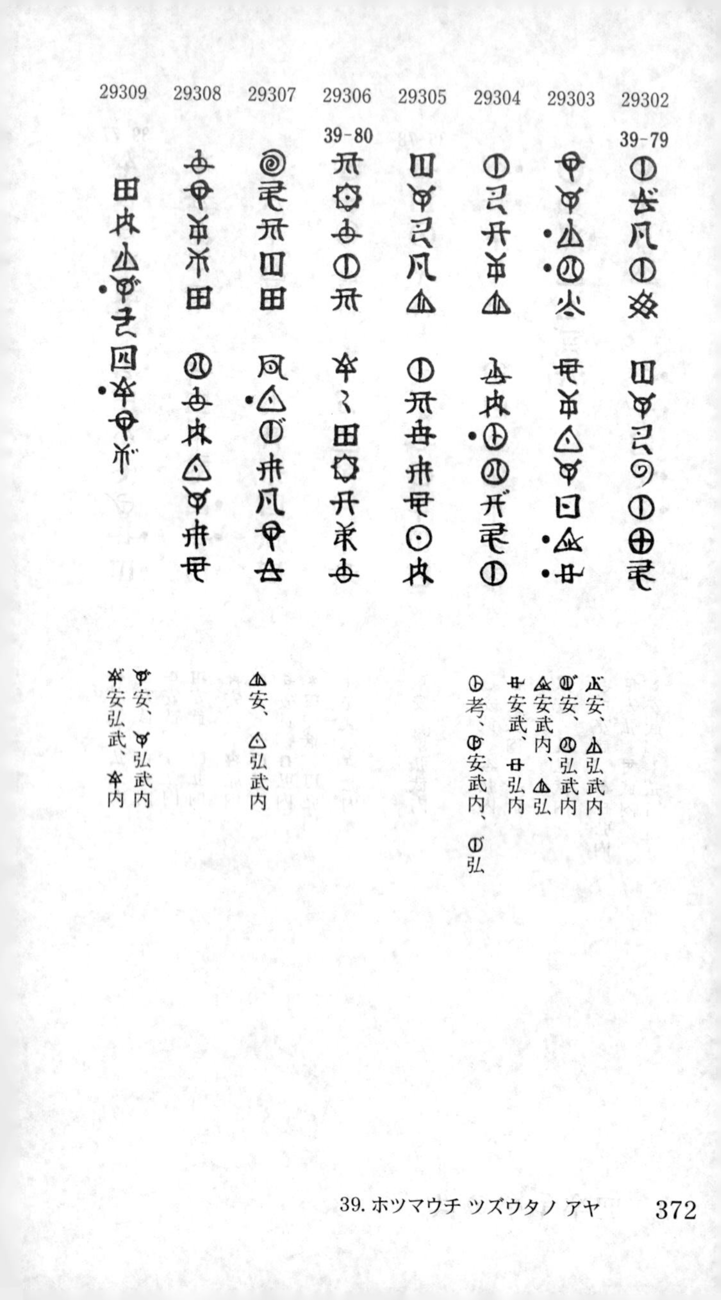

29302 39-79

29303

29304

29305

29306 39-80

29307

29308

29309

〓安、〓弘武内

〓安、〓弘武内

〓安武内、〓弘

〓安武、〓弘内

〓考、〓安武内、〓弘

〓安、〓弘武内

〓安、〓弘武内

〓安弘武、〓内

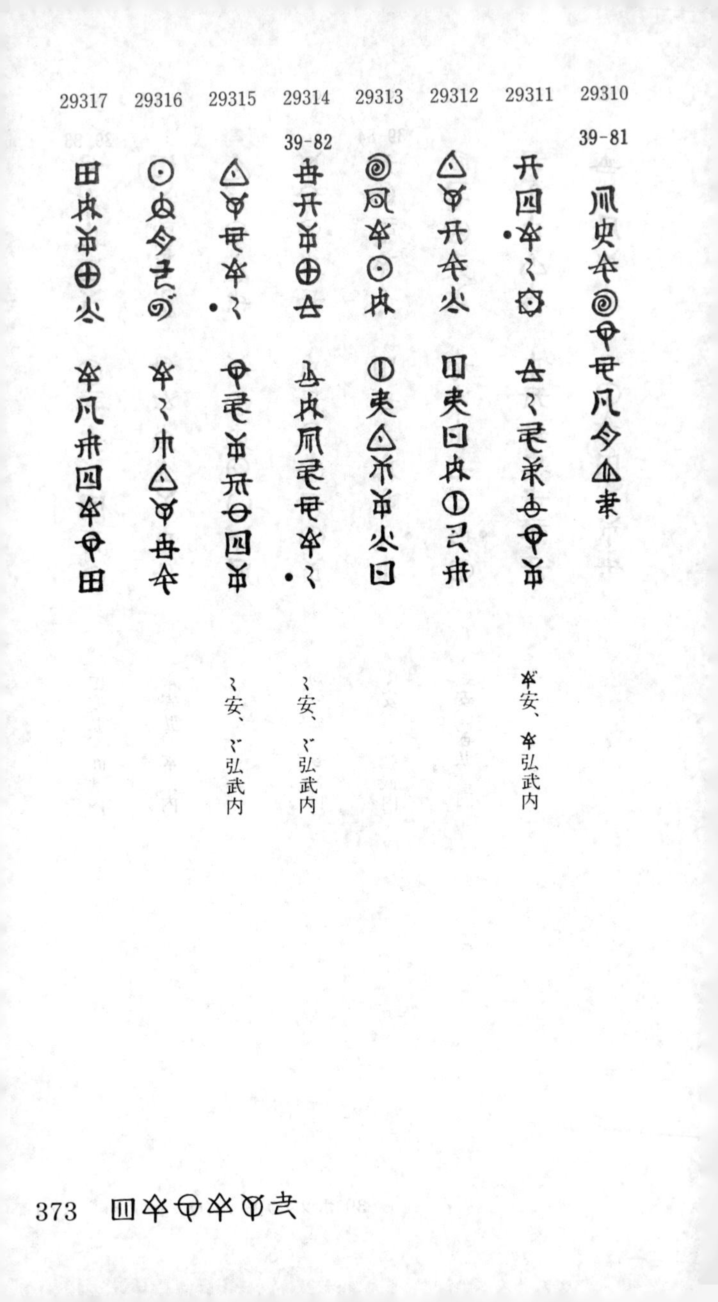

29310

39-81

29311

安、弘武内

29312

29313

29314

39-82

安、弘武内

29315

安、弘武内

29316

29317

29318 39-83

安弘、武内

29319

安弘、武内

29320

29321

安弘、武内

29322 39-84

安、弘武内

29323

安、弘武内

29324

29325

29326

39-85

安武内、田弘

29327

安、弘武内

29328

29329

29330

39-86

29331

安、弘武内

29332

安弘武、内

29333

29334
39-87

安武内、弘

29335

安、弘武内

29336

安、弘武内

安弘武、内

安弘内、武

29337

29338
39-88

29339

安武内、弘

29340

安武内、弘

29341

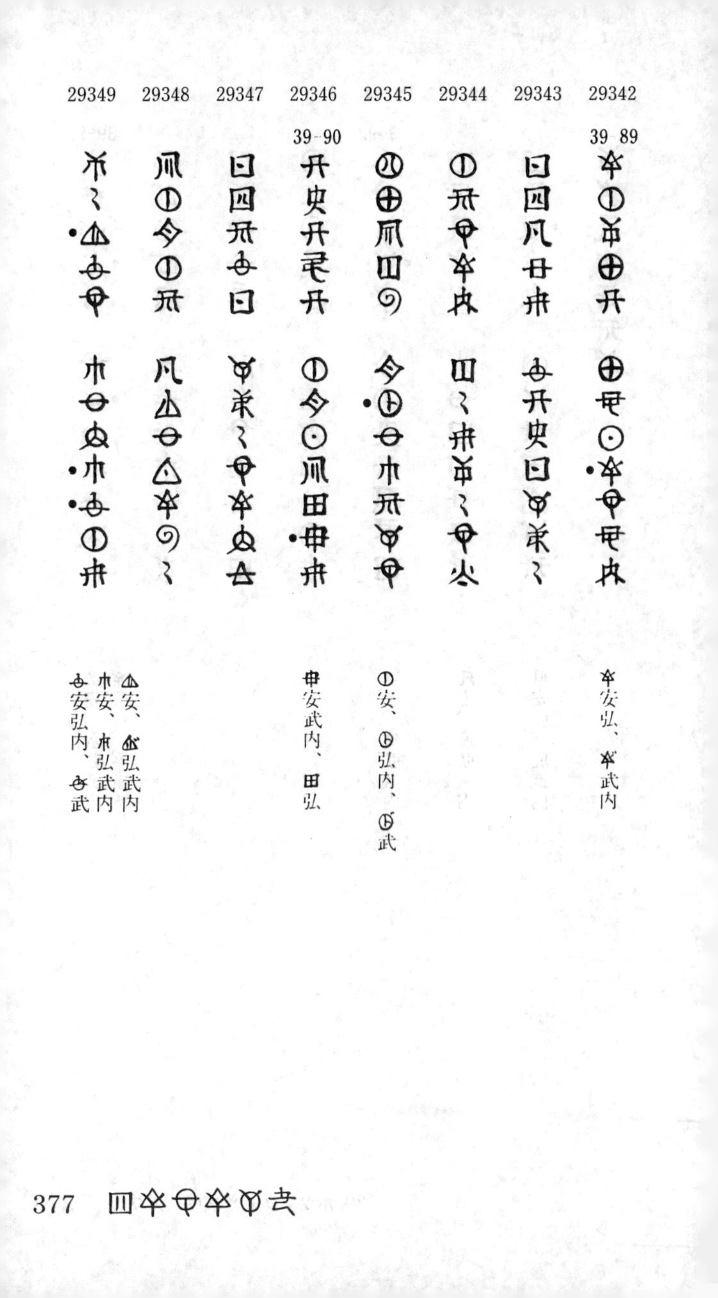

29342 39-89

安弘、武内

29343

29344

29345

安、弘内、武

29346 39-90

安武内、弘

29347

29348

29349

安、弘武内

安、弘武内

安弘内、武

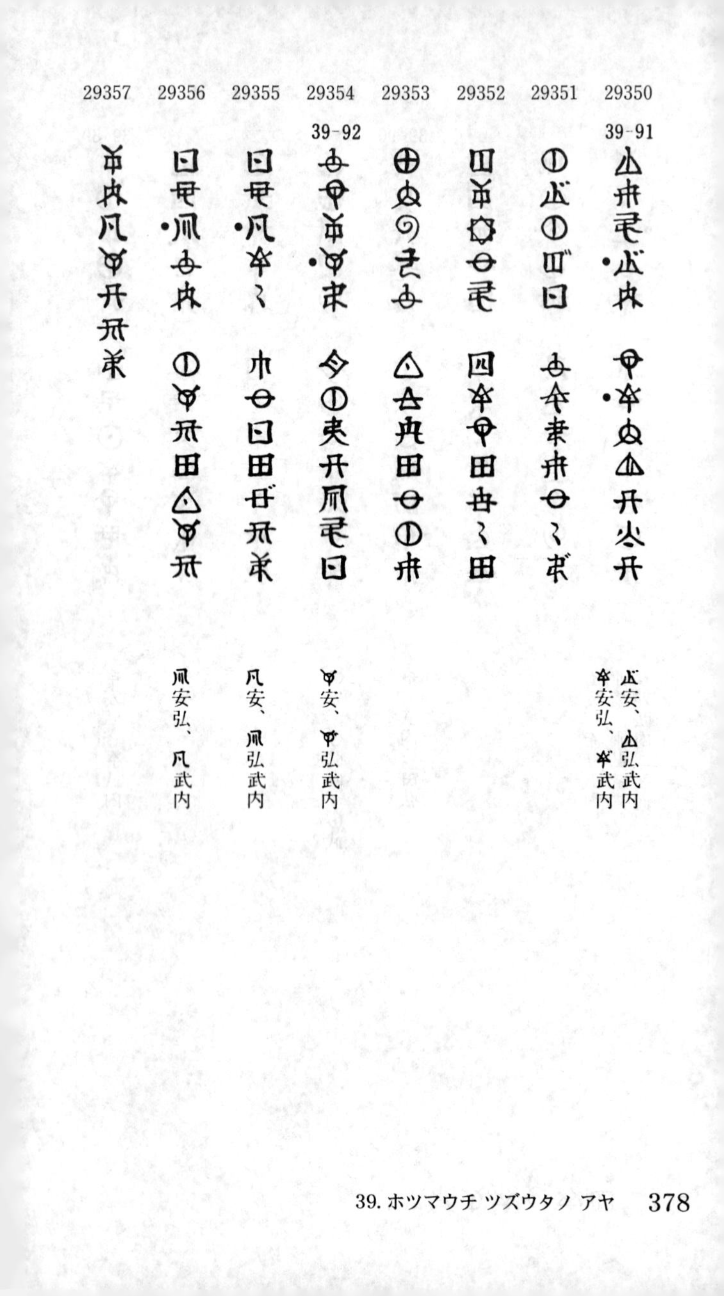

29350 39-91

安、弘武内

安弘、武内

29351

29352

29353

29354 39-92

安、弘武内

29355

安、弘武内

29356

安弘、武内

29357

29358

39-93

〓安、〓弘武内

〓安武、〓弘内

29359

29360

29361

〓安武、〓弘内

29362

39-94

〓弘武内、安本ムシ〓か〓か不明。

29363

〓安、〓弘武内

29364

29365

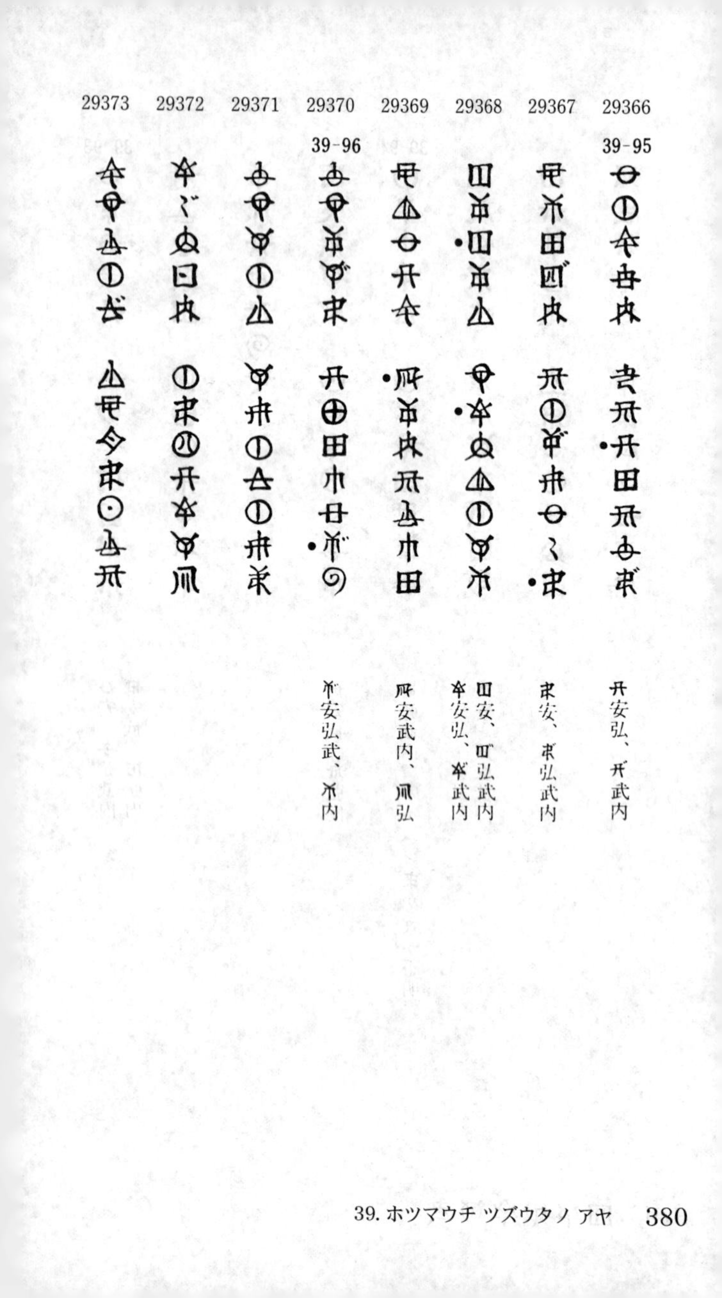

39-95

29366

29367

29368

29369

29370

39-96

29371

29372

29373

安弘、武内

安、弘武内

安、弘武内

安弘、武内

安武内、弘

安弘武、内

29374

39-97

29375

29376

29377

安武内、弘

29378

39-98

29379

安武内、弘

29380

安武、弘内

29381

29382
39-99

〔ヲシテ〕安、〔ヲシテ〕弘武内

29383

29384

29385

〔ヲシテ〕安武内、〔ヲシテ〕弘

29386
39-100

29387

〔ヲシテ〕安武内、〔ヲシテ〕弘

29388

〔ヲシテ〕安、〔ヲシテ〕弘武内

29389
40-1
〓安、〓弘武内

29390

29391
〓安弘内、〓武
〓安武、〓弘内

29392
〓考、〓安武内、〓弘
〓安、〓弘武内

29393
40-2
〓安弘、〓武内
〓安弘、〓武内

29394
〓安、〓弘武内

29395
〓考、〓安弘武内

29396
〓安、〓弘武内

29397

40-3

[illegible]

[illegible]安、[illegible]弘武内

29398

[illegible]

29399

[illegible]

[illegible]安、[illegible]弘武内

29400

[illegible]

29401

40-4

[illegible]

29402

[illegible]

[illegible]安、[illegible]弘武内

29403

[illegible]

[illegible]安、[illegible]弘武内

29404

[illegible]

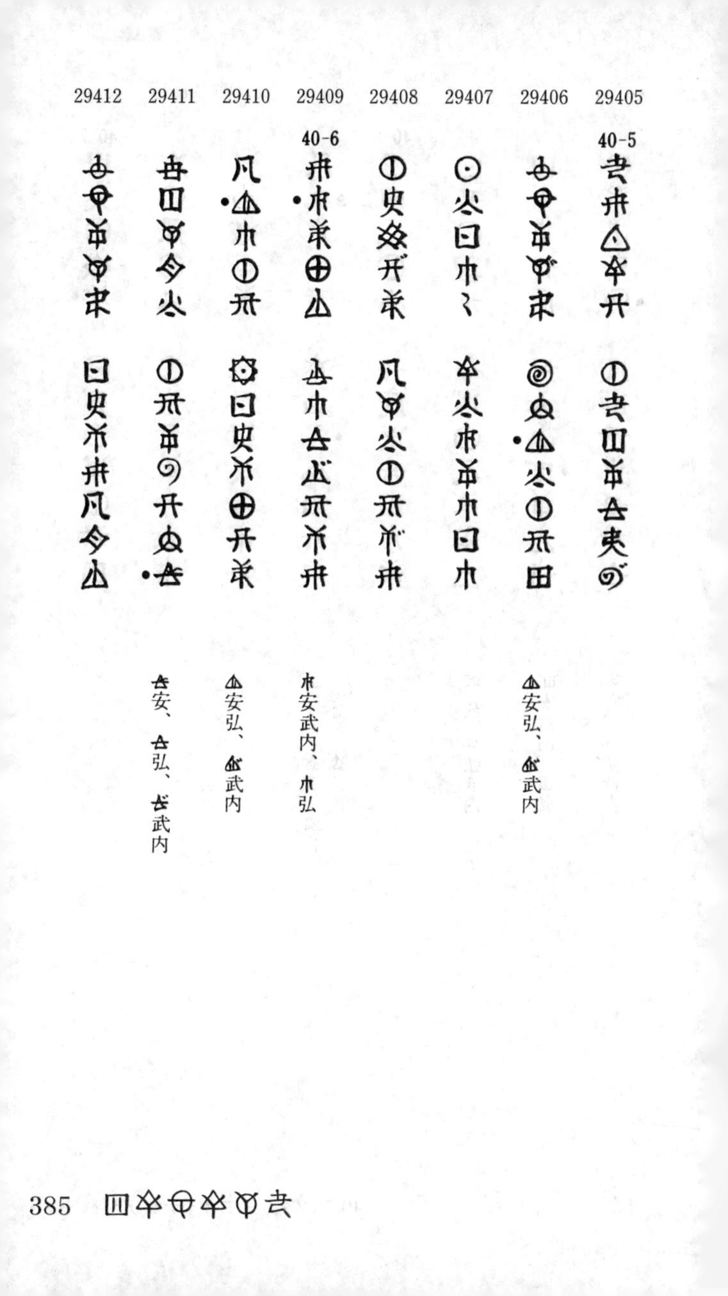

29405

40-5

29406

安弘、武内

29407

29408

29409

40-6

安武内、弘

29410

安弘、武内

29411

安、弘、武内

29412

29413 40-7

29414

29415

29416

29417 40-8

29418

29419

29420

安弘、武、内

安弘、武内

安、弘武内

安武内、弘

安、弘武内

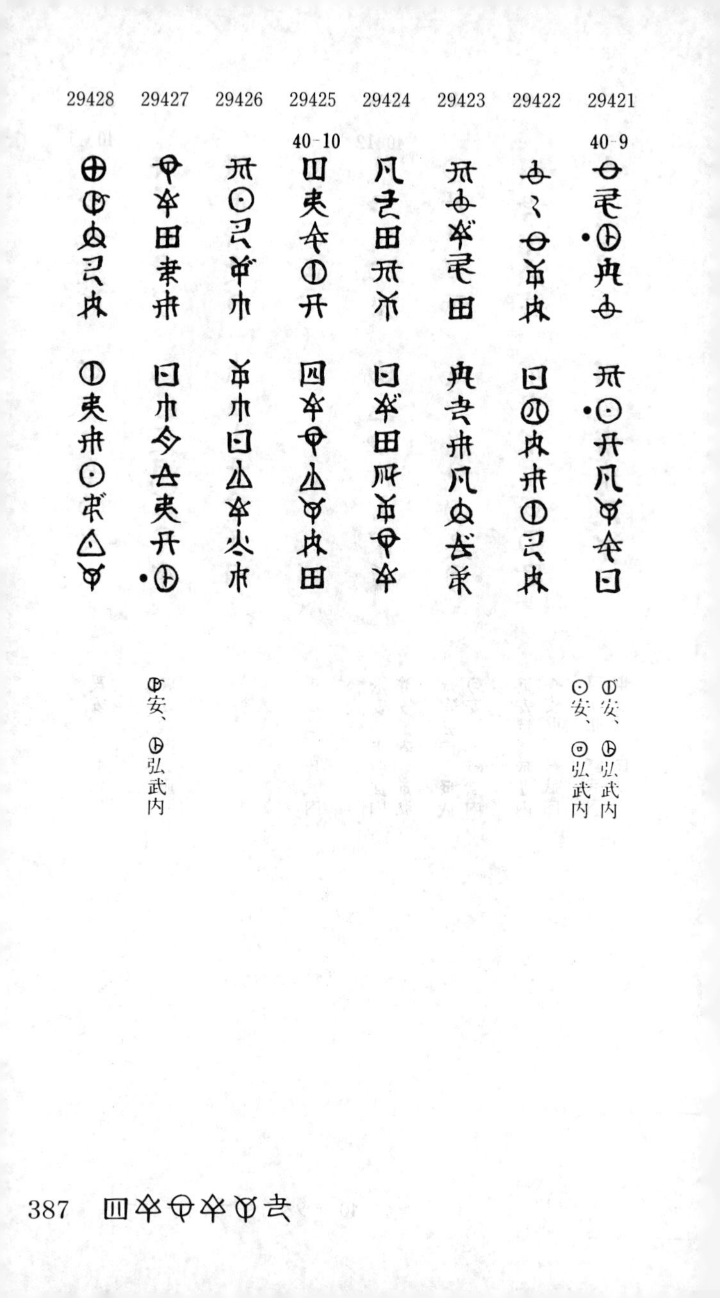

29421
40-9

安、弘武内

⊙安、弘武内

29422

29423

29424

29425
40-10

29426

29427

安、弘武内

29428

29429 40-11

安、 弘武内

29430

安武内、 弘

29431

29432

安弘、 武内

29433 40-12

安、 弘武内

安武内、 弘

29434

安弘内、 武

安弘、 武内

29435

安武、 弘内

安弘、 武内

29436

安弘、 武内

安武、 弘内

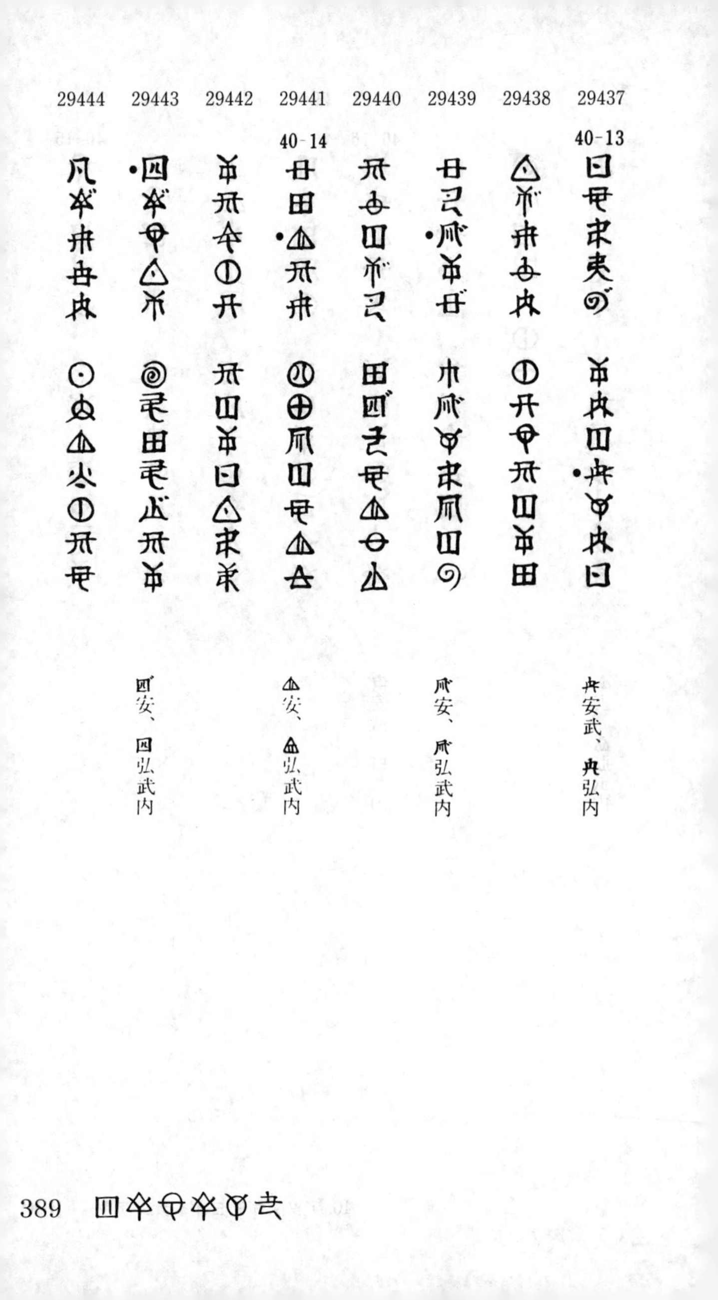

29437

40-13

[illegible]

[illegible]安武、[illegible]弘内

29438

[illegible]

29439

[illegible]

[illegible]安、[illegible]弘武内

29440

[illegible]

29441

40-14

[illegible]

[illegible]安、[illegible]弘武内

29442

[illegible]

29443

[illegible]

[illegible]安、[illegible]弘武内

29444

[illegible]

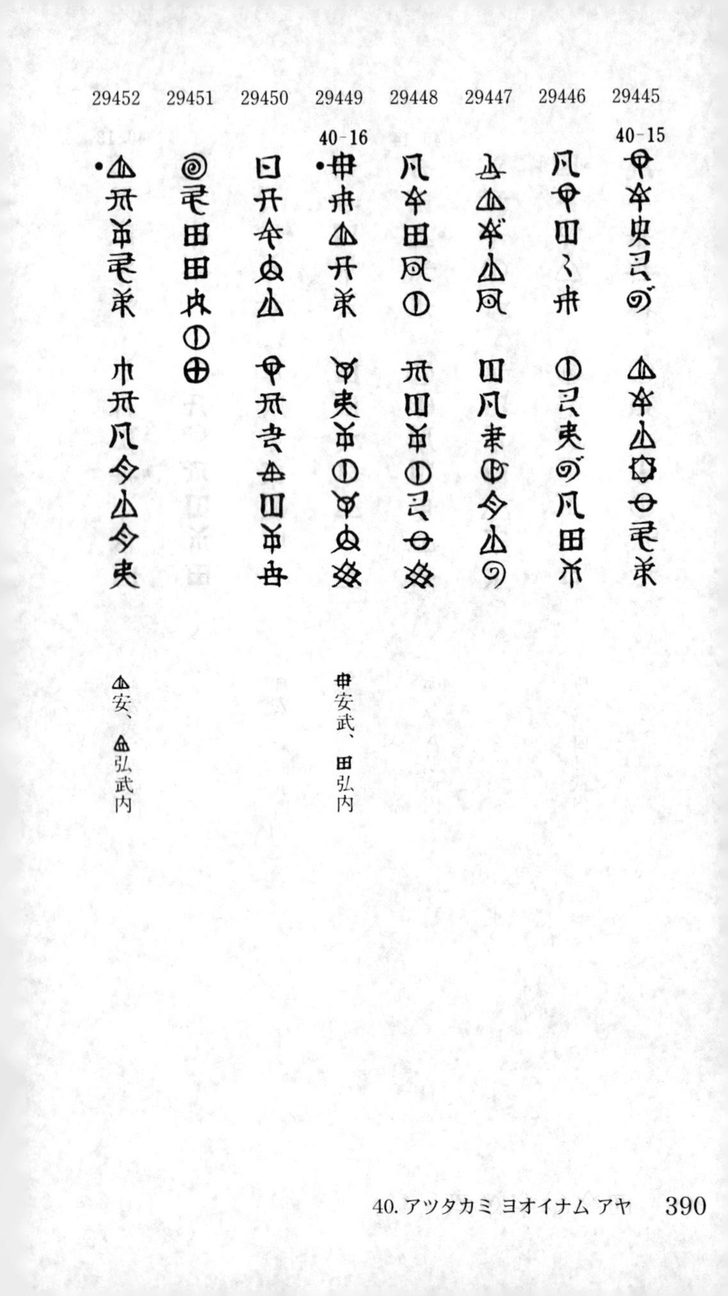

40-15

29445

29446

29447

29448

40-16

29449

29450

29451

29452

安武、弘内

安、弘武内

40-17

29453

29454

29455

29456

29457

40-18

安弘、武内

29458

29459

安弘、武内

安、弘武内

29460

40-19

29461

29462

29463

29464

安弘内、武

40-20

29465

29466

29467

29468

安、弘武内

29469 40-21

29470

29471

29472

29473 40-22

安、弘武内

安、弘武内

安、弘武内

29474

安、弘武内

29475

29476

考、安弘武内

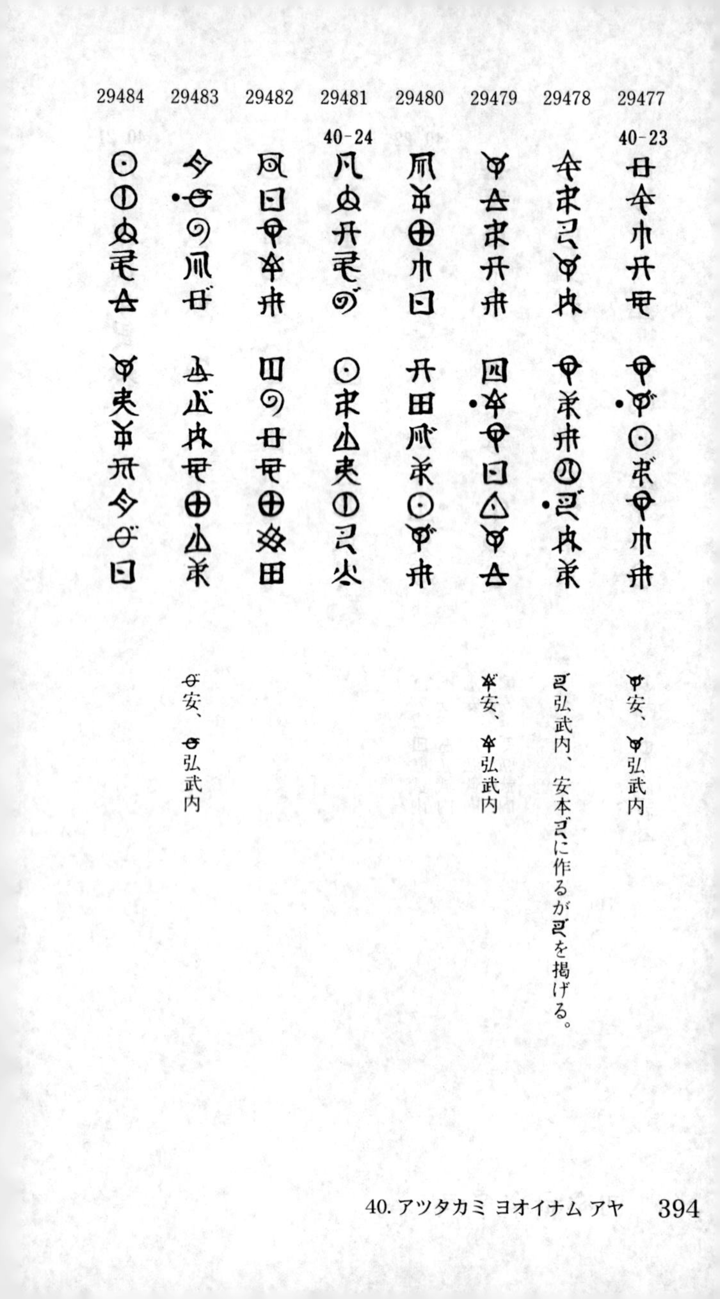

29477 40-23

安、弘武内

29478

弘武内、安本に作るがを掲げる。

29479

安、弘武内

29480

29481 40-24

29482

29483

安、弘武内

29484

29485
40-25

29486

29487

29488

安、弘武内
安、弘武内

29489
40-26

29490

29491

安、弘武内

29492

安、弘武内

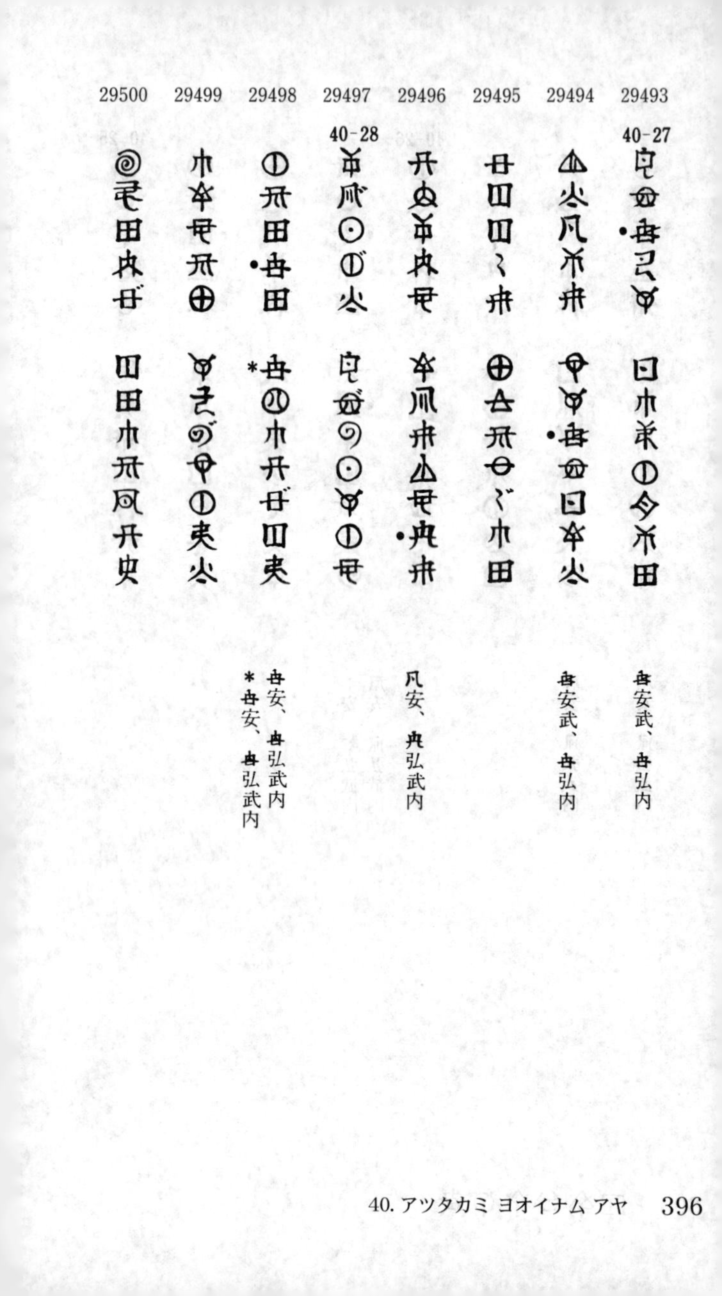

29493 40-27

[ ]安武、[ ]弘内

29494

[ ]安武、[ ]弘内

29495

29496

[ ]安、[ ]弘武内

29497 40-28

29498

[ ]安、[ ]弘武内
*[ ]安、[ ]弘武内

29499

29500

29501

40-29

安武内、弘

29502

29503

29504

安武内、弘

29505

40-30

安武内、弘

29506

安、弘武内

29507

安武内、弘

29508

安、弘武内

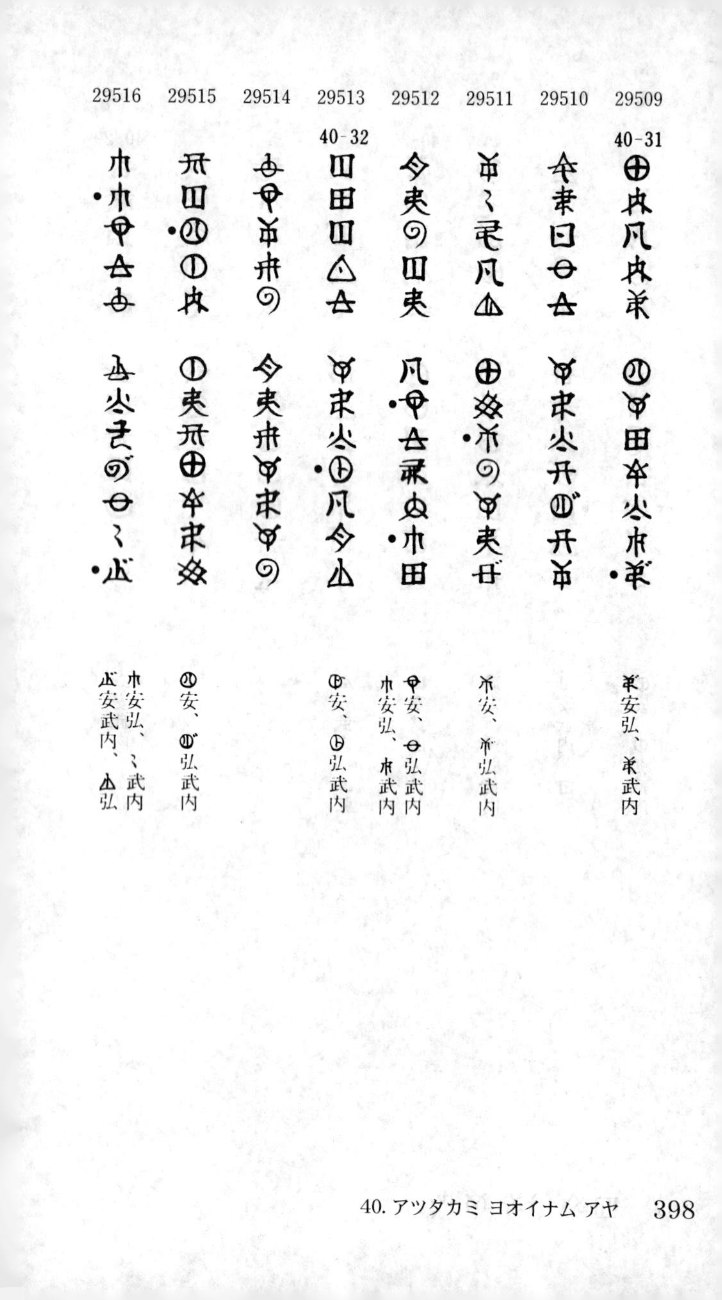

29516	29515	29514	29513	29512	29511	29510	29509
			40-32				40-31

29509: [illegible]安弘、[illegible]武内

29511: [illegible]安、[illegible]弘武内

29512: [illegible]安、[illegible]弘武内
[illegible]安弘、[illegible]武内

29513: [illegible]安、[illegible]弘武内

29515: [illegible]安、[illegible]弘武内

29516: [illegible]安弘、[illegible]武内
[illegible]安武内、[illegible]弘

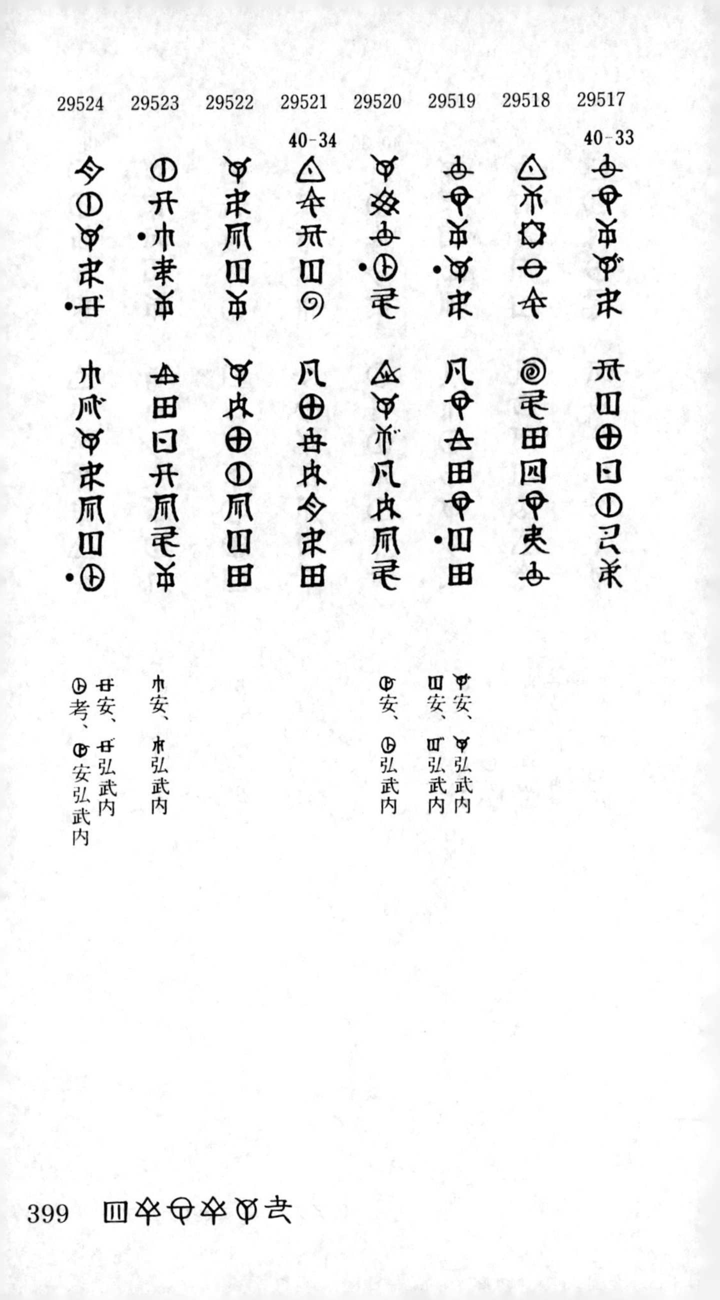

29517 40-33

29518

29519

安、弘武内

安、弘武内

29520

安、弘武内

29521 40-34

29522

29523

安、弘武内

29524

安、弘武内

考、安弘武内

29525 40-35
[ヲシテ]

29526
[ヲシテ]

29527
[ヲシテ]

29528
[ヲシテ]

29529 40-36
[ヲシテ]

29530
[ヲシテ]

29531
[ヲシテ]

29532
[ヲシテ]

[ヲシテ]安武内、[ヲシテ]弘

[ヲシテ]考、[ヲシテ]安弘武内

[ヲシテ]安、[ヲシテ]弘武内

[ヲシテ]安、[ヲシテ]弘武内

*[ヲシテ]安、[ヲシテ]弘武内

[ヲシテ]安武、[ヲシテ]弘内

[ヲシテ]安弘内、[ヲシテ]武

[ヲシテ]安、[ヲシテ]弘武内

29533 40-37

29534

29535

29536

29537 40-38

29538

29539

29540

安、弘武内

安武内、弘

安弘内、武

安武内、弘

安武内、弘

安、弘武内

29541 40-39

29542

29543

29544

安、弘武内

29545 40-40

29546

安武内、弘

安弘、武内

29547

安武内、弘

安、弘武内

29548

安、弘武内

29549
40-41

29550

29551
安、弘武内

29552
安、弘武内

29553
40-42

29554
安、弘武内

29555

29556

29557 40-43
・〓・〓・〓・〓〓 ・〓〓・〓〓〓〓〓

29558
〓・〓〓〓〓 *〓〓〓〓〓〓〓

29559
〓〓〓〓〓 〓〓〓〓〓〓〓

29560
〓〓〓〓〓〓〓〓〓〓〓〓〓

29561 40-44
〓〓〓〓〓〓〓〓〓〓〓〓

29562
〓〓〓〓〓 〓〓〓〓〓〓〓

29563
〓〓〓・〓〓 〓〓〓〓〓〓〓

29564
〓〓〓〓〓 〓〓〓〓〓〓〓

〓〓〓〓弘武内、〓〓〓〓安。

安本漢訳文に天叢雲剣とあることから、〓〓〓〓を掲げた。

〓安、〓弘武、〓内

〓安、〓弘武内

〓安武、〓弘、〓内

*これより19文字、弘武内ともに異文。

〓〓〓〓〓〓〓

〓〓〓〓〓

〓〓〓〓〓〓〓〓

〓安、〓弘武内

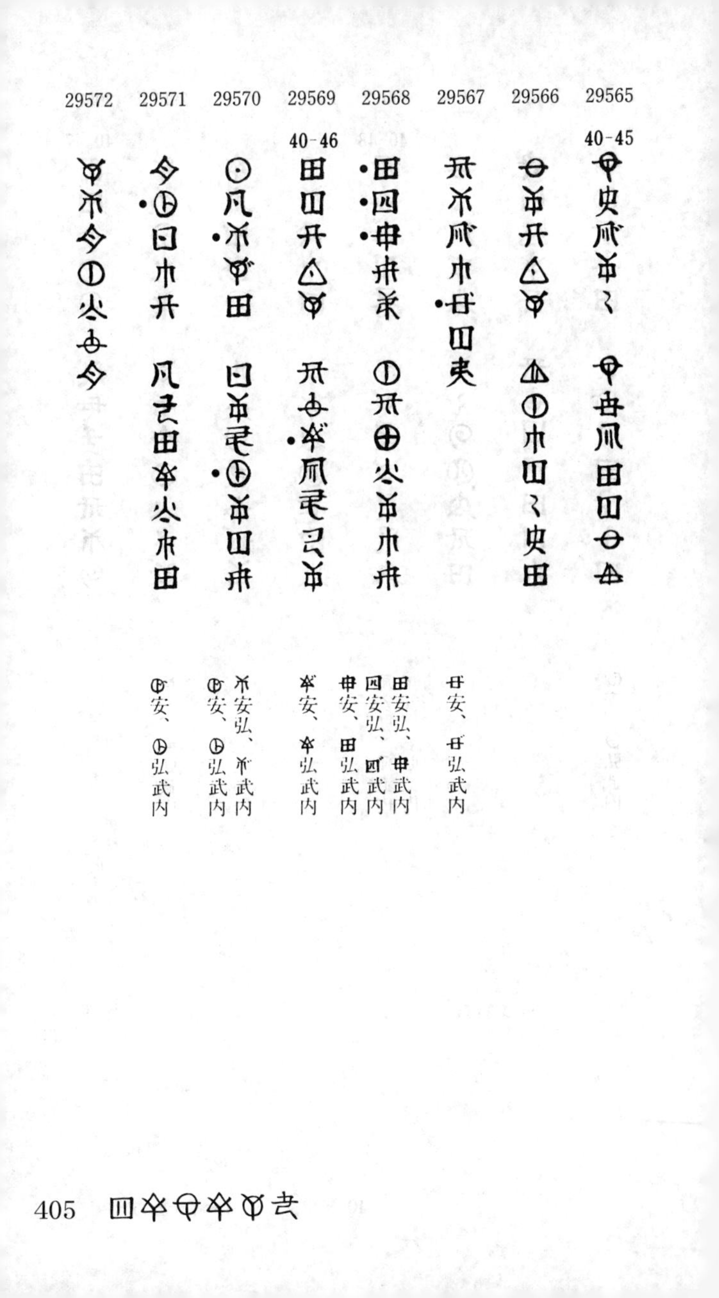

29565 40-45

29566

29567

安、弘武内

29568

安弘、武内

安弘、武内

29569 40-46

安、弘武内

安、弘武内

29570

安弘、武内

安、弘武内

29571

安、弘武内

29572

29573 40-47

29574

安、弘 武内

29575

29576

29577 40-48

安弘、武内

安、弘 武内

29578

29579

29580

安、弘 武内

29581 40-49

29582

29583

29584

29585 40-50

29586

29587

29588

安、弘武内
安弘、武内
安武内、弘
安弘、武内

安武、弘内

安弘内、武

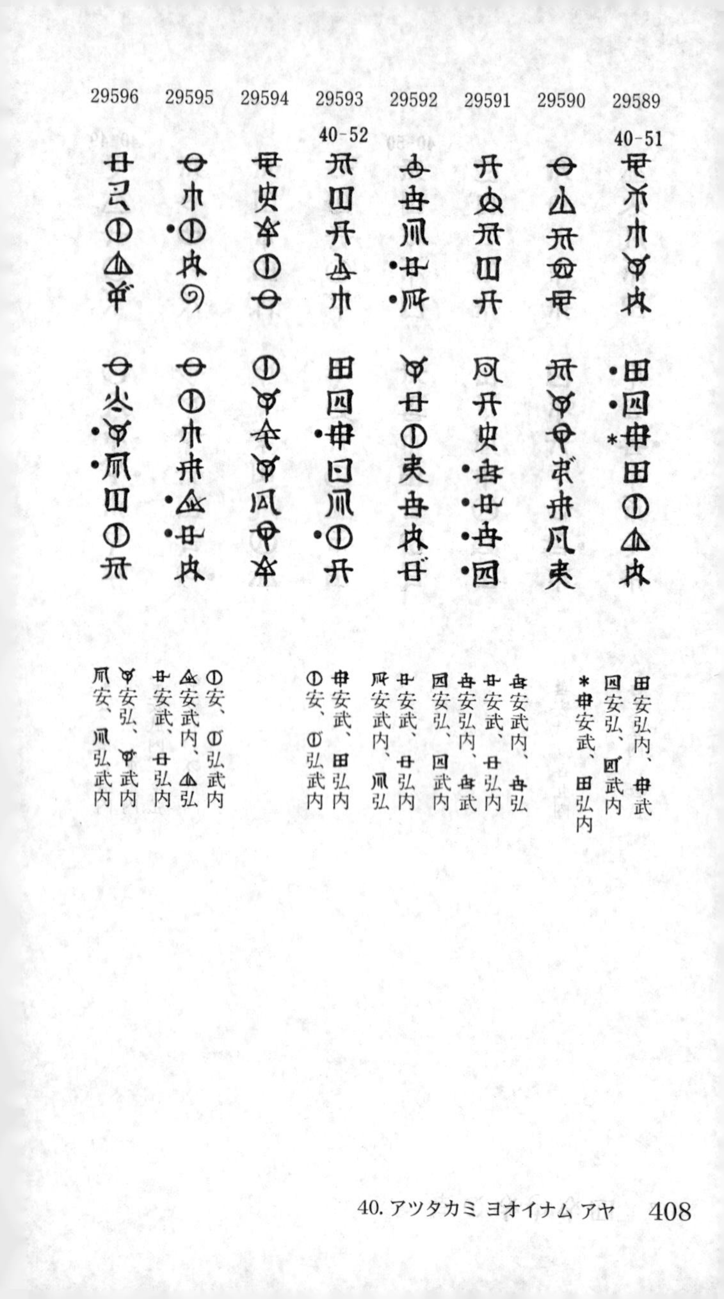

29589 40-51

29590

29591

29592

29593 40-52

29594

29595

29596

〓安弘内、〓武
〓安弘、〓武内
*〓安武、〓弘内

〓安武内、〓弘
〓安武、〓弘内
〓安弘内、〓武
〓安弘、〓武内
〓安武、〓弘内
〓安武内、〓弘
〓安武、〓弘内
〓安、〓弘武内

〓安、〓弘武内
〓安武内、〓弘
〓安武、〓弘内
〓安弘、〓武内
〓安、〓弘武内

29597 40-53

安武、弘内

29598

安武、弘内
安、弘武内

29599

29600

29601 40-54

安武内、弘

29602

安、弘武内
安弘、武内

29603

29604

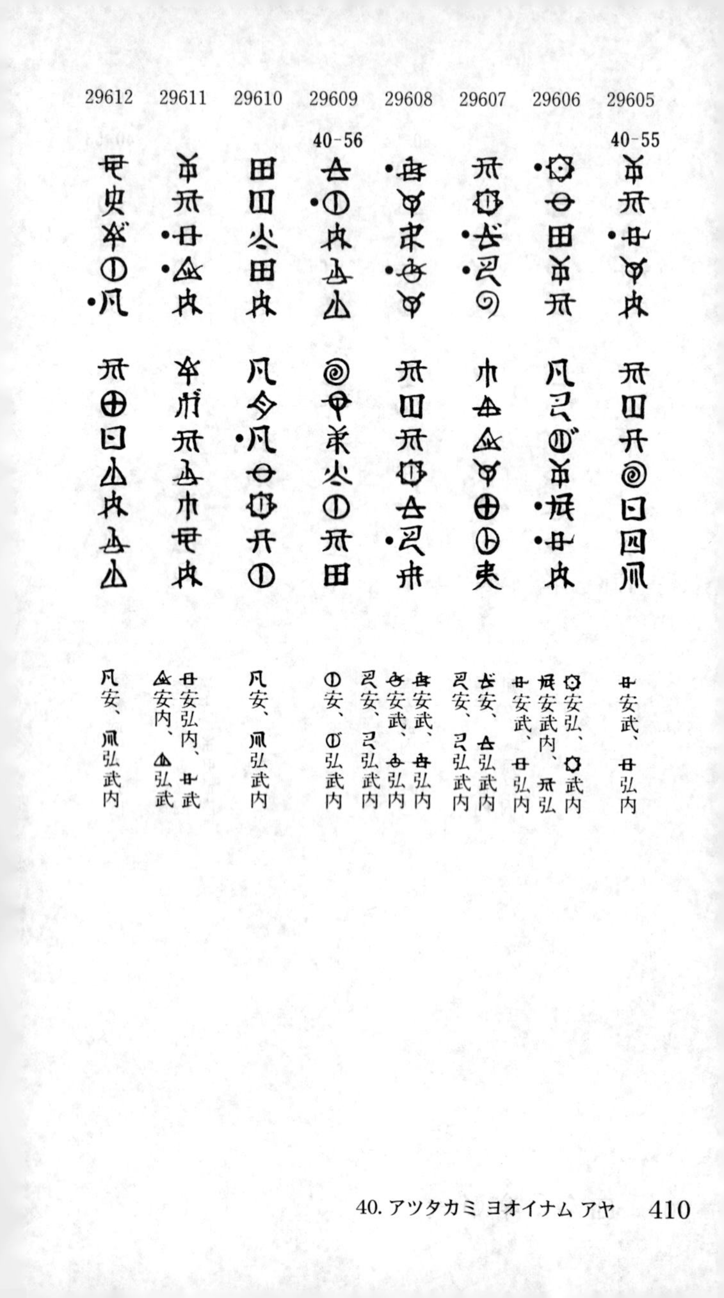

29612	29611	29610	29609	29608	29607	29606	29605
			40-56				40-55

29605: 安武、弘内

29606: 安弘、武内 / 安武内、弘 / 安武、弘内

29607: 安、弘武内 / 安、弘武内

29608: 安武、弘内 / 安武、弘内 / 安、弘武内

29609: 安、弘武内

29610: 安、弘武内

29611: 安弘内、武 / 安内、弘武

29612: 安、弘武内

29613
40-57

安武、弘内

29614

29615

安、弘武内

29616

29617
40-58

安、弘武内

29618

29619

29620

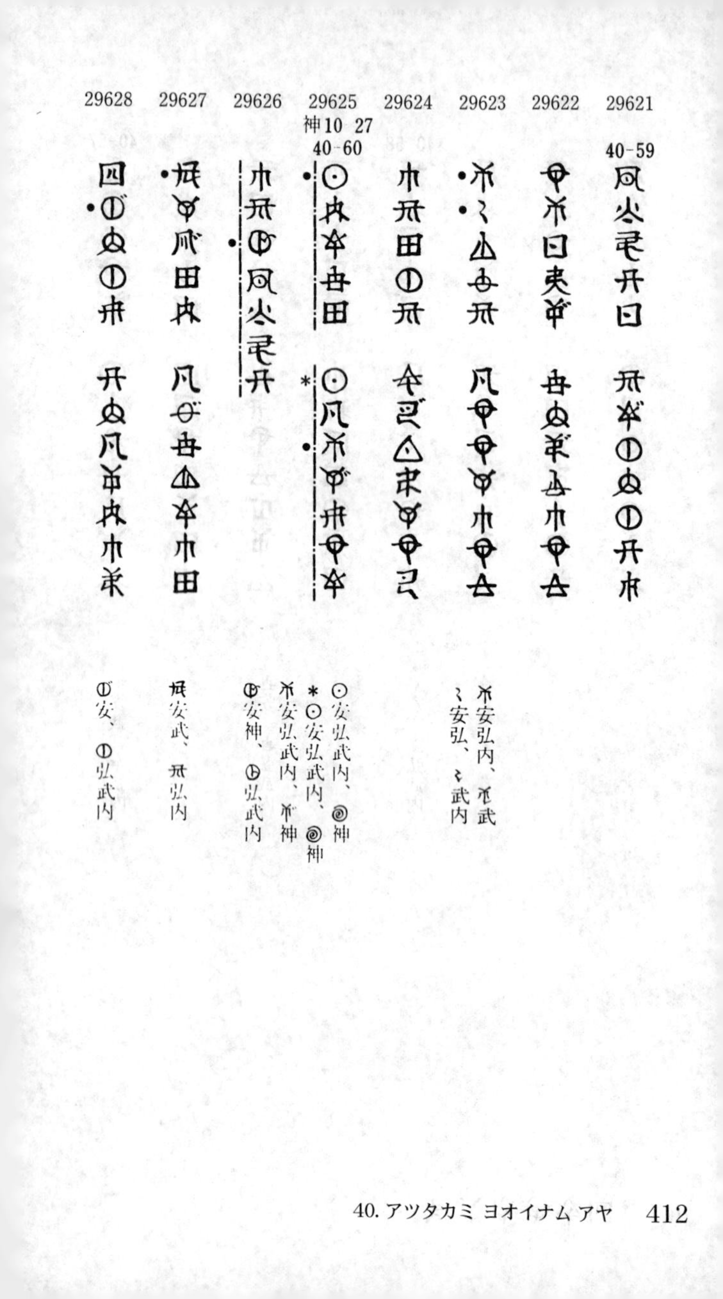

29621 40-59

29622

29623

[illegible]安弘内、[illegible]武

[illegible]安弘、[illegible]武内

29624

29625 神10 27 40-60

⊙安弘武内、◎神

*⊙安弘武内、◎神

[illegible]安弘武内、[illegible]神

29626

[illegible]安神、[illegible]弘武内

29627

[illegible]安武、[illegible]弘内

29628

[illegible]安、[illegible]弘武内

29629
40-61

29630

〻安武内、〻弘

29631
神10-27

安弘、武内、神・
安神、弘、武内

29632

29633
40-62

29634

安、弘武内
安弘、武内

29635

29636

29637

40-63

[illegible]安、[illegible]弘武内

29638

29639

29640

29641

40-64

29642

[illegible]安武、[illegible]弘内

[illegible]安武内、[illegible]弘

29643

[illegible]安、[illegible]弘武内

29644

29652	29651	29650	29649	29648	29647	29646	29645
			40-66				40-65

安武、弘内

安、弘武内

安武、弘内

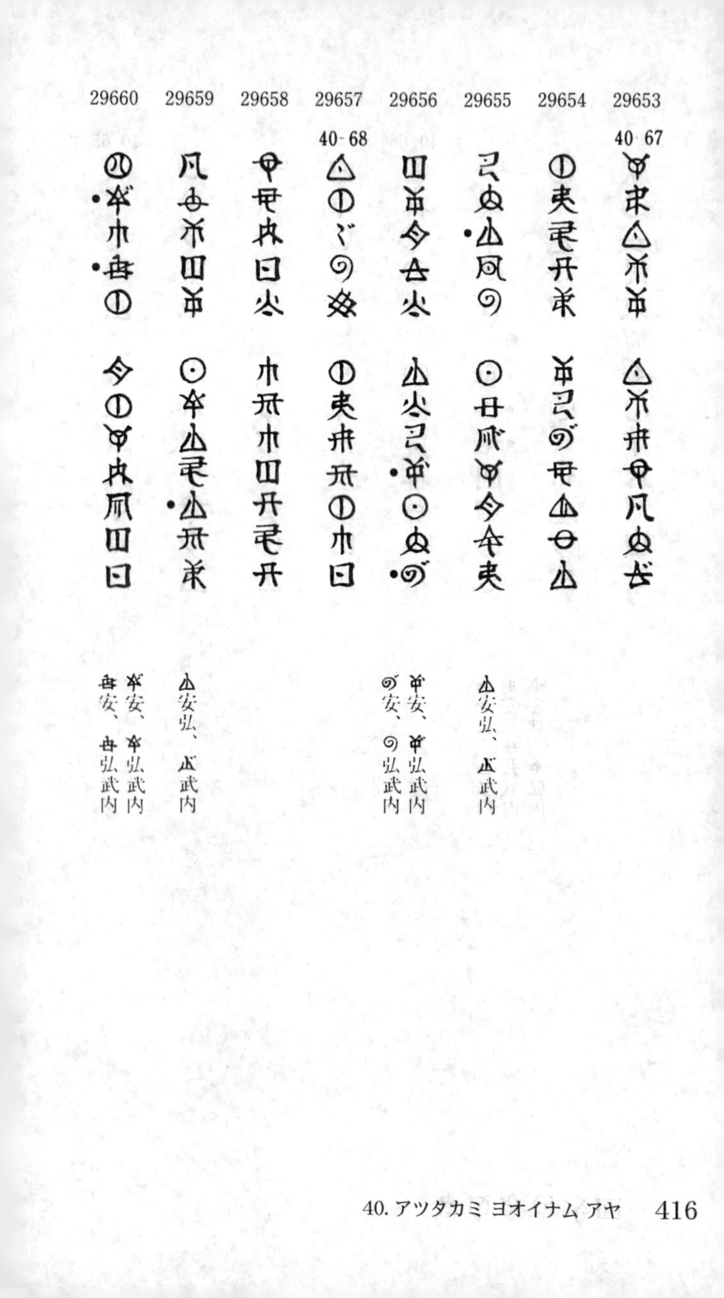

40-67

29653

29654

29655

安弘、武内

29656

安、弘武内

安、弘武内

40-68

29657

29658

29659

安弘、武内

29660

安、弘武内

安、弘武内

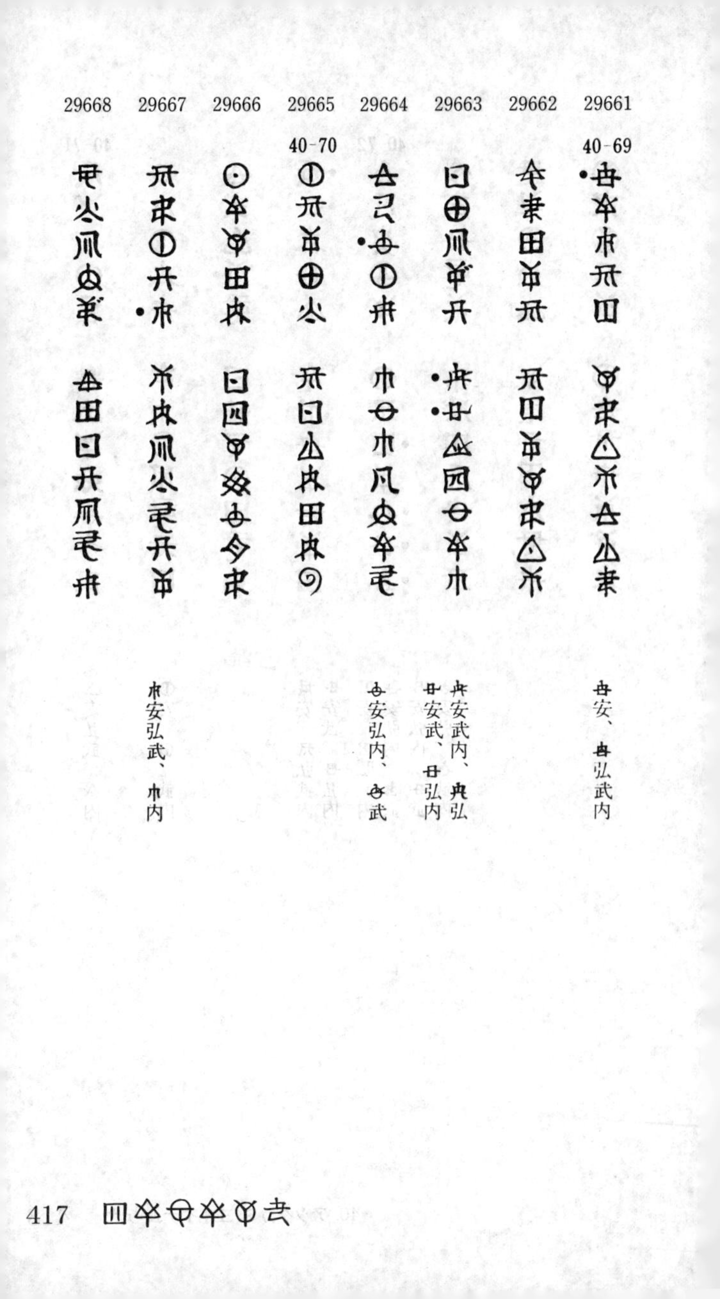

29661

40-69

安、弘武内

29662

29663

安武内、弘

安武、弘内

29664

安弘内、武

29665

40-70

29666

29667

安弘武、内

29668

29669 40-71

29670

29671

29672

29673 40-72

29674

29675

29676

安弘武、内

安、弘武内

安、弘武内

安武、弘内

安、弘武内

安弘内、武

安弘内、武

安弘、武内

29677 40-73

29678

29679

29680

29681 40-74

29682

29683

29684

[glyph]安弘武、[glyph]内

[glyph]安弘内、[glyph]武

[glyph]安武、[glyph]弘内

[glyph]安武、[glyph]弘内

[glyph]安武、[glyph]弘内

[glyph]安武内、[glyph]弘

[glyph]安弘、[glyph]武内

[glyph]安弘武、[glyph]内

29685
40-75

29686

29687

29688

29689
40-76

29690

29691

29692

安、弘武内

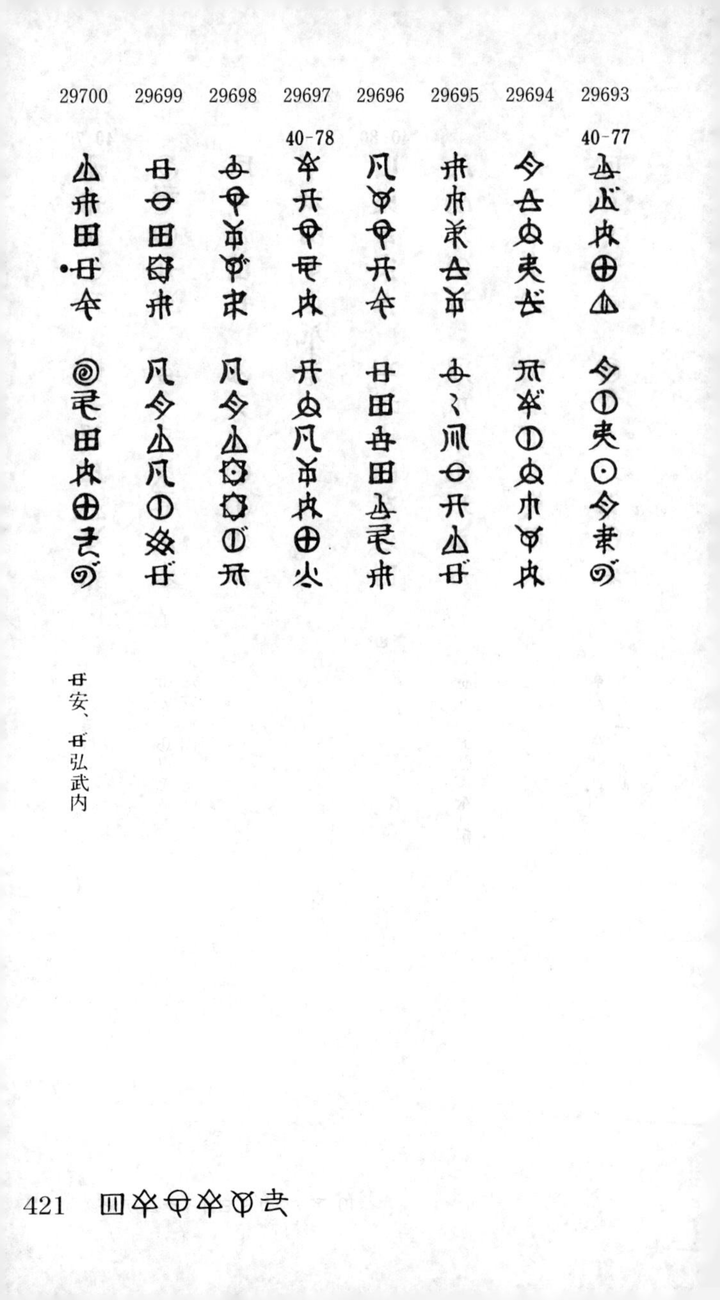

29693

40-77

29694

29695

29696

29697

40-78

29698

29699

29700

安、弘武内

29701 40-79

29702

安、弘武内
安武内、弘

29703

29704

29705 40-80

29706

安、弘、武内

29707

29708

安、弘武内
安弘、武内

29709 40-81

29710

29711

安弘武、内

29712

安弘、武内

29713 40-82

29714

安、弘武内

29715

29716

安、弘、武内

29717 40-83

安、弘武内
安、弘武内

29718

29719

29720

安弘、武内

29721 40-84

29722

29723

安弘、武内

29724

29725
40-85
[illegible]

29726
[illegible]

29727
[illegible]

29728
[illegible]

29729
40-86
[illegible]

29730
[illegible]

29731
[illegible]

[illegible]安弘内、[illegible]武

29732
[illegible]

29733
40-87
[illegible]

[illegible]安弘、[illegible]武内
[illegible]安、[illegible]弘武内

29734
[illegible]

29735
[illegible]

29736
[illegible]

[illegible]安武内、[illegible]弘

29737
40-88
[illegible]

[illegible]安武内、[illegible]弘
[illegible]安、[illegible]弘武内

29738
[illegible]

[illegible]安武内、[illegible]弘

29739
[illegible]

[illegible]安、[illegible]弘武内

29740
[illegible]

29741

40-89

安弘武、内

29742

29743

安、弘武内

29744

安武内、弘

考、安武内、弘

29745

40-90

安武、弘内

安、弘武内

安、弘武内

29746

29747

安武内、弘

安、弘武内

29748

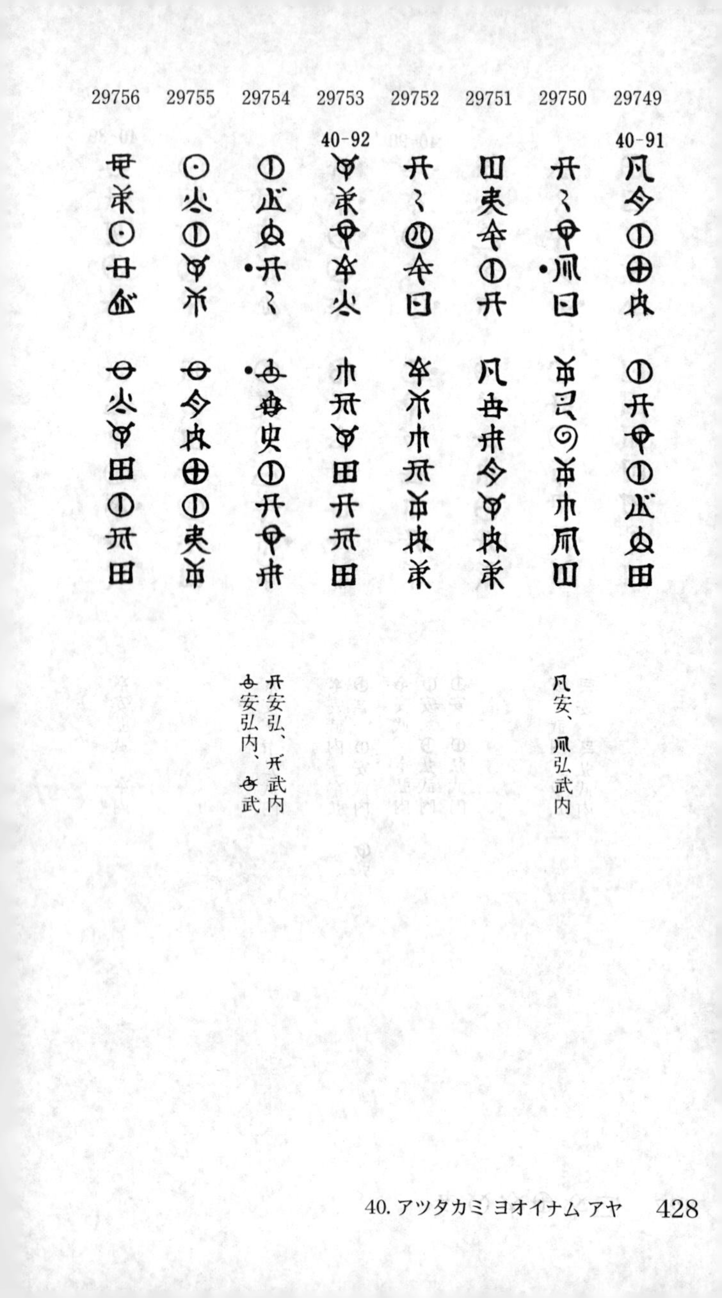

29749

40-91

29750

29751

29752

29753

40-92

29754

29755

29756

安、弘武内

安弘、武内

安弘内、武

29757 40-93

29758

29759

〓安武、〓弘内

〓安武、〓弘内

〓安武、〓弘内

〓安武内、〓弘

29760

〓安武、〓弘内

〓安武、〓弘内

29761 40-94

29762

〓安武、〓弘内

29763

〓安、〓弘武内

29764

〓〓安武、〓〓弘内

29765 40-95

安武内、弘

29766

*安武、弘内
安、弘武内

29767

安、弘武内

29768

安武内、弘
安、弘武内

29769 40-96

29770

29771

29772

安、弘武内

29773 40-97

29774

29775

29776

29777 40-98

29778

29779

29780

[illegible]安弘、[illegible]武内
[illegible]安、[illegible]弘武内
[illegible]安武内、[illegible]弘

[illegible]安武、[illegible]弘内
[illegible]安弘内、[illegible]武
[illegible]安武、[illegible]弘内
[illegible]安武、[illegible]弘内

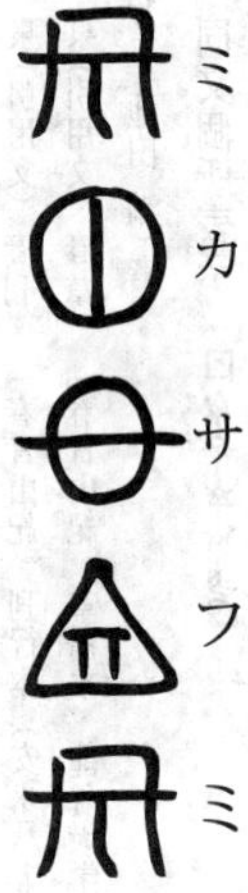
ミ
カ
サ
フ
ミ

『ミカサフミ』

〔写本者等〕〔略称〕〔書名・所蔵〕

和仁估安総（わにこやすとし）　ミ　『神戴山書紀（ミカサフミ）』滋賀県高島市・野々村直大（ただひろ）氏所蔵

和仁估安総（わにこやすとし）　生　『生洲問答』滋賀県高島市・野々村直大氏所蔵

溥泉（ふせん）伝本　ト　『神嶺山伝記歳中行事紋（ミカサフミ・トシウチニナスコトノアヤ）』龍谷大学大宮図書館所蔵

溥泉（引用文）　朝　『朝日神紀』龍谷大学大宮図書館所蔵

溥泉（引用文）　春刊　『春日山紀』刊行本（安永八・九年）各地の図書館で所蔵

溥泉（引用文）　春草　『春日山紀』草稿本・龍谷大学大宮図書館所蔵

（私考・池田満）考

同文個所表示『ホツマツタヱ』

〔完本名〕〔略称〕〔所蔵〕

和仁估安総本　安　滋賀県高島市藤樹記念館保管

小笠原長弘（ながひろ）本　弘　宇和島市・小笠原長恭氏所蔵

小笠原長武（ながたけ）本　武　奉呈文・1〜16アヤ、松本善之助先生から池田満へ贈られる

17〜40アヤ、宇和島市・小笠原長明氏所蔵

内閣文庫本　内　国立公文書館所蔵（小笠原長武写本）

校異のうち、特に重要と判断したものについて、右傍線を付しておいた。

（例）[illegible]安朝、[illegible]弘武内

30001

ミ-42

30002

30003

30004

30005

ミ-43

30006

30007

30008

30009

30010

30011

30012

30013

ミ-44

30014

30015

30016

30017 [illegible]

30018 [illegible]

30019 [illegible]

30020 [illegible]

30021 ミ-45 [illegible]

30022 [illegible]

[illegible]、もとは[illegible]に作る。[illegible]の年で『ホツマツタヱ』と同年の献上であることに拠り、[illegible]が正しいことになるので、[illegible]を掲げた。

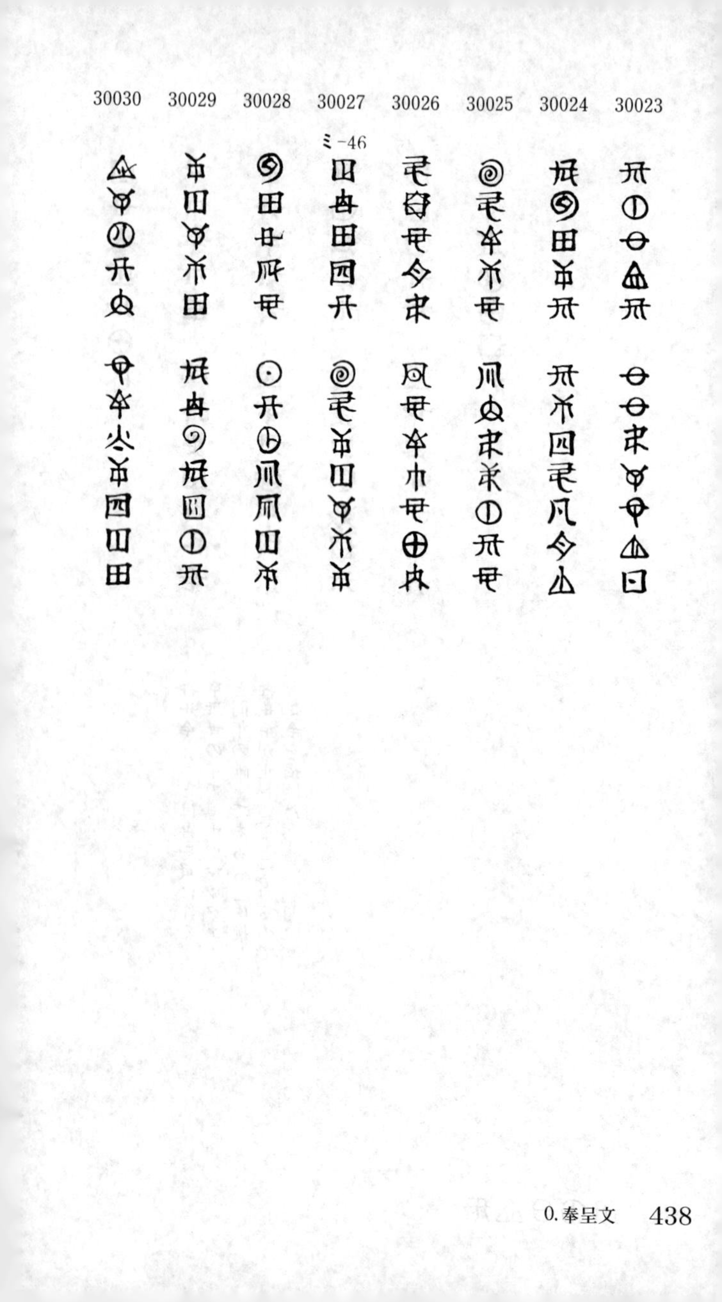

30023

30024

30025

30026

30027
ミ-46

30028

30029

30030

30031

30032

30033

30034

30035

ミ-47

30036

30037

30038

30039

30040

30041

30042

30043
ミ-48

30044

30045

30046

30047

30048

30049

30050

30051

ミ-49

30052

30053

30054

31001
ミ-49

31002

31003

31004

31005
ミ-50

31006

31007

31008

31009

31010

31011

31012

31013
ミ-51

31014

31015

31016

31017

31018

31019

31020

31021
ミ-52

31022

31023

31024

31025 31026 31027 31028 31029 31030 31031 31032

ミ-53

31033

31034

31035

31036

31037

ミ-54

31038

31039

31040

31048 31047 31046 31045 31044 31043 31042 31041

ミ-55

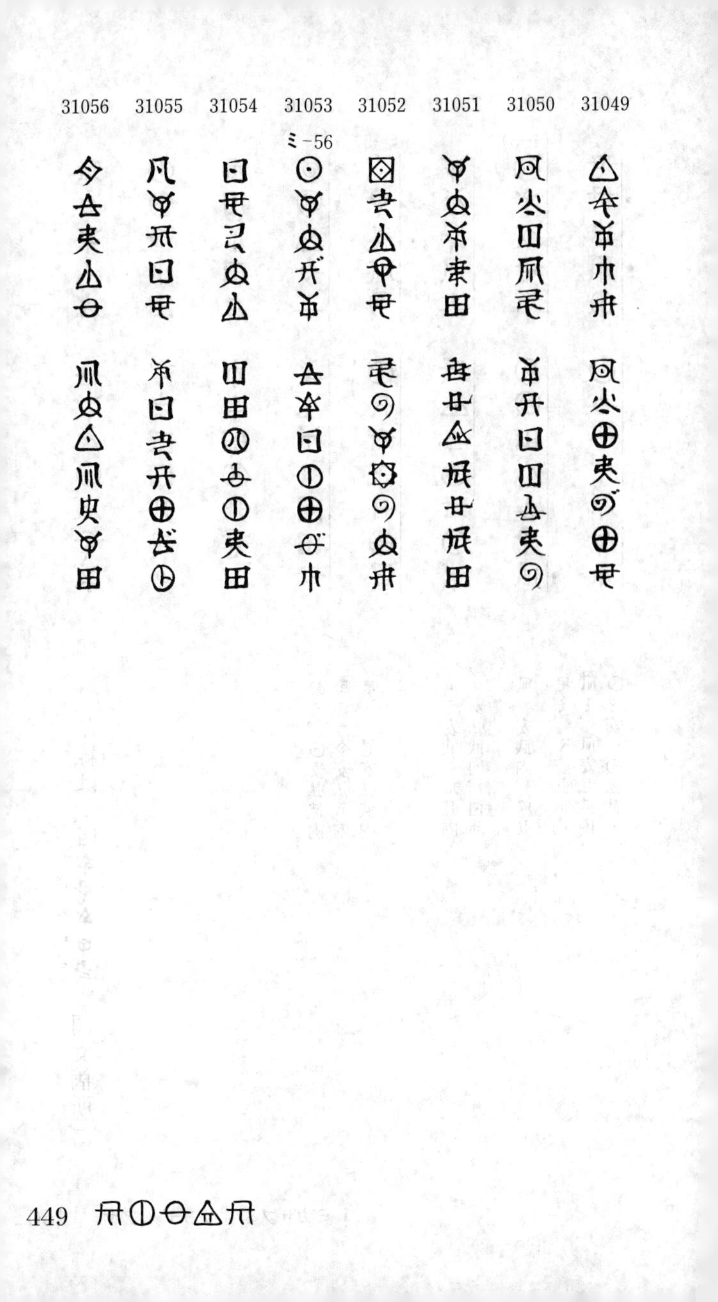

31049

31050

31051

31052

31053

ミ-56

31054

31055

31056

31064	31063	31062	31061	31060	31059	31058	31057
	(1-3)		ミ-57	(1-2)			
〓〓〓〓〓	〓〓〓〓〓	〓〓〓〓〓	〓〓〓〓〓	〓〓〓〓〓	〓〓〓〓〓	〓〓〓〓〓	〓〓〓〓〓
〓〓〓〓〓〓〓	〓〓〓〓〓〓〓	〓〓〓〓〓＊〓〓	〓〓〓〓〓〓〓	〓〓〓〓〓〓〓	〓〓〓〓〓〓〓	〓〓〓〓〓〓〓	〓〓〓〓〓〓〓

（左線は『ホツマツタヱ』同文箇所）

〓ミ、〓安弘武内
〓ミ、〓安弘武内
〓ミ、〓安弘武内

〓ミ安武、〓弘内
＊安弘武内、〓〓

〓ミ安武内、〓弘

〓ミ、ミ安弘武内
〓ミ、〓安弘武内
〓ミ安、〓弘武内

*安弘武内

ミ、安弘武内

ミ安武内、弘

ミ、安弘武内

ミ弘武内、安

ミ、安弘武内

ミ、安弘武内

ミ、安弘武内

ミ朝、安弘武内

（左点線は『朝日神紀』に引用文のある箇所）

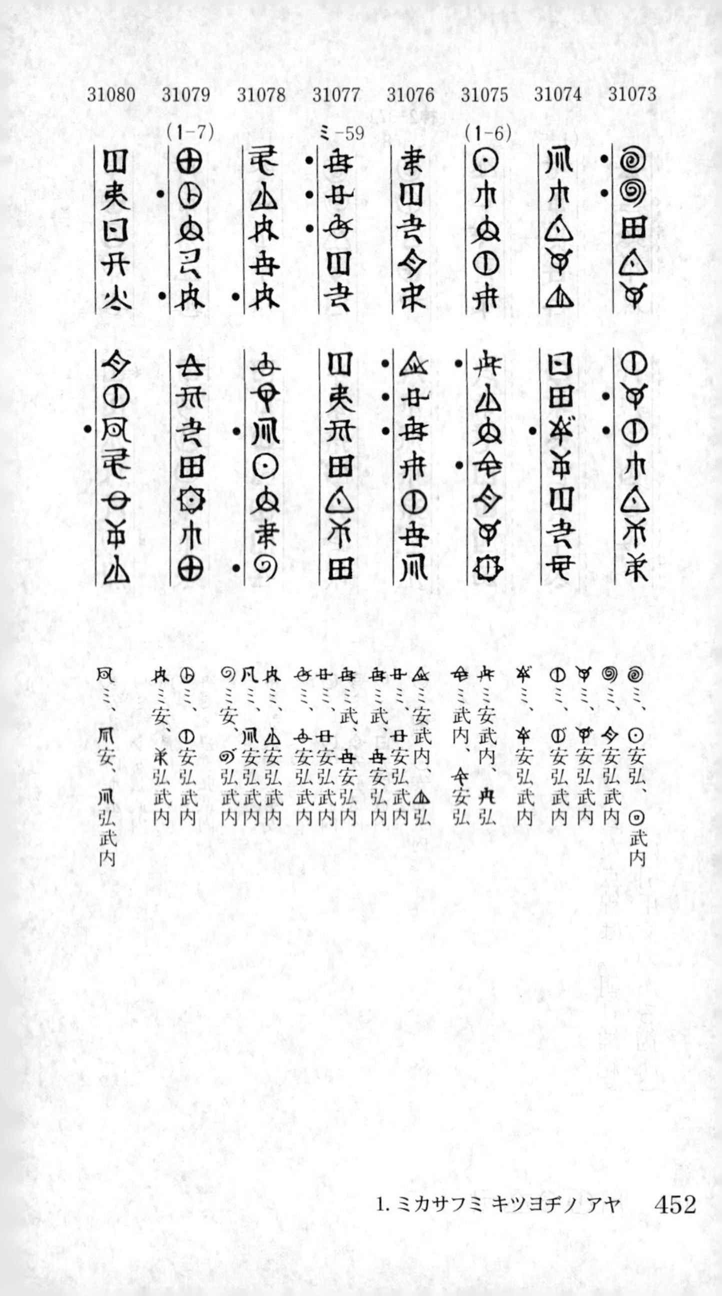

31073 31074 31075 31076 31077 31078 31079 31080

(1-6) ミ-59 (1-7)

ミ、安弘、武内

ミ、安弘武内

ミ、安弘武内

ミ、安弘武内

ミ安武内、弘

ミ武内、安弘

ミ安武内、弘

ミ武、安弘内

ミ武、安弘内

ミ、安弘武内

ミ、安弘武内

ミ、安弘武内

ミ安、弘武内

ミ、安弘武内

ミ安、弘武内

ミ、安、弘武内

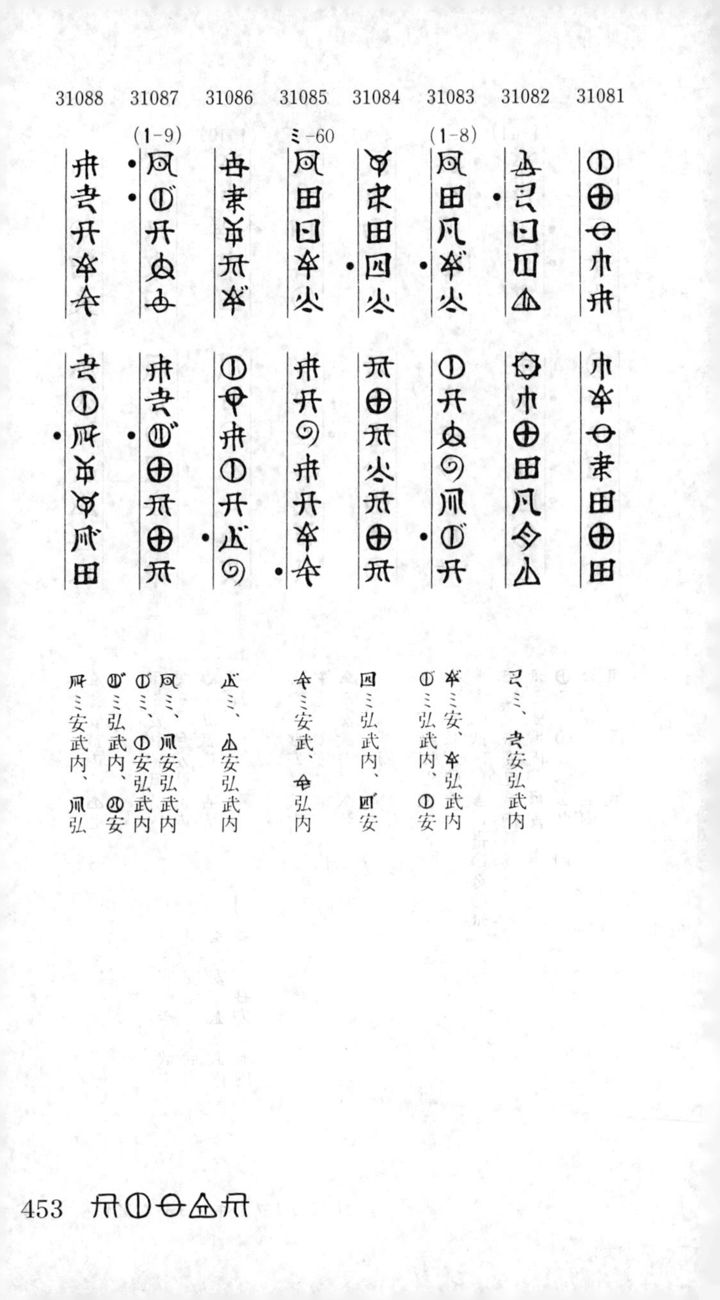

31081

31082 〓ミ、〓安弘武内

31083 (1-8) 〓ミ安、〓弘武内 〓ミ弘武内、〓安

31084 〓ミ弘武内、〓安

31085 ミ-60 〓ミ安武、〓弘内

31086 〓ミ、〓安弘武内

31087 (1-9) 〓ミ、〓安弘武内 〓ミ、〓安弘武内 〓ミ弘武内、〓安

31088 〓ミ安武内、〓弘

31089 31090 31091 (1-10) 31092 31093 ミ-61 31094 31095 (1-11) 31096

〓ミ安武内、〓弘

〓ミ安弘、〓武内

〓ミ、〓安弘武内

〓ミ弘武内、〓安

↑（3行目）

〓ミ安、〓弘武内

〓ミ安弘、〓武内

〓ミ安、〓弘武内

〓ミ、〓安弘武内

〓ミ、〓安弘武内

〓ミ、〓安弘武、〓内

〓ミ安武内、〓弘

〓ミ弘武内、〓安

〓ミ、〓安弘武内

〓ミ安弘、〓武内

＊安弘武内、〓〓〓〓〓〓〓

〓ミ、〓安弘武内

〓ミ弘武内、〓安

〓ミ、〓安、〓弘武内

〓ミ安、〓弘武内

〓ミ、〓安弘武内

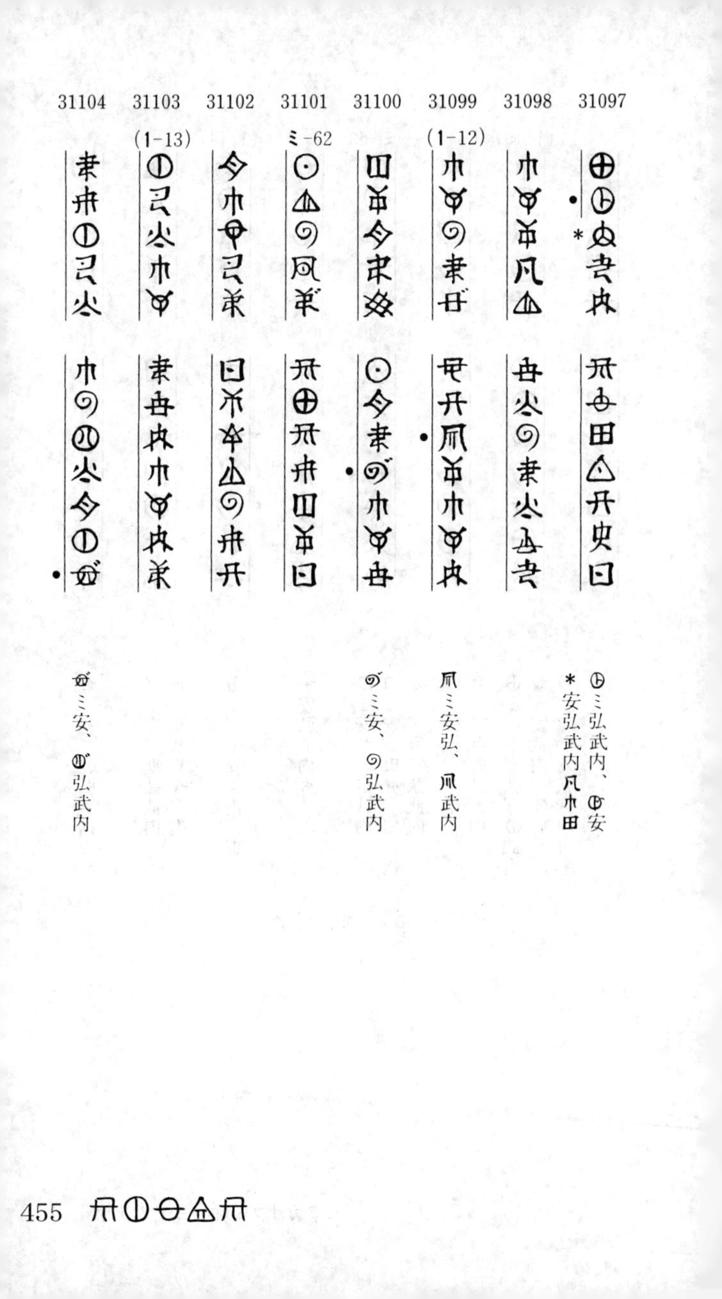

31097

ミ弘武内、安
*安弘武内

31098

31099
(1-12)

ミ安弘、武内

31100

ミ安、弘武内

31101
ミ-62

31102

31103
(1-13)

31104

ミ安、弘武内

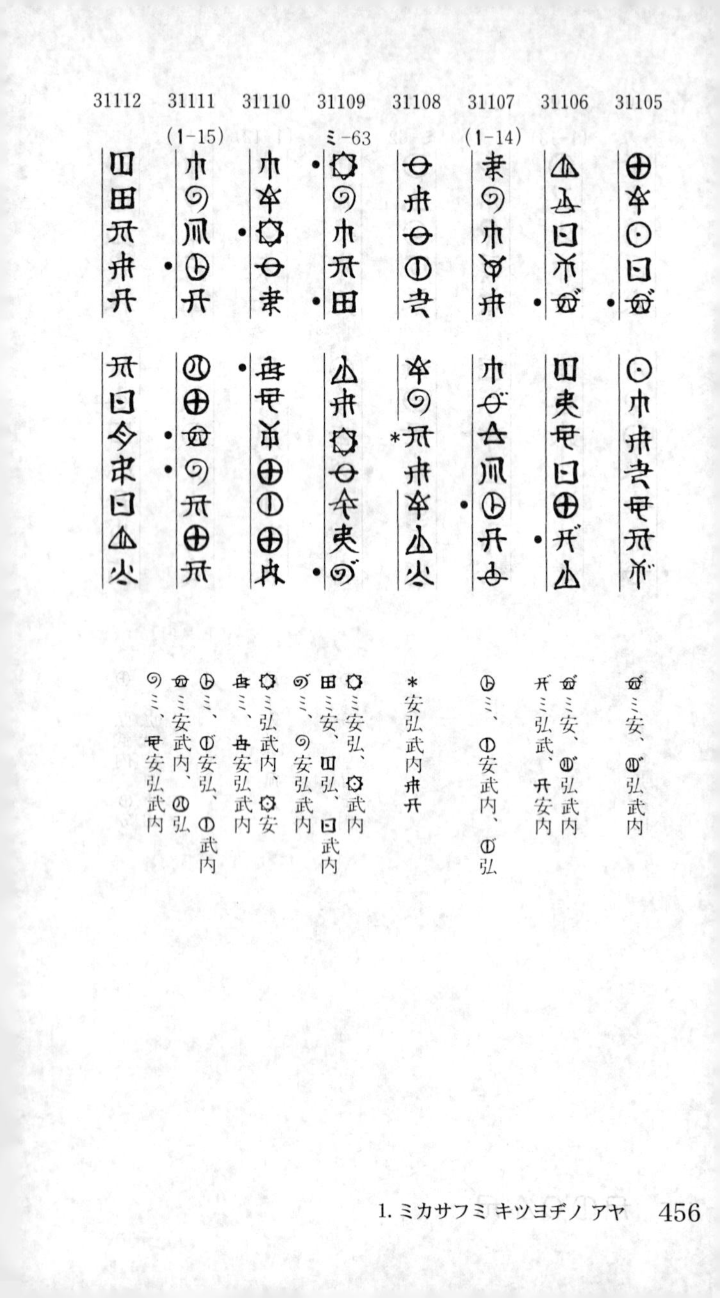

31105

31106

31107 (1-14)

31108

31109 ミ-63

31110

31111 (1-15)

31112

ミ安、弘武内

ミ安、弘武内

ミ弘武、安内

ミ、安武内、弘

＊安弘武内

ミ安弘、武内

ミ安、弘、武内

ミ、安弘武内

ミ弘武内、安

ミ、安弘武内

ミ、安弘、武内

ミ安武内、弘

ミ、安弘武内

31113

31114

31115

31116

31117

ミ-64

31118

31119

31120

ミ、安弘武内

31121 31122 31123 31124 31125 31126 31127 31128

ミ-65

31129

31130

31131

31132

31133

ミ-66

31134

31135

31136

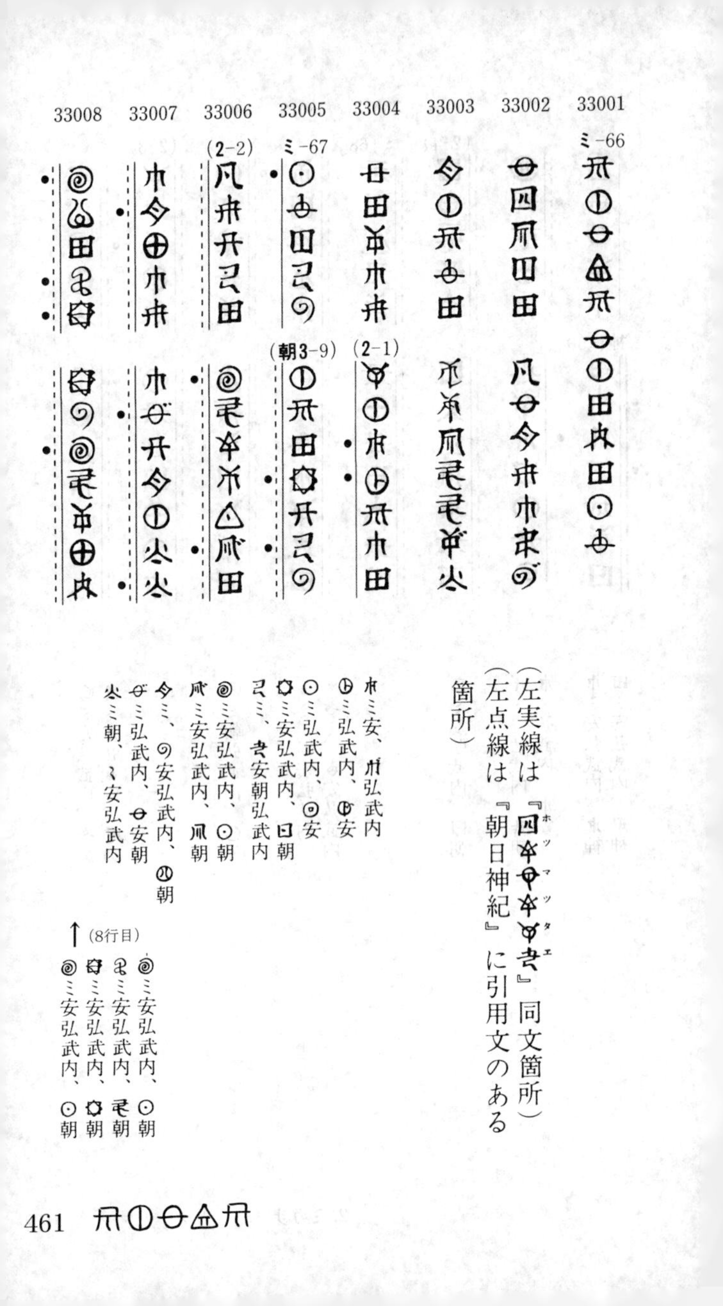

33001 ミ-66

33002

33003

33004 (2-1)

33005 ミ-67 (朝3-9)

33006 (2-2)

33007

33008

(左実線は『ホツマツタヱ』同文箇所)

(左点線は『朝日神紀』に引用文のある箇所)

ミ安、弘武内

ミ弘武内、安

ミ弘武内、安

ミ安弘武内、朝

ミ、安朝弘武内

ミ安弘武内、朝

ミ安弘武内、朝

ミ、安弘武内、朝

ミ弘武内、安朝

ミ朝、安弘武内

↑(8行目)

ミ安弘武内、朝

ミ安弘武内、朝

ミ安弘武内、朝

ミ安弘武内、朝

33009

33010 (2-3)

33011

33012

33013 ミ-68

33014 (2-4)

33015

33016 神1-50

ミ安弘武内、朝
ミ安弘武内、朝

ミ朝弘武内、安

ミ、安弘武内
＊ミ、安弘武内

ミ安弘武内、朝

ミ安弘武内、朝
ミ弘武内、安

ミ安弘武内、神
ミ安弘武内、神

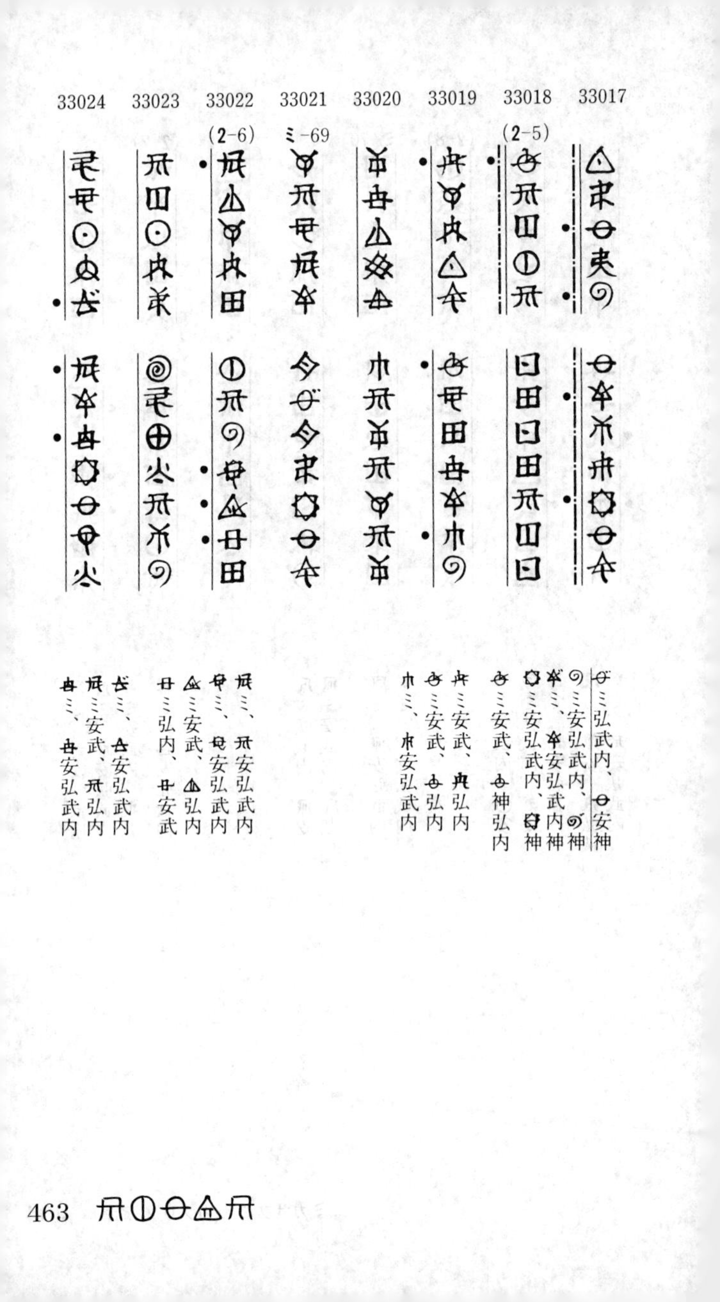

33024　33023　33022　33021　33020　33019　33018　33017

(2-6)　ミ-69　(2-5)

ミ弘武内、安神

ミ安弘武内、神

ミ、安弘武内神

ミ安弘武内、神

ミ安武、神弘内

ミ安武、弘内

ミ安武、弘内

ミ、安弘武内

ミ、安弘武内

ミ、安弘武内

ミ安武、弘内

ミ弘内、安武

ミ、安弘武内

ミ安武、弘内

ミ、安弘武内

33032 33031 33030 33029 33028 33027 33026 33025

33030 (2-8)

33029 ミ-70

33026 (2-7)

[illegible]ミ、[illegible]安弘武内
[illegible]ミ、[illegible]安弘武内
[illegible]ミ安武内、[illegible]弘
[illegible]ミ、[illegible]安弘武内

[illegible]ミ弘武内、[illegible]安
[illegible]ミ安武内、[illegible]弘

[illegible]ミ、[illegible]安弘武内
[illegible]ミ安、[illegible]弘武内

[illegible]ミ弘武内、[illegible]安
[illegible]ミ弘武内、[illegible]安
[illegible]ミ、[illegible]安弘武内

[illegible]ミ、[illegible]安、[illegible]弘武内
[illegible]ミ、[illegible]安弘武内

33041

ミ、〜安裏弘武内

33042 (2-11)

ミ、〜安弘武内

33043

ミ、〜安弘武内

33044

33045 ミ-72

33046 (2-12)

ミ安、弘武内

ミ、安弘武内

ミ、安、弘武内

＊ミ弘武内、安

33047

ミ安、弘武内

ミ、〜安弘武内

33048

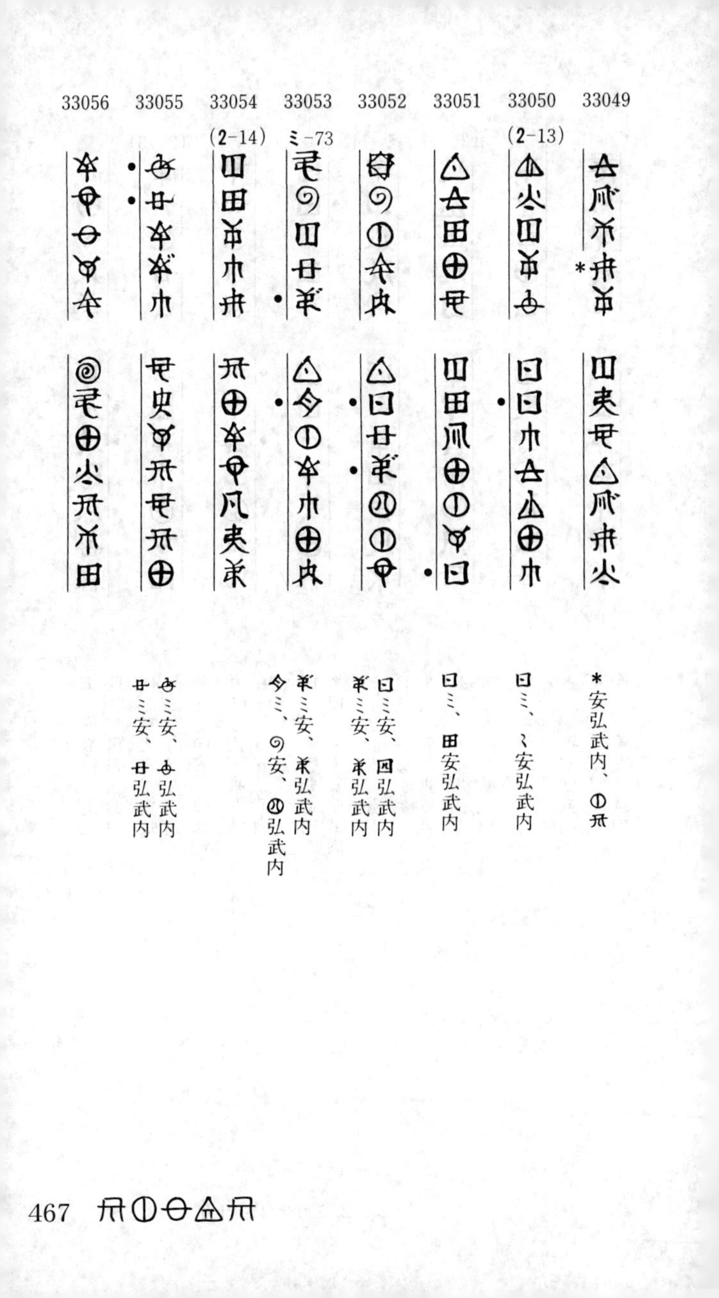

33049

＊安弘武内、

33050 (2-13)

ミ、 安弘武内

33051

ミ、 安弘武内

33052

ミ安、 弘武内

ミ安、 弘武内

33053 ミ-73

ミ安、 弘武内

ミ、 安、 弘武内

33054 (2-14)

33055

ミ安、 弘武内

ミ安、 弘武内

33056

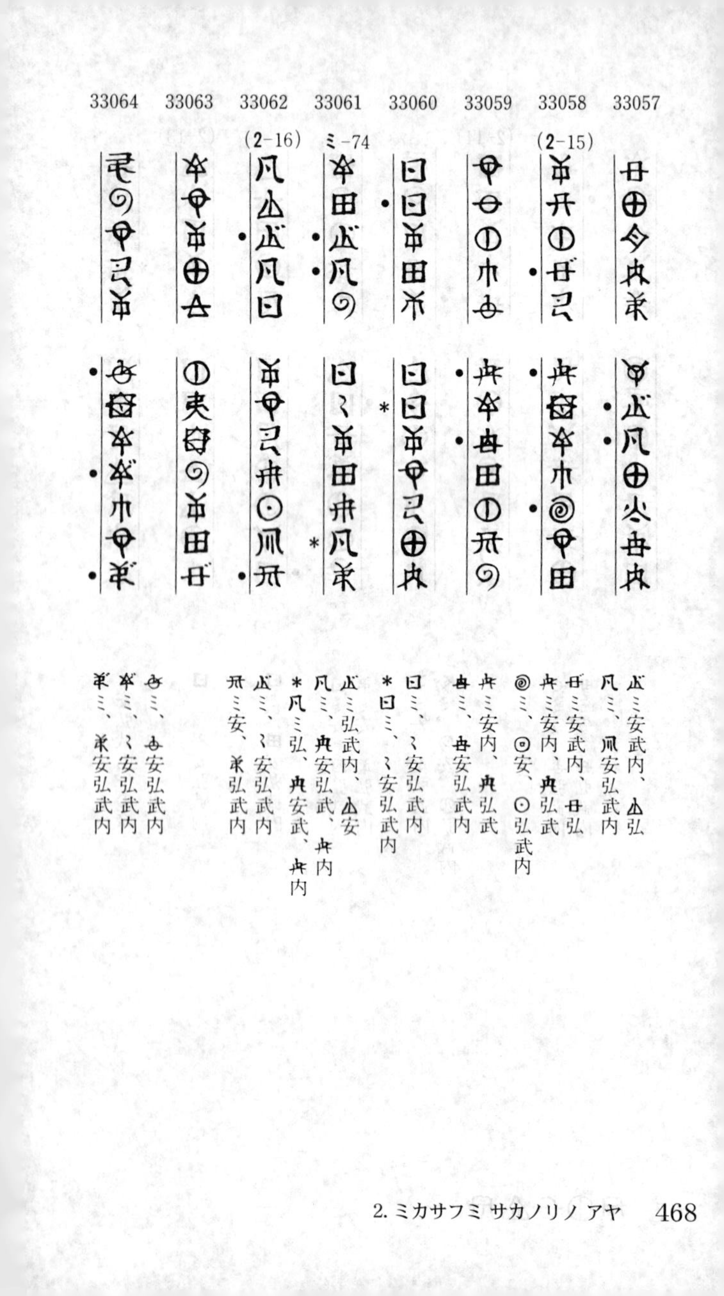

33057 [illegible]

33058 (2-15) [illegible]

33059 [illegible]

33060 [illegible]

33061 ミ-74 [illegible]

33062 (2-16) [illegible]

33063 [illegible]

33064 [illegible]

[illegible]ミ安武内、[illegible]弘
[illegible]ミ、[illegible]安弘武内
[illegible]ミ安武内、[illegible]弘
[illegible]ミ安内、[illegible]弘武
[illegible]ミ、[illegible]安、[illegible]弘武内
[illegible]ミ安内、[illegible]弘武
[illegible]ミ、[illegible]安弘武内
[illegible]ミ、[illegible]安弘武内
*[illegible]ミ、[illegible]安弘武内
[illegible]ミ弘武内、[illegible]安
[illegible]ミ、[illegible]安弘武、[illegible]内
*[illegible]ミ弘、[illegible]安武、[illegible]内
[illegible]ミ、[illegible]安弘武内
[illegible]ミ安、[illegible]弘武内
[illegible]ミ、[illegible]安弘武内
[illegible]ミ、[illegible]安弘武内
[illegible]ミ、[illegible]安弘武内

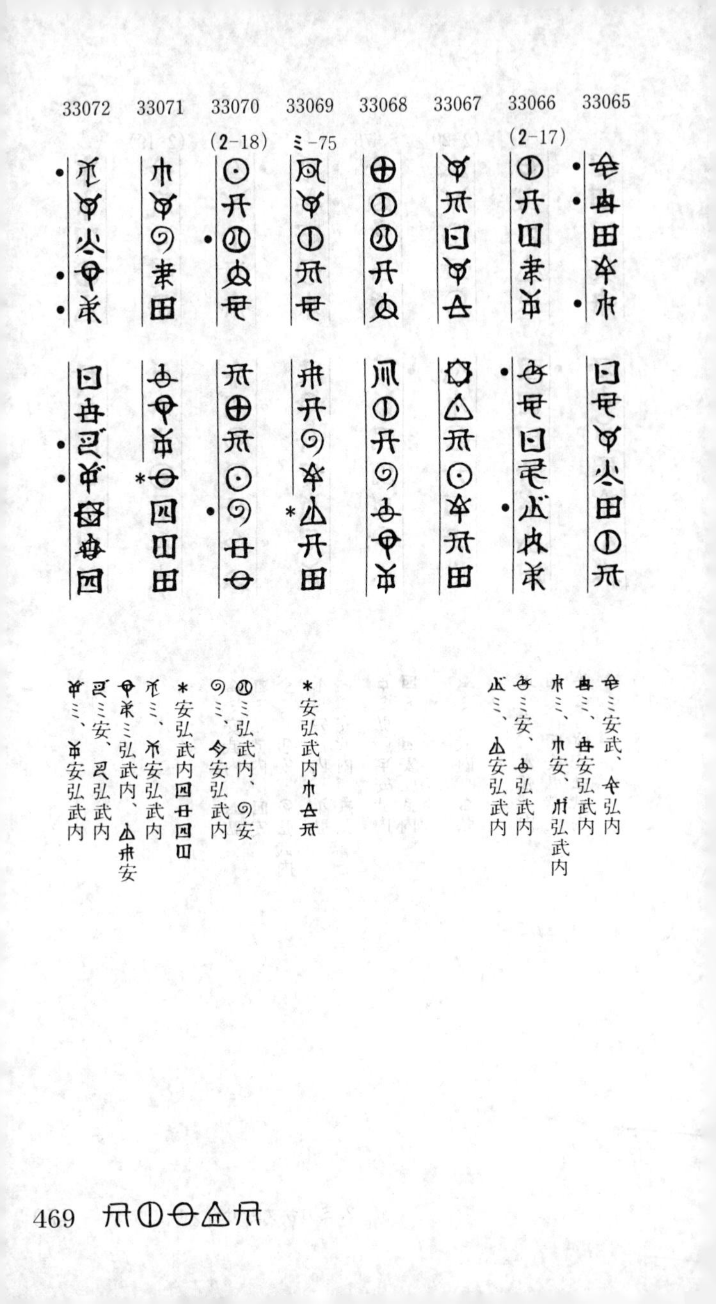

33065

33066 (2-17)

33067

33068

33069 ミ-75

33070 (2-18)

33071

33072

〓ミ安武、〓弘内
〓ミ、〓安弘武内
〓ミ、〓安、〓弘武内
〓ミ安、〓弘武内
〓ミ、〓安弘武内

*安弘武内〓〓〓

〓ミ弘武内、〓安
〓ミ、〓安弘武内
*安弘武内〓〓〓〓

〓ミ、〓安弘武内
〓〓ミ弘武内、〓〓安
〓ミ安、〓弘武内
〓ミ、〓安弘武内

33073

33074 (2-19)

33075

33076

33077 ミ-76

33078 (2-20)

33079

33080

ミ安武内、弘

ミ弘武内、安

ミ、安、弘武内

ミ安武内、弘

ミ安武内、弘

ミ弘、安武内

ミ、安弘武内

ミ安武内、弘

ミ安、弘武内

ミ、安弘武内

ミ、安弘武内

33088 33087 33086 33085 33084 33083 33082 33081

ミ-77 (2-21)

ミ、 安弘武内

ミ安、 弘武内

ミ、 安弘武内

ミ、 安弘武内

ミ、 安弘武内

ミ、 安弘武内

ミ、 安弘武内

33089

33090

33091

33092

33093

ミ-78

33094

33095

35001 ミ-81
〓〓〓〓〓〓〓〓〓〓〓〓

35002
〓〓〓〓〓 〓〓〓〓〓〓〓

35003 (3-1)
〓〓〓〓〓 〓〓〓〓〓〓〓

35004
〓〓〓〓〓 〓〓〓〓〓〓〓

35005 ミ-82
〓〓〓〓〓 〓〓〓〓〓〓〓

35006 (3-2)
〓〓〓〓〓 〓〓〓〓〓〓〓

35007
〓〓〓〓〓 *〓〓〓〓〓〓〓

35008
〓〓〓〓〓 〓〓〓〓〓〓〓

〓ミ、〓安、〓弘武内
〓ミ、〓安弘武内
〓ミ武内、〓安弘
〓ミ安武内、〓弘
〓ミ弘武内、〓安
〓ミ安武内、〓弘
〓ミ武内、〓安、〓弘
〓ミ弘武内、〓安
〓ミ、〓安弘武内
*安弘武内、〓〓〓
〓ミ安弘武、〓内
〓ミ、〓安弘武内

35009

〓ミ、〓安弘武内

35010 (3-3)

〓ミ弘武内、〓安

35011

〓ミ弘武内、〓安

35012

〓ミ安武内、〓弘

〓ミ弘武内、〓安

35013 ミ-83

35014 (3-4)

〓ミ安、〓弘武内

35015

〓ミ安、〓弘、〓武内

〓ミ安武、〓弘内

〓ミ安、〓弘武内、ムシ安

〓ミ武内、〓弘、〓弘武内

*〓ミ安、〓弘武内

35016

〓ミ武内、〓安弘

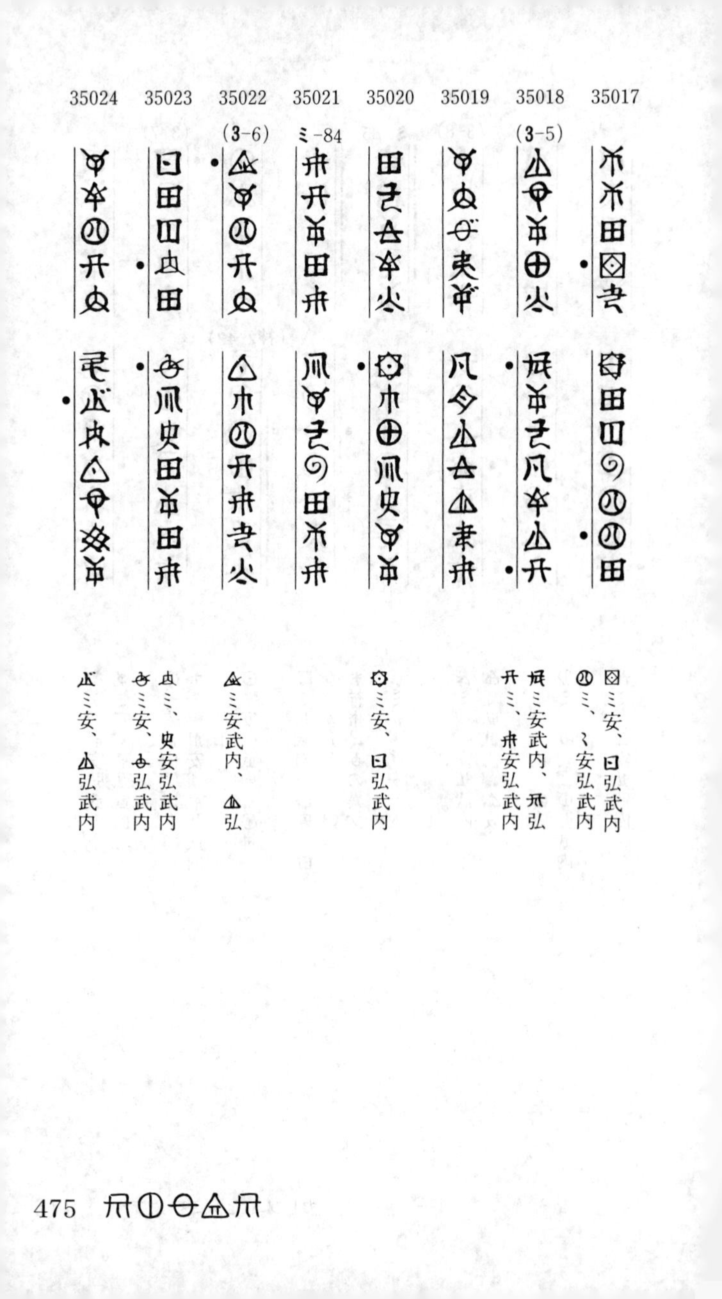

35017
[illegible]
[illegible]ミ安、[illegible]弘武内
[illegible]ミ、〻安弘武内

35018 (3-5)
[illegible]
[illegible]ミ安武内、[illegible]弘
[illegible]ミ、[illegible]安弘武内

35019
[illegible]

35020
[illegible]
[illegible]ミ安、[illegible]弘武内

35021 ミ-84
[illegible]

35022 (3-6)
[illegible]
[illegible]ミ安武内、[illegible]弘

35023
[illegible]
[illegible]ミ、[illegible]安弘武内
[illegible]ミ安、[illegible]弘武内

35024
[illegible]
[illegible]ミ安、[illegible]弘武内

35025

35026 (3-7)

35027 (神2-42)

35028

35029 ミ-85

35030 (3-8)

35031

35032

〓ミ、〓安弘武内

〓ミ安、〓弘武内

〓ミ安武内、〓弘

〓ミ、〓安、〓弘武内

⊙ミ安弘武内、◎神

〓ミ弘武内、〓安、〓神

〓ミ安弘武内、◎神

＊神〓〓〓の異文

〓ミ弘、〓安武内

〓ミ、〓安弘武内

〓ミ弘武内、〓安

〓ミ弘武内、〓安

〓ミ、〓安、〓弘武内

〓ミ、〓安弘武内

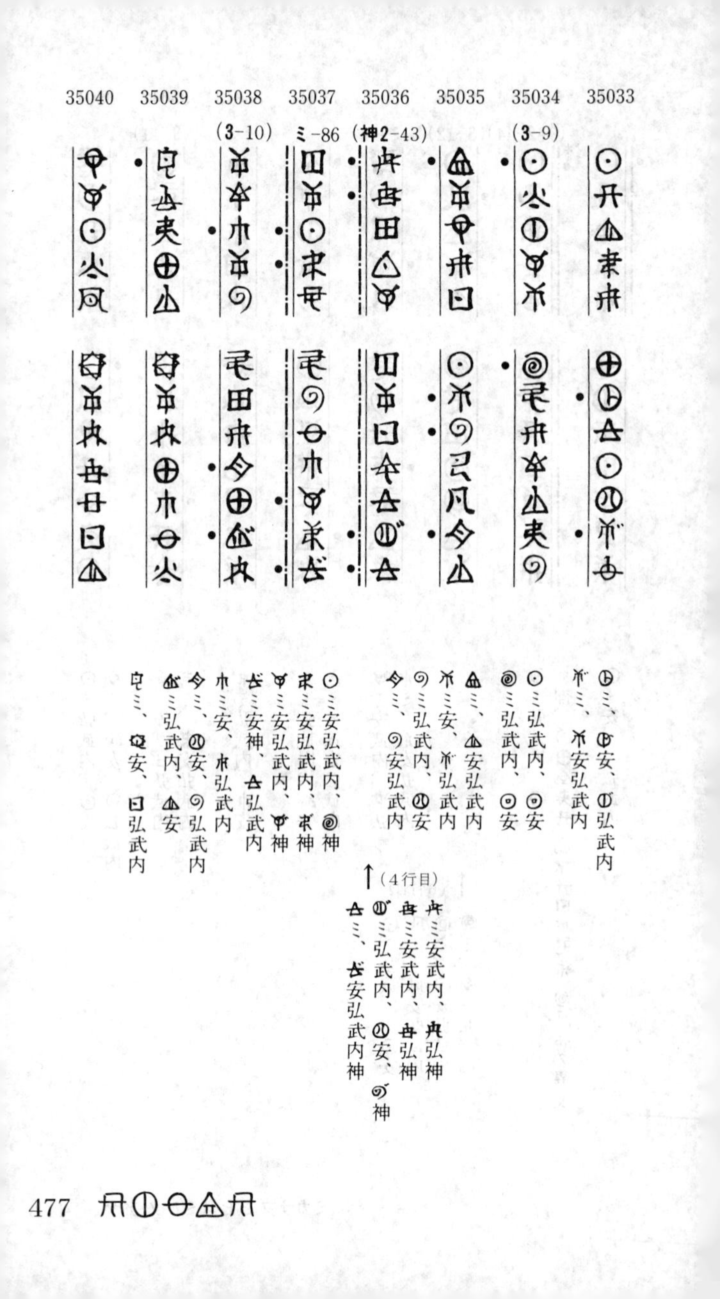

35040 35039 35038 35037 35036 35035 35034 35033

(3-10) ミ-86 (神2-43) (3-9)

□ミ、□安、□弘武内
□ミ、□安弘武内
⊙ミ弘武内、□安
◎ミ弘武内、□安
□ミ、□安弘武内
□ミ安、□弘武内
のミ弘武内、□安
□ミ、の安弘武内

↑(4行目)

□ミ安武内、□弘神
□ミ安武内、□弘神
□ミ弘武内、□安、□神
□ミ、□安弘武内神

⊙ミ安弘武内、◎神
□ミ安弘武内、□神
□ミ安弘武内、□神
□ミ安神、□弘武内
□ミ安、□弘武内
□ミ、□安、の弘武内
□ミ弘武内、□安
□ミ、□安、□弘武内

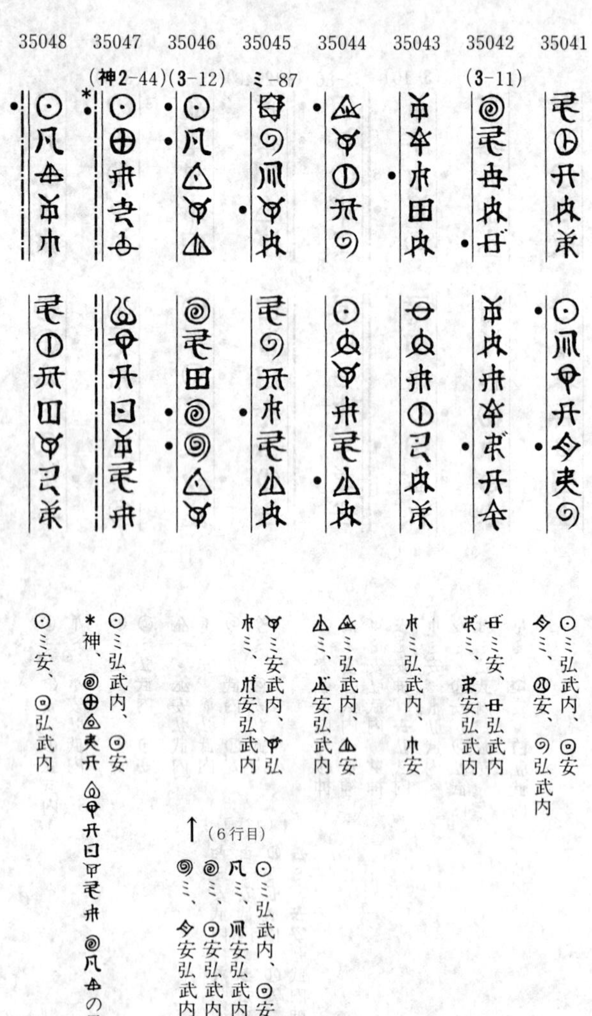

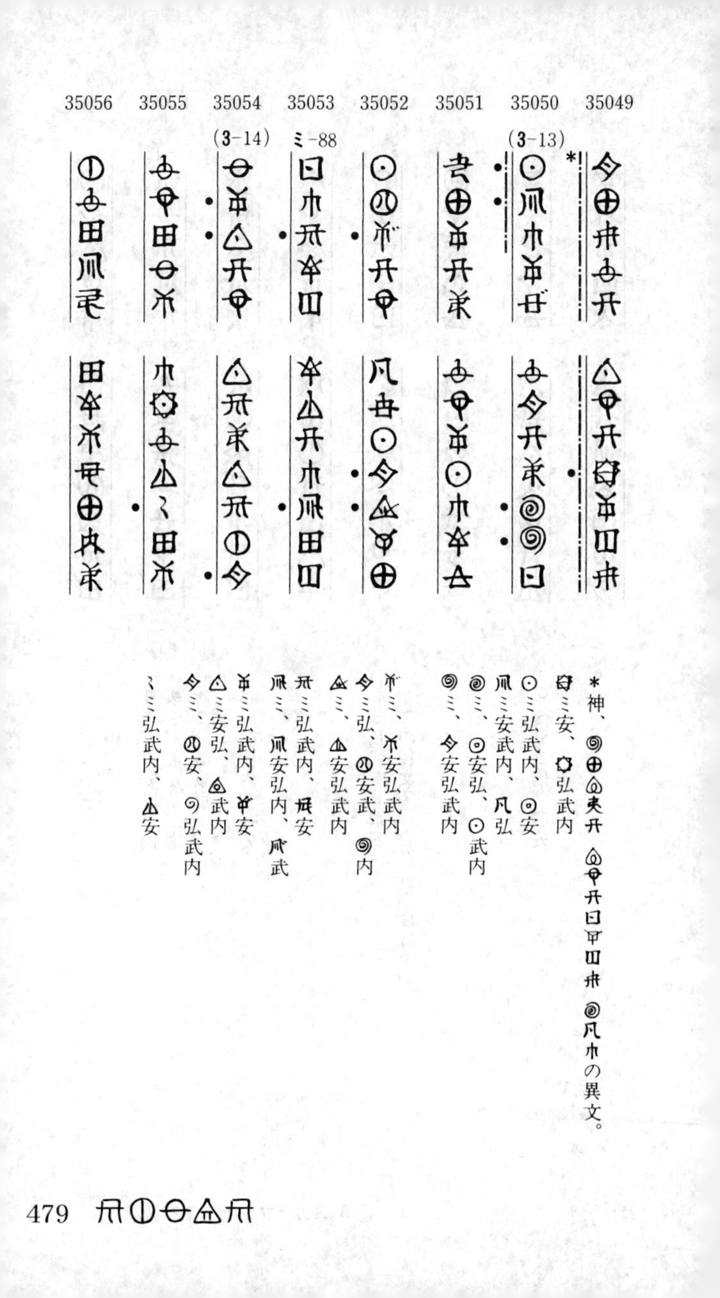

35049 *

35050 (3-13)

35051

35052

35053 ミ-88

35054 (3-14)

35055

35056

*神、の異文。

ミ安、弘武内

ミ弘武内、安

ミ安武内、弘

ミ、安弘、武内

ミ、安弘武内

ミ、安弘武内

ミ弘、安武、内

ミ、安弘武内

ミ弘武内、安

ミ、安弘内、武

ミ弘武内、安

ミ安弘、武内

ミ、安、弘武内

ミ弘武内、安

35057

[illegible]

35058 (3-15)

[illegible]

35059

[illegible]

35060

[illegible]

35061 (3-16) ミ-89

[illegible]

35062

[illegible]

35063

[illegible]

35064

[illegible]

[illegible]ミ、[illegible]安弘武内

[illegible]ミ、[illegible][illegible]安弘武内

[illegible]ミ、[illegible]安弘武内

[illegible]ミ弘武内、[illegible]安

[illegible]ミ弘武内、[illegible]安

*この12文字、安弘武内には無い。

[illegible]ミ弘武内、[illegible]安

35065

35066 (3-17)

35067

35068

35069 ミ-90

35070 (3-18)

35071

35072

[illegible]ミ弘武内、[illegible]安

[illegible]ミ安、[illegible]弘、[illegible]武内

*安弘武内、[illegible]の異文。

[illegible]ミ安、[illegible]弘、[illegible]武内

[illegible]ミ弘武内、[illegible]安

[illegible]ミ、[illegible]安、[illegible]弘武内

[illegible]ミ、[illegible]安弘武内

[illegible]ミ武内、[illegible]安弘

[illegible]ミ、[illegible]安弘武内

[illegible]ミ弘武内、[illegible]安

[illegible]ミ弘武内、[illegible]安

35073 ＊〓〓〓〓〓 〓〓〓〓〓〓〓

35074 (3-19) 〓〓〓〓〓 〓〓〓〓〓〓〓

35075 〓〓〓〓〓 〓〓〓〓〓〓〓

35076 〓〓〓〓〓 〓〓〓〓〓〓〓

35077 ミ-91 〓〓〓〓〓 〓〓〓〓〓〓〓

35078 (3-20) 〓〓〓〓〓 〓〓〓〓〓〓〓

35079 〓〓〓〓〓 〓〓〓〓〓〓〓

35080 〓〓〓〓〓 〓〓〓〓〓〓〓

＊安弘武内、〓〓〓〓〓の異文。
〓ミ安、〓弘武内
〓ミ、〓安弘武内
〓ミ弘、〓安武内
〓ミ、〓安弘武内
〓ミ弘武内、⊙安
〓ミ安、〓弘武内
〓ミ弘武内、〓安
＊安弘武内、〓〓〓の異文。
〓ミ弘武内、〓安
〓ミ安、〓弘武内
〓ミ弘武内、〓安

〓ミ、〓安弘武内
〓ミ弘武内、〓安
〓ミ安、〓弘武内
＊〓ミ安、〓弘武内

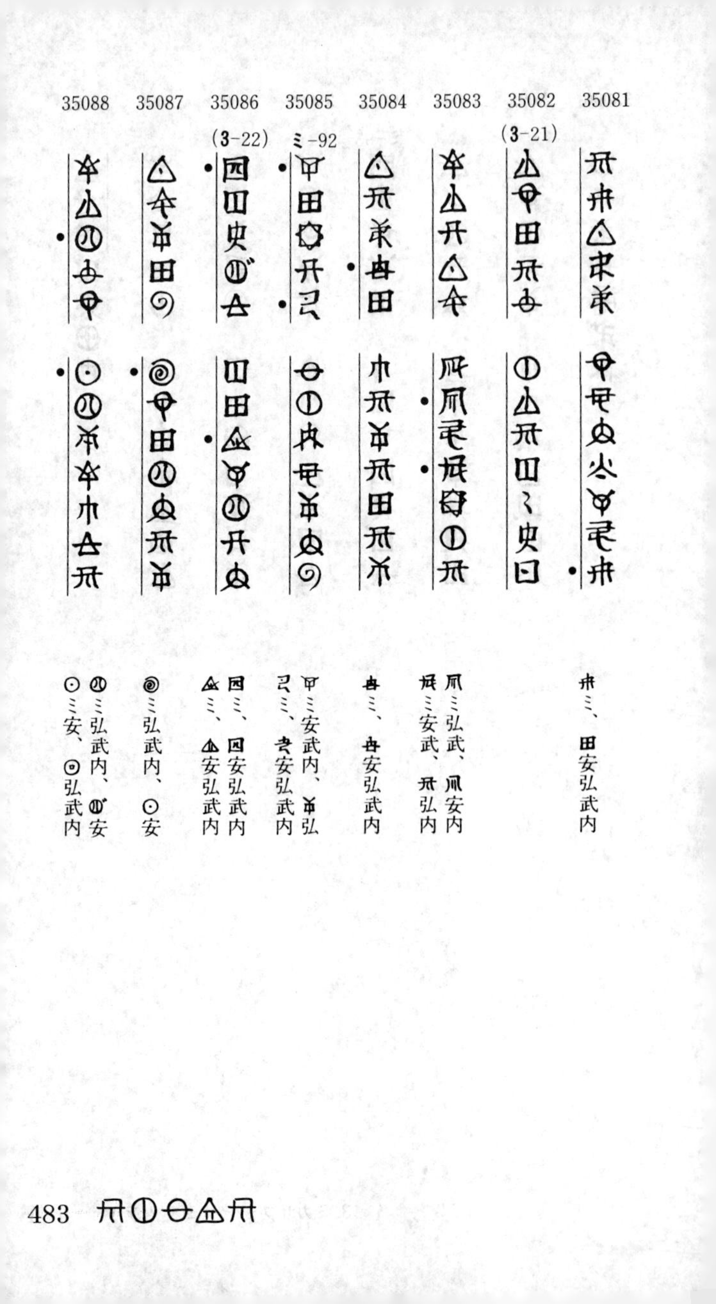

35081

ミ、安弘武内

35082

(3-21)

35083

ミ弘武、安内

ミ安武、弘内

35084

ミ、安弘武内

35085

ミ-92

ミ安武内、弘

ミ、安弘武内

35086

(3-22)

ミ、安弘武内

ミ、安弘武内

35087

ミ弘武内、安

35088

ミ弘武内、安

ミ安、弘武内

35089

35090

35091

35092

35093 ミ-93

35094

35095

35096

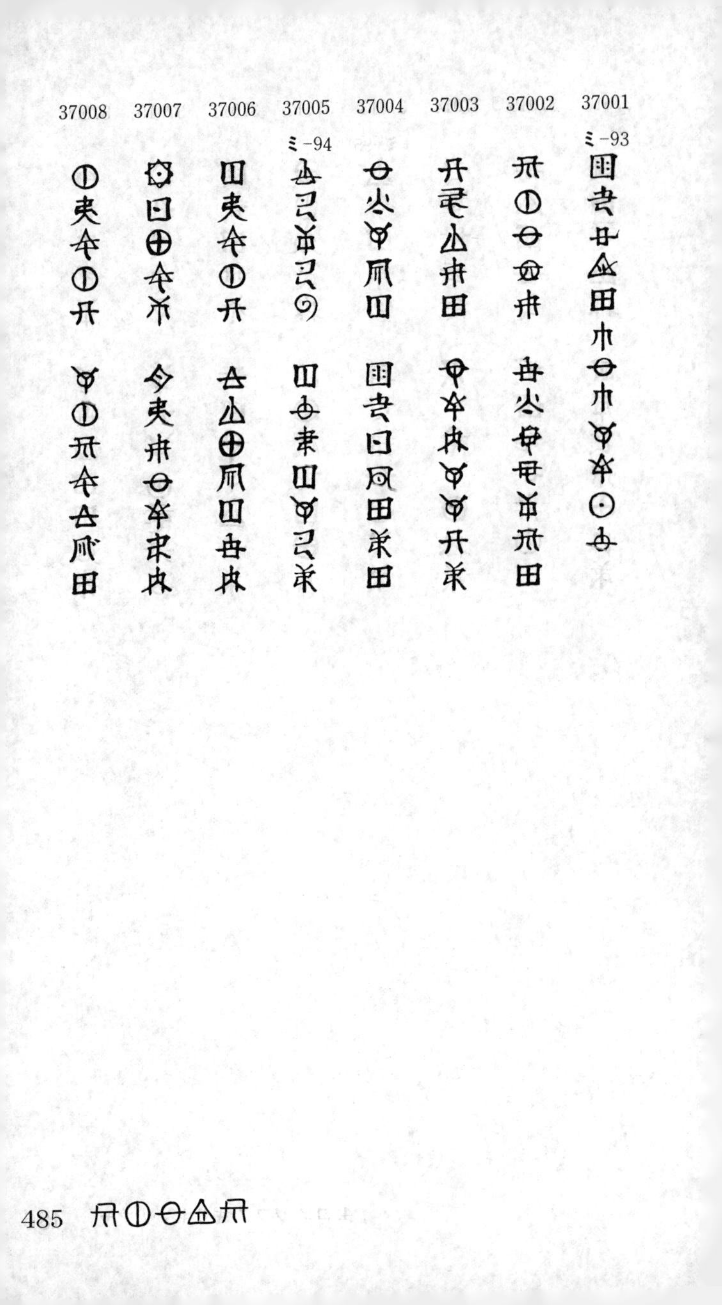

37001
ミ−93

37002

37003

37004

37005
ミ−94

37006

37007

37008

37009

37010

37011

37012

37013

ミ-95

37014

37015

37016

37017

37018

37019

37020

37021

ミ-96

37022

37023

37024

37025

37026

37027

37028

37029 ミ-97

37030

37031

37032

37033

37034

37035

37036

37037

ミ-98

37038

37039

37040

37041

37042

37043

37044

37045
ミ-99

37046

37047

37048

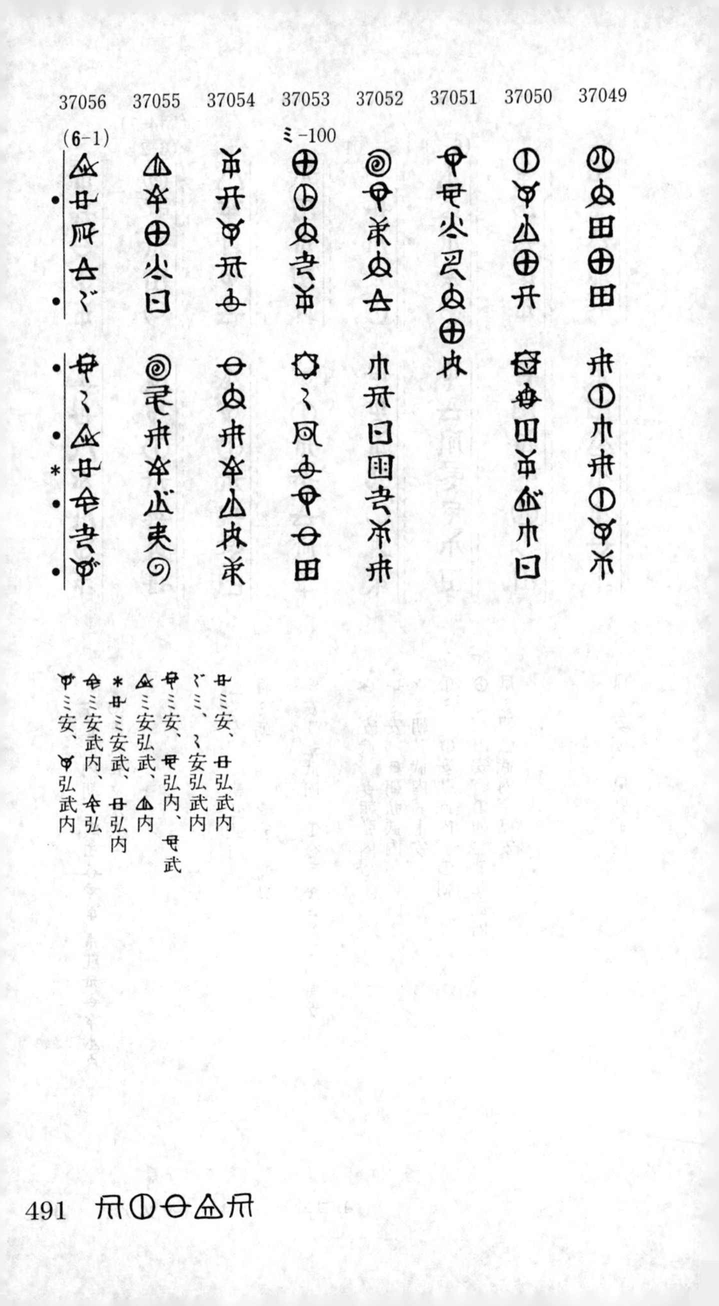

37049

37050

37051

37052

37053 ミ-100

37054

37055

37056 (6-1)

ミ安、弘武内

ミ、安弘武内

ミ安、弘内、武

ミ安弘武、内

*ミ安武、弘内

ミ安武内、弘

ミ安、弘武内

37057

[illegible]

*

37058 (朝4-7) (6-2)

[illegible]

37059

[illegible]

37060

[illegible]

37061 ミ-101

[illegible]

37062 (6-3)

[illegible]

37063

[illegible]

37064

[illegible]

*安弘武内朝、[illegible]の捜入異文が入る。

[illegible]ミ安、[illegible]朝弘武内

[illegible]ミ朝武内、[illegible]安、[illegible]弘

*安朝弘武内、[illegible]の異文。

[illegible]ミ安武、[illegible]朝弘内

[illegible]ミ安、[illegible]朝弘武内

[illegible]ミ朝弘武内、[illegible]安

[illegible]ミ、[illegible]安弘武内、[illegible]朝

[illegible]ミ、[illegible]安、[illegible]朝、[illegible]弘武内

[illegible]ミ朝弘武内、[illegible]安

[illegible]ミ安朝、[illegible]弘武内

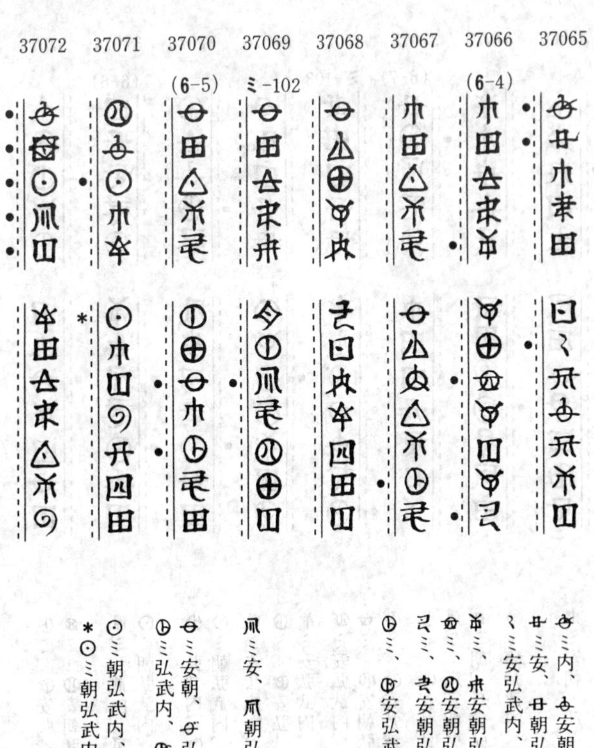

□ミ内、□安朝弘武
□ミ安、□朝弘武内、□朝
□ミ安弘武内、□朝
□ミ、□安朝弘武内
□ミ、□安朝弘、□武内
□ミ、□安朝弘武内
□ミ、□安弘武内、□朝
□ミ安、□朝弘武内
□ミ安朝、□弘武内
□ミ弘武内、□安、□朝
□ミ朝弘武内、□安
*□ミ朝弘武内、□安

↑（8行目）

□ミ安、□朝弘武内
□ミ安弘武内、□朝
□ミ朝弘武内、□安
□ミ、□安朝弘武内
□ミ朝弘武内、□安

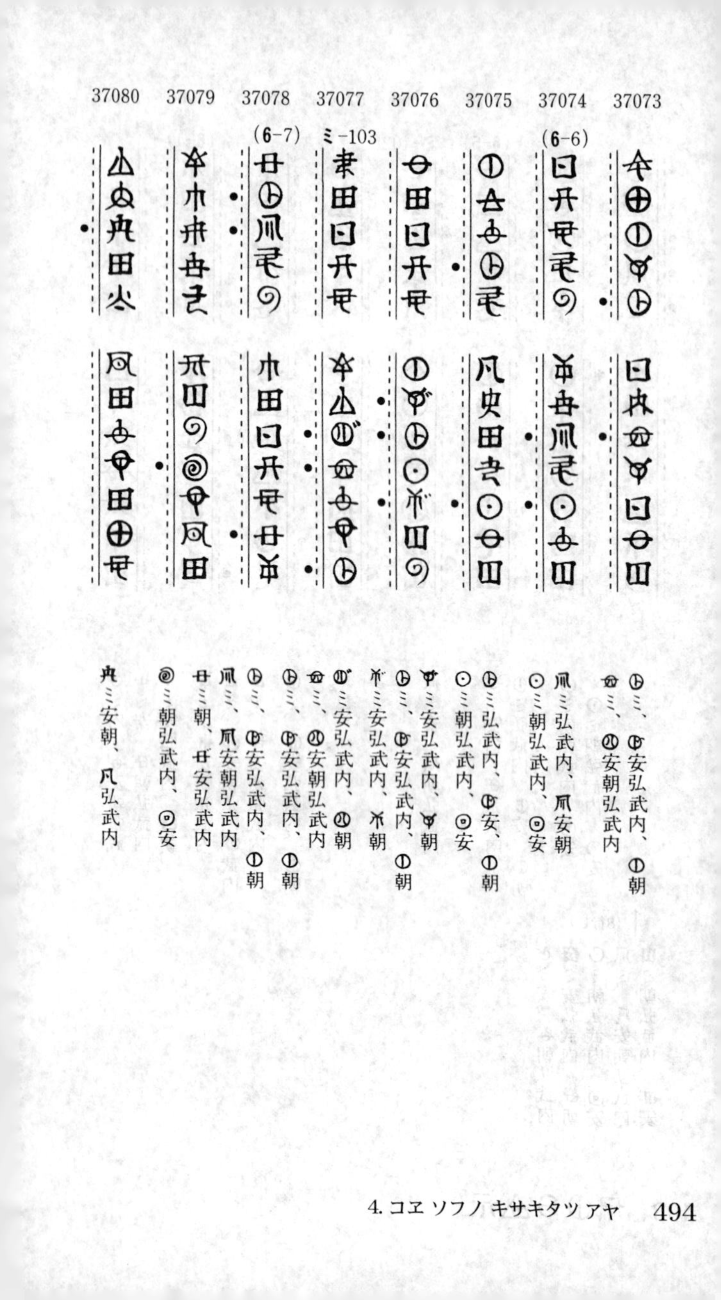

37073　37074 (6-6)　37075　37076　37077 ミ-103　37078 (6-7)　37079　37080

ミ、安弘武内、朝

ミ、安朝弘武内

ミ朝弘武内、安

ミ弘武内、安朝

ミ弘武内、安、朝

ミ朝弘武内、安

ミ安弘武内、朝

ミ、安弘武内、朝

ミ安弘武内、朝

ミ安弘武内、朝

ミ、安朝弘武内

ミ、安弘武内、朝

ミ、安弘武内、朝

ミ、安朝弘武内

ミ朝、安弘武内

ミ朝弘武内、安

ミ安朝、弘武内

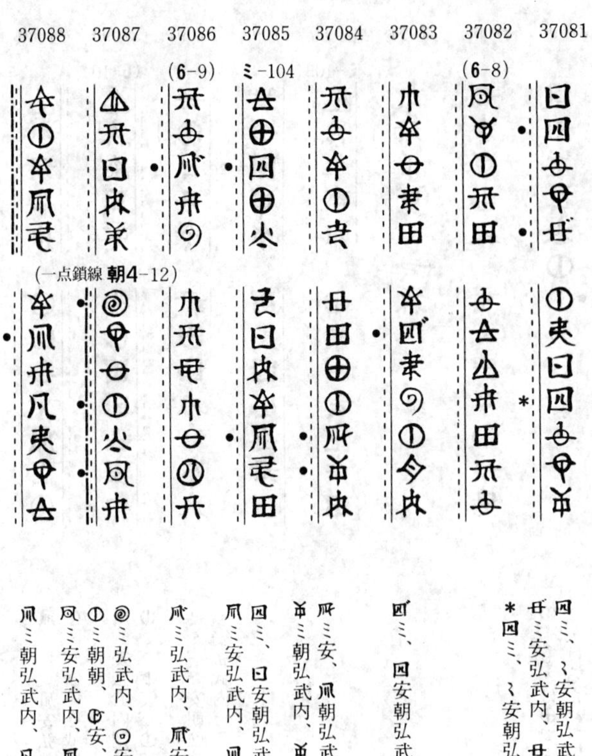

37081 37082 (6-8) 37083 37084 37085 ミ-104 37086 (6-9) 37087 (一点鎖線 朝4-12) 37088

囗ミ、〜安朝弘武内
𠀋ミ安弘武内、𠀋朝
*囗ミ、〜安朝弘武内

囗ミ、囗安朝弘武内

爫ミ安、爪朝弘武内
虍ミ朝弘武内、虍安

四ミ、日安朝弘武内
爪ミ安弘武内、爪朝

爫ミ弘武内、爫安、爪朝

◎ミ弘武内、◎安朝朝
①ミ朝朝、⊕安、①弘武内
凤ミ安弘武内、爪朝朝

爪ミ朝弘武内、凡安

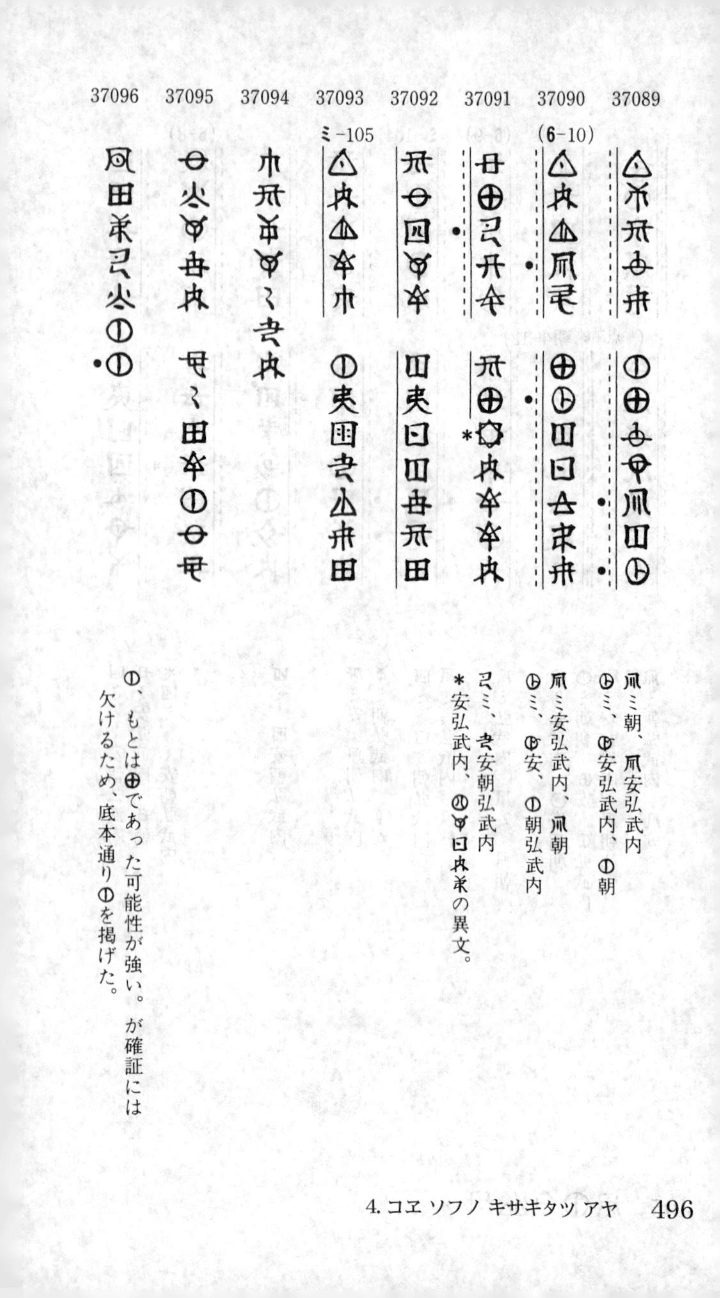

37089 [illegible]

37090 (6-10) [illegible]

37091 [illegible]

37092 [illegible]

37093 ミ-105 [illegible]

37094 [illegible]

37095 [illegible]

37096 [illegible]

[illegible]ミ朝、[illegible]安弘武内

[illegible]ミ、[illegible]安弘武内、[illegible]朝

[illegible]ミ安弘武内、[illegible]朝

[illegible]ミ、[illegible]安、[illegible]朝弘武内

[illegible]ミ、[illegible]安朝弘武内

＊安弘武内、[illegible]の異文。

[illegible]、もとは[illegible]であった可能性が強い。が確証には欠けるため、底本通り[illegible]を掲げた。

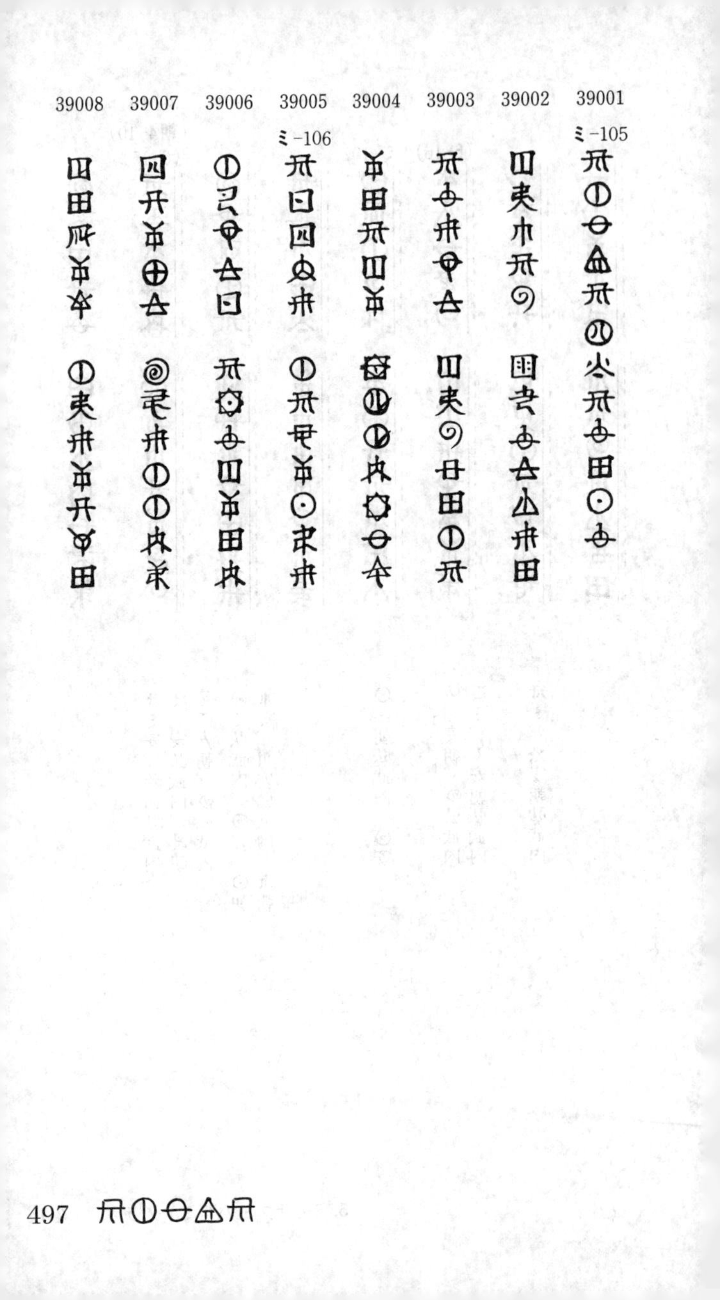

39001 ミ-105

39002

39003

39004

39005 ミ-106

39006

39007

39008

39009

39010 (朝4-10) (6-15)

39011

39012

39013 ミ-107

39014 (6-16)

39015

39016

ミ安、朝弘武内

ミ安弘武内、朝

ミ安朝、弘武内

ミ弘武内、安、朝

ミ、安弘武内、朝

ミ朝弘武内、安

ミ安朝、弘武内

ミ、安朝弘武内

ミ、安朝弘武内

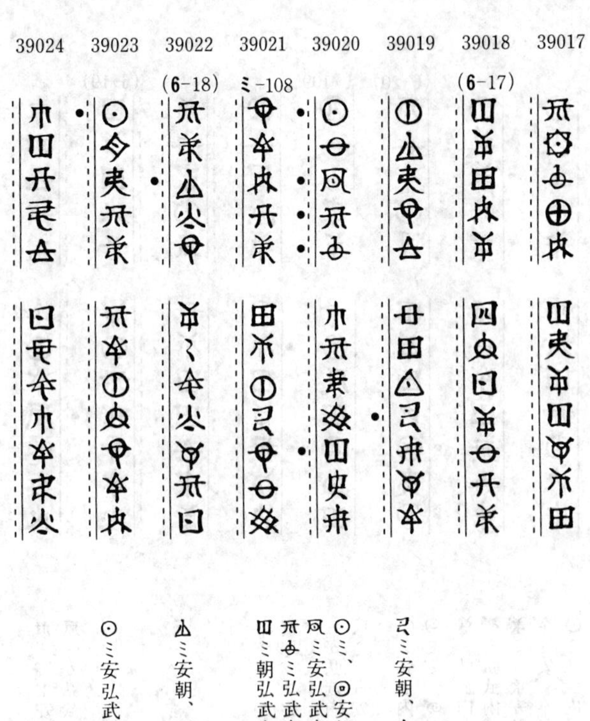

己ミ安朝、[glyph]弘武内

⊙ミ、回安朝弘武内
凤ミ安弘武内、[glyph]朝
[glyph]ミ弘武内、⊕[glyph]安朝
皿ミ朝弘武内、[glyph]安

山ミ安朝、[glyph]弘武内

⊙ミ安弘武内、回朝

39025 39026 (6-19) 39027 39028 39029 ミ-109 39030 (6-20) 39031 39032

ミ、〃安弘武内、〃朝
ミ安弘武内、朝
ミ安、弘武内
ミ、安弘武内
＊安弘武内、
ミ、安弘武内
☉ミ弘武内、◎安
ミ安、弘武内
ミ弘武内、安
ミ、安弘武内
ミ安、弘武内
☉ミ弘武内、◎安

39033

39034 (6-21)

39035

39036

39037 ミ-110

39038

39039 (6-22)

39040

[illegible]ミ安、[illegible]弘武内
[illegible]ミ弘武内、[illegible]安
[illegible]ミ、[illegible]安弘武内
[illegible]ミ安、[illegible]弘武内
[illegible]ミ、[illegible]安弘武内
＊15文字、安弘武内ナシ。
[illegible]、漢訳文に兼行とあること、前後の文意から、当文献成立時には[illegible]になっていた可能性が強い。確証はないことから底本のママに[illegible]を掲げた。
[illegible]ミ弘武内、[illegible]安
[illegible]ミ、[illegible]安弘武内
[illegible]ミ安、[illegible]弘武内
[illegible]ミ弘武内、[illegible]安
[illegible]ミ安弘、[illegible]武内
[illegible]ミ弘武内、[illegible]安
[illegible]ミ弘武内、[illegible]安

39041 *

39042 (6-23)

(朝1-54) *

39043 *

39044 *

39045 ミ-111

39046 *

39047 (朝1-54) (6-24)

39048

* 12文字分に代り、安弘武内24文字の異文。

* 安朝弘武内、の異文。

* 朝ムシ

ミ安弘武内、朝

ミ朝弘武内、安

* 朝ムシ

ミ弘武内、安朝

ミ朝弘武内、安

* 17文字に代り、安朝弘武内、5文字の異文。

ミ、安朝弘武内

ミ安朝武内、弘

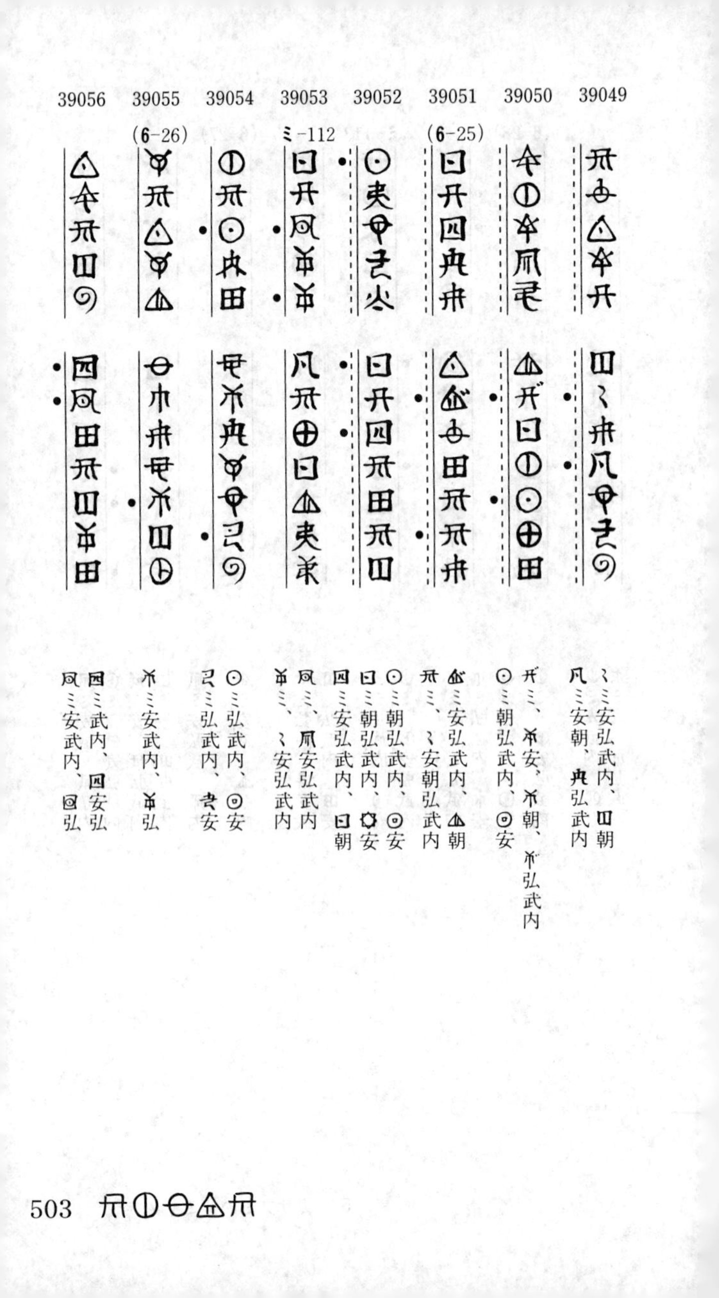

39049

ミ安弘武内、朝
ミ安朝、弘武内

39050

ミ朝弘武内、安
ミ、安、朝、弘武内

39051 (6-25)

ミ安弘武内、朝
ミ、〻安朝弘武内

39052

ミ朝弘武内、安
ミ朝弘武内、安
ミ安弘武内、朝

39053 ミ-112

ミ、安弘武内
ミ、〻安弘武内

39054

ミ弘武内、安
ミ弘武内、安

39055 (6-26)

ミ安武内、弘

39056

ミ武内、安弘
ミ安武内、弘

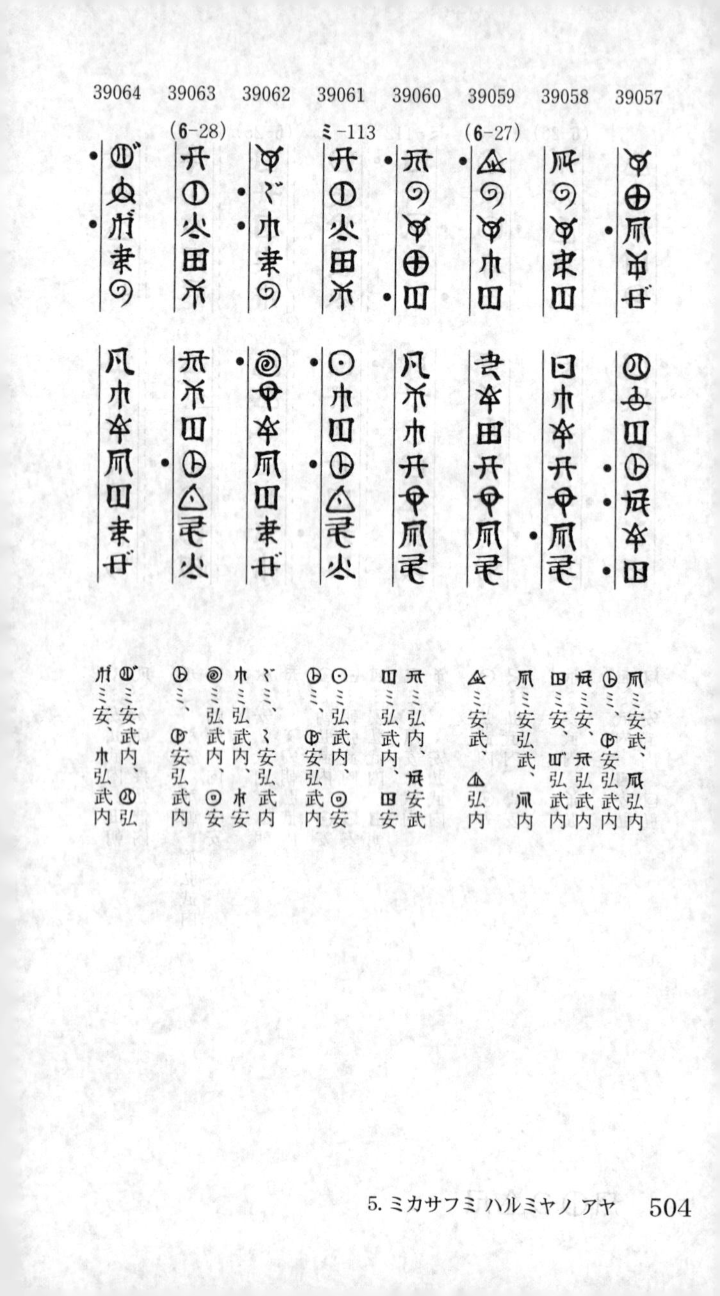

39064 39063 39062 39061 39060 39059 39058 39057

(6-28) ミ-113 (6-27)

ミ安武、弘内
ミ、安弘武内
ミ安、弘武内
ミ安、弘武内
ミ安弘武、内
ミ安武、弘内
ミ弘内、安武
ミ弘武内、安
ミ弘武内、安
ミ、安弘武内
ミ、安弘武内
ミ弘武内、安
ミ弘武内、安
ミ、安弘武内
ミ安武内、弘
ミ安、弘武内

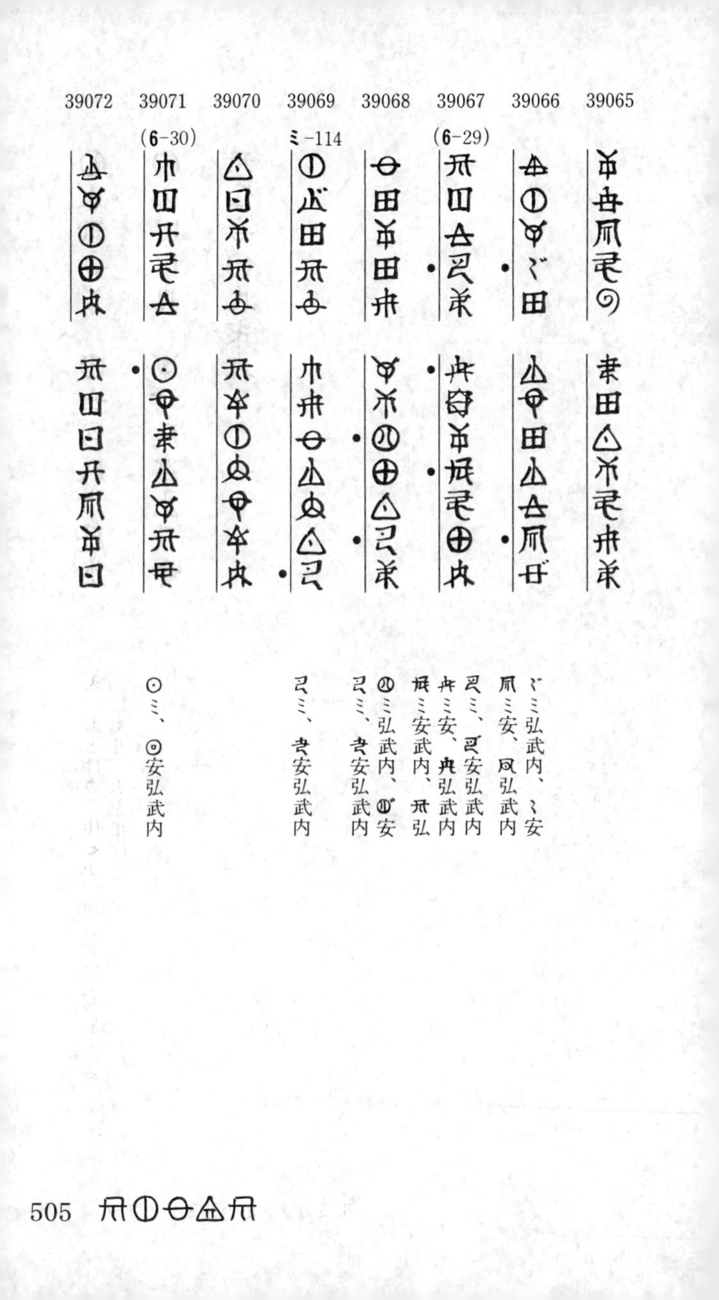

39065

39066

39067 (6-29)

39068

39069 ミ-114

39070

39071 (6-30)

39072

ミ弘武内、安

ミ安、弘武内

ミ、安弘武内

ミ安、弘武内

ミ安武内、弘

ミ弘武内、安

ミ、安弘武内

ミ、安弘武内

⊙ミ、安弘武内

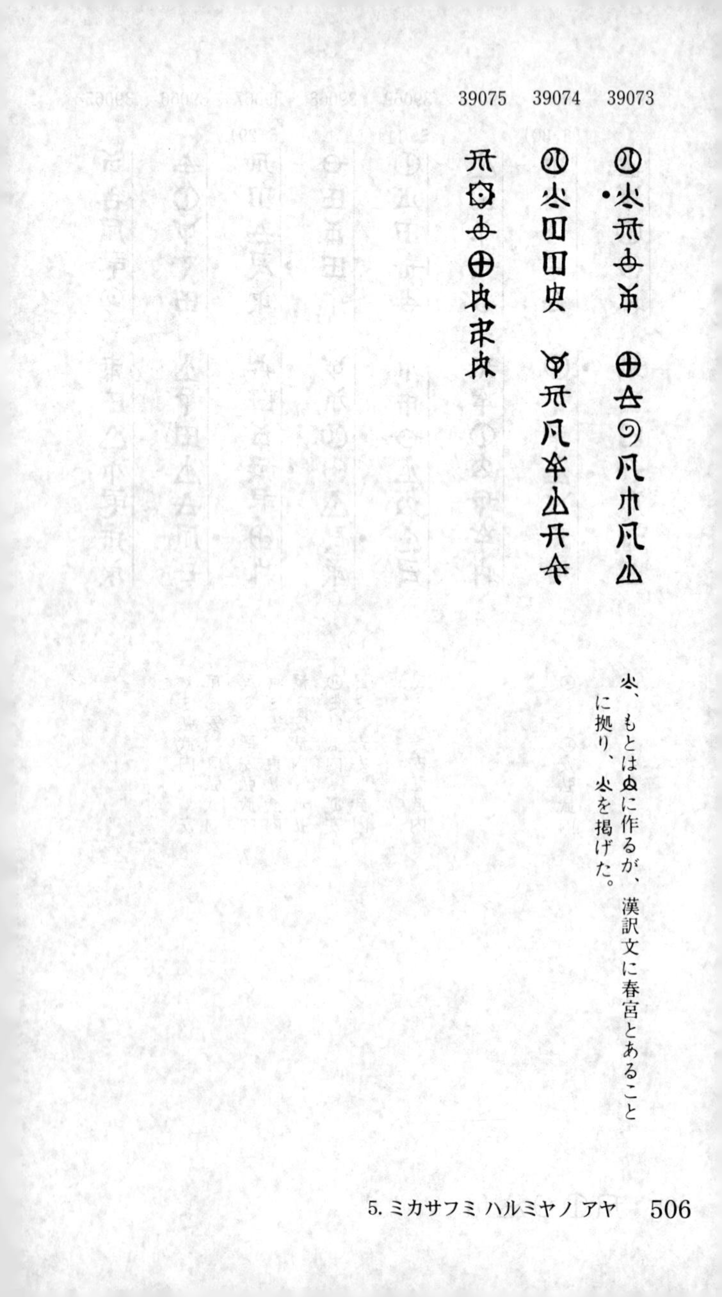

39073 [illegible] [illegible]

39074 [illegible] [illegible]

39075 [illegible]

[illegible]、もとは[illegible]に作るが、漢訳文に春宮とあることに拠り、[illegible]を掲げた。

41008 41007 41006 41005 41004 41003 41002 41001

ミ-118 ミ-117

41009

41010

41011

41012

41013
ミ-119

41014

41015

41016

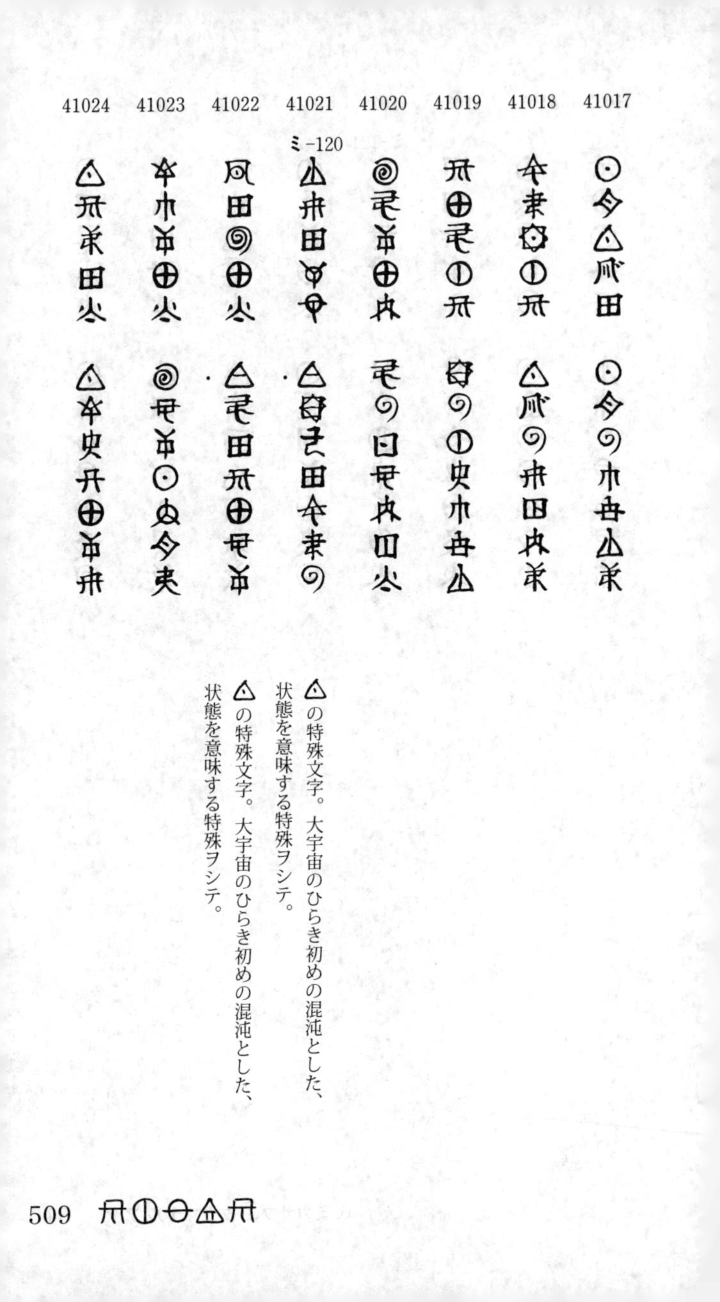

41017 41018 41019 41020 41021 41022 41023 41024

ミ-120

◬の特殊文字。大宇宙のひらき初めの混沌とした、状態を意味する特殊ヲシテ。

◬の特殊文字。大宇宙のひらき初めの混沌とした、状態を意味する特殊ヲシテ。

41025

41026

41027

41028

ミ-121

41029

41030

41031

41032

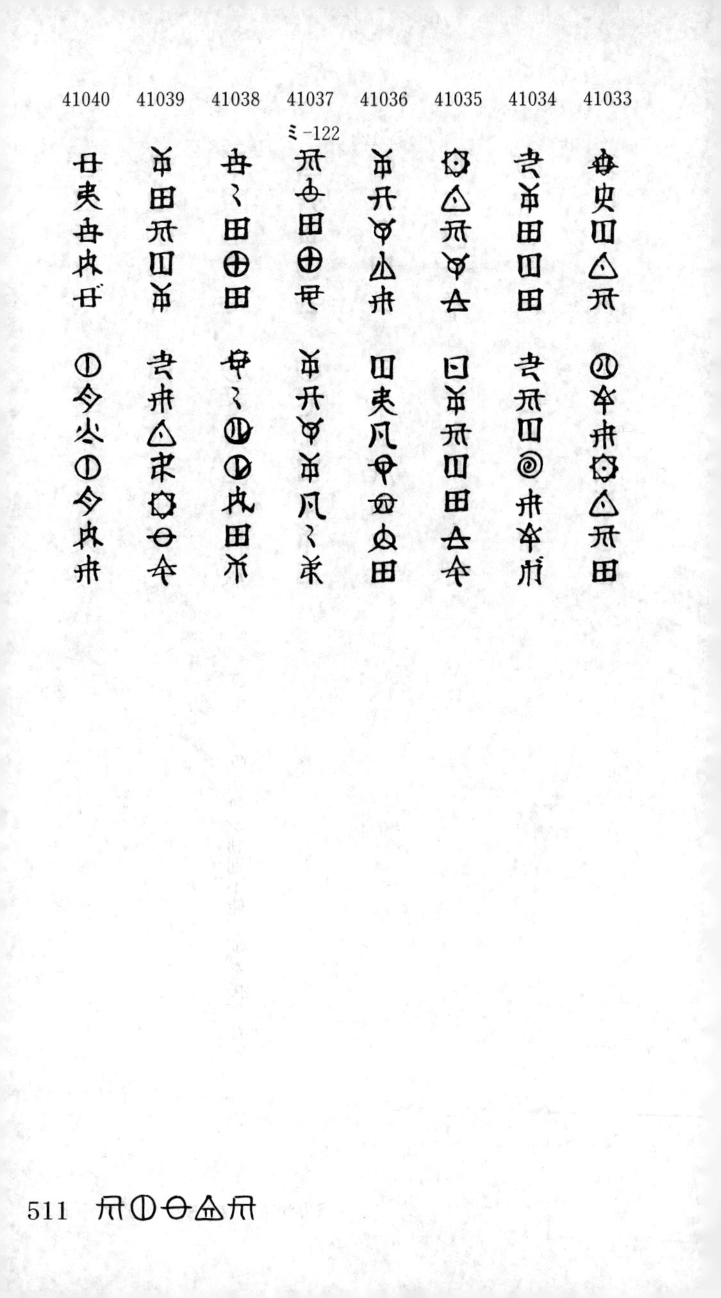

41033

41034

41035

41036

41037

ミ-122

41038

41039

41040

41041

[illegible]

41042

[illegible]

41043

[illegible]

41044

[illegible]

41045

ミ-123

[illegible]

41046

[illegible]

41047

[illegible]

41048

[illegible]

[illegible]、ムシ[illegible]か[illegible]か判別不能、[illegible]を掲げた。

41049

41050

41051

41052

41053 ミ-124

41054

41055

41056

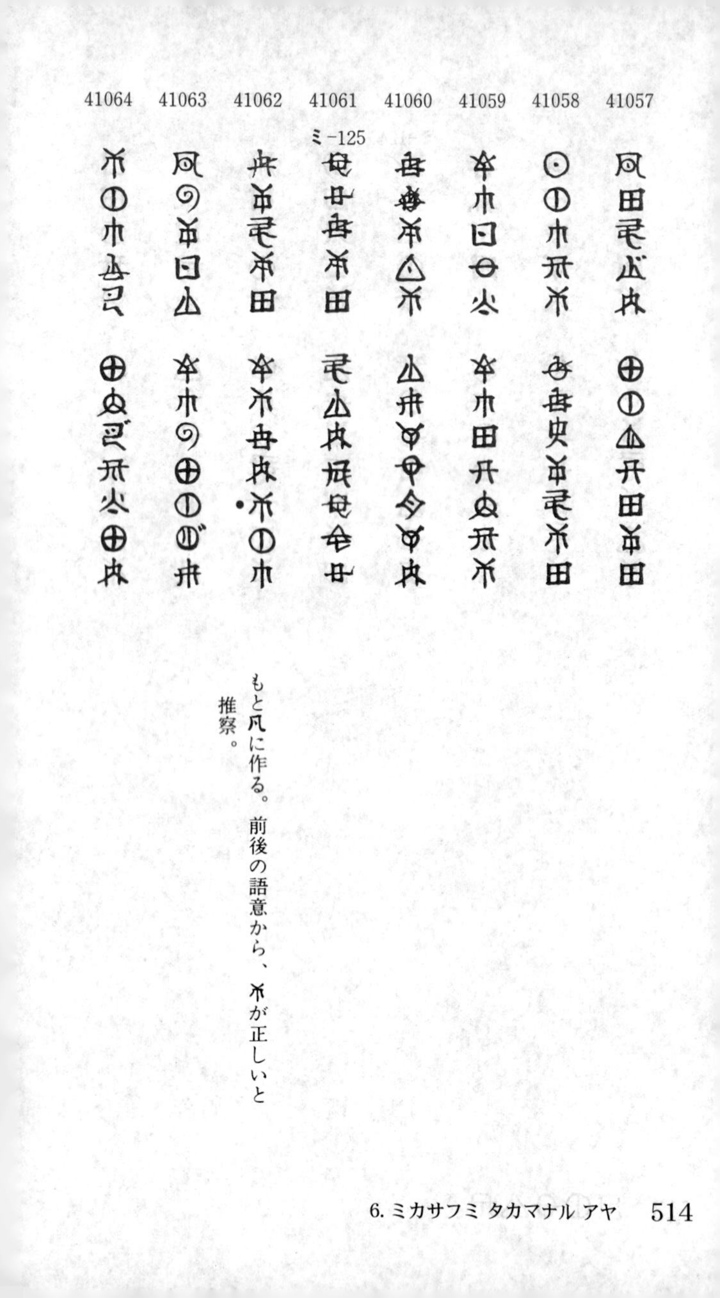

41057

41058

41059

41060

41061 ミ-125

41062

41063

41064

もと[ヲシテ文字]に作る。前後の語意から、[ヲシテ文字]が正しいと推察。

41065

41066

41067

41068

41069
ミ-126

41070

41071

41072

41073

41074

41075

41076

ミ-127

41077

41078

41079

41080

41081

41082

41083

41084

41085

ミ-128

41086

41087

41088

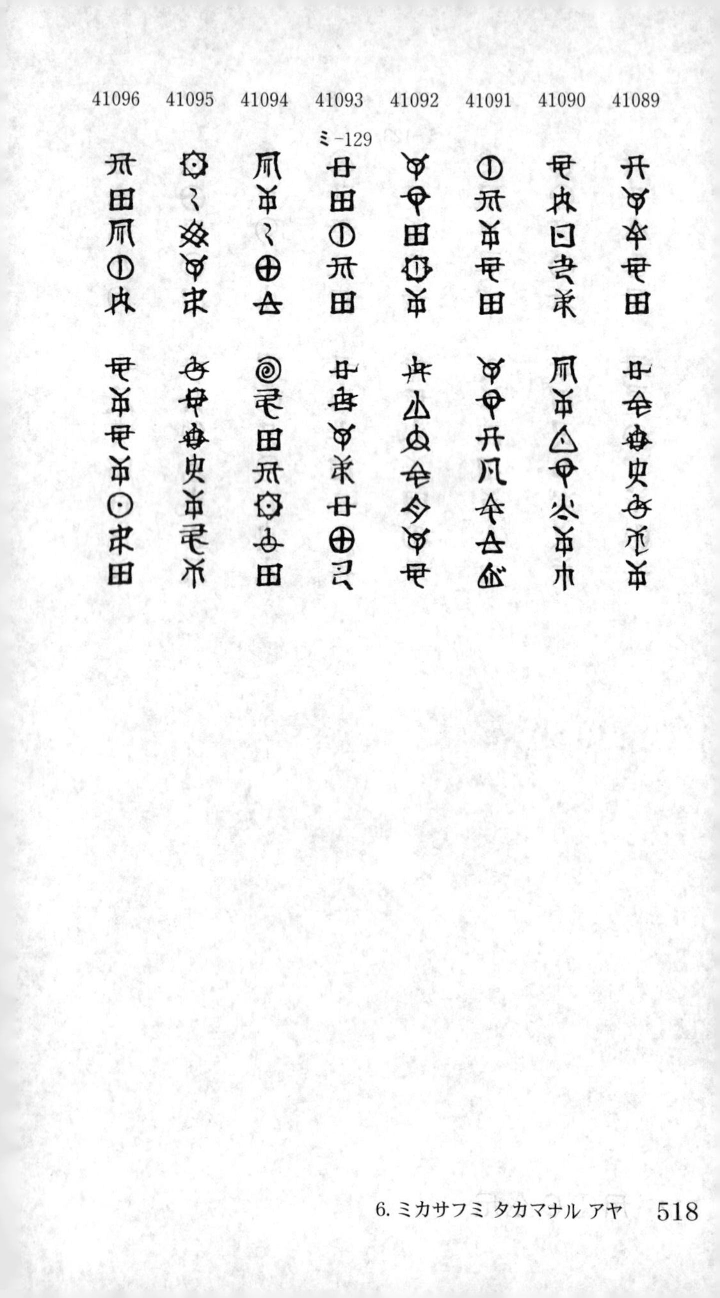

41089 41090 41091 41092 41093 41094 41095 41096

ミ-129

41097

41098

41099

41100

41101
ミ-130

41102

41103

41104

41105

41106

41107

41108

ミ-131

41109

41110

41111

41112

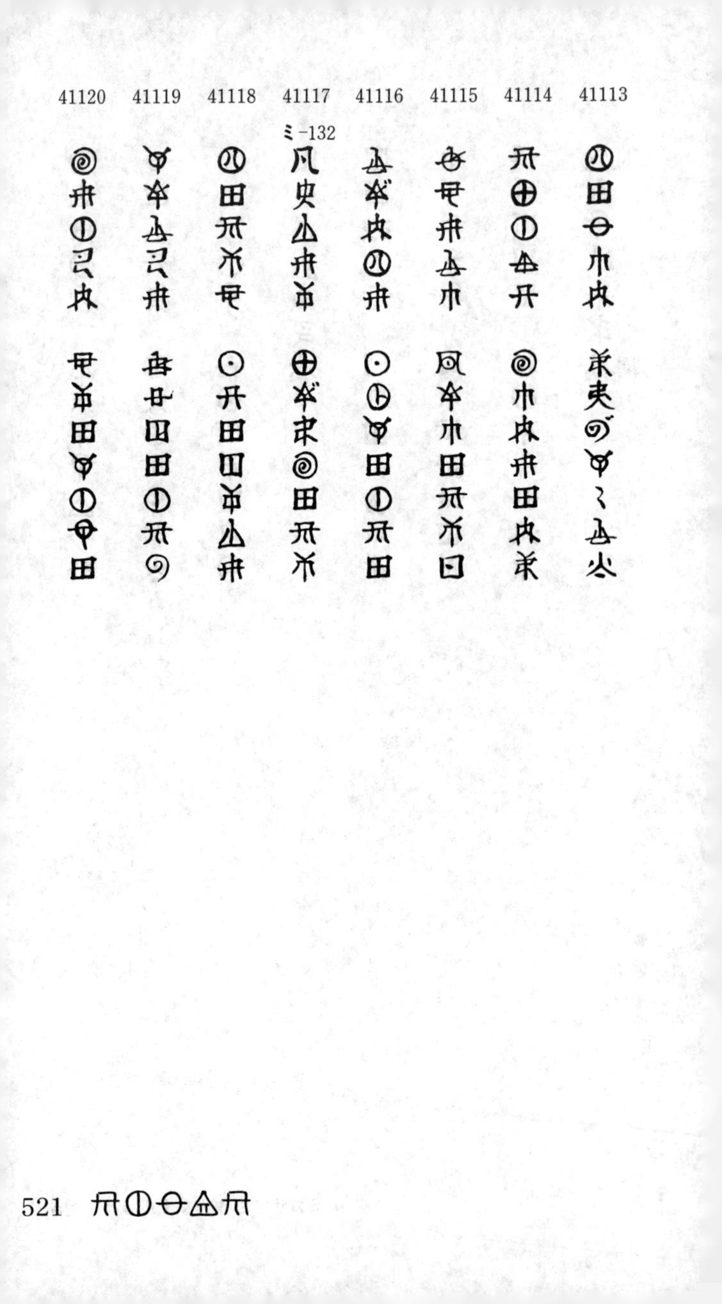

41113

41114

41115

41116

41117 ミ-132

41118

41119

41120

41121

41122

41123

41124

41125

ミ-133

41126

41127

41128

43001
ミ-133

43002

43003

43004

43005
ミ-134

43006

43007

43008

43009

43010

43011

43012

43013
ミ-135

43014

43015

43016

43017

43018

43019

43020

43021 ミ-136

43022

43023

43024

43025

43026

43027 (ト-4) (19B-3)

43028 ＊

43029 ミ-137

43030 (19B-4)

43031

43032

[ヲシテ文字]ミ安弘武内、[ヲシテ文字]ト（23732，55024）

＊安ト弘武内、[ヲシテ文字]の異文。

[ヲシテ文字]ミ、[ヲシテ文字]ト、[ヲシテ文字]安弘武内

[ヲシテ文字]ミ内、[ヲシテ文字]安ト弘武

[ヲシテ文字]ミト、[ヲシテ文字]安弘武内

[ヲシテ文字]ミ安、[ヲシテ文字]ト弘武内

[ヲシテ文字]ミ、[ヲシテ文字]安ト、[ヲシテ文字]弘武内

[ヲシテ文字]ミ安弘武内、[ヲシテ文字]ト

[ヲシテ文字]ミ、[ヲシテ文字]安ト弘武内

[ヲシテ文字]ミト弘武内、[ヲシテ文字]安

[ヲシテ文字]ミ安、[ヲシテ文字]ト弘武内

（左点線は「[ヲシテ文字]（トシウチニナスコトノアヤ）」と同文箇所）

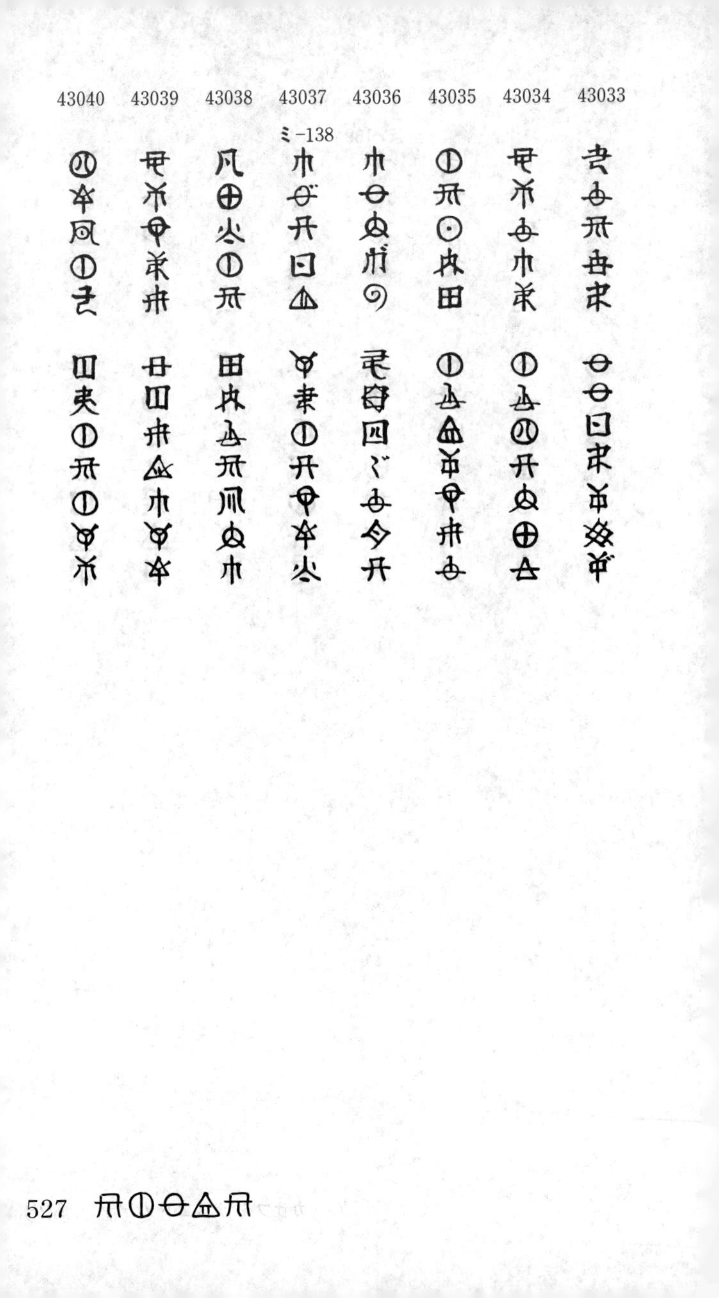

43033

43034

43035

43036

43037 ミ-138

43038

43039

43040

43041

43042

43043

43044

ミ-139

43045

43046

43047

43048

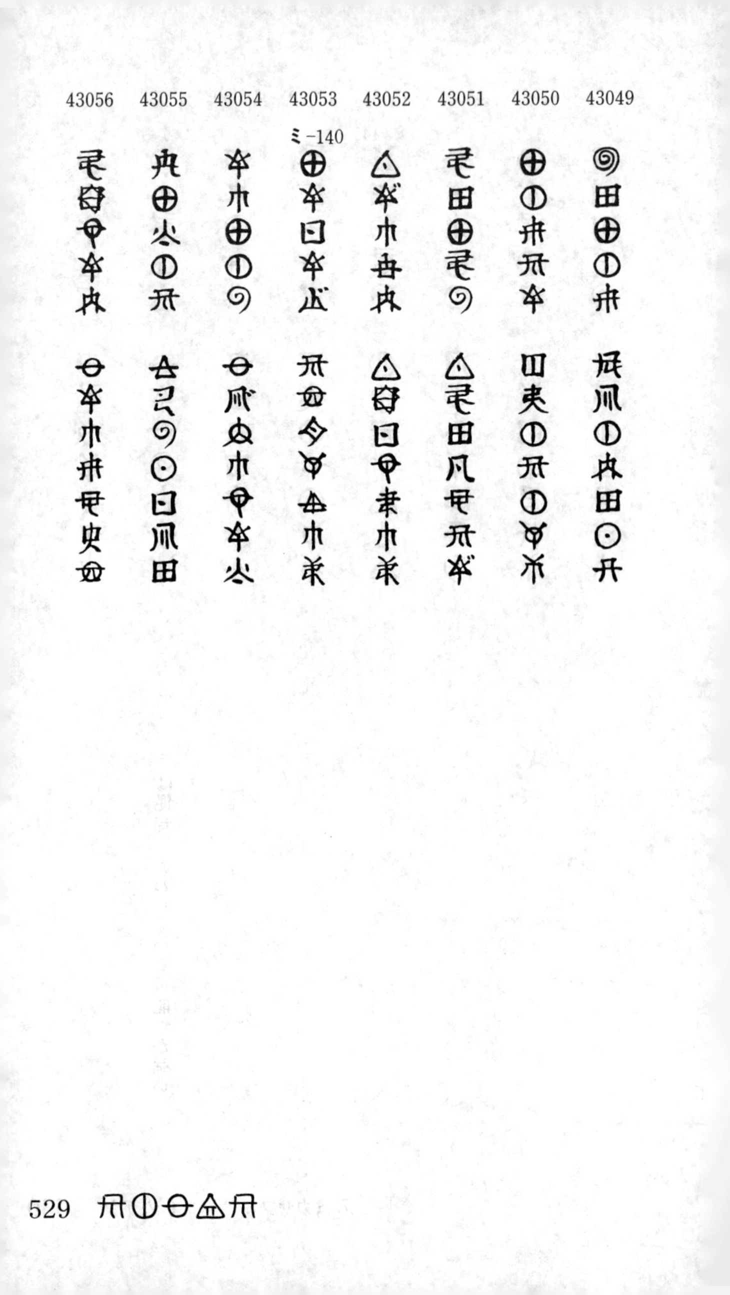

43049

43050

43051

43052

43053

ミ-140

43054

43055

43056

43057

43058

このヲシテは促音を表わしている可能性が強い。

43059

43060

43061 ミ-141

43062

43063

43064

43065

43066

43067

43068

43069

ミ-142

43070

43071

43072

43080 43079 43078 43077 43076 43075 43074 43073

ミ-143

もとは〓に作るが、漢訳文に東北とあり、この故に、〓は誤写にて〓が正しいと判断できるため、〓を掲げた。

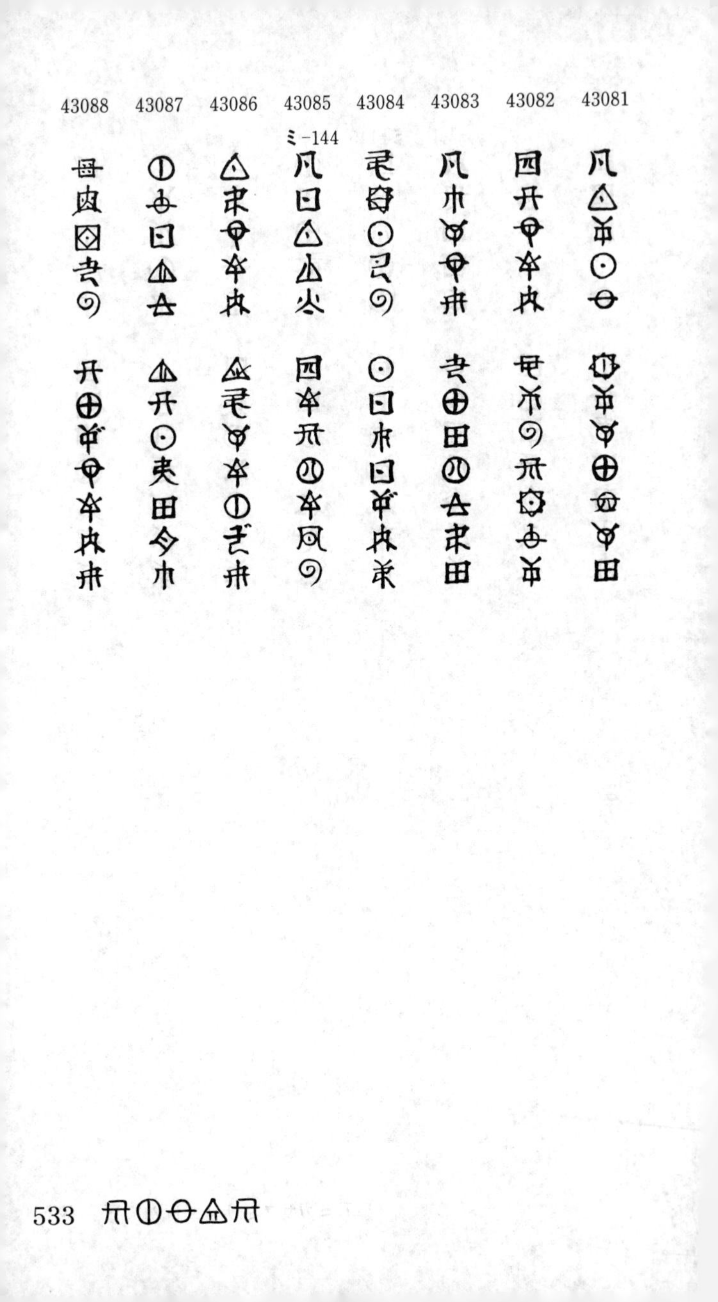

43081

43082

43083

43084

43085

ミ-144

43086

43087

43088

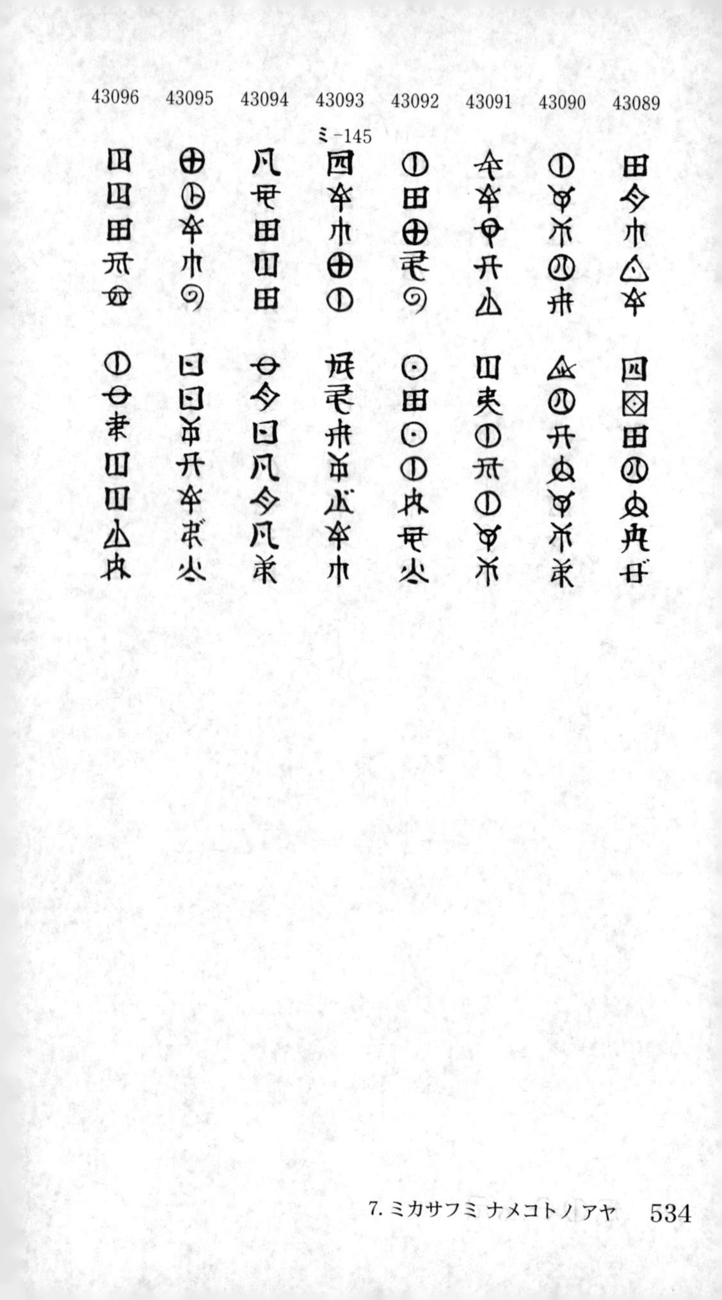

43089

43090

43091

43092

ミ-145

43093

43094

43095

43096

43097

43098

43099

43100

43101

ミ-146

43102

43103

43104

43105

43106

43107

43108

ミ-147

43109

43110

43111

43112

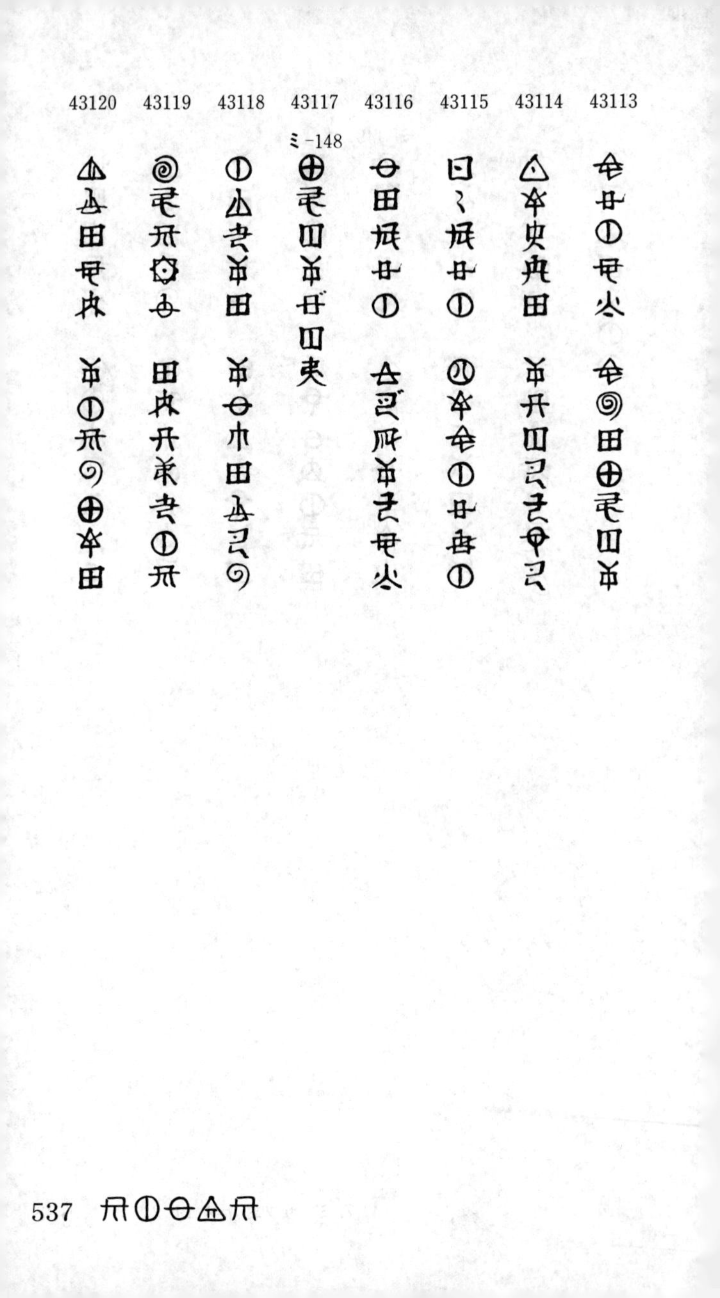

43113

43114

43115

43116

43117

ミ-148

43118

43119

43120

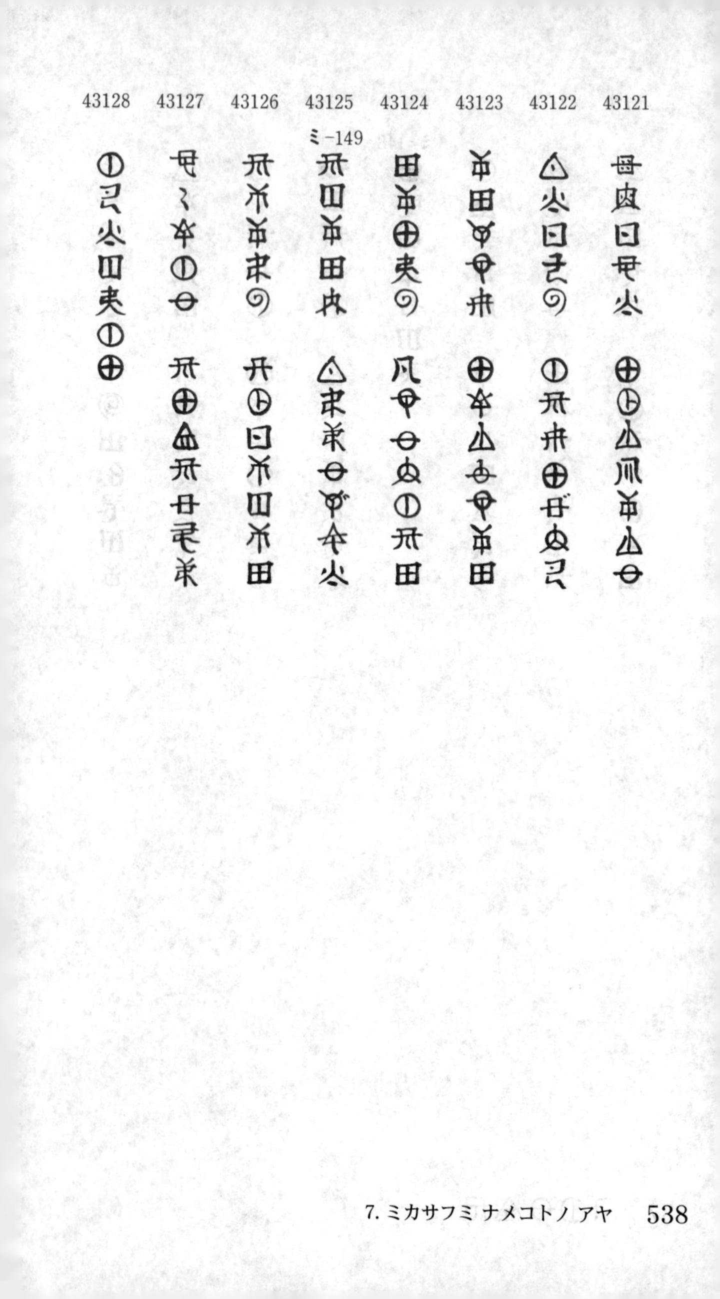

43121

43122

43123

43124

ミ-149

43125

43126

43127

43128

45001 ミ-18

45002

45003

45004

45005 ミ-19

45006

45007

45008

このアヤは『生洲問答』に掲載されているため、写真版の頁数が他のアヤよりも若い数字になっている。

45009

45010

45011

45012

ミ-20

45013

45014

45015

45016

45024 45023 45022 45021 45020 45019 45018 45017

ミ-21

45025

45026

45027

45028

45029

ミ-22

45030

45031

45032

45033

45034

45035

45036

45037

ミ-23

45038

45039

45040

45041 45042 45043 45044 45045 45046 45047 45048

ミ-24

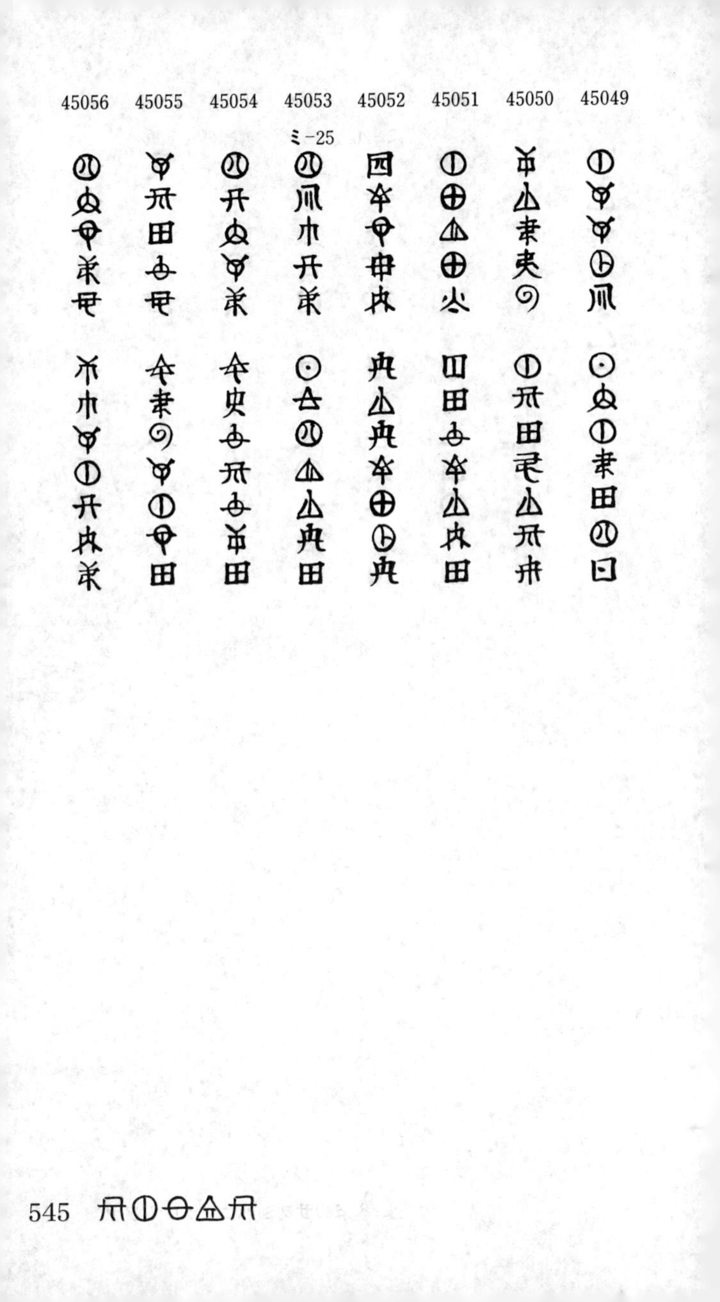

45049

45050

45051

45052

45053
ミ-25

45054

45055

45056

45057

45058

45059

45060

ミ-26

45061

45062

45063

45064

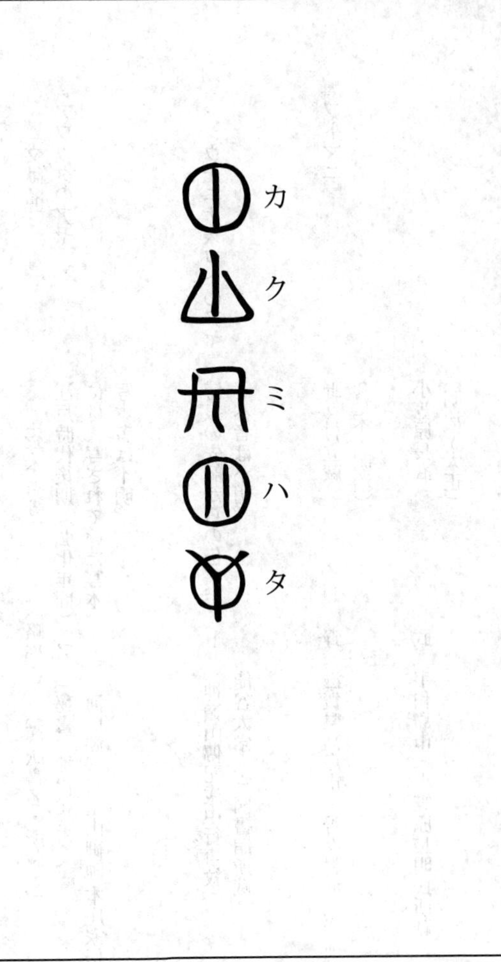
カ
ク
ミ
ハ
タ

『カクミハタ』

〔文献名〕	〔写本者等〕	〔略称〕	〔漢訳書名・所蔵等〕
『アワウタのアヤ』	江戸時代後期（弘化年間）には書写されていた写本。写本者は不明。	ア	『秘書　神代和字　全』河口湖、富士山御師 本庄家伝来
『トシウチニナスコトのアヤ』	溥泉（ふせん）の先師からの伝来。写本者は不明。	ト	『神嶺山傳記歳中行事紋（カクのミハタトシウチニナスコトのアヤ）』龍谷大学大宮図書館所蔵
『フトマニ』	野々村立蔵（幕末～明治）	野	滋賀県高島市・野々村直大氏所蔵
	小笠原長武（明治～大正）	武	宇和島市・小笠原長明氏所蔵

53001 ☆

53101 ア001

53102 ア002

53103 ア003

53104 ア004

53105 ア005

53106 ア006

53107 ア007

このアヤは、書題と初めの数行が欠落しているため、正確なアヤの名称が不明である。溥泉著述の『春日山紀』を参考にして「アワウタのアヤ」と仮に掲げる。

記述内容は、『カクのミハタ』であるので至って高度で貴重である。写本者がヲシテの習熟度に今一つなため、明らかな誤写が多い。明らかな誤写に訂正を施した。『よみがえる縄文時代イサナギ・イサナミのこころ』（池田 満、展望社）を参照。

ア

ア

ア

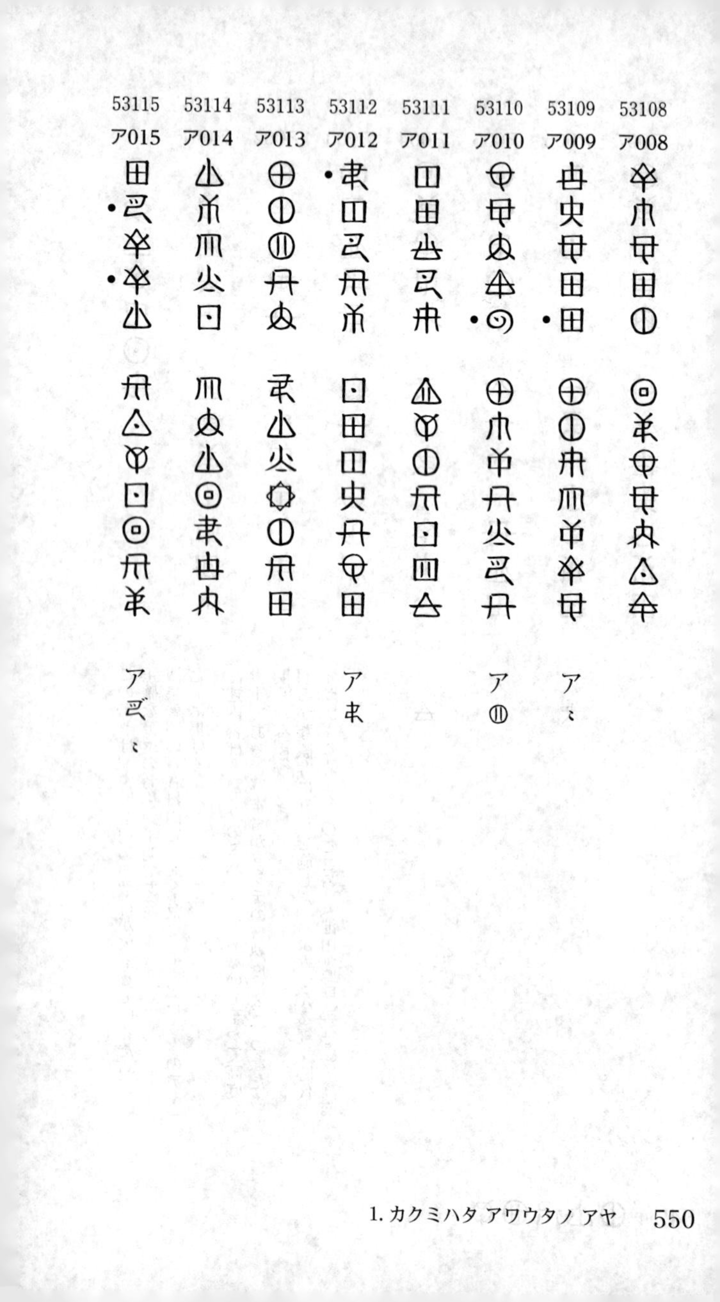

53108 ア008

53109 ア009

53110 ア010

53111 ア011

53112 ア012

53113 ア013

53114 ア014

53115 ア015

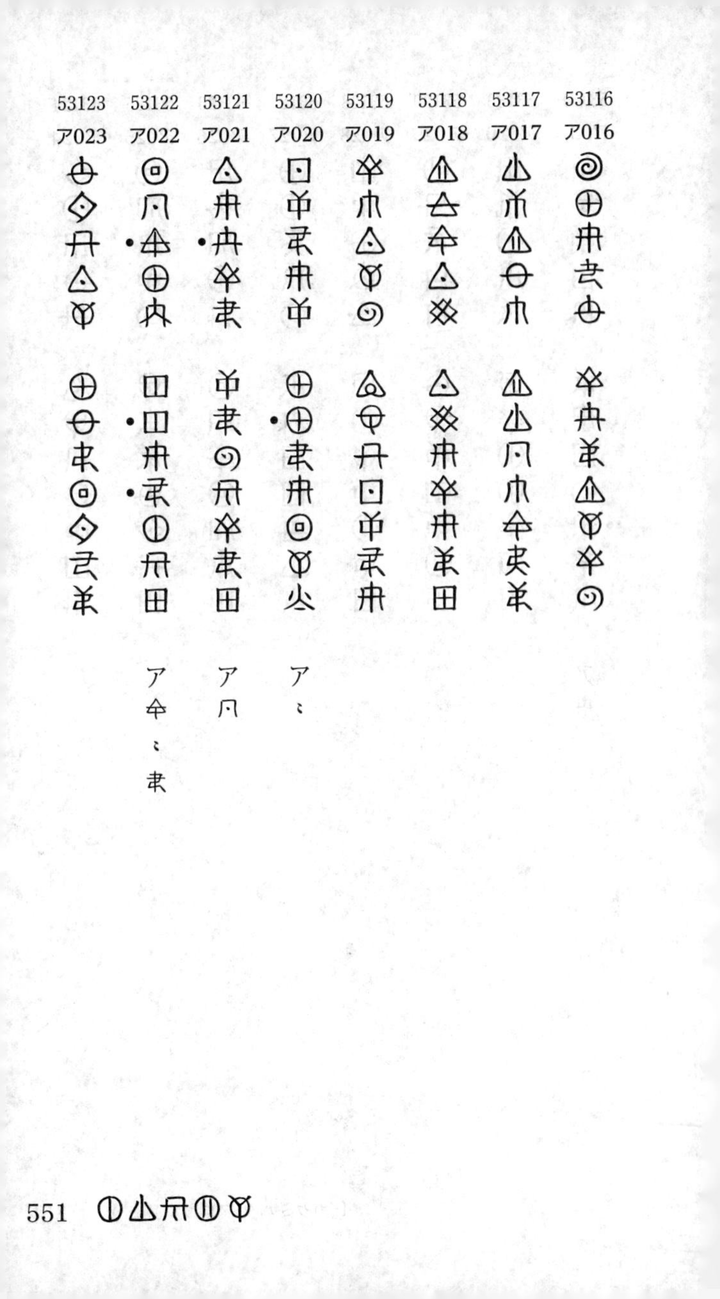

53116
ア016

53117
ア017

53118
ア018

53119
ア019

53120
ア020

53121
ア021

53122
ア022

53123
ア023

53124 ア024

53125 ア025

53126 ア026

53127 ア027

53128 ア028

53129 ア029

53130 ア030

53131 ア031

ア

53132 ア032

ア

53133 ア033

ア

53134 ア034

ア

53135 ア035

ア

53136 ア036

53137 ア037

ア

53138 ア038

ア

53139 ア039

53140 ア040

53141 ア041

53142 ア042

53143 ア043

53144 ア044

ア

53145 ア045

ア

53146 ア046

53147 ア047

ア

53148
ア048

53149
ア049

53150
ア050

53151
ア051

ア

53152
ア052

53153
ア053

ア

53154
ア054

53155
ア055

53156 ア056

〓〓〓〓〓 〓〓〓〓〓〓〓

53157 ア057

〓〓〓〓〓 〓〓・〓〓〓〓〓

ア〓

53158 ア058

〓〓〓〓〓 〓〓〓〓〓〓〓

53159 ア059

〓・〓〓・〓〓 〓〓〓〓〓〓〓

ア〓、〓

53160 ア060

〓・〓〓〓〓〓〓

ア〃

53161 ア061

〓〓〓〓〓 〓〓〓〓〓〓〓

（左傍線部は『春日山紀』に記載あり）

53162 ア062

〓〓〓〓〓 ・〓〓〓〓〓〓〓

ア〓　春1―25〓

53163 ア063

〓・〓〓〓〓 〓〓〓〓〓〓・〓

ア〃　春1―25〃ア〓

53164
ア064

53165
ア065

53166
ア066

ア

53167
ア067

53168
ア068

53169
ア069

ア

53170
ア070

53171
ア071

ア

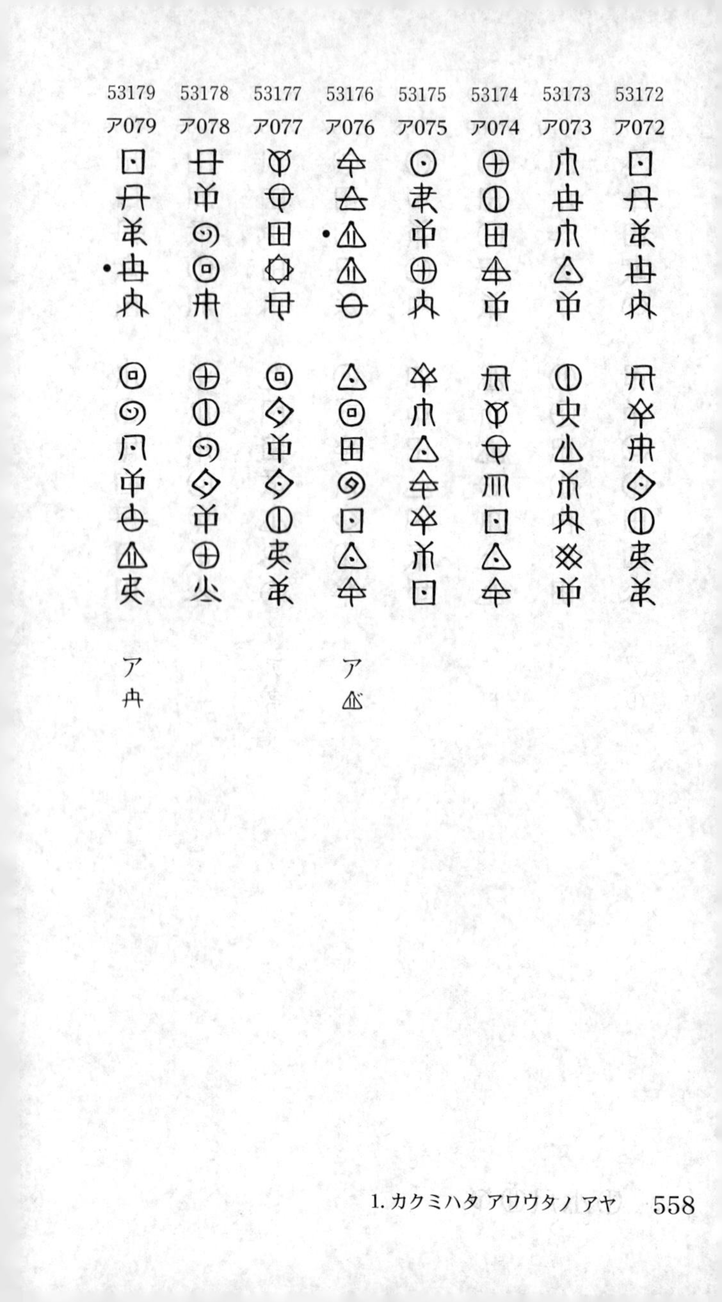

53172 ア072

53173 ア073

53174 ア074

53175 ア075

53176 ア076

ア

53177 ア077

53178 ア078

53179 ア079

ア

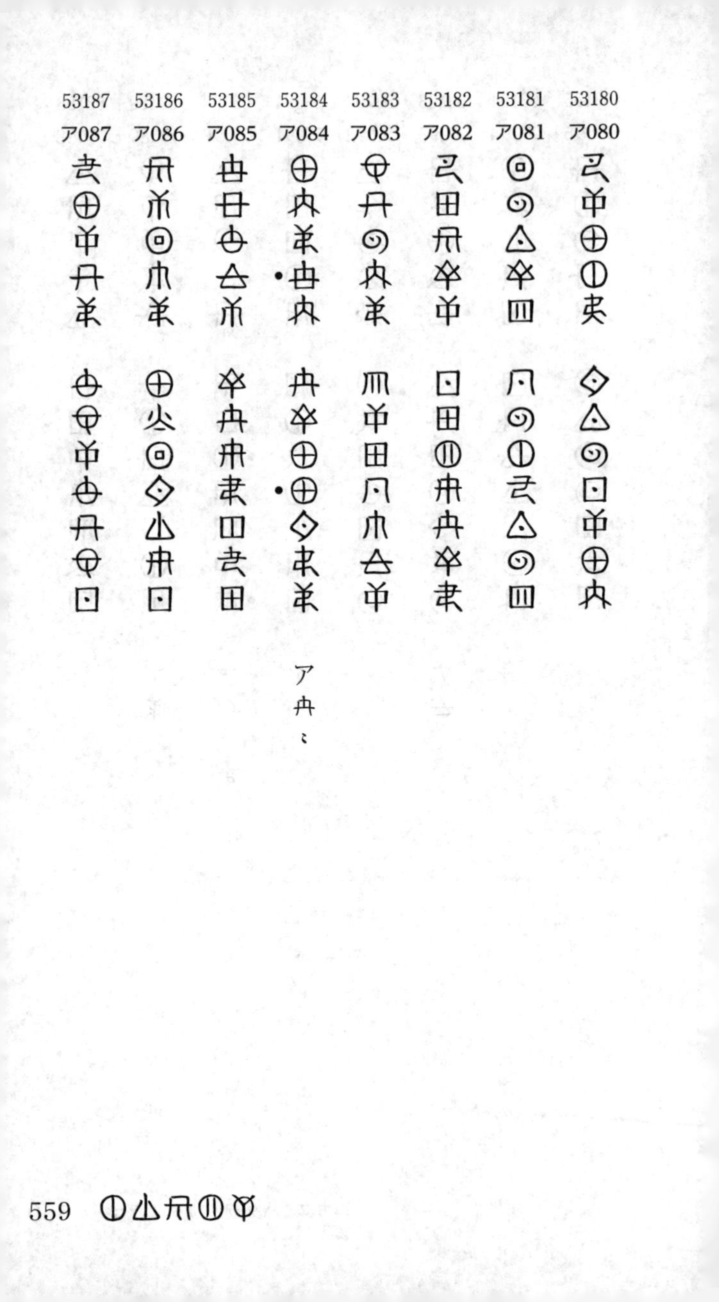

53180 ア080

53181 ア081

53182 ア082

53183 ア083

53184 ア084

53185 ア085

53186 ア086

53187 ア087

53188 ア088

53189 ア089

53190 ア090

53191 ア091

53192 ア092

53193 ア093

53194 ア094

53195 ア095

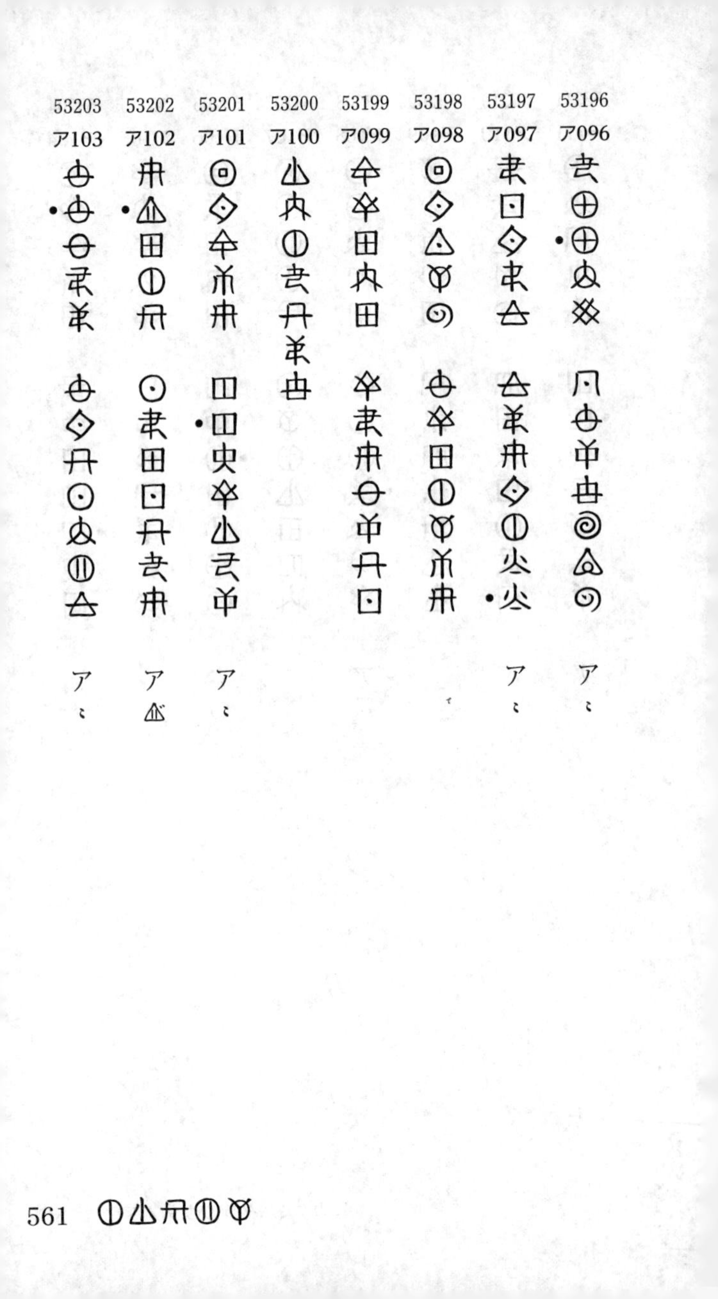

53196 ア096

ア

53197 ア097

ア

53198 ア098

53199 ア099

53200 ア100

53201 ア101

ア

53202 ア102

ア

53203 ア103

ア

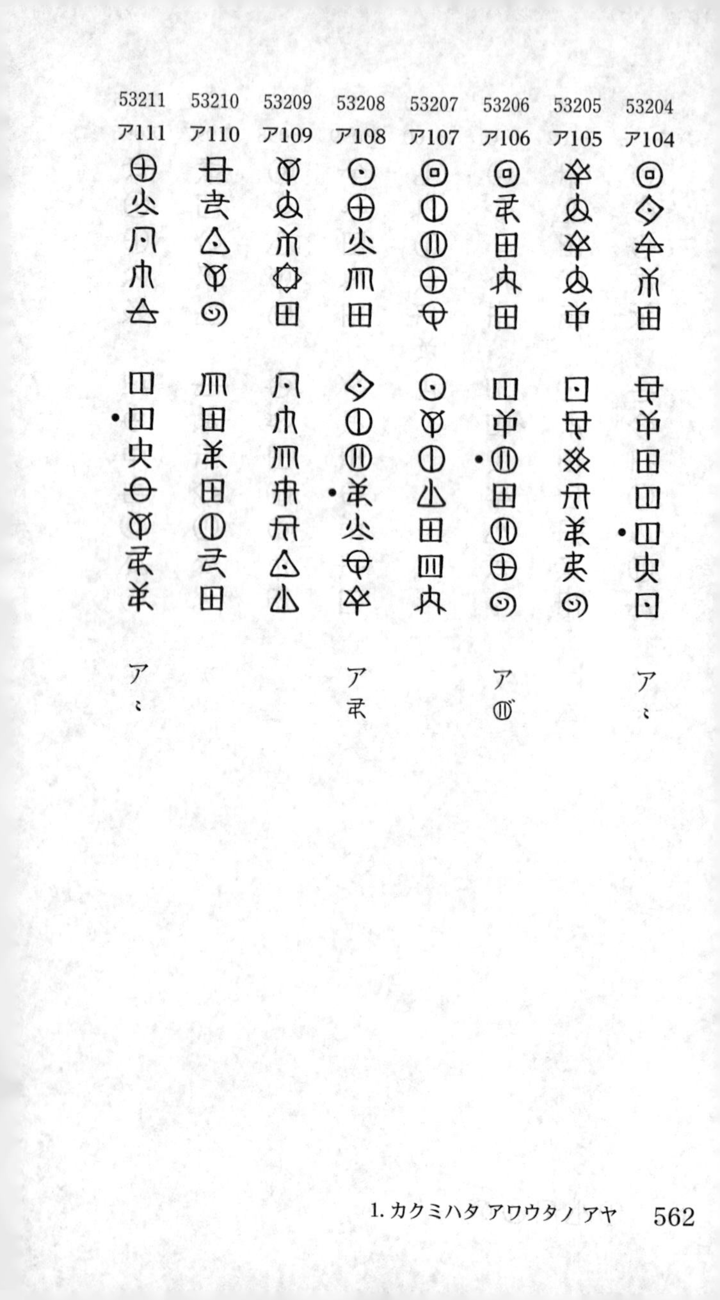

53204 ア104

ア ミ

53205 ア105

53206 ア106

ア

53207 ア107

53208 ア108

ア

53209 ア109

53210 ア110

53211 ア111

ア ミ

53212 ア112

53213 ア113

ア

53214 ア114

53215 ア115

53216 ア116

53217 ア117

53218 ア118

ア

53219 ア119

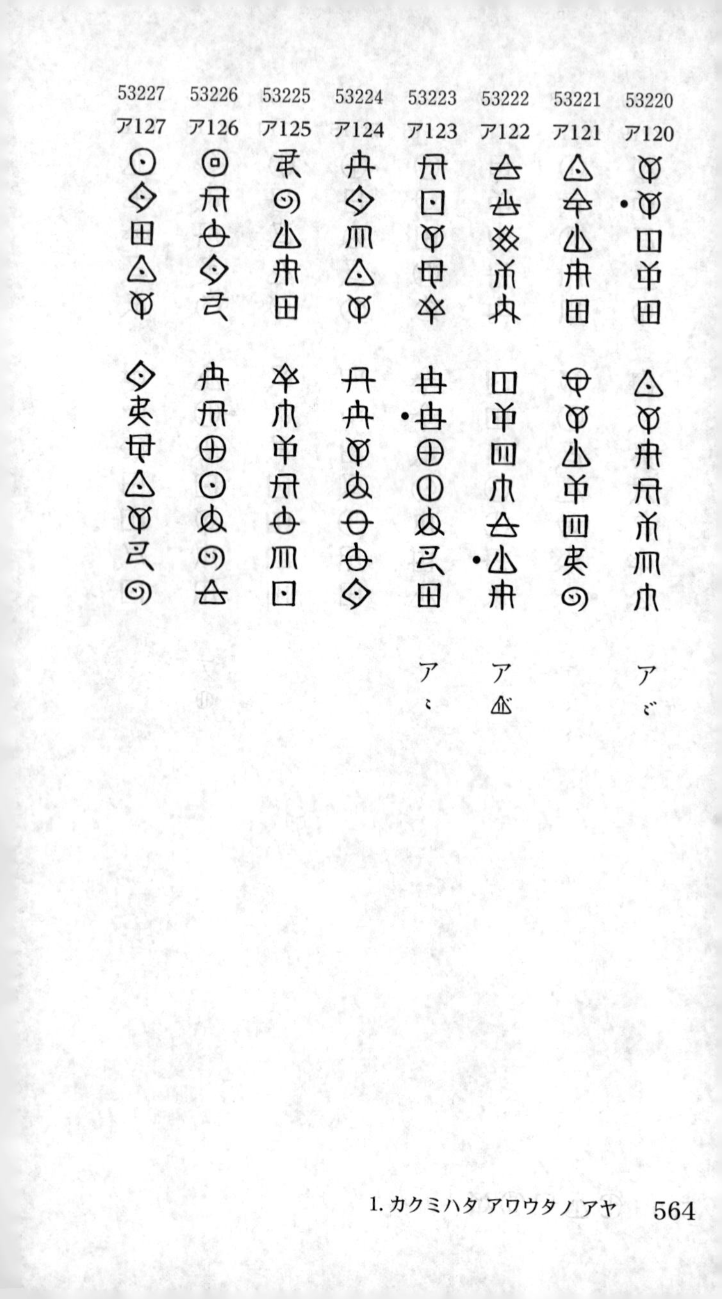

53220
ア120

53221
ア121

53222
ア122

53223
ア123

53224
ア124

53225
ア125

53226
ア126

53227
ア127

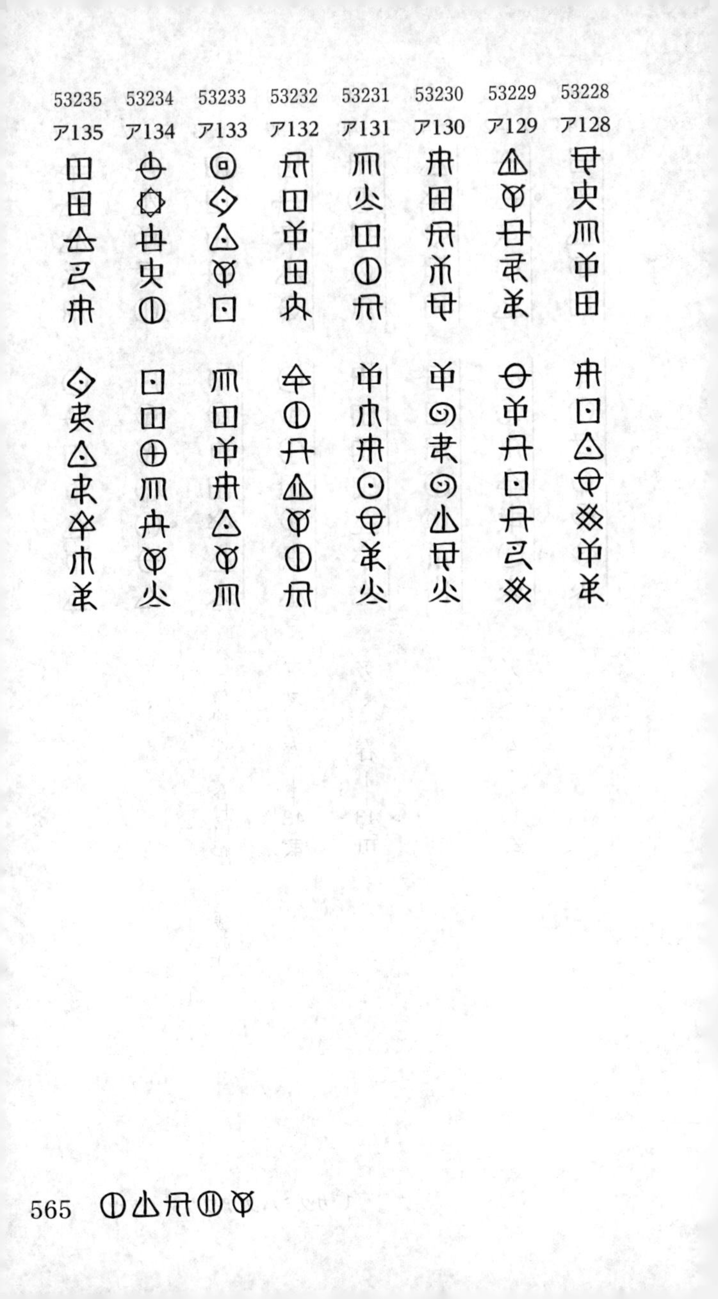

53228
ア128

53229
ア129

53230
ア130

53231
ア131

53232
ア132

53233
ア133

53234
ア134

53235
ア135

53236 ア136

53237 ア137

アミ

53238 ア138

（左傍線部は『春日山紀』に記載あり）

53239 ア139

ア　春 1—43

53240 ア140

アミ　春 1—43

53241 ア141

53242 ア142

アミ　春 1—43

53243 ア143

53244 ア144

ア ミ 春 1―43

53245 ア145

ア 春 1―43

53246 ア146

ア 春 1―43

ア 春 1―43

53247 ア147

ア 春 1―43

53248 ア148

ア ミ 春 1―43

55001 ト-1

55002

55003

55004

55005

55006

55007

55008

溥泉伝本のこのアヤはトをすべてに作ってある。和仁估安聡本との整合性を考慮して、通常のヲシテ文字のに統一して掲げた。

、もとのごとくに作ってある。何と見定むべきか難しい。を掲げた。

には濁点が振ってあるが、明瞭に後世の加点と判断できるため、を掲げた。

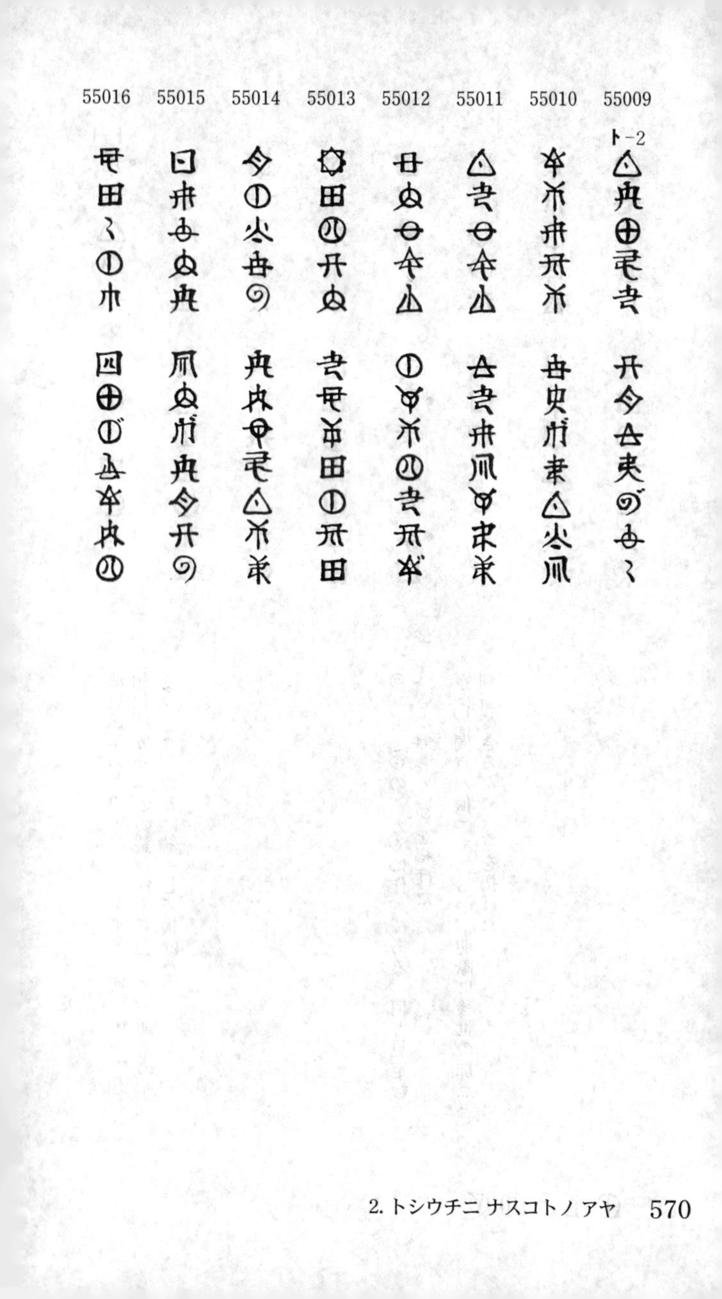

ト-2

55009

55010

55011

55012

55013

55014

55015

55016

55017 ト−3

55018

55019

55020

55021

55022

55023

55024

（ミ−136）
（19B−3）

（左実線は『ホツマツタヱ』同文箇所）

（左点線は『ミカサフミ』同文箇所）

ト、ミ安弘武内（43027，23732）

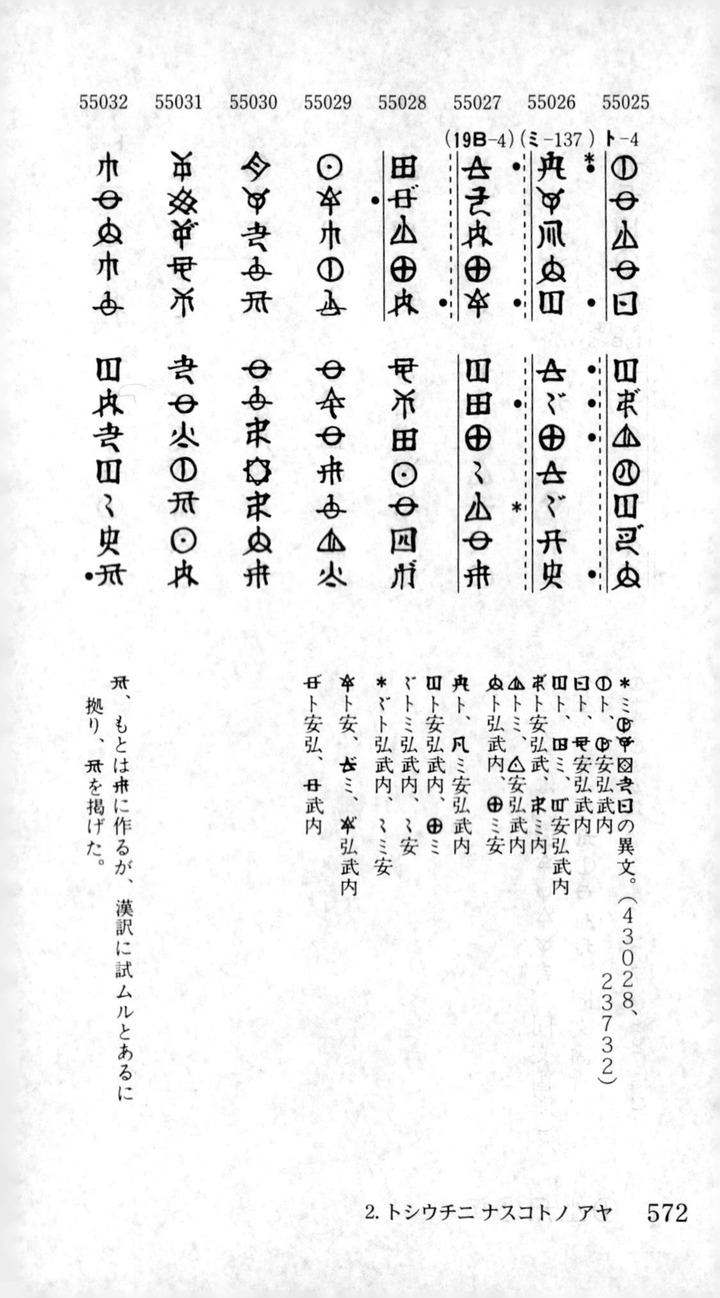

55025 ト-4

55026 (ミ-137)

55027 (19B-4)

55028

55029

55030

55031

55032

*ミ〓〓〓〓〓の異文。(43028、23732)

〓ト、〓安弘武内

〓ト、〓安弘武内

〓ト、〓ミ、〓安弘武内

〓ト安弘武、〓ミ内

〓トミ、〓安弘武内

〓ト弘武内、〓ミ安

〓ト、〓ミ安弘武内

〓ト安弘武内、〓ミ

〓トミ弘武内、〓安

*〓ト弘武内、〓ミ安

〓ト安、〓ミ、〓弘武内

〓ト安弘、〓武内

〓、もとは〓に作るが、漢訳に試ムルとあるに拠り、〓を掲げた。

55033 ト-5

55034

55035

55036

55037

55038

55039

55040

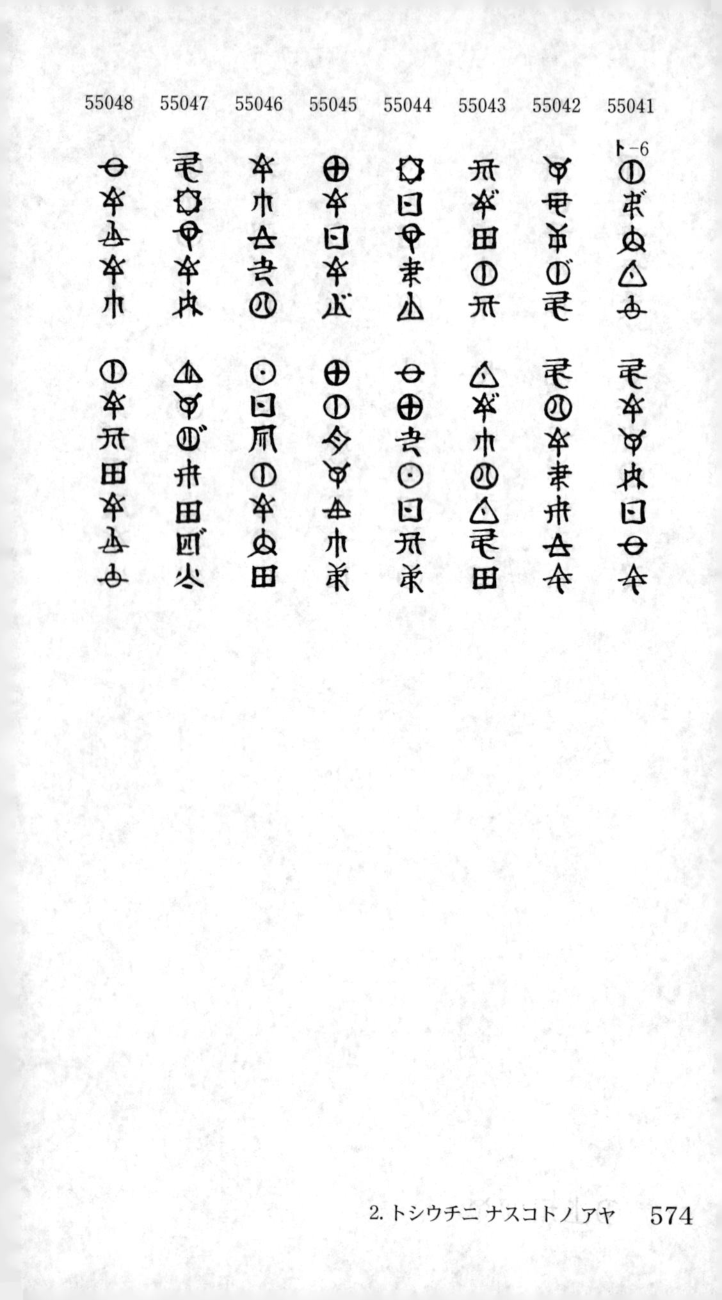

55041 55042 55043 55044 55045 55046 55047 55048

ト-6

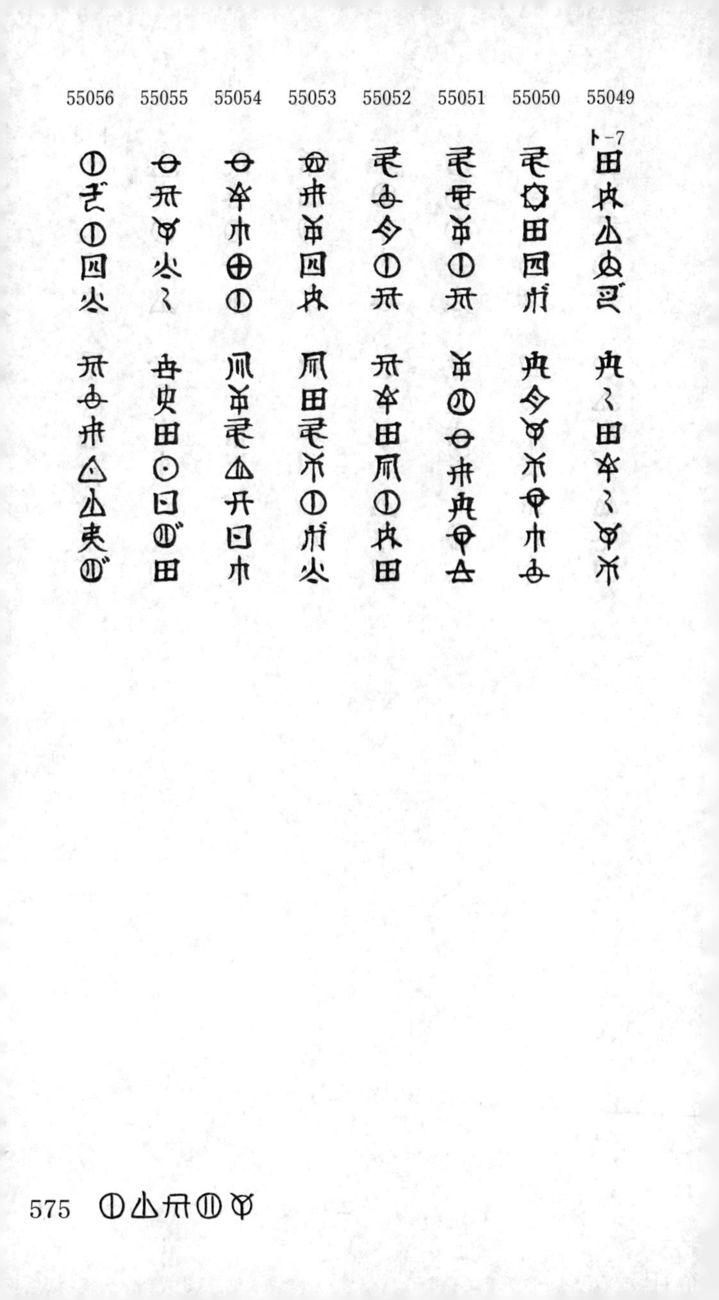

55049

ト-7

55050

55051

55052

55053

55054

55055

55056

55064 55063 55062 55061 55060 55059 55058 55057

ト-8

55065 55066 55067 55068 55069 55070 55071 55072

、もとはに作るが、漢訳文に阿倭とあることに拠り、を掲げた。

ト-10

55073

55074

55075

55076

55077

55078

55079

55080

ト-11

55081

55082

55083

55084

55085

55086

55087

55088

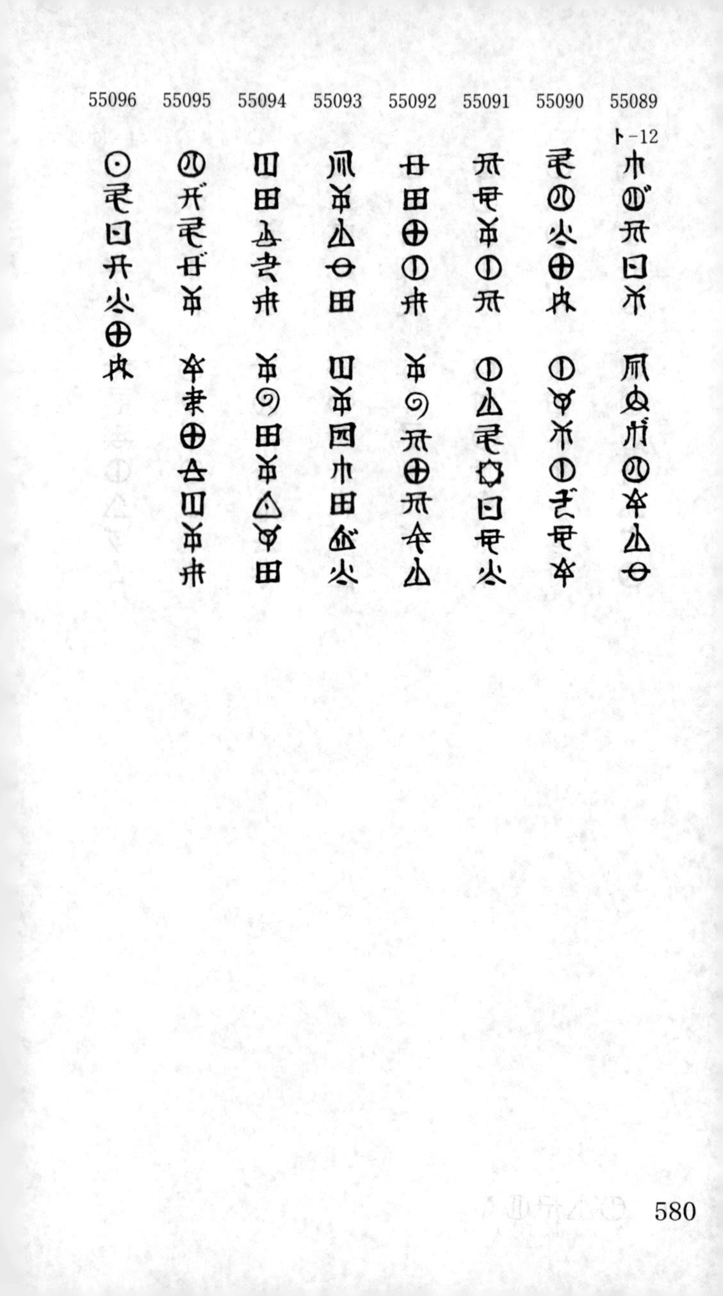

ト-12

55089

55090

55091

55092

55093

55094

55095

55096

57001 フ−2

57002

57003

57004

57005

57006

57007

57008

野本には特殊ヲシテ文字の使い分けがされていないので校異には掲げなかった。

57009 57010 57011 57012 57013 57014 57015 57016

フ-3

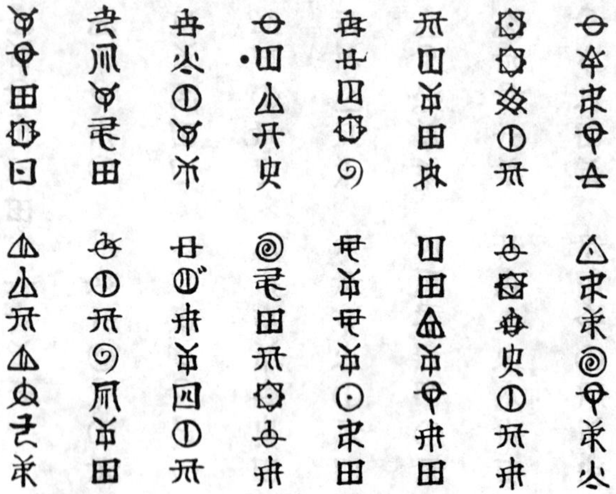

武本Ш゛、野本Ш

57017

57018

57019

57020

57021

フ-4

57022

57023

57024

武本[illegible]、野本[illegible]
武本[illegible]、野本[illegible]

野本[illegible]に作るが、漢訳文に五臓とある。また、武本は[illegible]に作る。このため野本の[illegible]は、誤写であると判断できる。

武本[illegible]、野本[illegible]

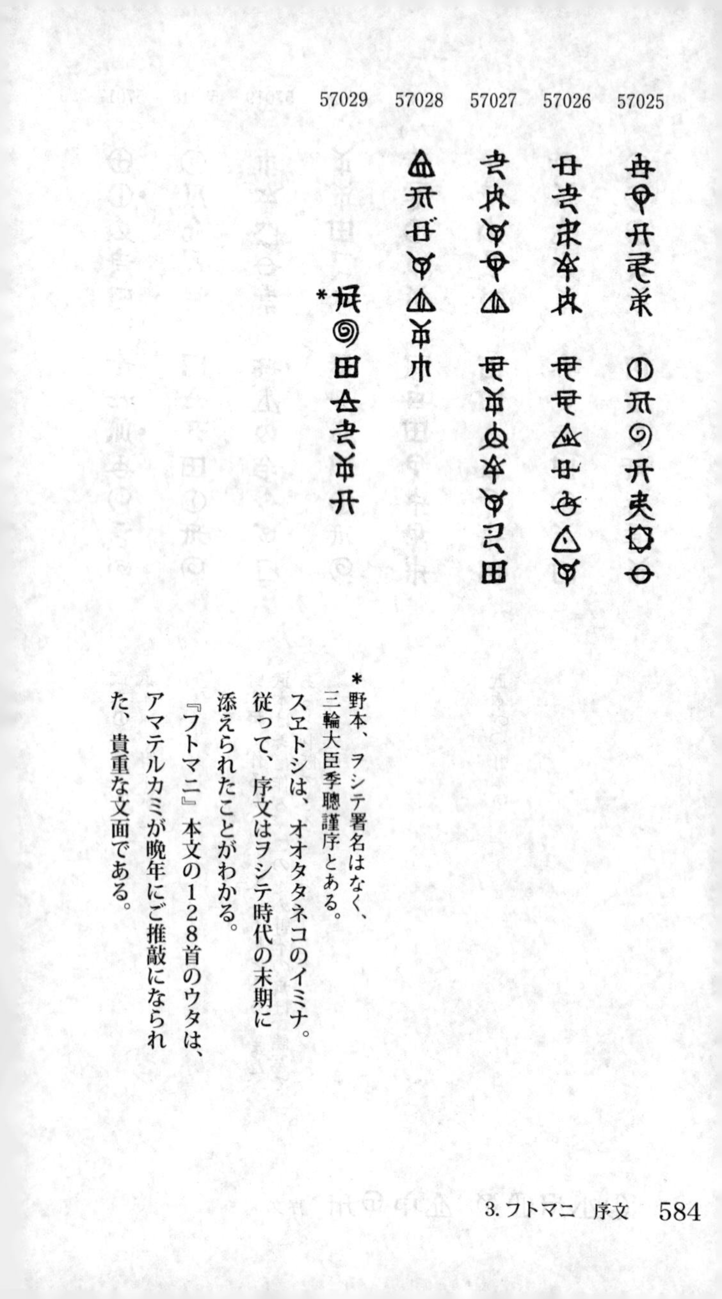

57025

57026

57027

57028

57029 ＊

＊野本、ヲシテ署名はなく、三輪大臣季聴謹序とある。

スヱトシは、オオタタネコのイミナ。従って、序文はヲシテ時代の末期に添えられたことがわかる。

『フトマニ』本文の128首のウタは、アマテルカミが晩年にご推敲になられた、貴重な文面である。

モトアケ（フトマニの図）

コホシ（中心のアウワと、トホカミヱヒタメ）には、方角性がある。このため円形表示はそぐわしい。

しかし、アイフヘモヲスシとミソフカミには、方角性がない。

すなわち、「モトアケ」の４９因のすべてを円形表示する図は、伝承時代の付加物であると論定できる。中世かあるいは江戸時代ごろかの写本者が解り易さを追求した産物であると判断することが妥当である。

野々村立蔵写本、小笠原長武写本に共通して記されているため、円形表示を掲載するが、ヲシテ時代の中期に遡れるかどうか、よくよく注意をはらっていただきたい。

57030 フ-7

57031

57032

57033

57034

57035

57036

57037

57038

57039

57040

57041

57042

57043

57044

武本、野本

武本、野本

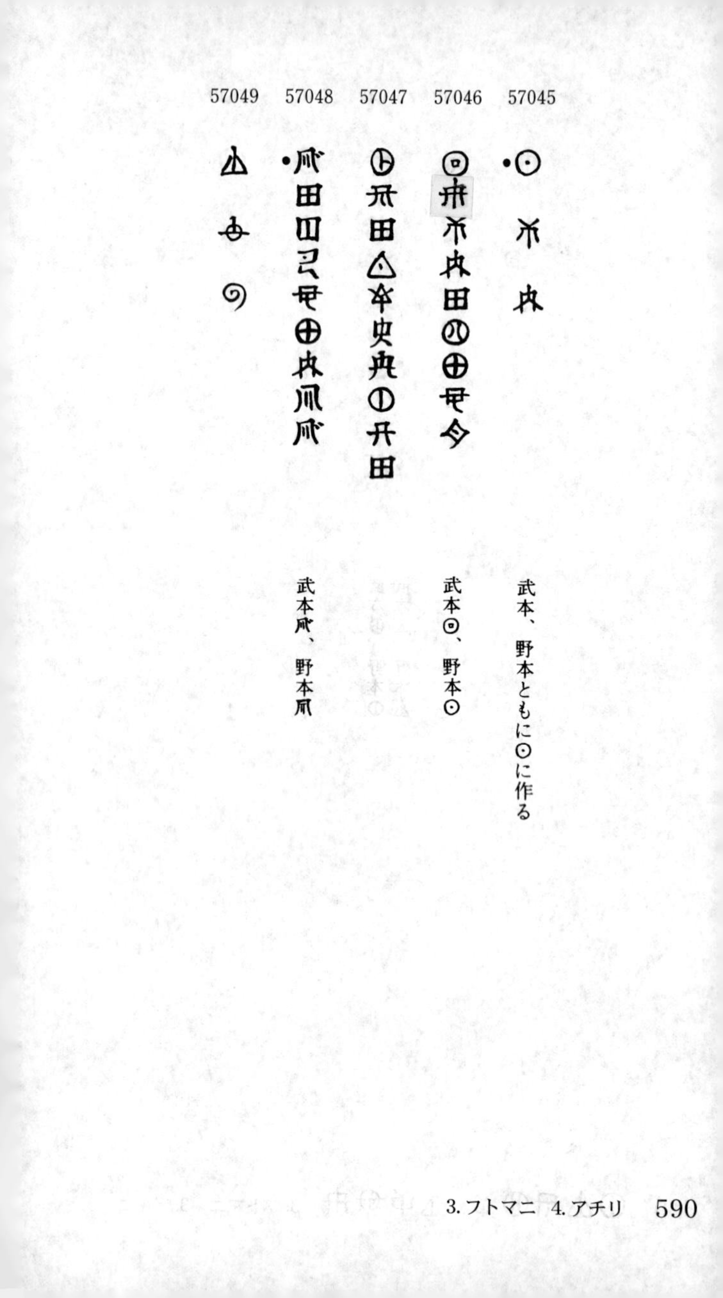

57045 ・[illegible]

武本、野本ともに⊙に作る

57046 [illegible]

武本[illegible]、野本⊙

57047 [illegible]

57048 ・[illegible]

武本[illegible]、野本[illegible]

57049 [illegible]

57050
フ-8

57051

57052

57053

57054

武本回、野本⊙

57055 〓〓〓

57056 〓〓〓〓〓〓〓〓〓

57057 〓〓〓〓〓〓〓〓〓〓〓

57058 〓〓〓〓〓〓〓〓〓〓

57059 〓〓〓〓

武本〓、野本〓
武本〓、野本〓

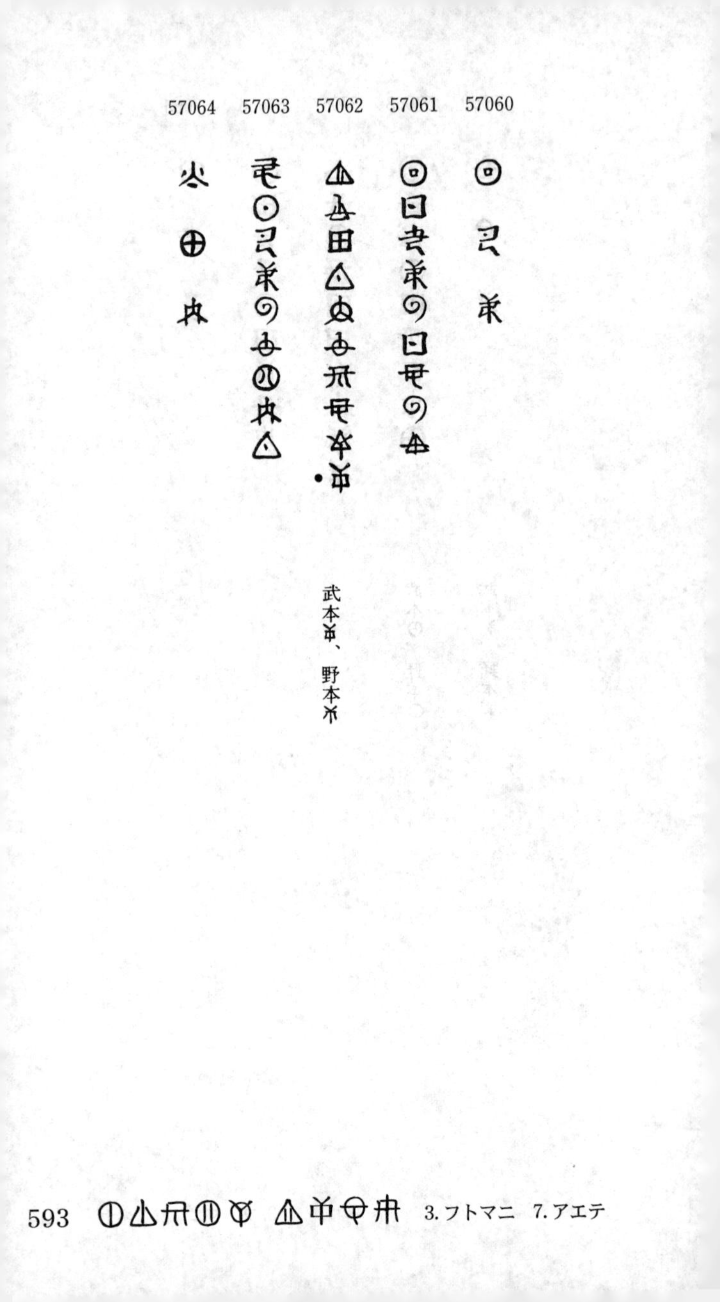

57060

57061

57062

57063

57064

武本、野本

57065 [illegible]

57066 [illegible]

57067 [illegible]

57068 [illegible]

57069 [illegible]

武本[illegible]、野本[illegible]

武本[illegible]、野本[illegible]

57070 フ-9

57071

57072

武本、野本

57073

武本、野本

57074

武本、野本

57075 [illegible]

武本[illegible]、野本⊙

57076 [illegible]

武本[illegible]、野本⊙

57077 [illegible]

武本[illegible]、野本[illegible]
武本[illegible]、野本[illegible]

57078 [illegible]

57079 [illegible]

57080 57081 57082 57083 57084

57080 武本◎、野本⊙

57081 武本◎、野本⊙

57083 武本の゙、野本の

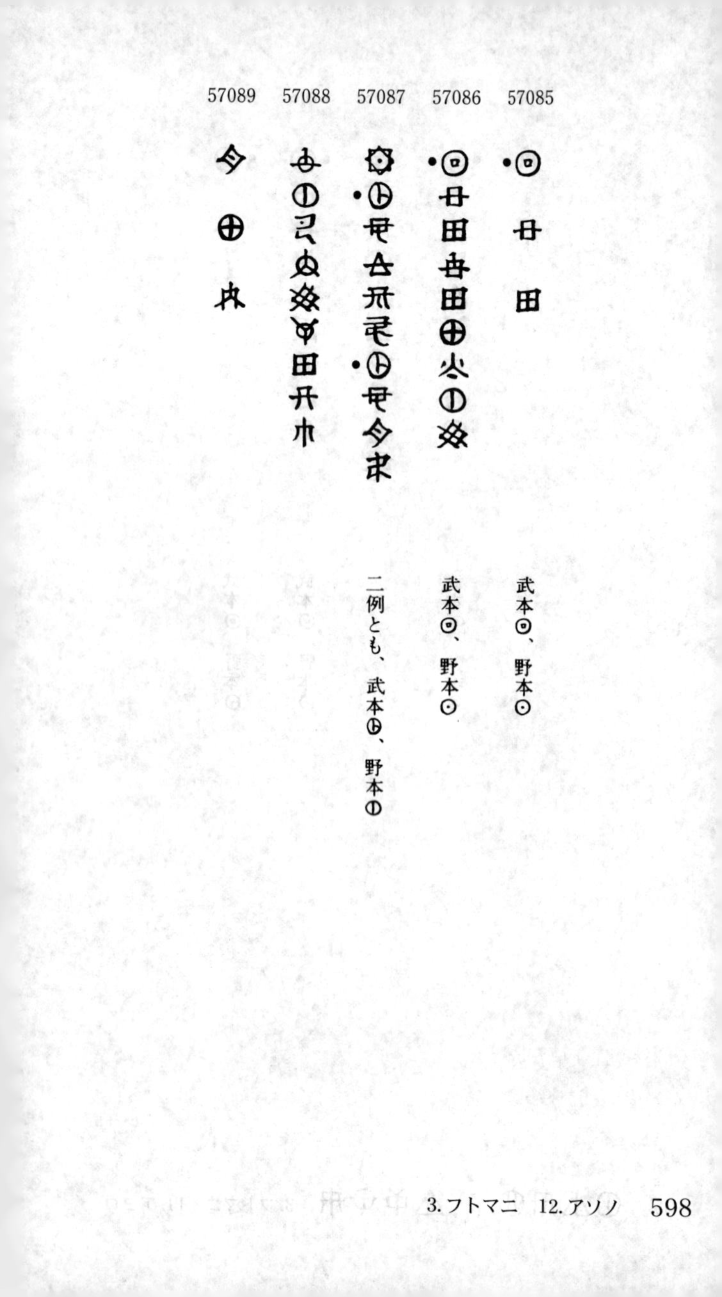

57085

武本◎、野本⊙

57086

武本◎、野本⊙

57087

二例とも、武本◐、野本⦶

57088

57089

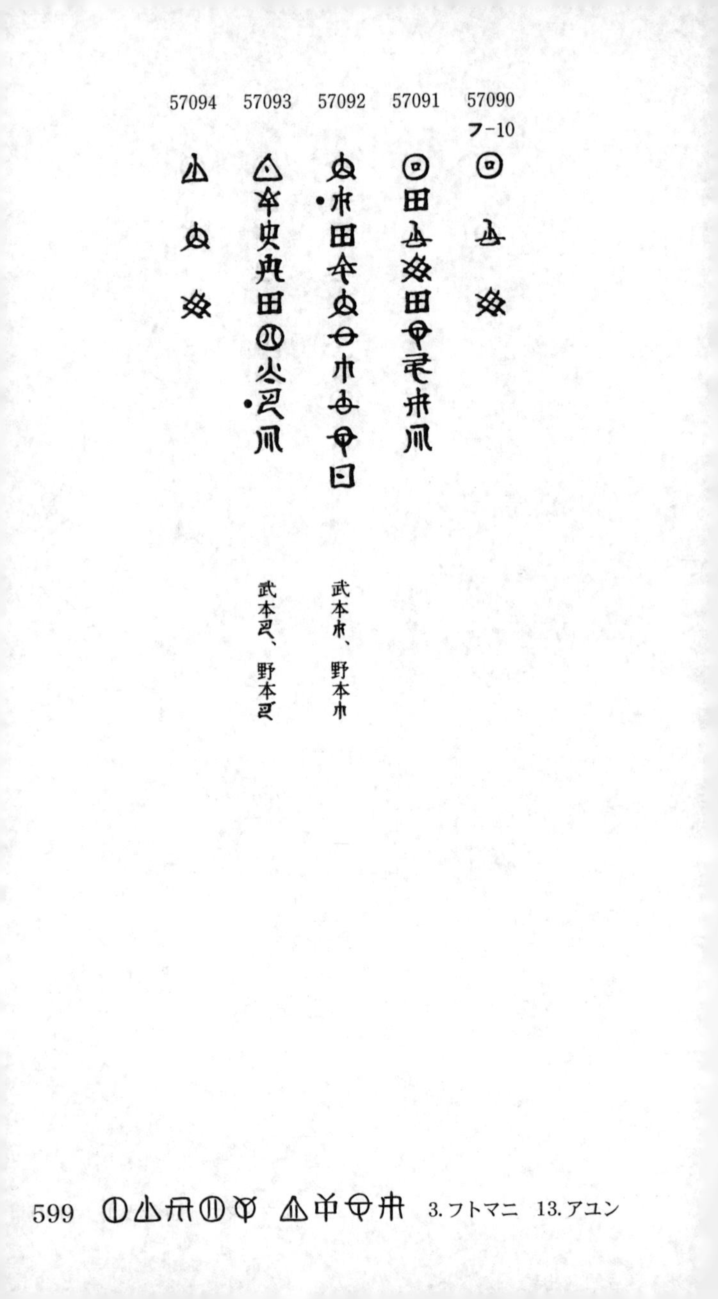

57090 フ-10

57091

57092

武本[illegible]、野本[illegible]

57093

武本[illegible]、野本[illegible]

57094

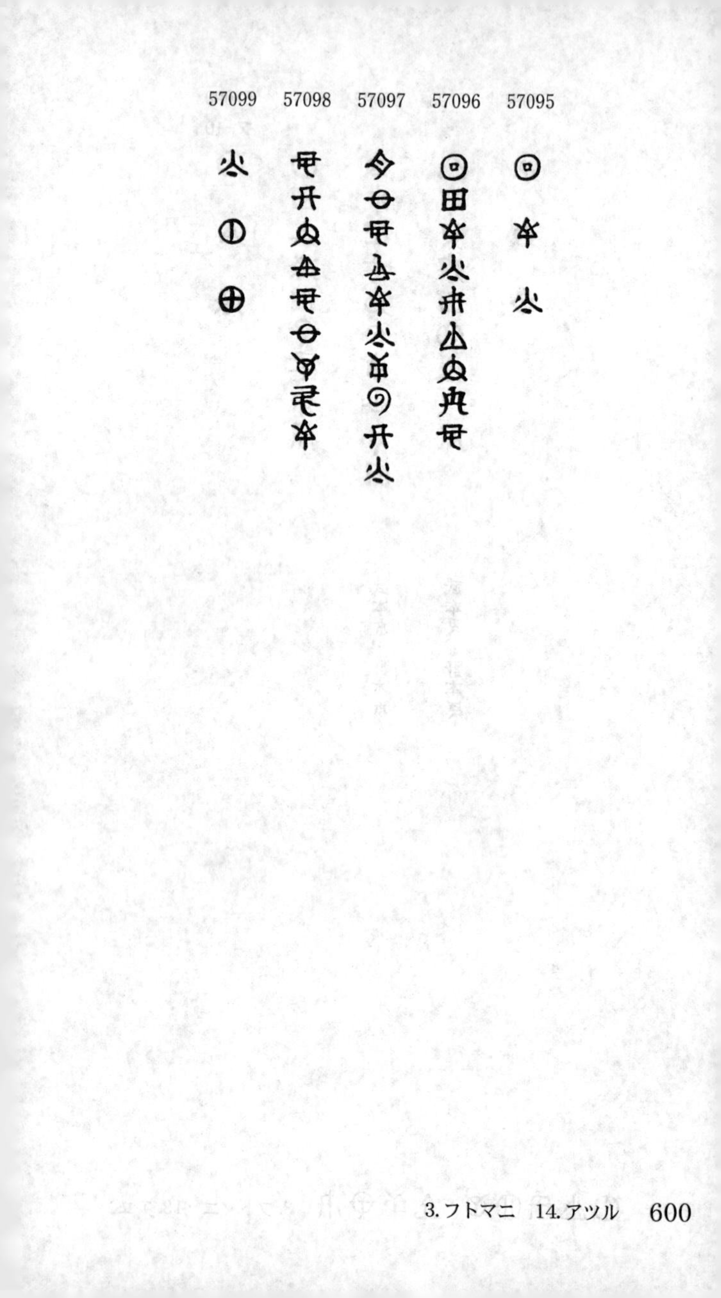

57095

57096

57097

57098

57099

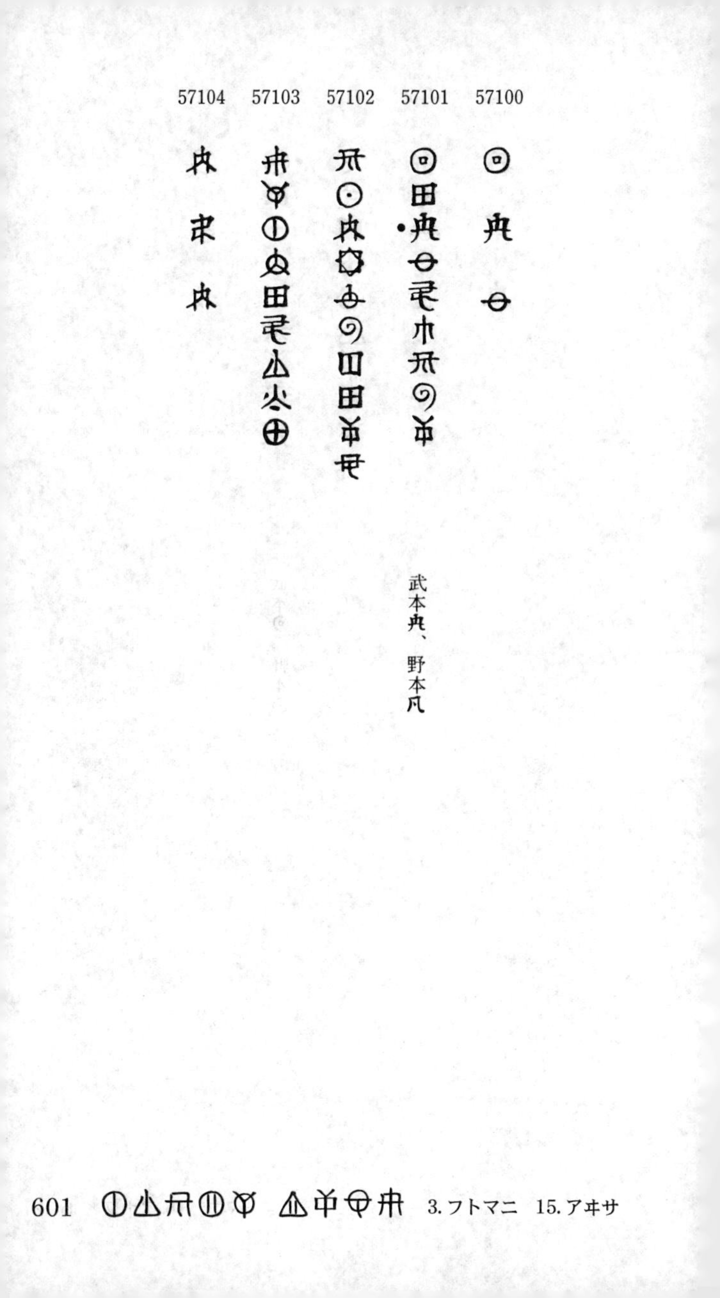

57100

57101

57102

57103

57104

武本典、野本凡

57105

57106

武本◎、野本⊙

57107

57108

57109

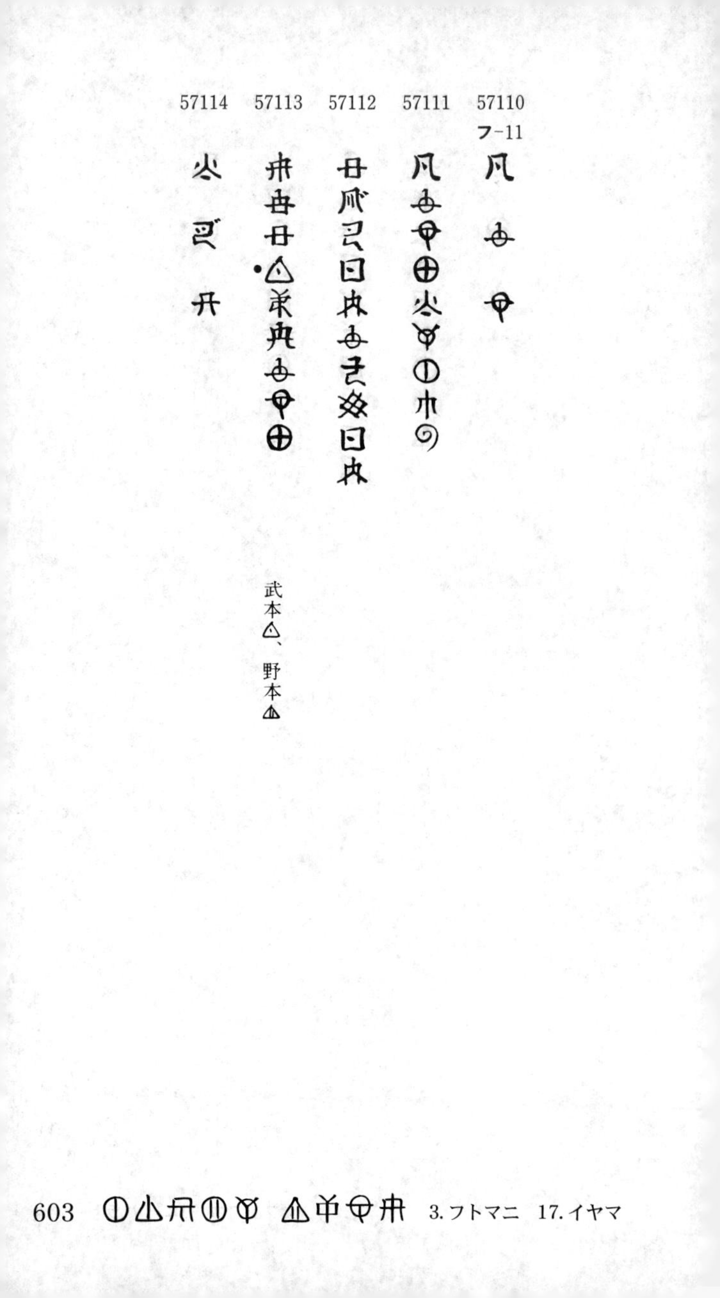

57110
フ-11

57111

57112

57113

57114

武本、野本

57115

57116

57117

57118

57119

57124 57123 57122 57121 57120

武本凧、野本凡

57125 〓〓〓

57126 〓〓〓・〓〓〓〓〓〓〓〓

57127 〓〓〓〓〓〓〓〓〓〓〓

57128 ・〓〓〓〓〓〓〓〓〓〓

57129 〓〓〓

武本〓に作るが、野本は〓に作り、漢訳文に散燚とあることに拠り〓を掲げる。

武本〓、野本〓

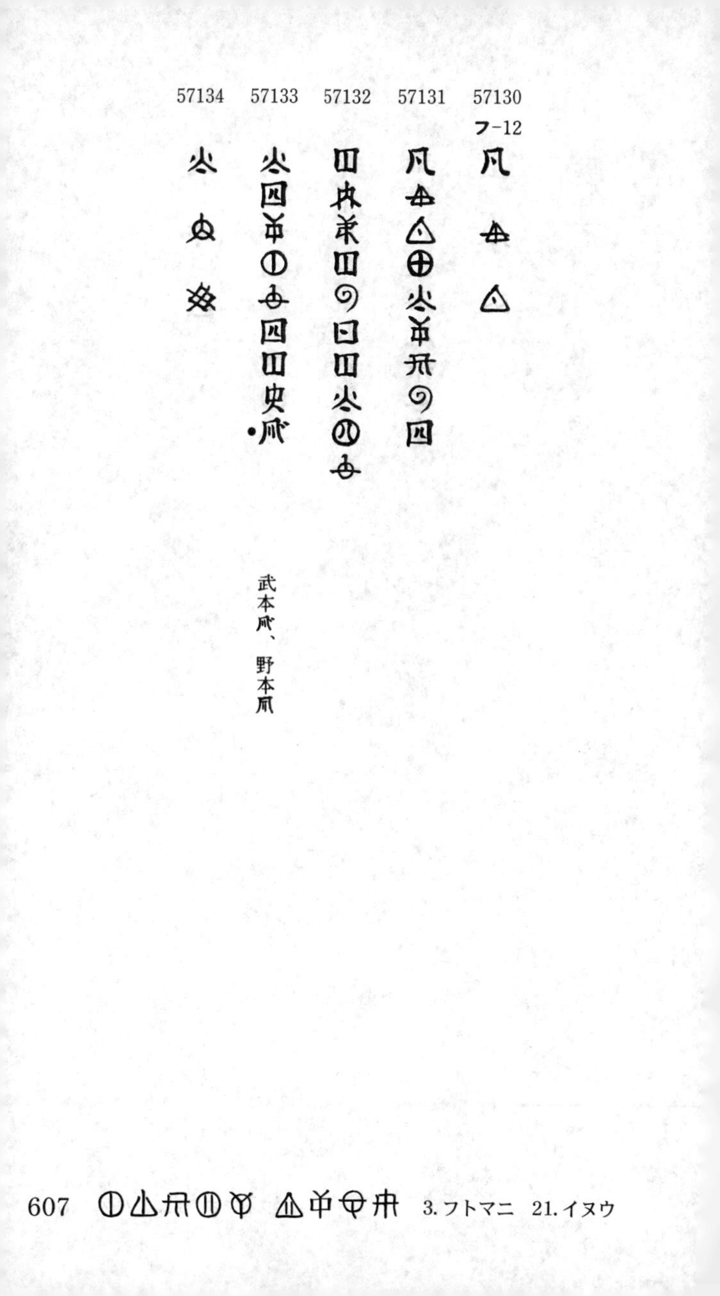

57130

フ-12

57131

57132

57133

57134

武本爪、野本爪

57135

57136

57137

57138

57139

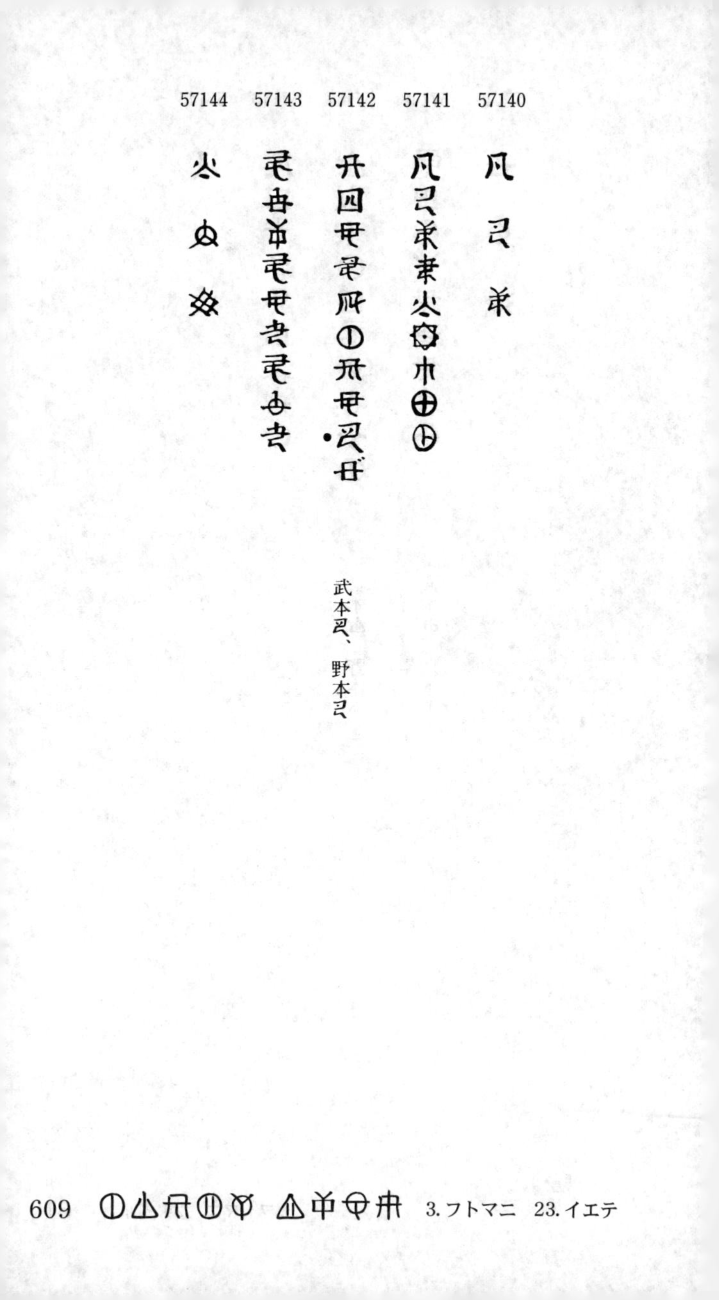

57140

57141

57142

57143

57144

武本、野本

57145

57146

57147

57148

57149

武本[illegible]、野本[illegible]

武本[illegible]、野本[illegible]

57150 フ-13

57151

57152

57153

武本、野本

57154

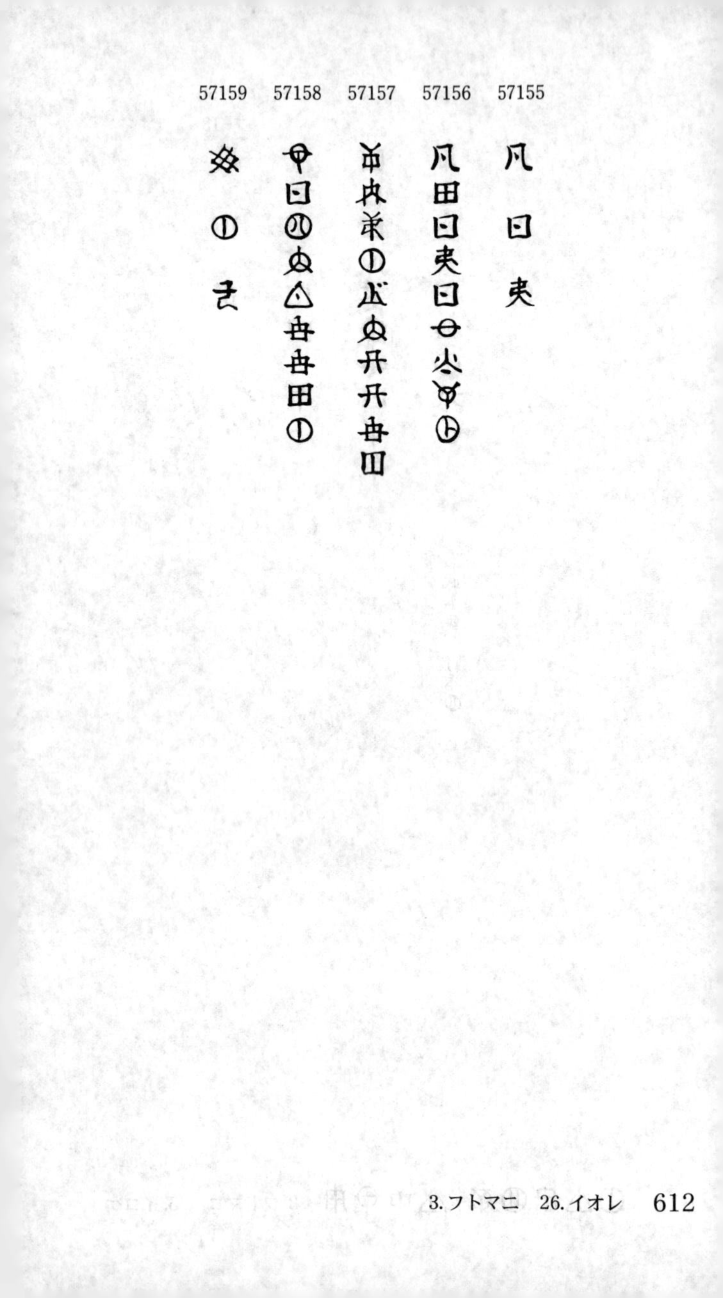

57155

57156

57157

57158

57159

57160

57161

57162

57163

武本、野本

57164

57165 〓〓〓

57166 〓〓〓〓〓〓〓〓〓

57167 〓〓〓〓・〓〓〓〓〓〓

57168 〓〓〓〓〓〓〓〓〓

57169 〓〓〓

武本〓に作るが、漢訳文には東風とあり、また野本は〓に作るため、〓を掲げた。

57170
フ-14

57171

57172

57173

57174

57175

57176

57177

57178

57179

武本[illegible]、野本[illegible]

武本[illegible]、野本[illegible]

57180 57181 57182 57183 57184

武本、野本

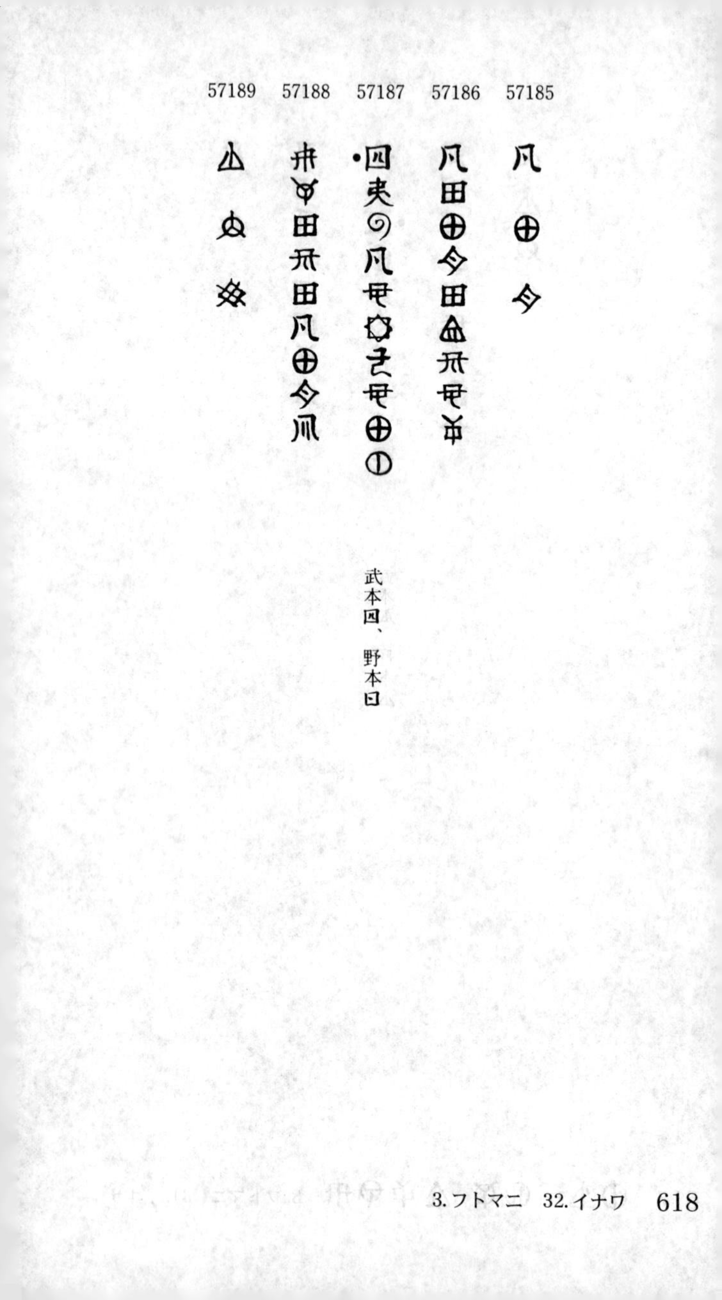

57185

57186

57187

武本四、野本曰

57188

57189

57190

フ-15

57191

57192

57193

57194

57195

57196

57197

57198

57199

57200

57201

57202

57203

57204

57205

57206

57207

57208

57209

武本の゛、野本の

57210
フ-16

57211

57212

57213

57214

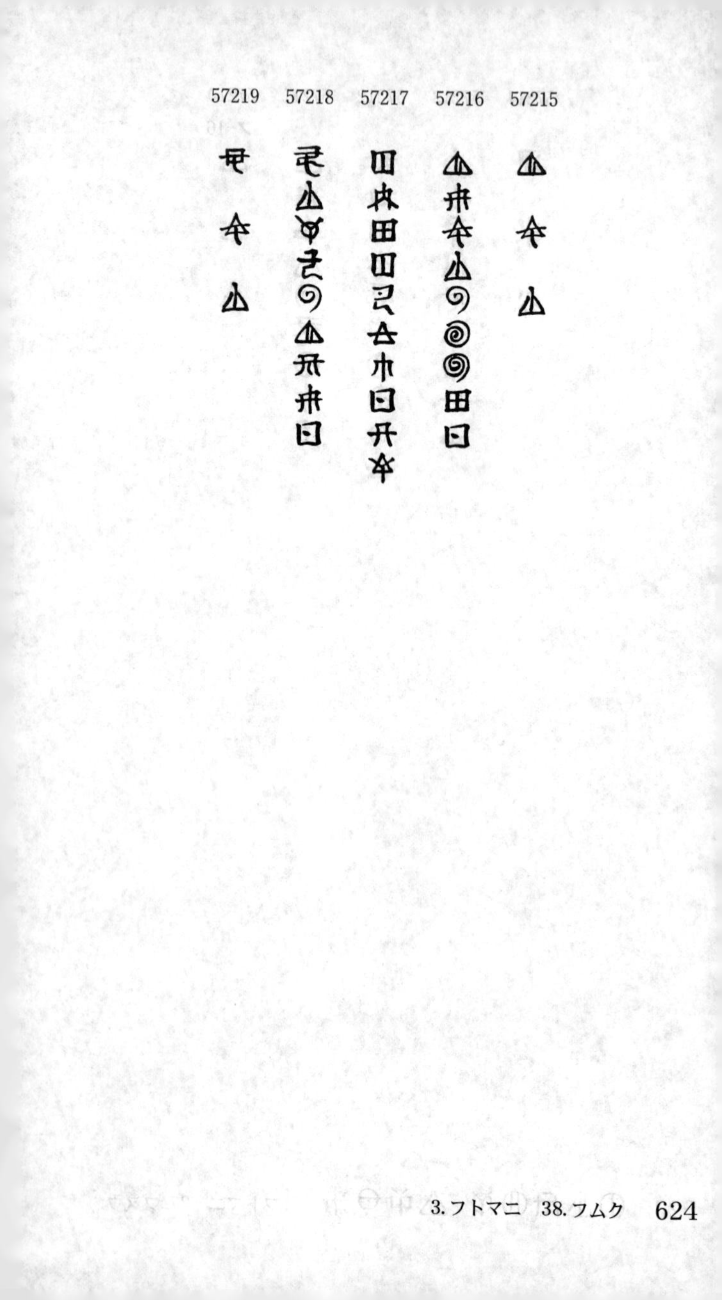

57215

57216

57217

57218

57219

57220

57221

57222

57223

57224

57225

57226

57227

57228

57229

武本、野本

57234 57233 57232 57231 57230

フ-17

57235

57236

57237

57238

57239

57240

57241

57242

57243

57244

57245

57246

57247

57248

57249

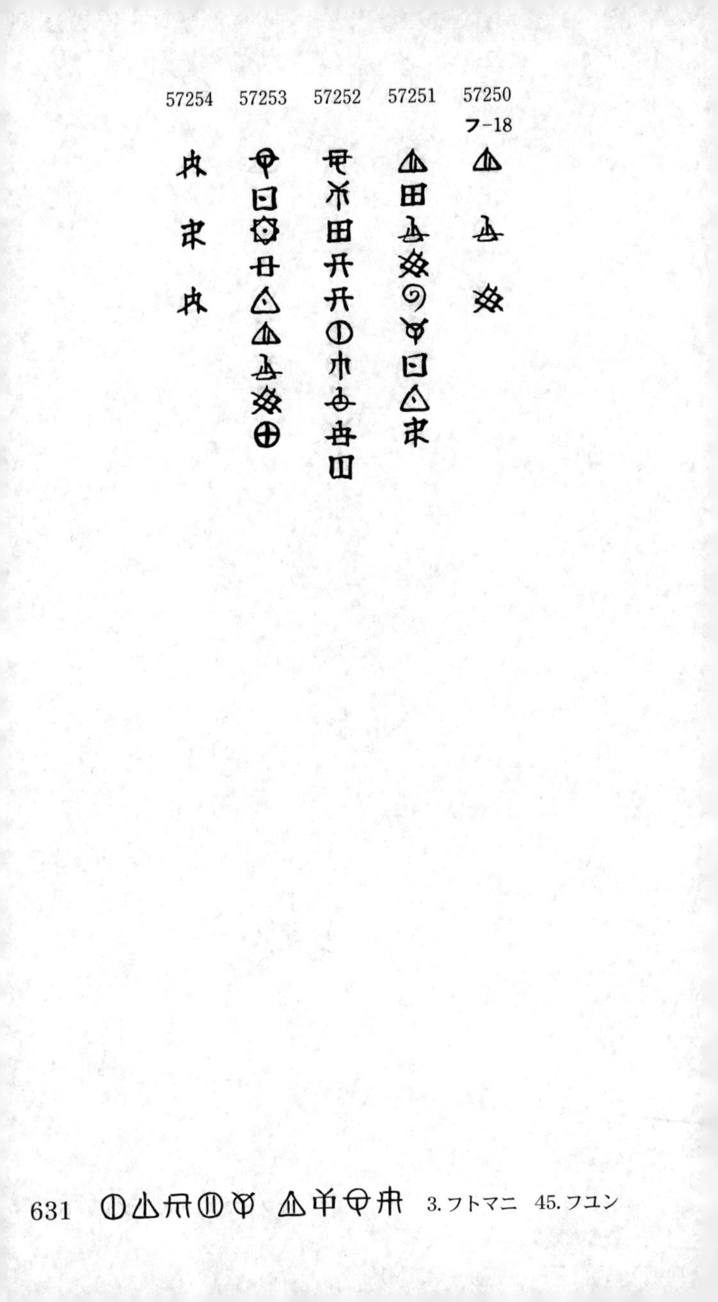

57250
フ-18

57251

57252

57253

57254

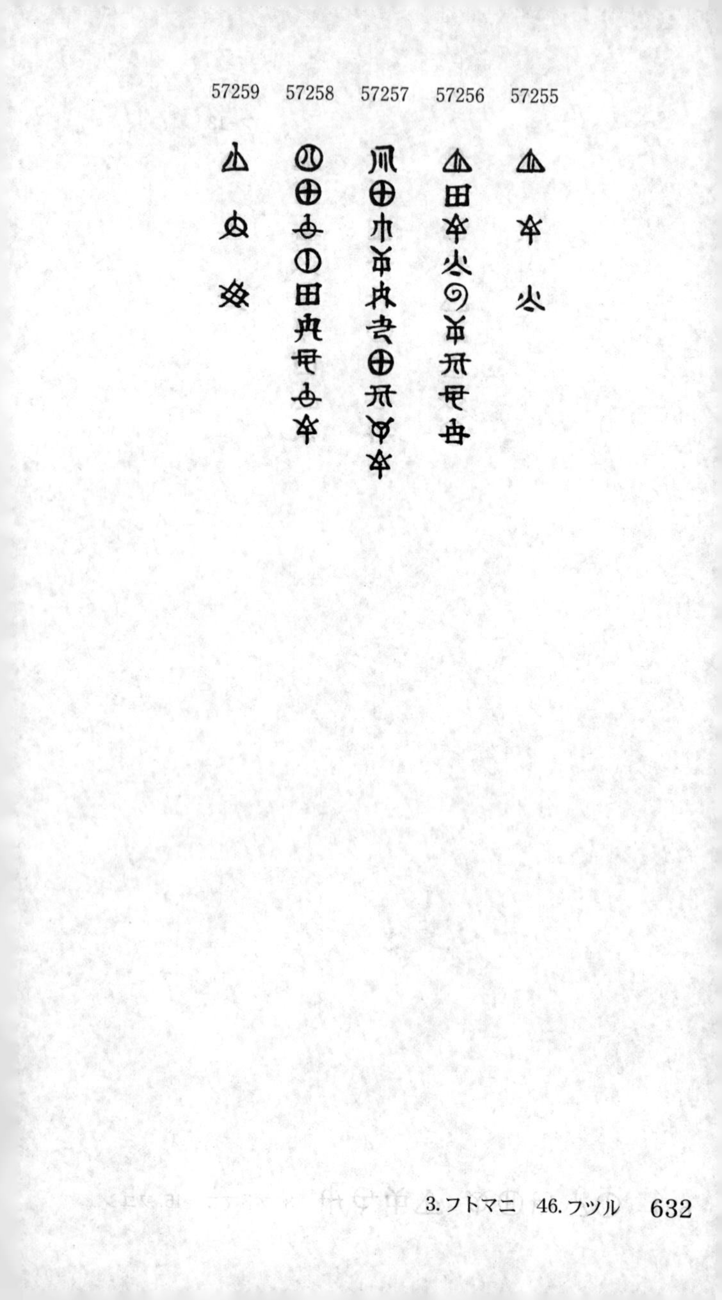

57255

57256

57257

57258

57259

57260

57261

57262

57263

57264

武本、野本

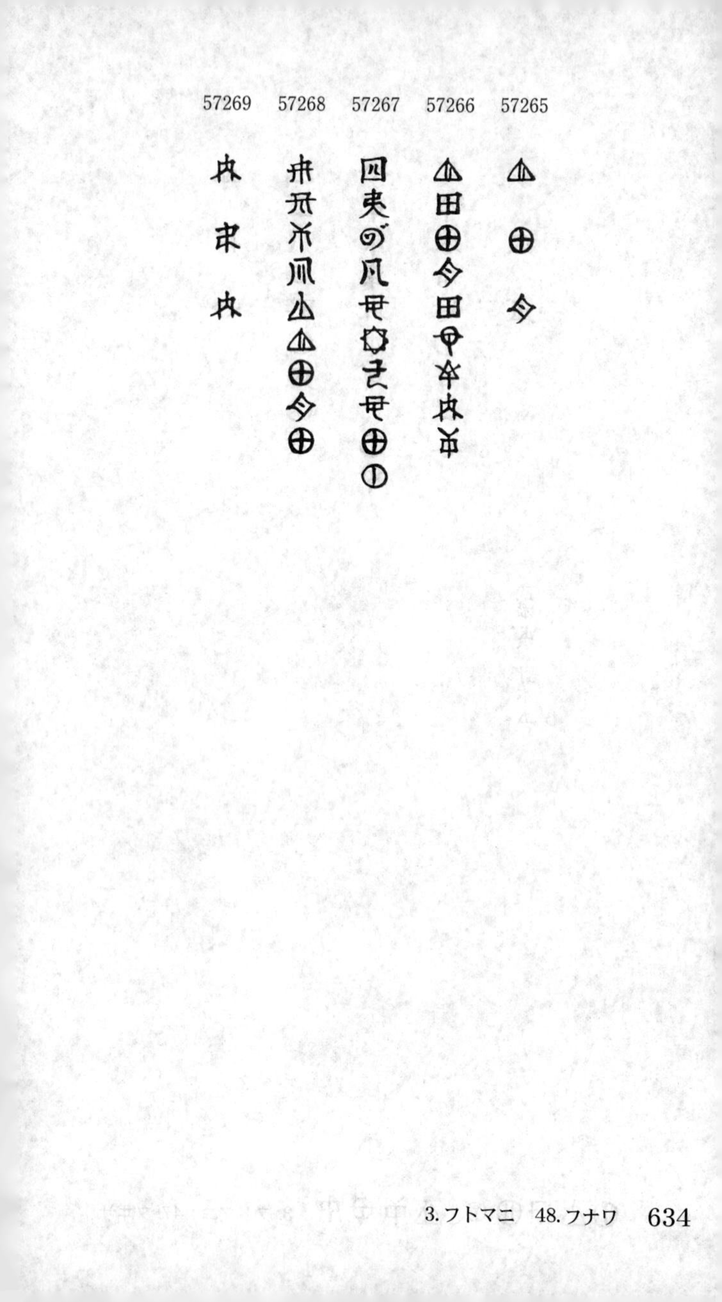

57265

57266

57267

57268

57269

57270
フ-19

57271

57272

57273

57274

57275

57276

57277

57278

57279

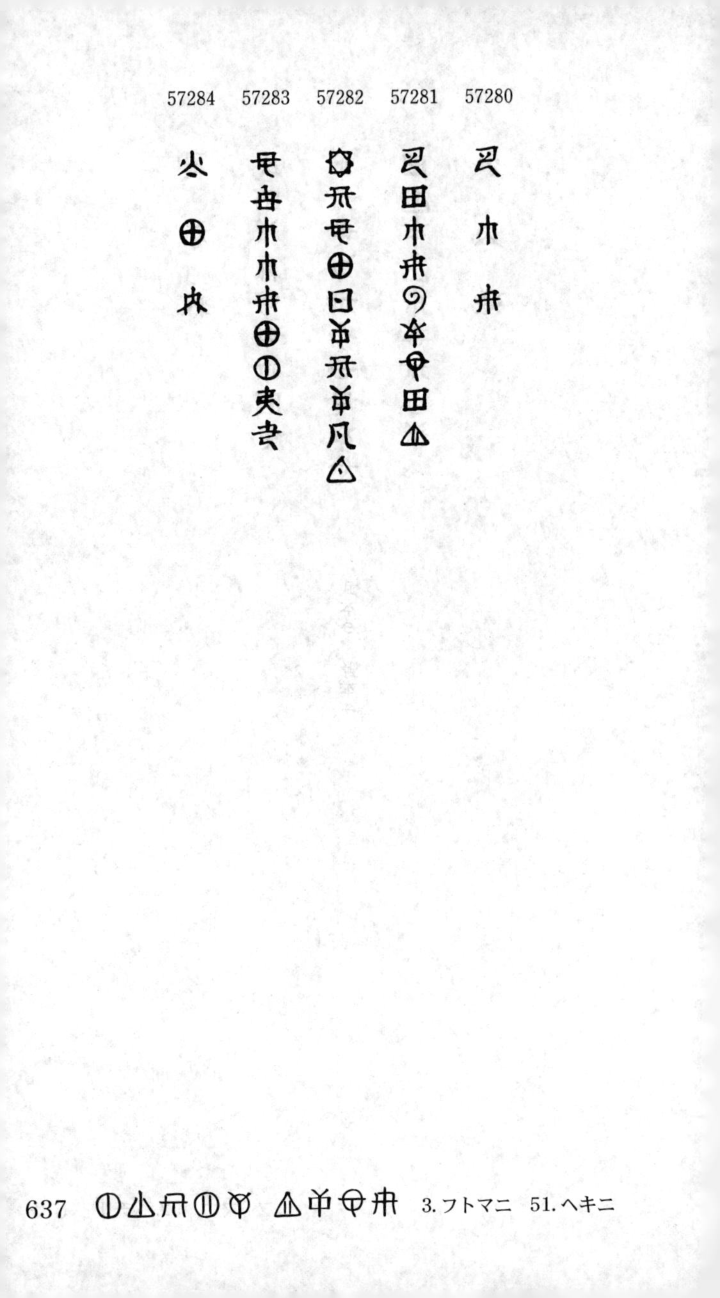

57280

57281

57282

57283

57284

57285

57286

57287

57288

57289

武本、野本

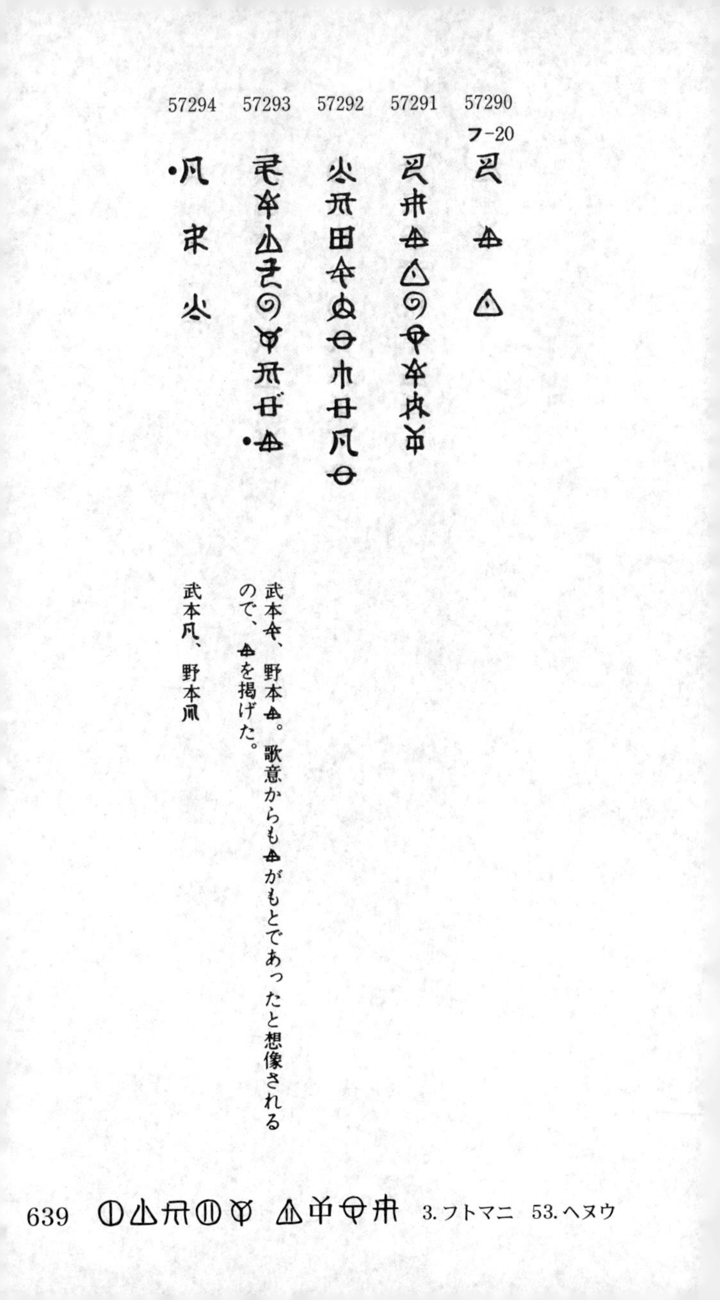

57290 フ-20

57291

57292

57293

57294

武本〓、野本〓。歌意からも〓がもとであったと想像されるので、〓を掲げた。

武本〓、野本〓

57295

57296

57297

57298

57299

57304 57303 57302 57301 57300

武本田、野本皿

57305 [illegible]

57306 [illegible]

57307 [illegible]

57308 [illegible]

57309 [illegible]

武本[illegible]、野本[illegible]

57310 フ-21

57311

57312

57313

57314

武本[illegible]、野本ヌケ

57315

57316

57317

57318

57319

武本〓に作るが、漢訳文に政乱とある事。また、野本は〓に作るため、〓を掲げた。

57320

57321

57322

57323

57324

57325

57326

57327

57328

57329

57330
フ−22

57331

57332

武本、野本

57333

57334

武本、野本

57339　57338　57337　57336　57335

57340

57341

57342

57343

57344

57345 [illegible]

57346 [illegible]

57347 [illegible]

57348 [illegible]

57349 [illegible]

武本[illegible]、野本[illegible]

57350

フ-23

57351

57352

57353

57354

57355

57356

57357

57358

57359

57360

57361

57362

57363

57364

57365

57366

57367

57368

57369

武本、野本

武本、野本

57370 フ-24 [illegible]

57371 [illegible]

57372 [illegible]

57373 [illegible]

57374 [illegible]

武本[illegible]、野本[illegible]

武本[illegible]、野本[illegible]

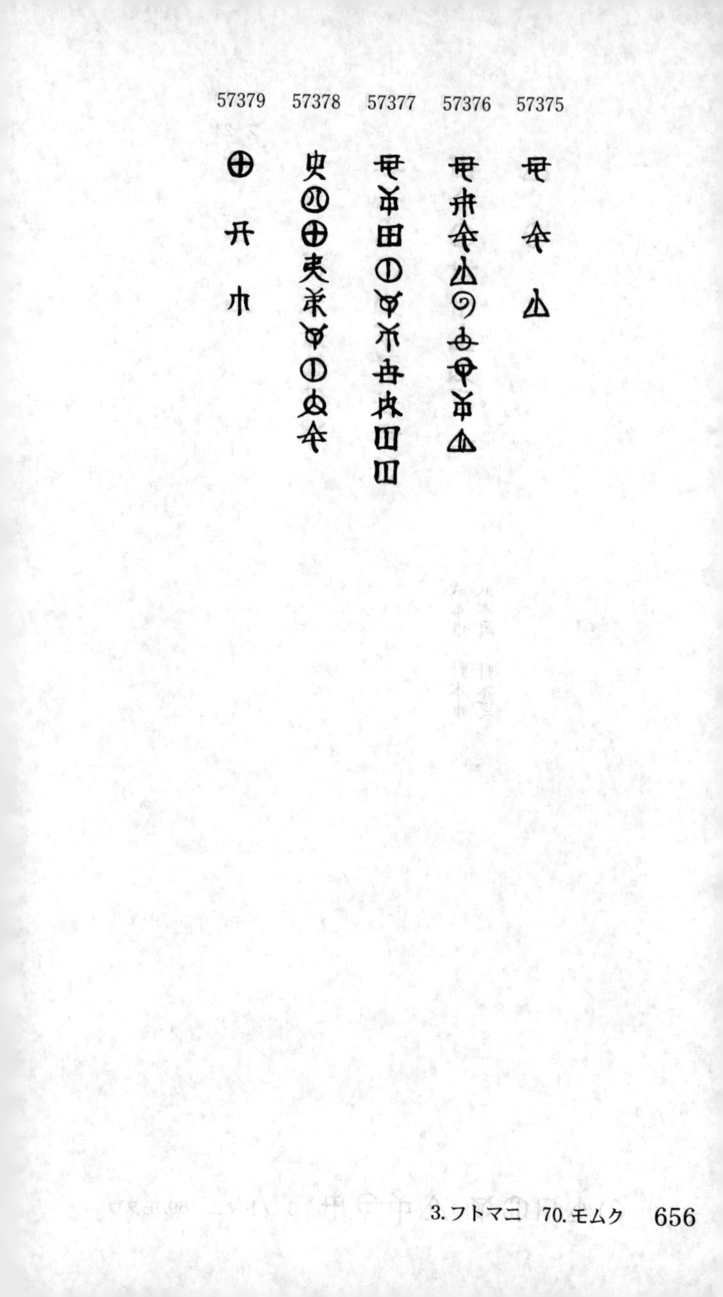

57375

57376

57377

57378

57379

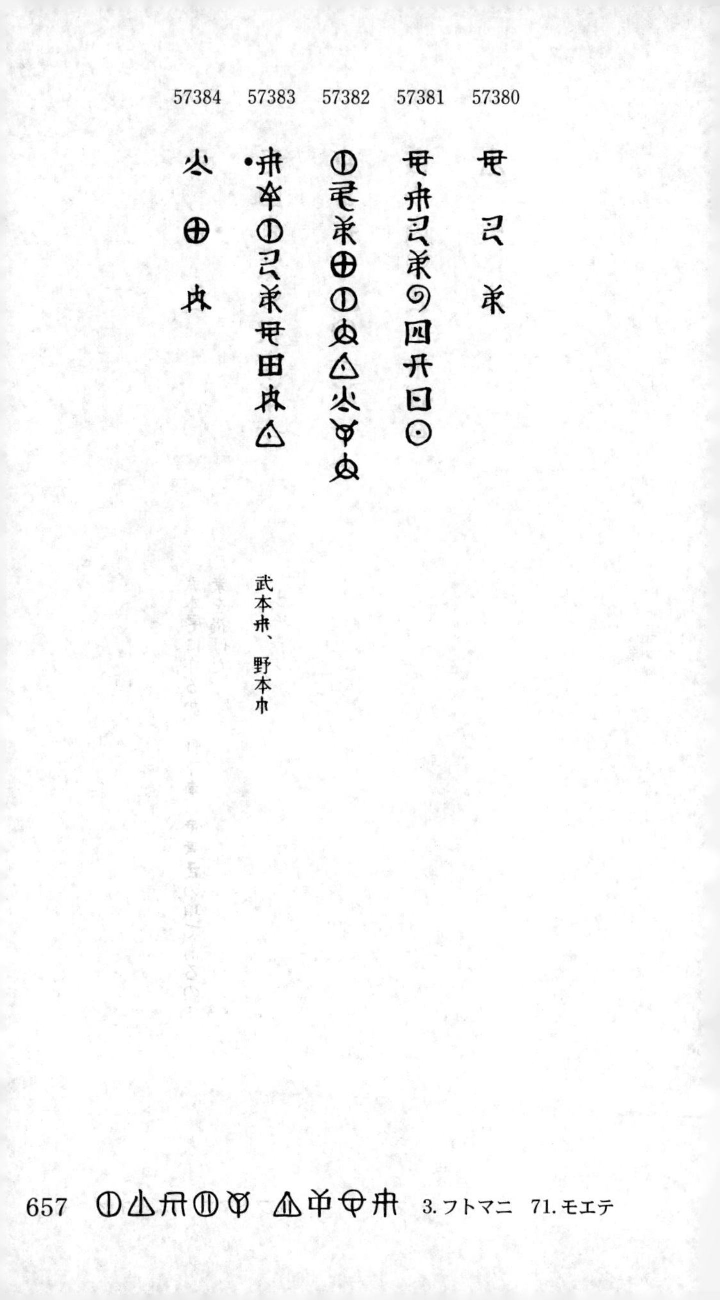

57380

57381

57382

57383

57384

武本、野本

57385 〓・〓〓

57386 〓〓〓〓〓〓〓〓〓

57387 〓〓〓〓〓〓〓〓〓〓

57388 〓〓〓〓〓〓〓〓〓

57389 〓〓〓

武本〓に作るが、野本〓、〓〓〓の項であるので〓を掲げた。

57390 フ−25

57391

57392

57393

57394

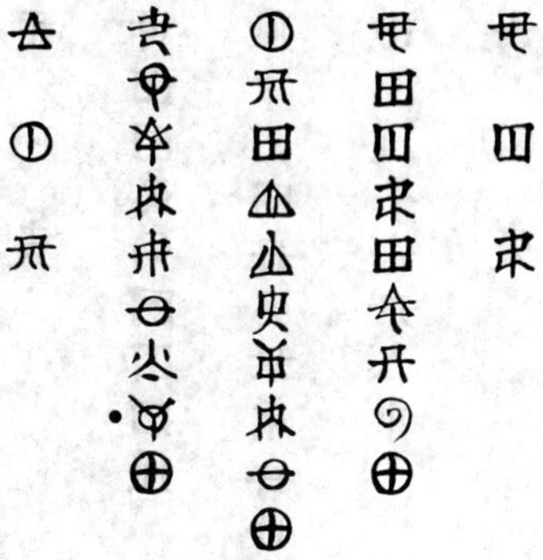

武本、野本ともに欠字。漢訳文に土君とあることに拠り、を補った。

57395 [illegible]

57396 [illegible]

57397 [illegible]

57398 ・[illegible]

57399 [illegible]

武本[illegible]、野本[illegible]

57400

57401

武本、野本

57402

57403

武本、野本

57404

武本、野本

57405 [illegible]

57406 [illegible]

57407 [illegible]

57408 [illegible]

57409 [illegible]

武本[illegible]、野本[illegible]

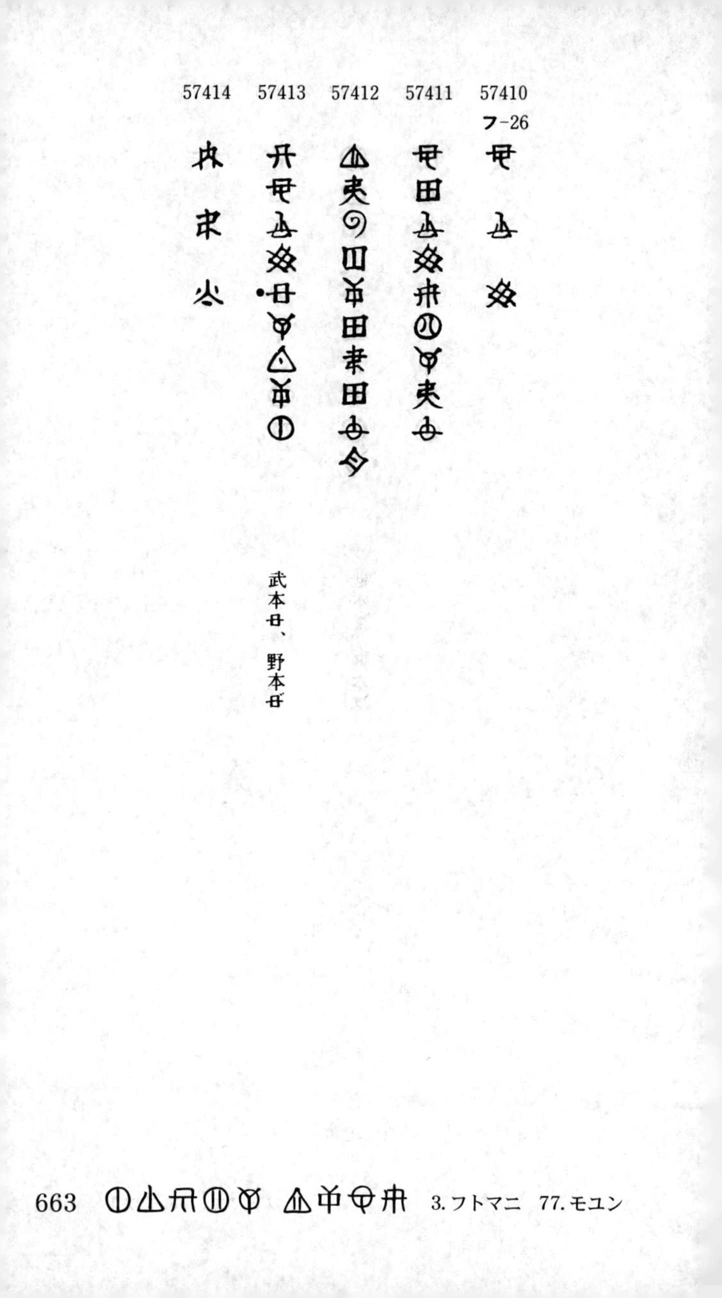

57410
フ-26

57411

57412

57413

57414

武本、野本

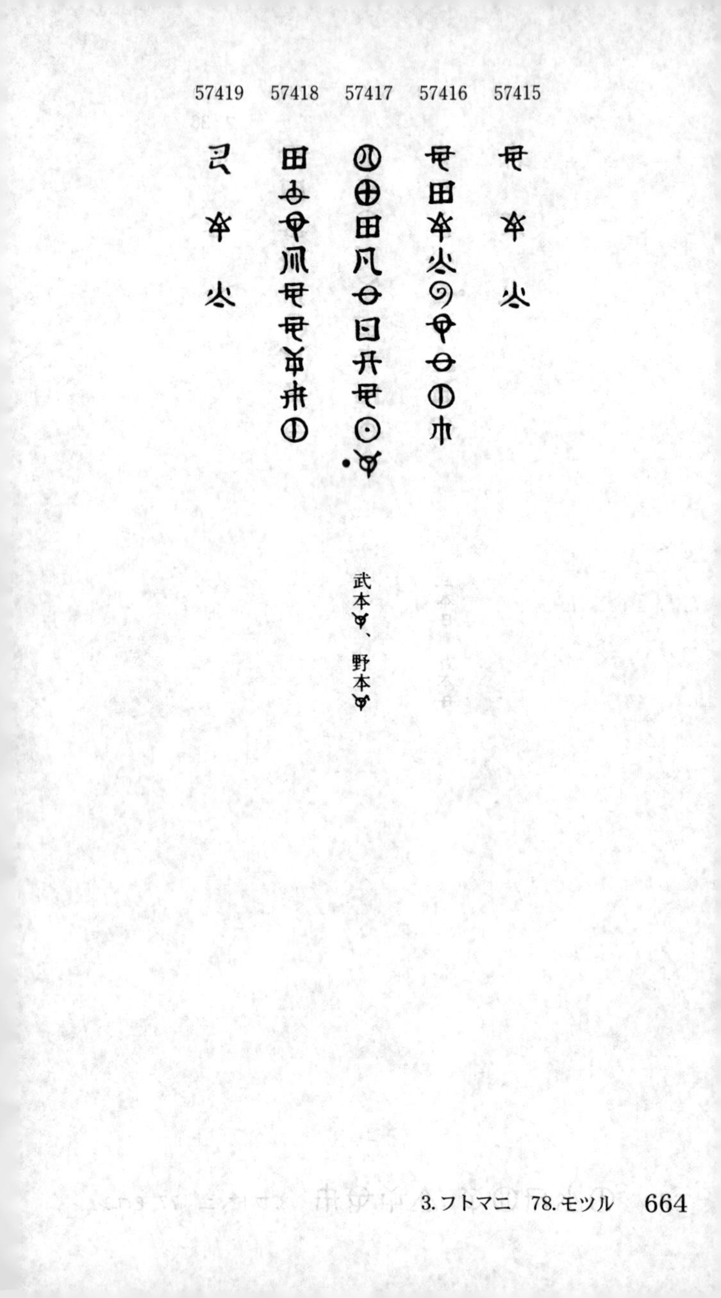

57415

57416

57417

武本、野本

57418

57419

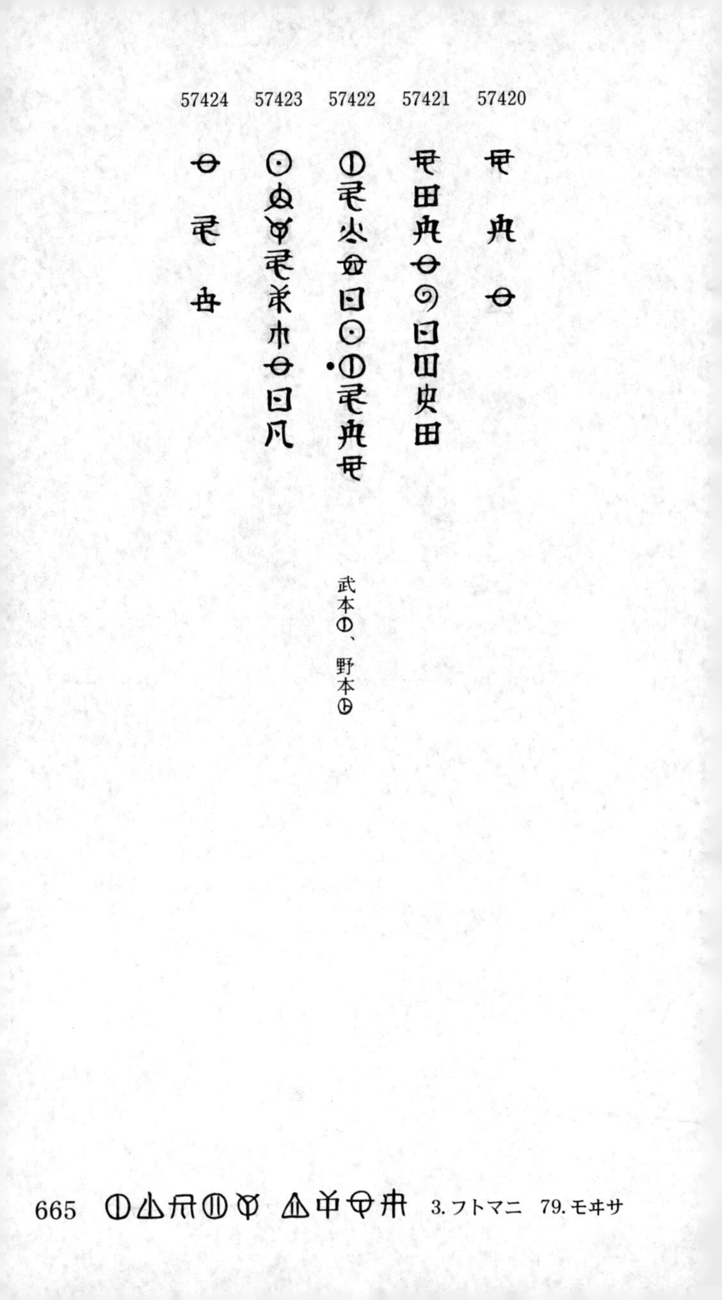

57420

57421

57422

57423

57424

武本、野本

57425

57426

57427

57428

57429

57434 57433 57432 57431 57430

フ-27

57435

57436

57437

57438

57439

57440

57441

57442

57443

57444

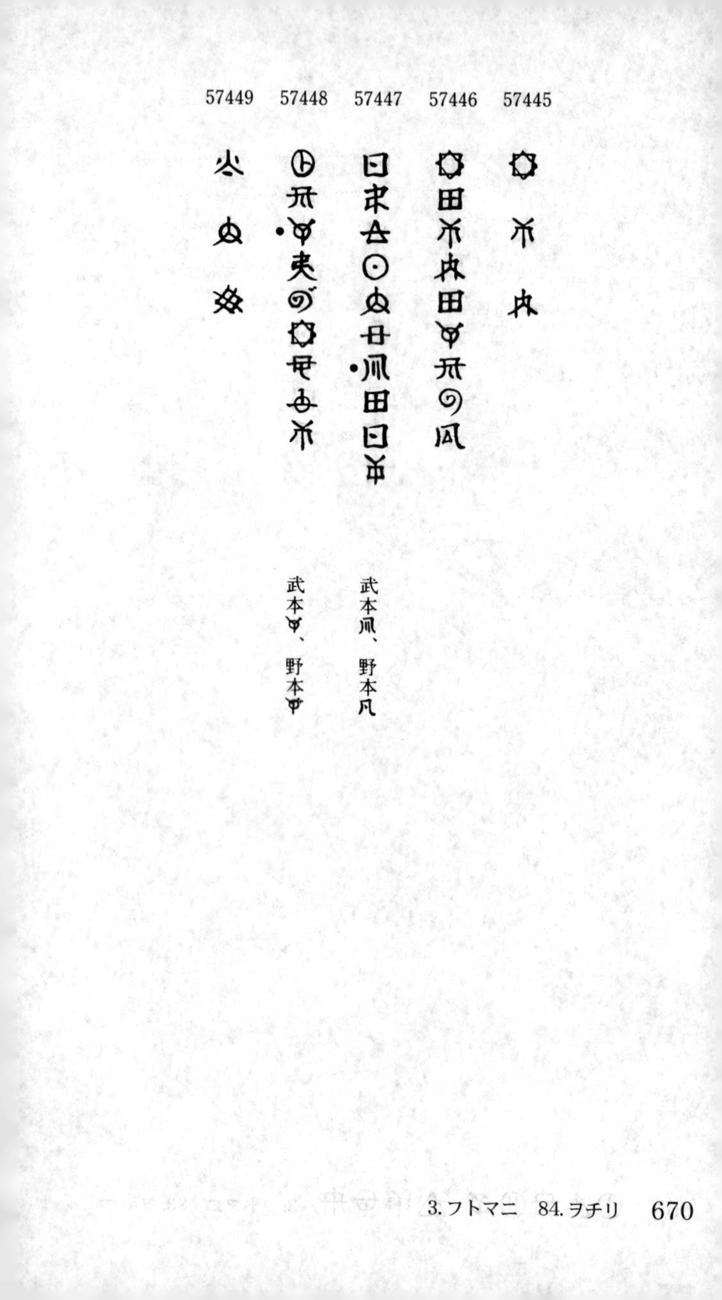

57445

57446

57447

武本、野本

57448

武本、野本

57449

57450 フ-28

57451

57452

武本、野本

57453

武本、野本

57454

57457　武本日、野本田

57458　武本[illegible]、野本[illegible]

57460

57461

57462

57463

57464

57465

57466

57467

57468

57469

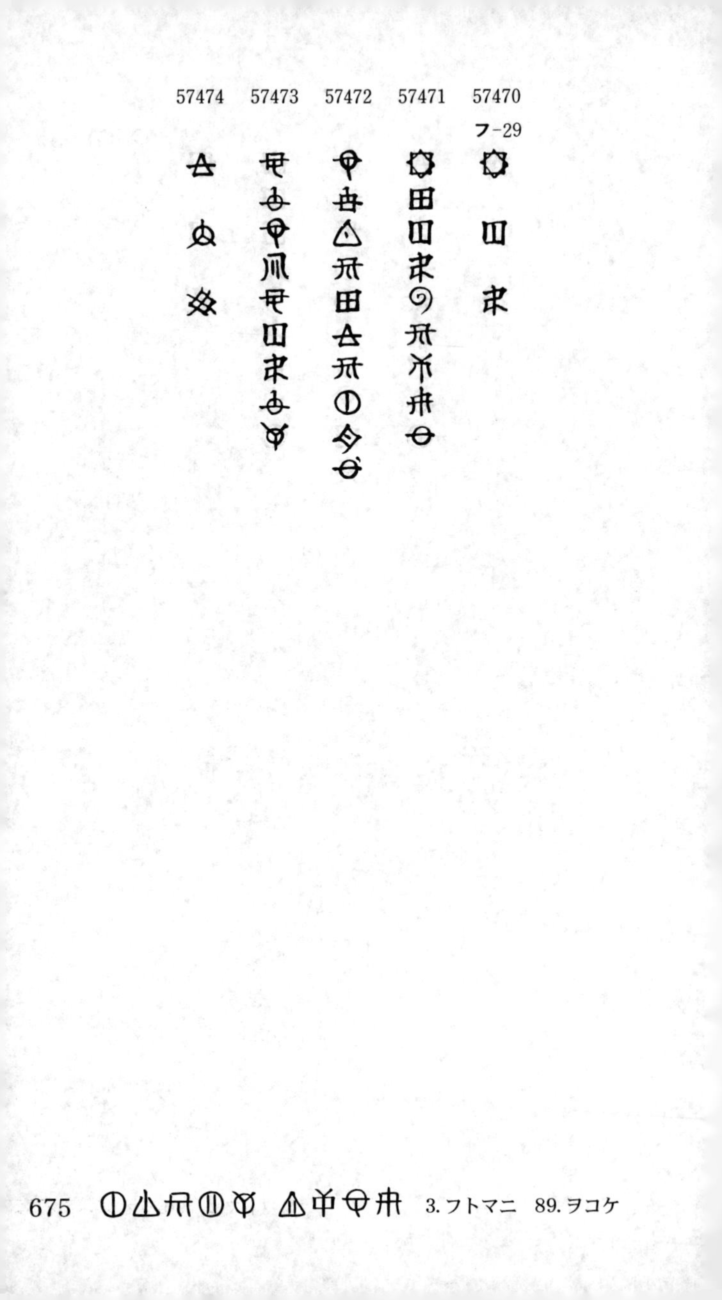

57470
フ-29

57471

57472

57473

57474

57475

57476

57477

57478

57479

57480

57481

57482

57483

57484

武本に作るが、漢訳文に産奇城とあり、また野本はに作ることに拠りを掲げた。

57485

57486

57487

57488

57489

57490

フ-30

57491

57492

57493

57494

武本、野本

57495

57496

57497

57498

57499

57500 [illegible]

武本[illegible]、野本凡

57501 [illegible]

武本[illegible]、野本凡

57502 [illegible]

57503 [illegible]

57504 [illegible]

57509　57508　57507　57506　57505

武本[illegible]、野本[illegible]

57510
フ-31

57511

57512

57513

57514

57515

57516

57517

57518

57519

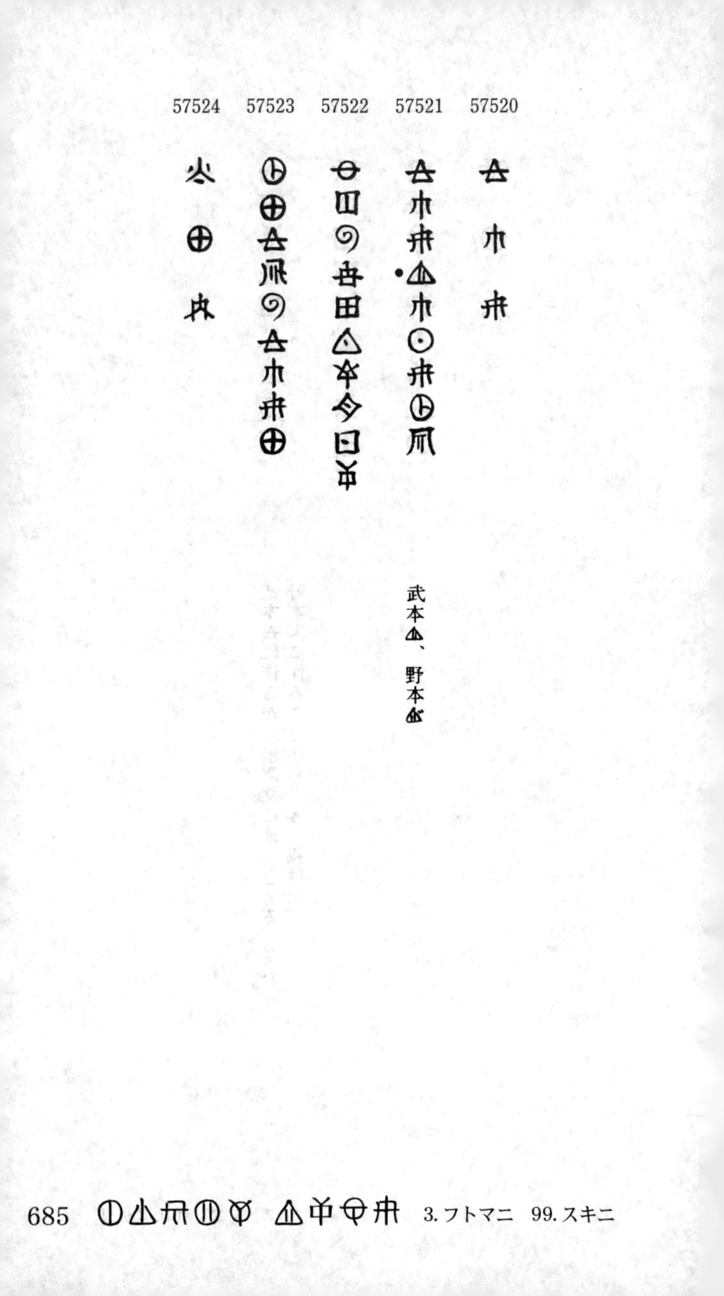

57520

57521

57522

57523

57524

武本、野本

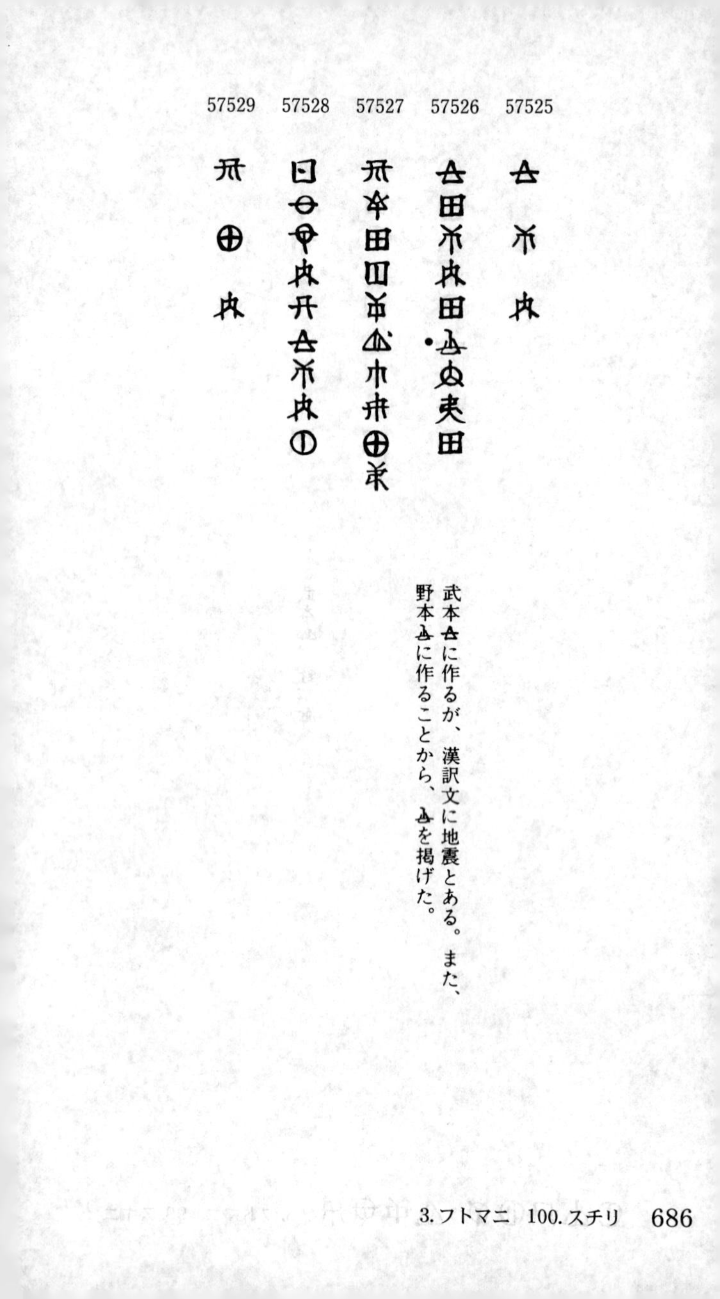

57525 [illegible]

57526 [illegible]・[illegible]

57527 [illegible]

57528 [illegible]

57529 [illegible]

武本[illegible]に作るが、漢訳文に地震とある。また、野本[illegible]に作ることから、[illegible]を掲げた。

57530
フ-32

57531

57532

57533

57534

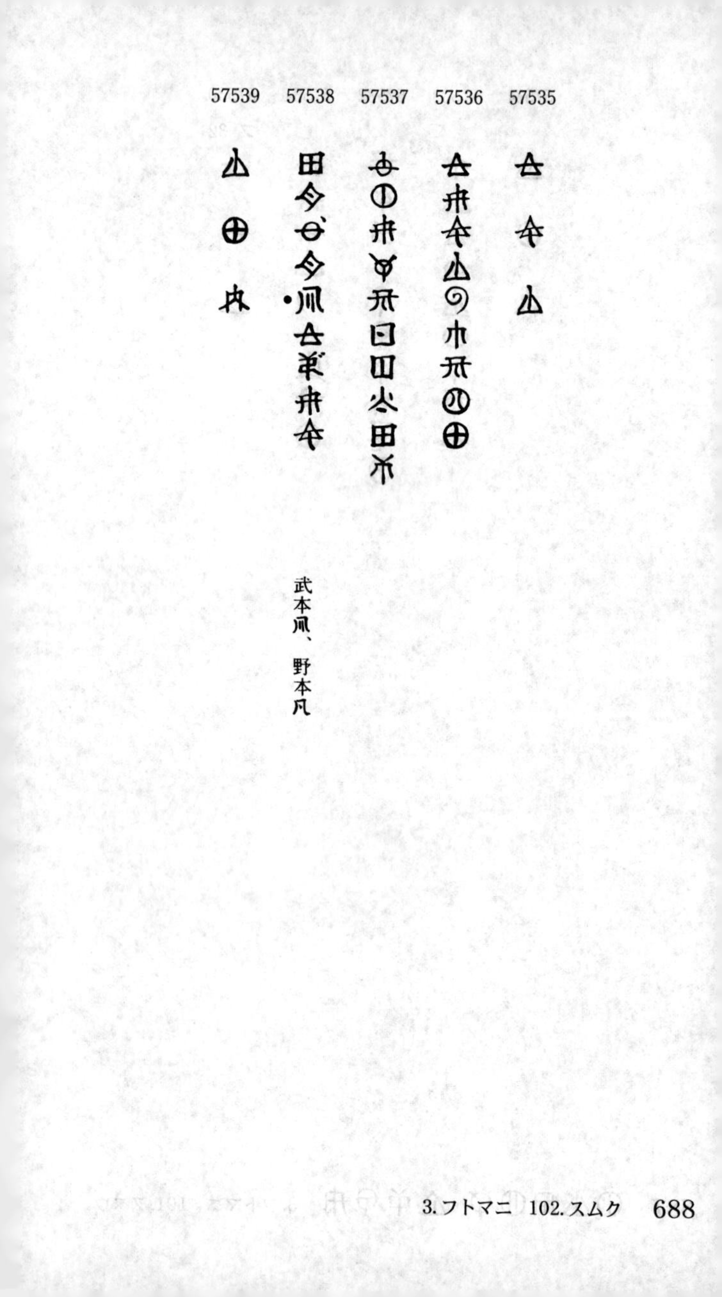

57535

57536

57537

57538

57539

武本爪、野本凡

57540

57541

57542

57543

57544

57545 [illegible]

57546 [illegible]

57547 [illegible]

57548 [illegible]

57549 [illegible]

武本[illegible]、野本[illegible]
武本[illegible]、野本[illegible]。歌意に拠り[illegible]を掲げた。

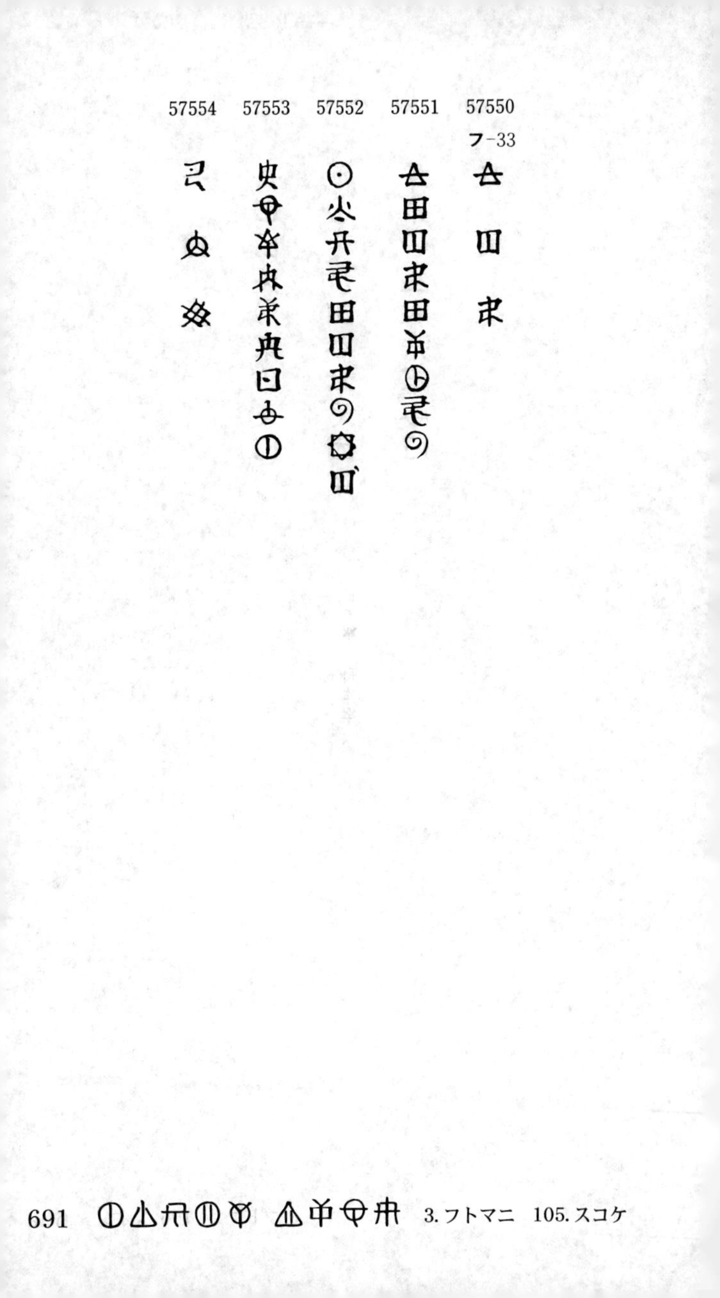

57550 フ-33

57551

57552

57553

57554

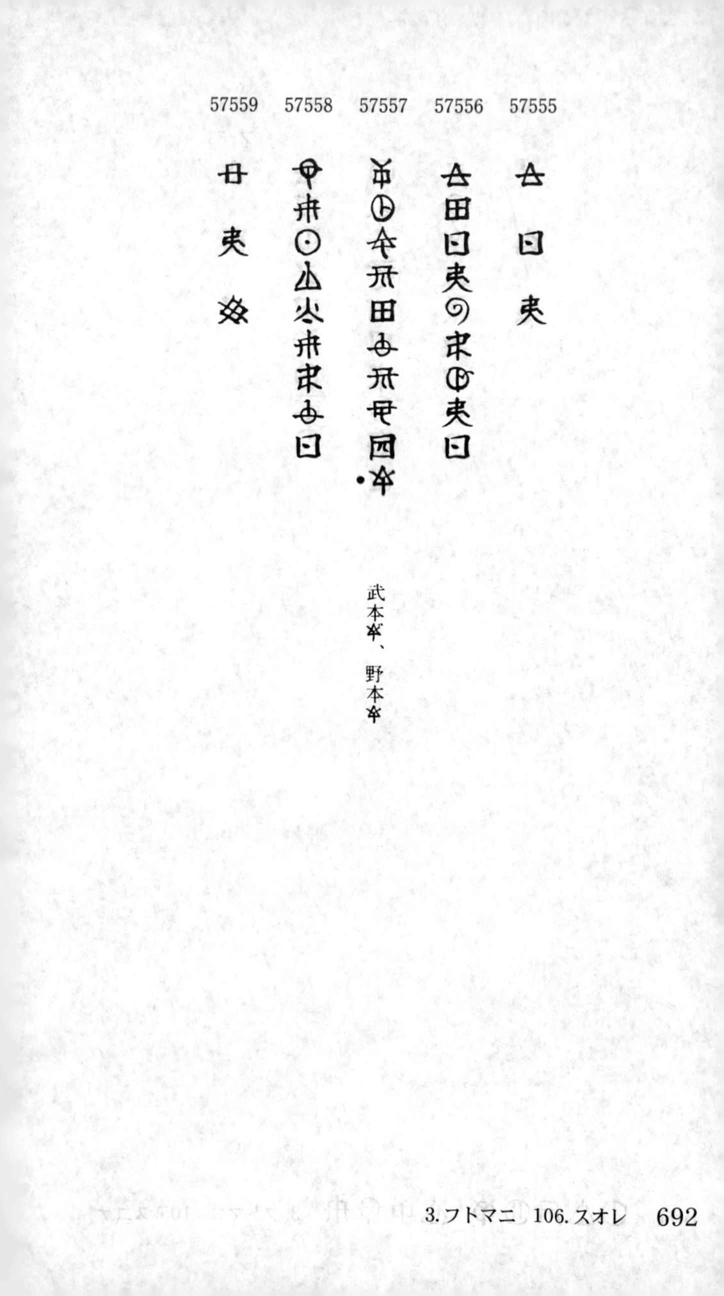

57555 [illegible]

57556 [illegible]

57557 [illegible]

57558 [illegible]

57559 [illegible]

武本[illegible]、野本[illegible]

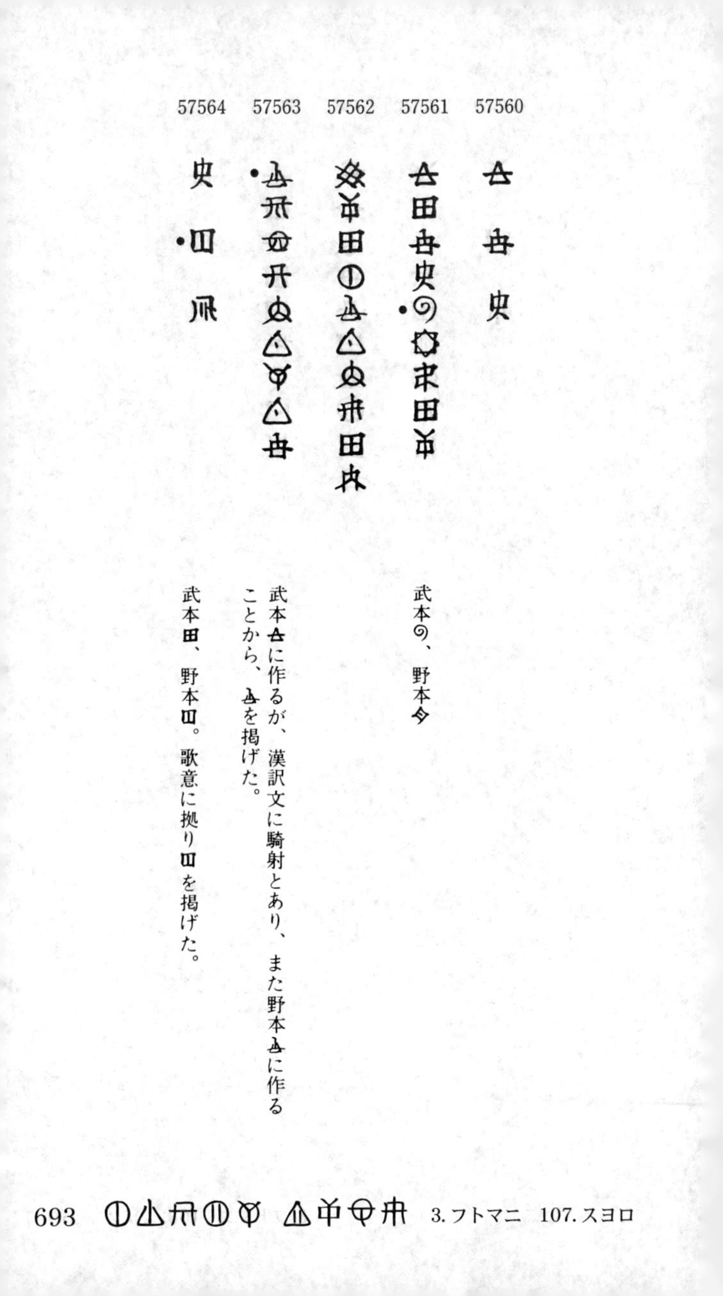

57560

[illegible] [illegible] [illegible]

57561

[illegible][illegible][illegible][illegible]•[illegible][illegible][illegible][illegible][illegible]

武本[illegible]、野本[illegible]

57562

[illegible][illegible][illegible][illegible][illegible][illegible][illegible][illegible][illegible][illegible]

57563

•[illegible][illegible][illegible][illegible][illegible][illegible][illegible][illegible][illegible]

武本[illegible]に作るが、漢訳文に騎射とあり、また野本[illegible]に作ることから、[illegible]を掲げた。

57564

[illegible]•[illegible][illegible]

武本[illegible]、野本[illegible]。歌意に拠り[illegible]を掲げた。

57565

57566

57567

57568

57569

57570
フ-34

57571

57572

57573

57574

武本田、野本田。歌意に拠り田を掲げた。

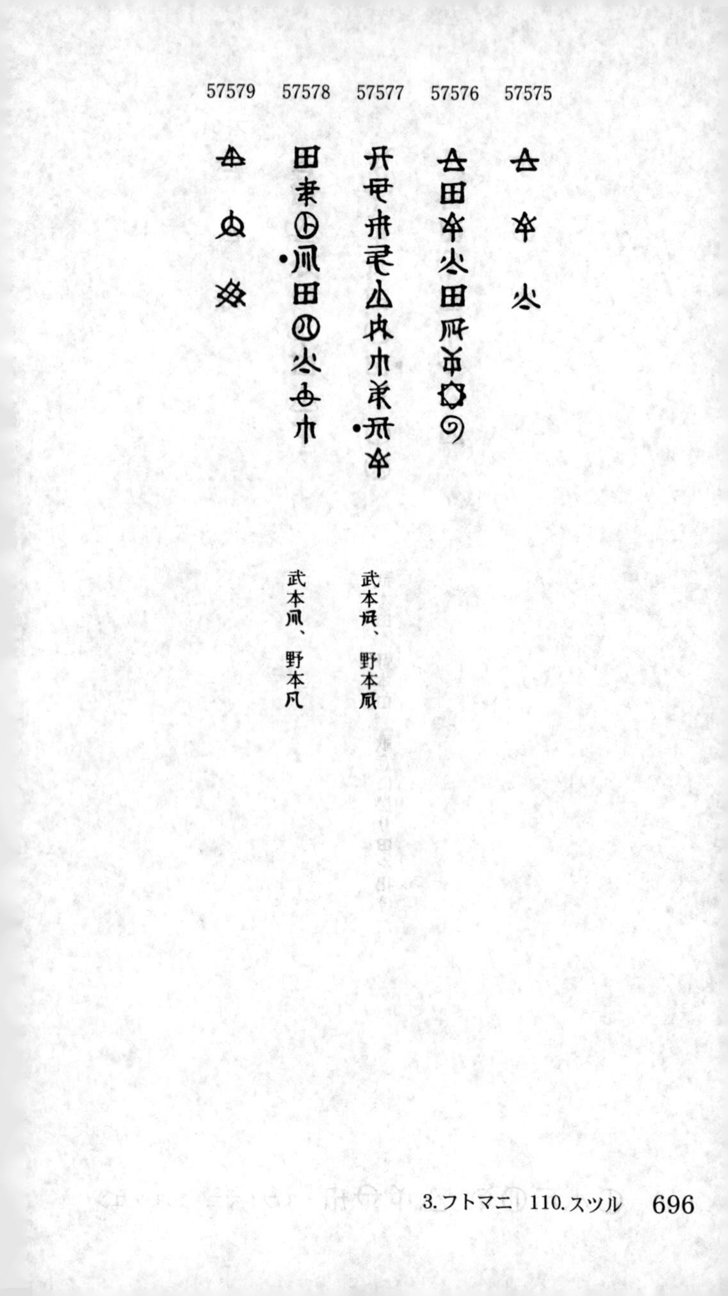

57575

57576

57577

武本[illegible]、野本[illegible]

57578

武本[illegible]、野本[illegible]

57579

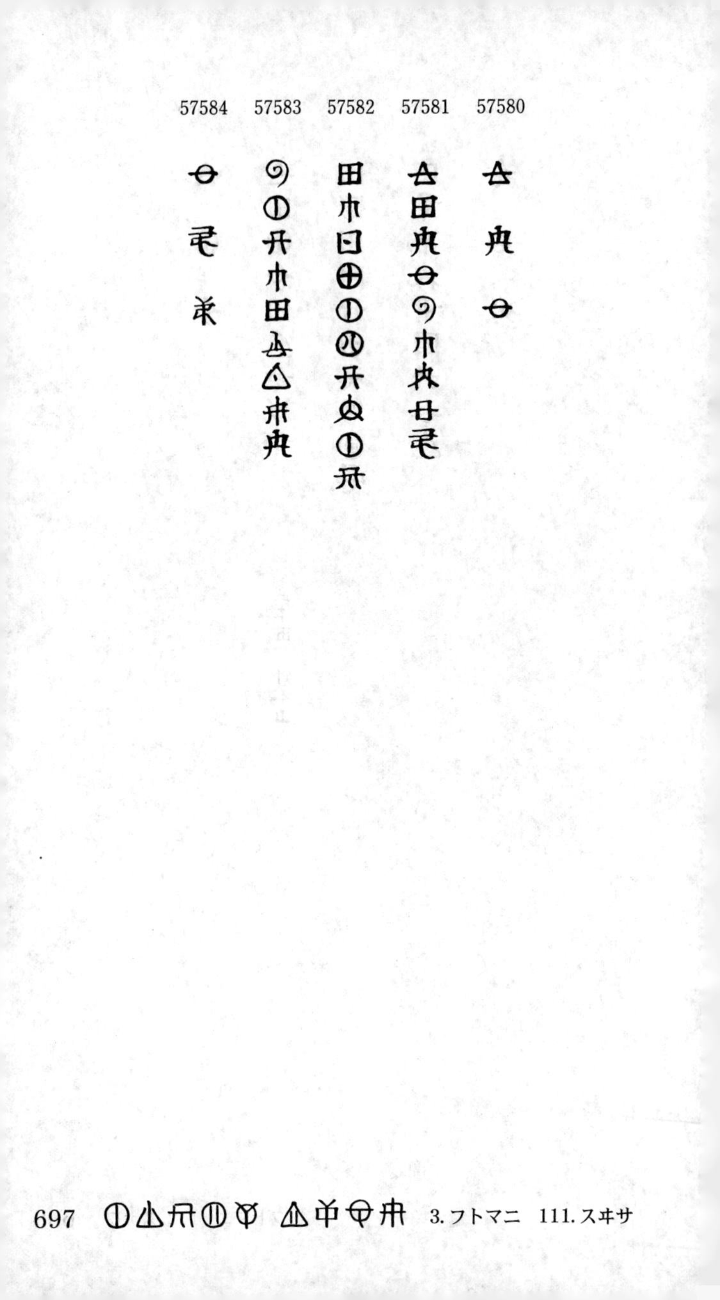

57580

57581

57582

57583

57584

57585

57586

武本田、野本田

57587

57588

57589

57590
フ-36

57591

57592

57593

57594

武本のみ、、、、は綴頁が前後していて、の後になっている。

57595

57596

57597

57598

57599

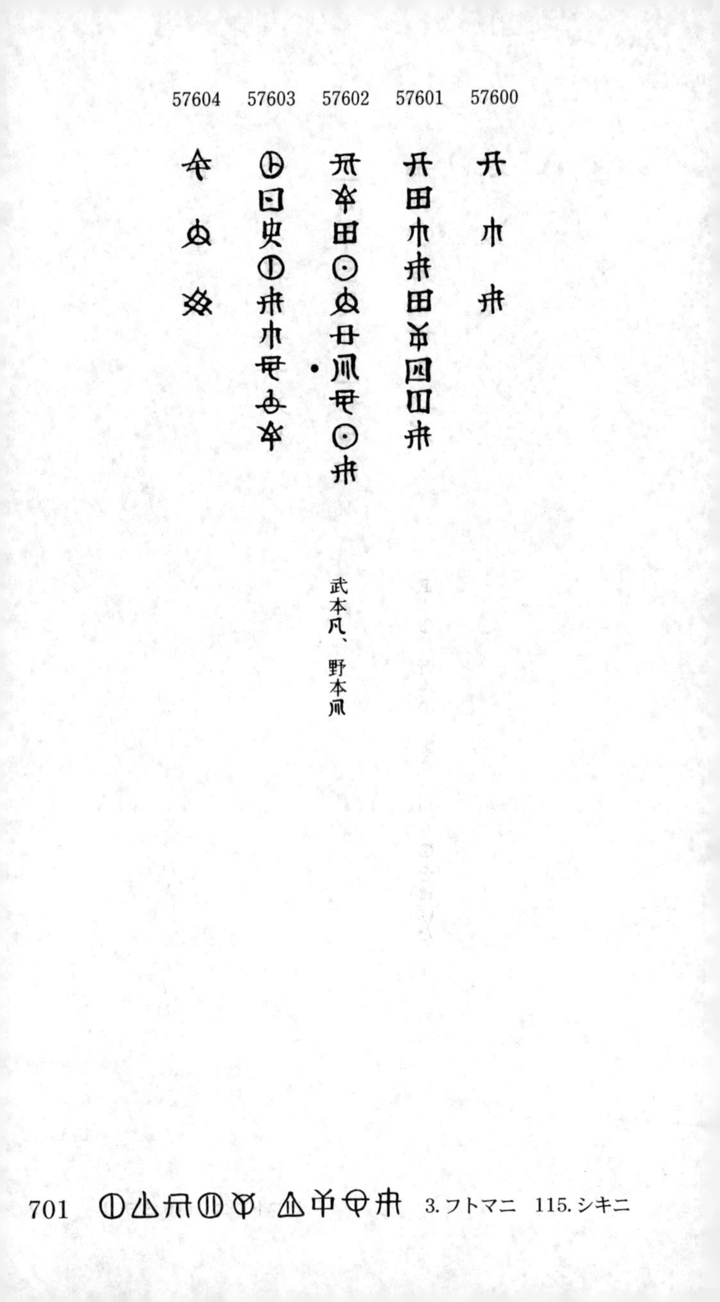

57600

57601

57602

57603

57604

武本凡、野本爪

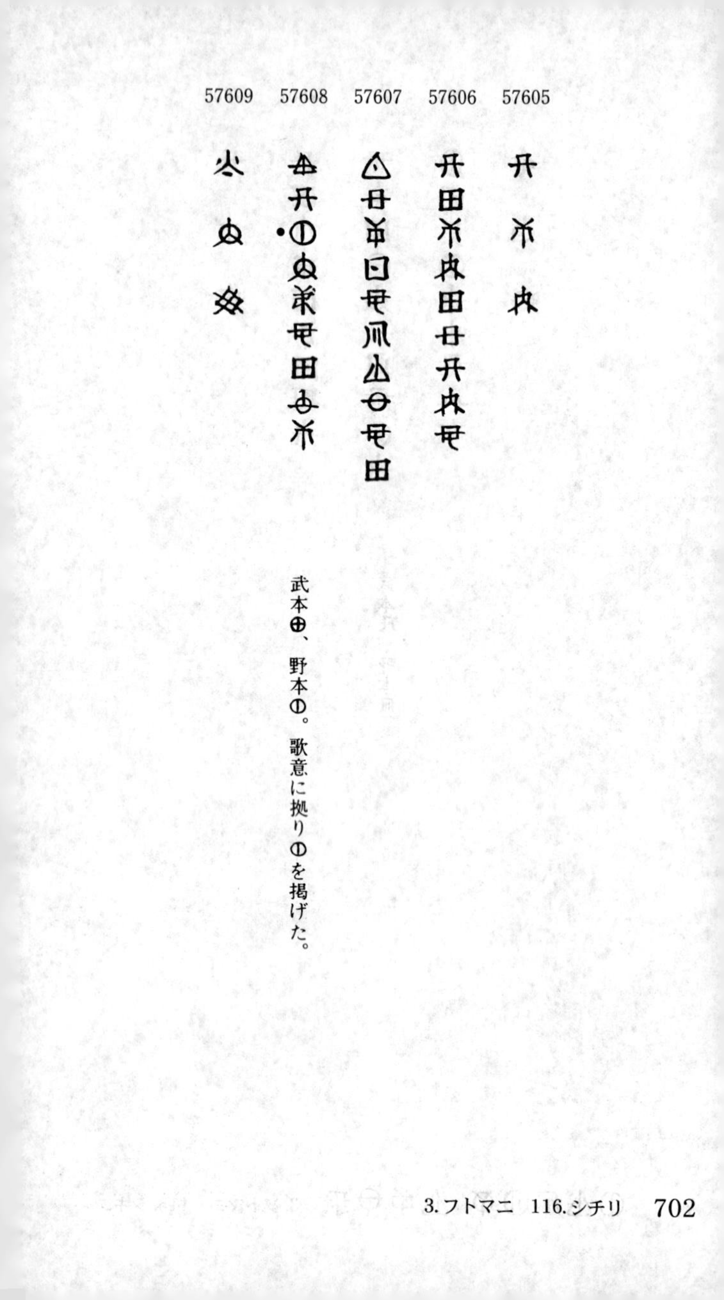

57605

57606

57607

57608

57609

武本⊕、野本⦶。歌意に拠り⦶を掲げた。

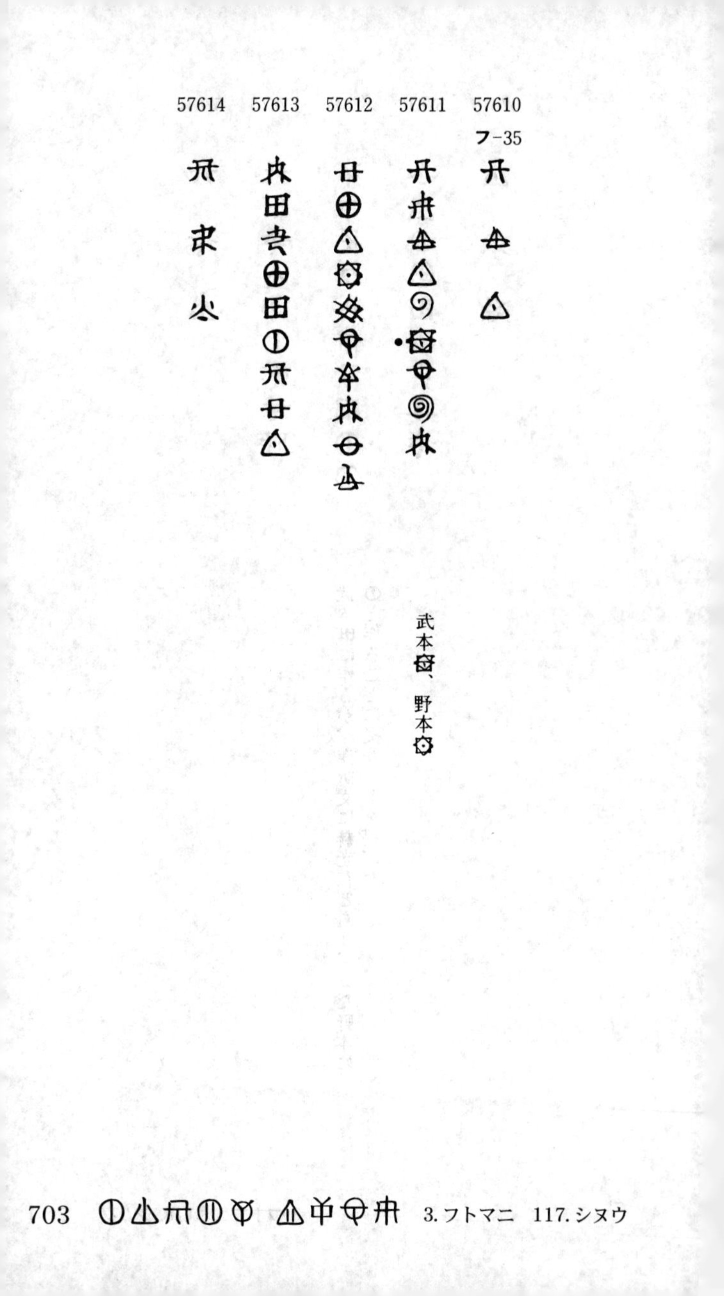

57610

フ-35

57611

57612

57613

57614

武本、野本

57615

57616

57617

57618

57619

武本⊕に作るが、漢訳文に赫光花とあり、また野本に⦶と作ることに拠り、⦶を掲げた。

57620 〓

57621 〓

57622 〓

57623 〓

57624 〓

武本〓に作るが、漢訳文に得元鈎とあること、また野本〓に作ることに拠り、〓を掲げた。

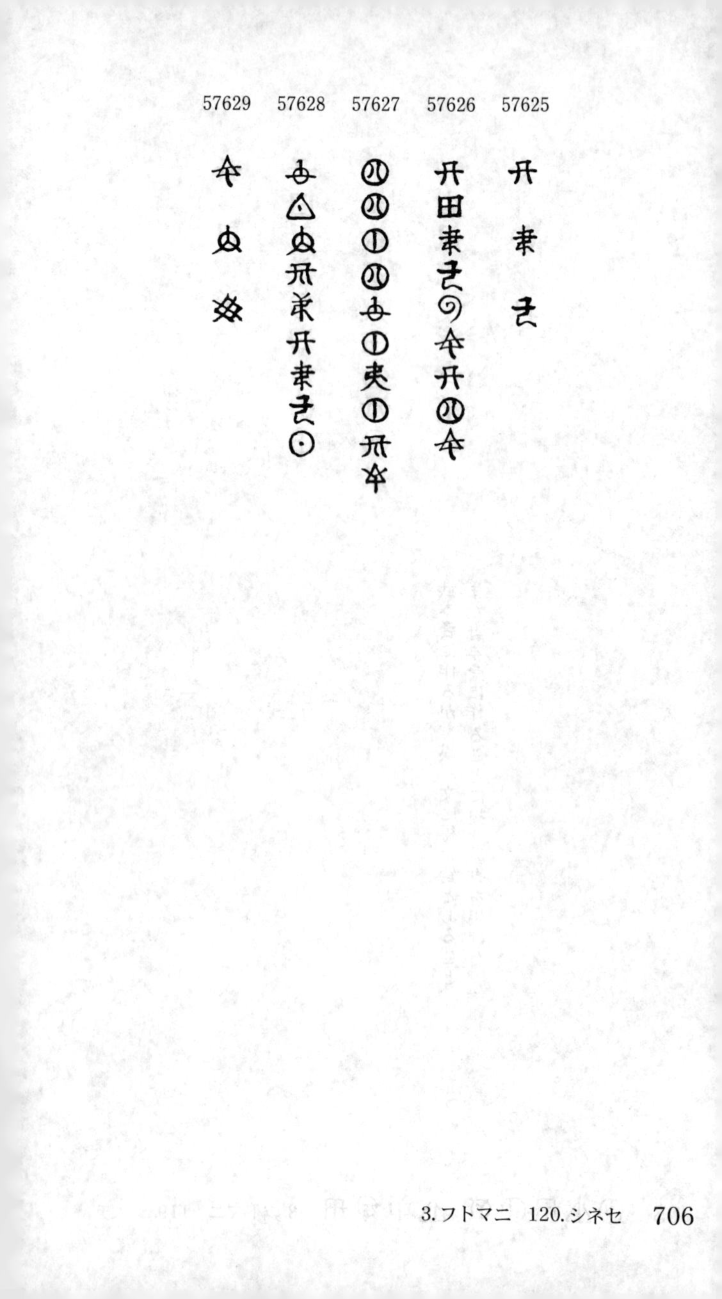

57625

57626

57627

57628

57629

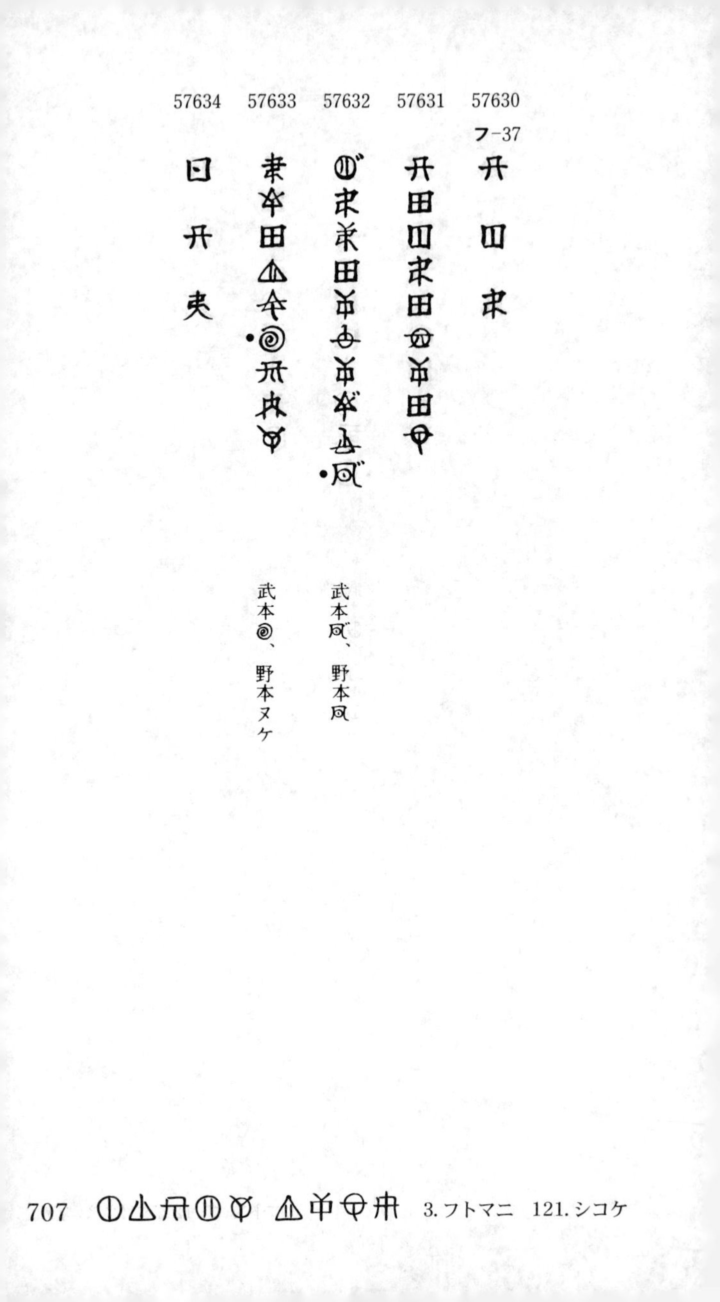

57630
フ-37

57631

57632

武本、野本

57633

武本、野本ヌケ

57634

57635

57636

57637

武本、野本

57638

57639

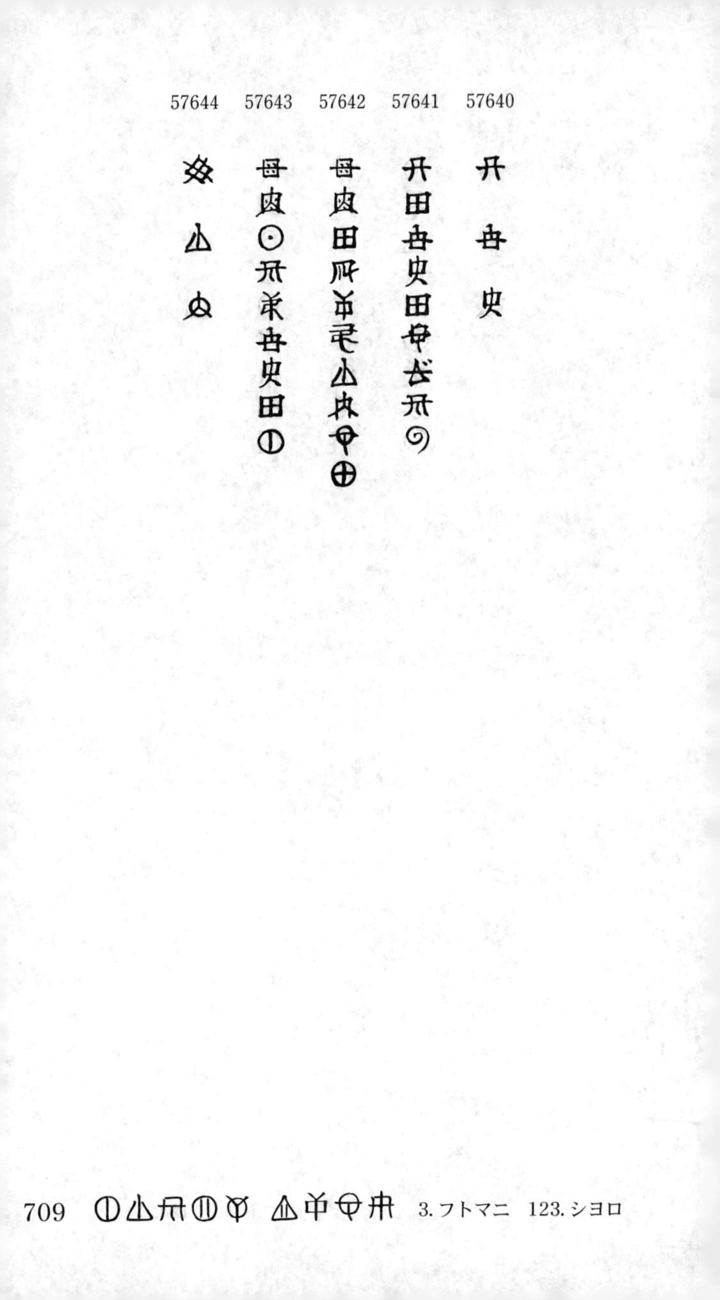

57640

57641

57642

57643

57644

57645

57646

57647

57648

57649

57650
フ-38

57651

57652

57653

57654

57655

57656

57657

57658

57659

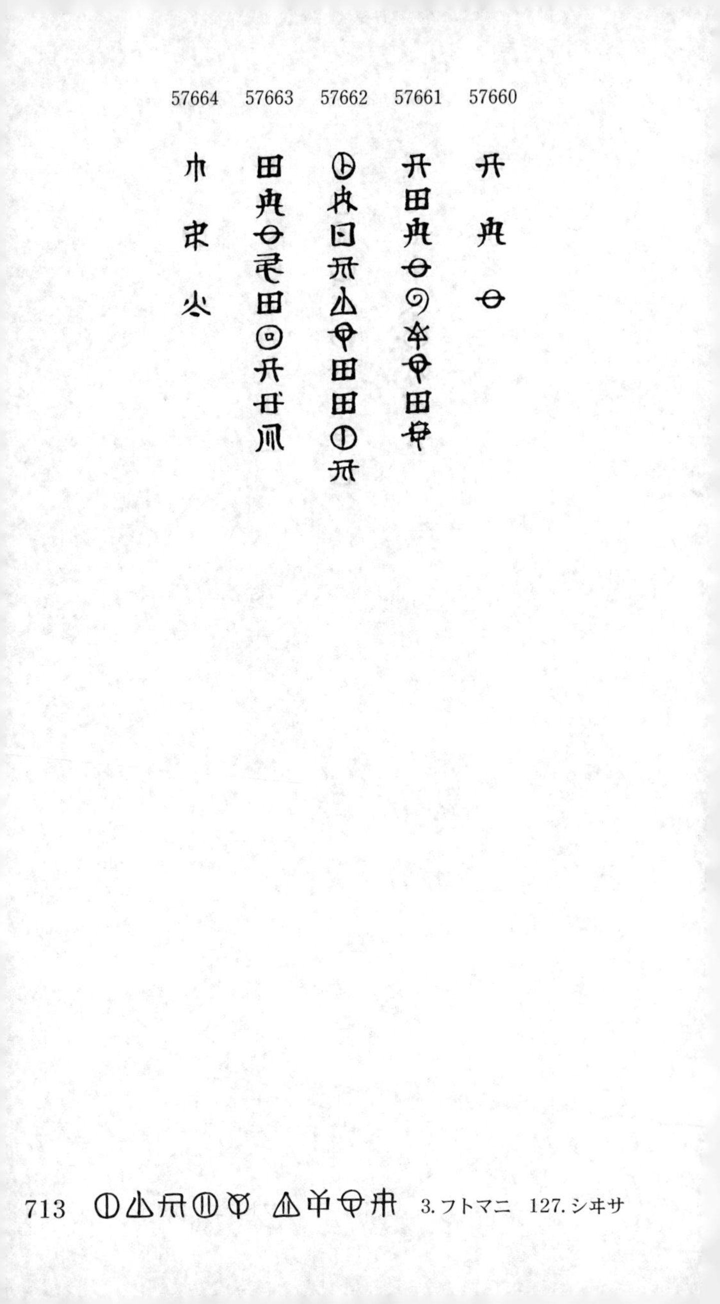

57660

57661

57662

57663

57664

57665

57666

57667

57668

57669

ミカサフミ残簡文

カクミハタ残簡文

『ミカサフミ』『カクミハタ』残簡文

〔写本者等〕	〔略称〕	〔書　名・所　蔵〕
溥　泉（引用文）	朝	『朝日神紀』龍谷大学大宮図書館所蔵
溥　泉（引用文）	春刊	『春日山紀』刊行本（安永八・九年）各地の図書館で所蔵 『国書総目録』に記載あり
溥　泉（引用文）	春草	『春日山紀』草稿本・龍谷大学大宮図書館所蔵

70001 朝3-26オ [illegible]

70002 -26ウ [illegible] [illegible]

70003 [illegible] [illegible]

70004 [illegible] [illegible]

70005 [illegible] [illegible]

70006 [illegible] [illegible]

70007 [illegible] [illegible]

70008 [illegible] [illegible]

4-17〜23参照。

70009

70010

朝3-27オ

4-23参照。

70011

70012

朝3-27ウ

4-24参照。

70013

に作るが、振り仮名はヤとあるため、を掲げた。

70014
朝3-27ウ

4-25参照。

70015

70016
朝3-28オ

4-26～27参照。

70017

70018

70019
朝3-28ウ

4-28参照。

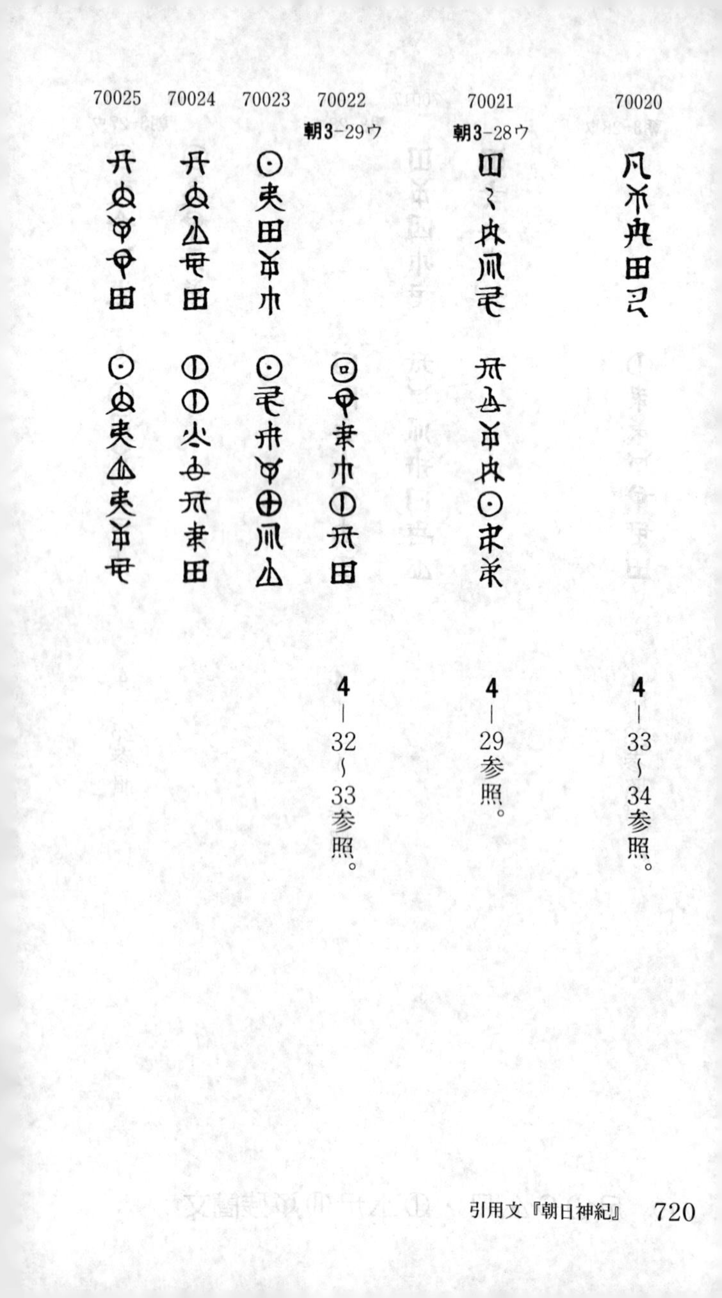

70020

4―33～34参照。

70021

朝3-28ウ

4―29参照。

70022

朝3-29ウ

4―32～33参照。

70023

70024

70025

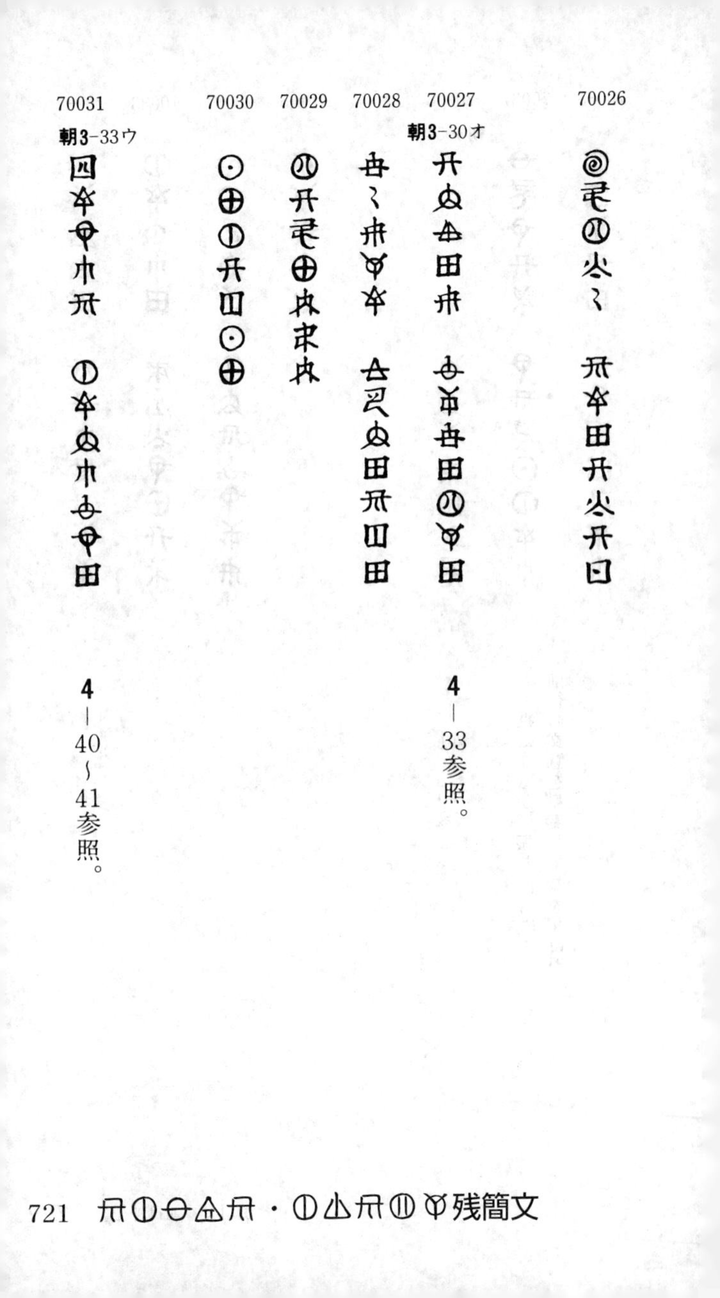

70026

70027

朝3-30オ

4-33参照。

70028

70029

70030

70031

朝3-33ウ

4-40～41参照。

70032

70033

70034

70035

朝3-34ウ

70036

4－41～45参照。

70037

もと[illegible]に作るが、振り仮名にミとあること、前後の文意を勘案して[illegible]を掲げた。

70038

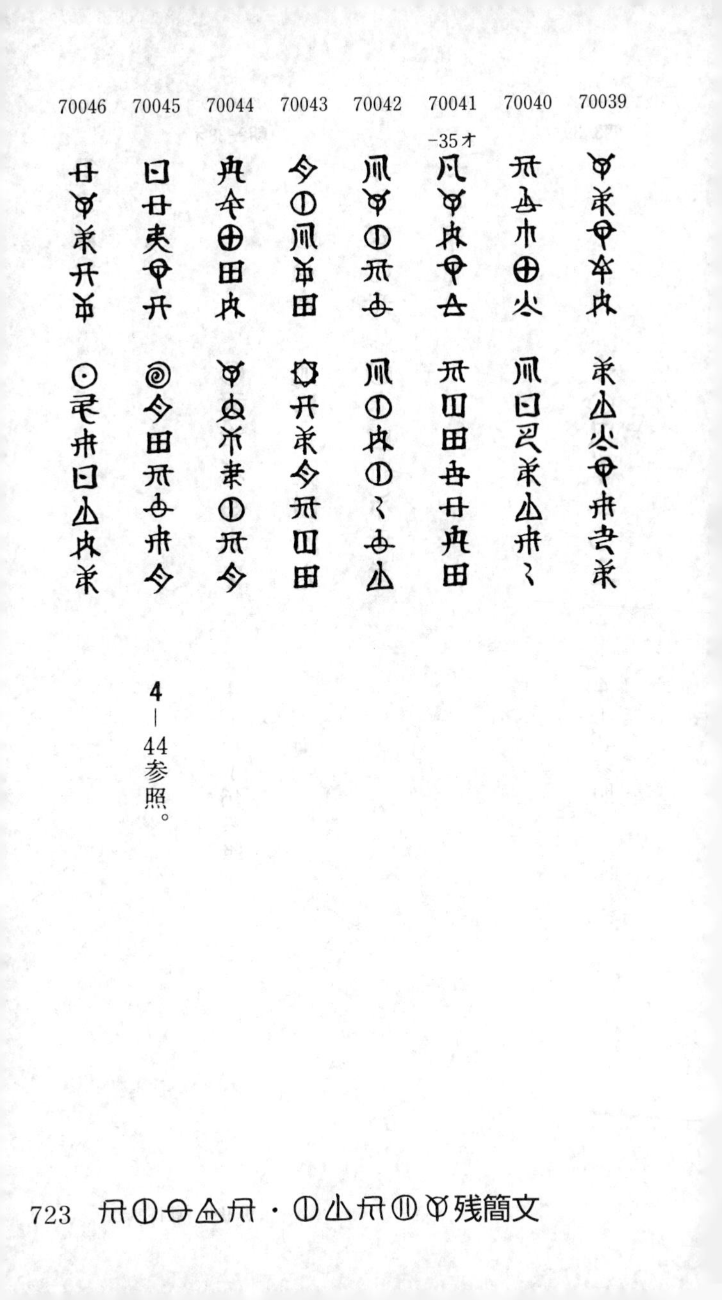

70039

70040

70041 -35オ

70042

70043

70044

70045

4—44参照。

70046

70047

70048

朝3-38オ

4-45～46参照。

70049

70050

70051

70052

朝3-39ウ

4-46参照。

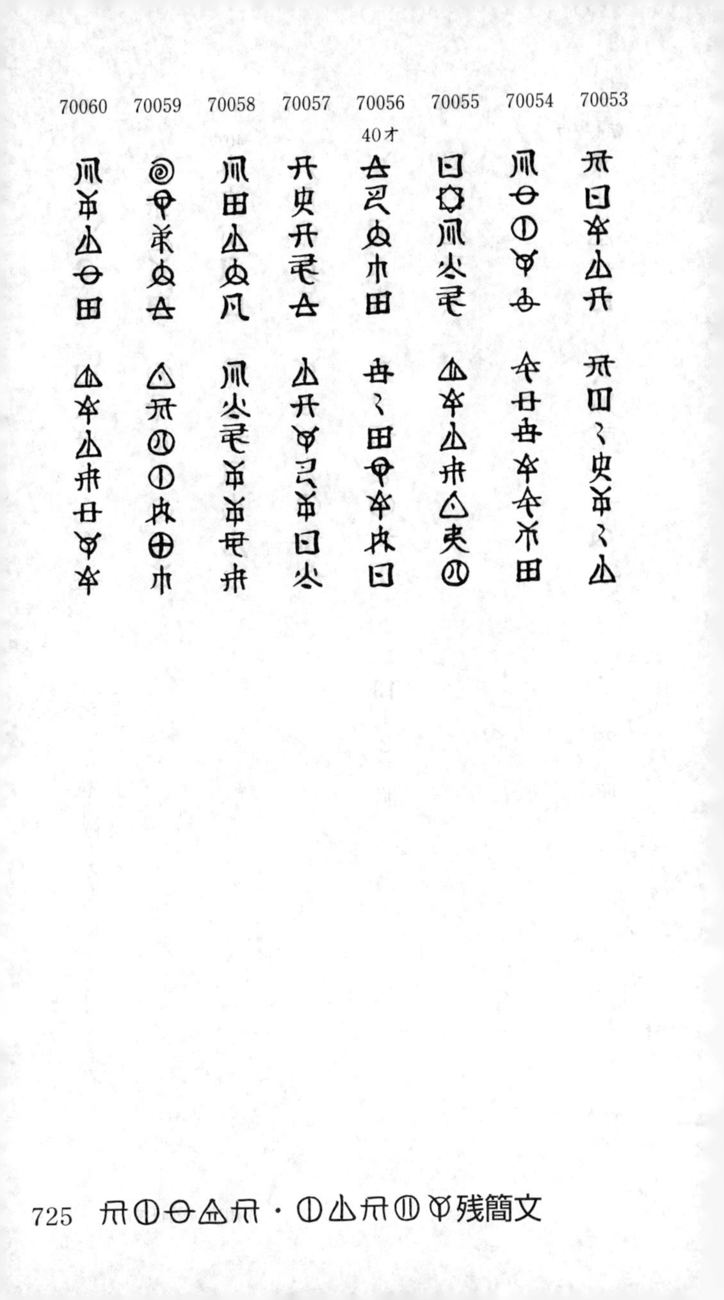

70053

70054

70055

70056

40オ

70057

70058

70059

70060

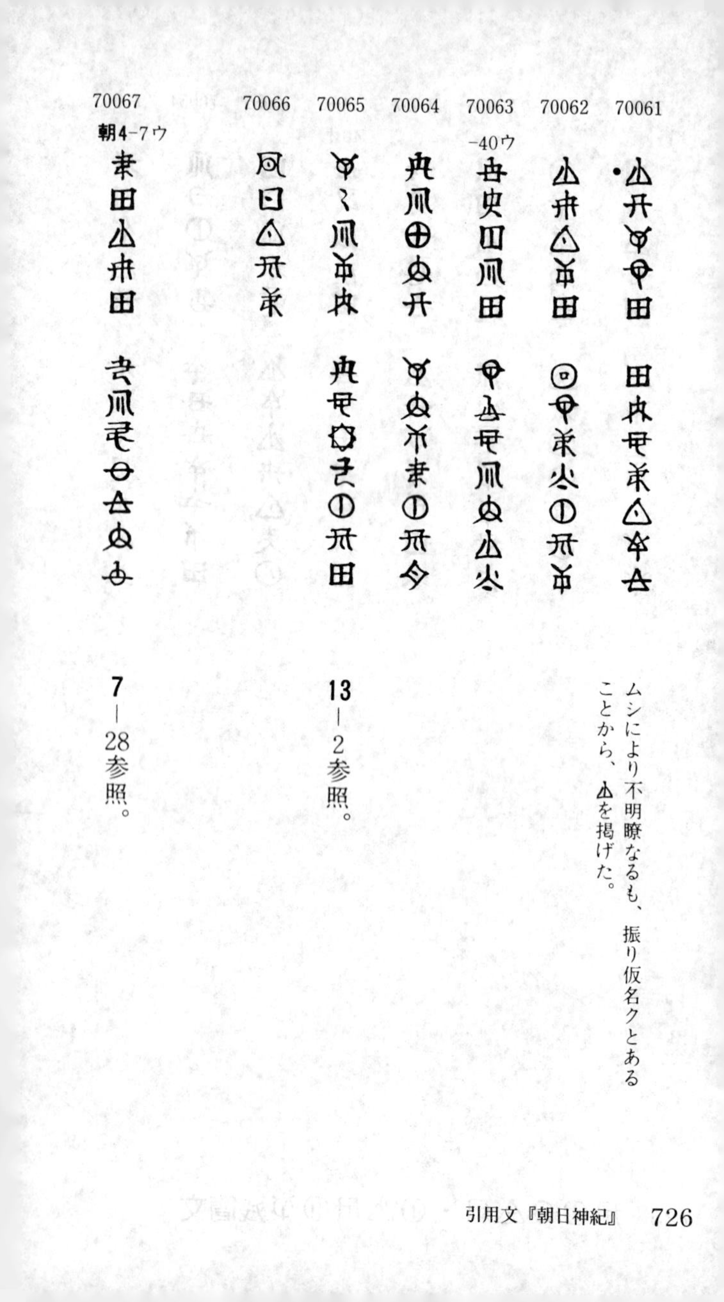

70061

[illegible]

ムシにより不明瞭なるも、振り仮名クとあることから、[illegible]を掲げた。

70062

[illegible]

70063

-40ウ

[illegible]

70064

[illegible]

70065

[illegible]

13-2参照。

70066

[illegible]

70067

朝[illegible]-7ウ

[illegible]

7-28参照。

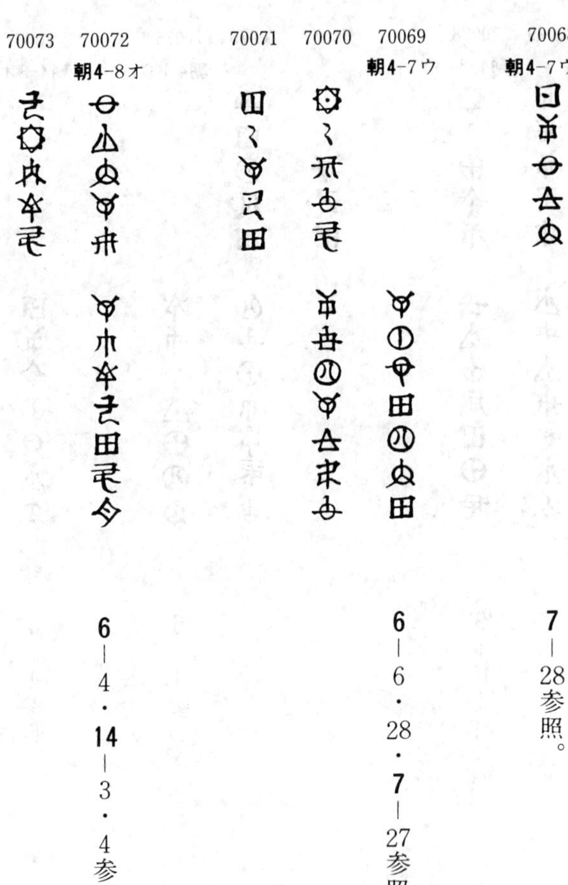

70068 朝4-7ウ

7-28参照。

70069 朝4-7ウ

6-6・28・7-27参照。

70070

70071

70072 朝4-8オ

6-4・14-3・4参照。

70073

70074
朝4-8オ

6-4参照。

70075
朝4-8ウ

6-4参照。

70076

70077

70078
朝4-36オ

9-40〜49参照。

70079

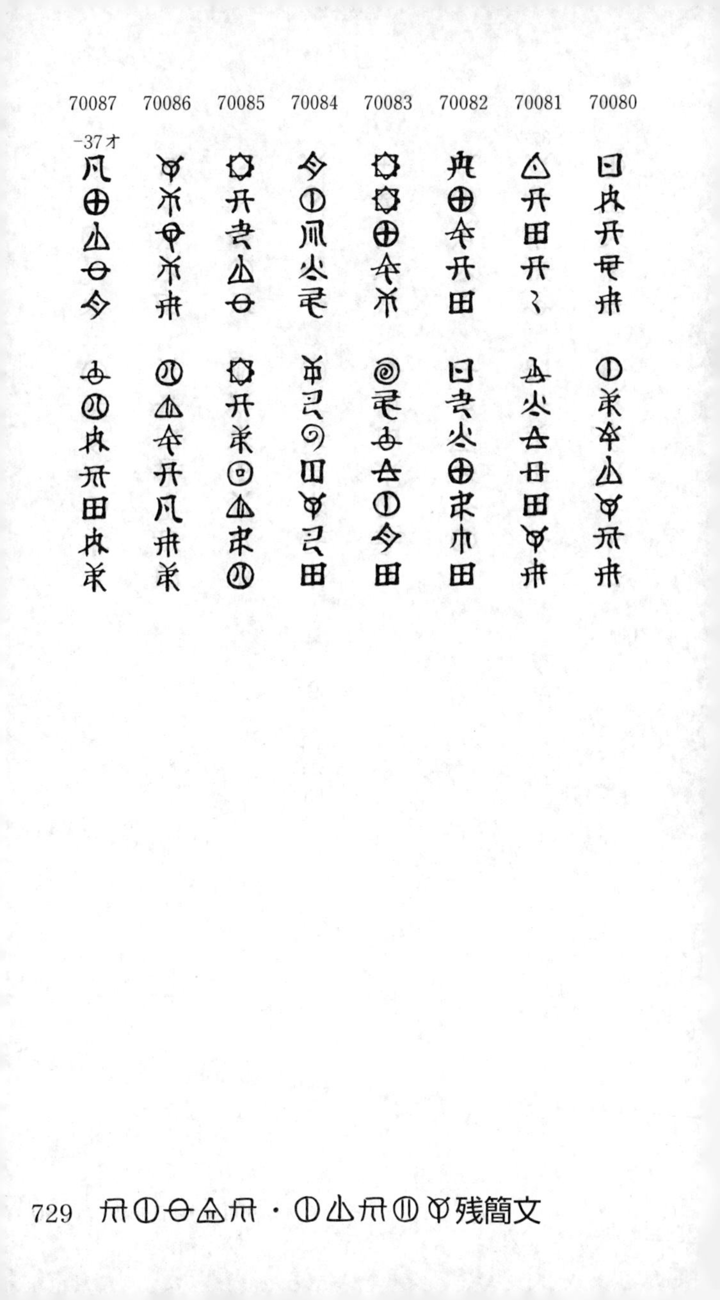

70080

70081

70082

70083

70084

70085

70086

70087

-37オ

70088

70089

70090

70091

9―46参照。

70092

70093

70094

−37ウ

70095

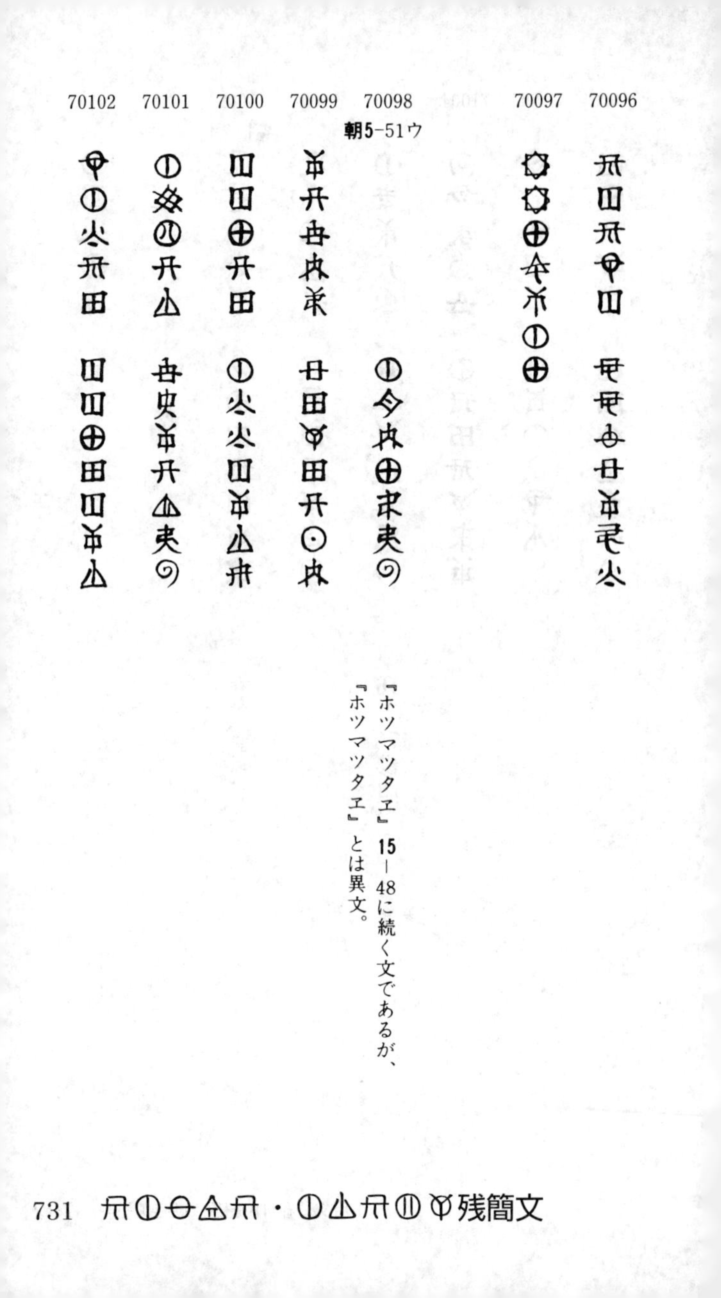

70096

70097

70098 朝5-51ウ

70099

70100

70101

70102

『ホツマツタヱ』15－48に続く文であるが、『ホツマツタヱ』とは異文。

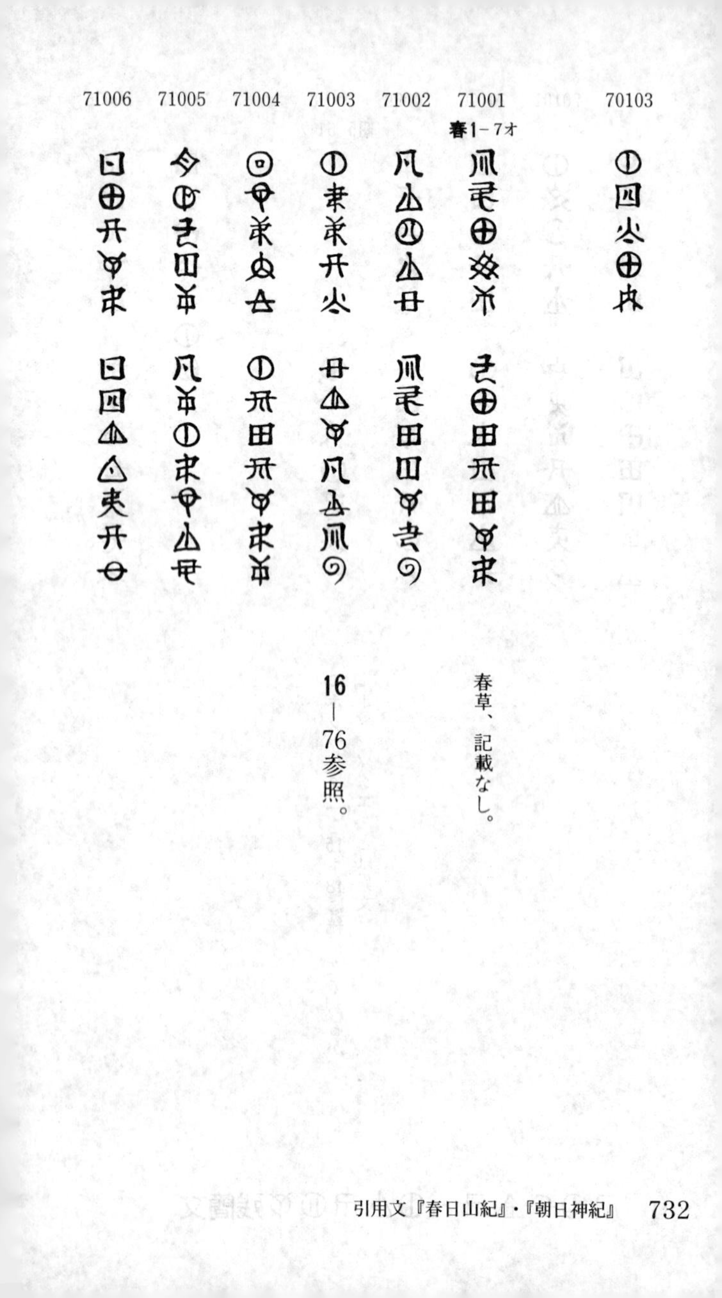

70103

71001
春1－7オ
春草、記載なし。

71002

71003
16－76参照。

71004

71005

71006

71014 71013 71012 71011 71010 71009 71008 71007

-20オ -19ウ　　　　　　-7オ -7ウ

春草一ー14ウ

[illegible]、春草[illegible]

[illegible]、春草[illegible]

[illegible]、春草ゝ

[illegible]、春草ゝ

16ー79参照。

71015

71016

春1-21オ

71017

71018

71019

71020

71021

□、春草一―14ウ～

*□、春草一―14ウ～

8―92・93参照。

春草一―15オ

□、春草□、春刊□に作るが、振り仮名はミになっているため□を掲げた。

□、春草一―15オ～

8―92参照。

□、春草一―15オ□

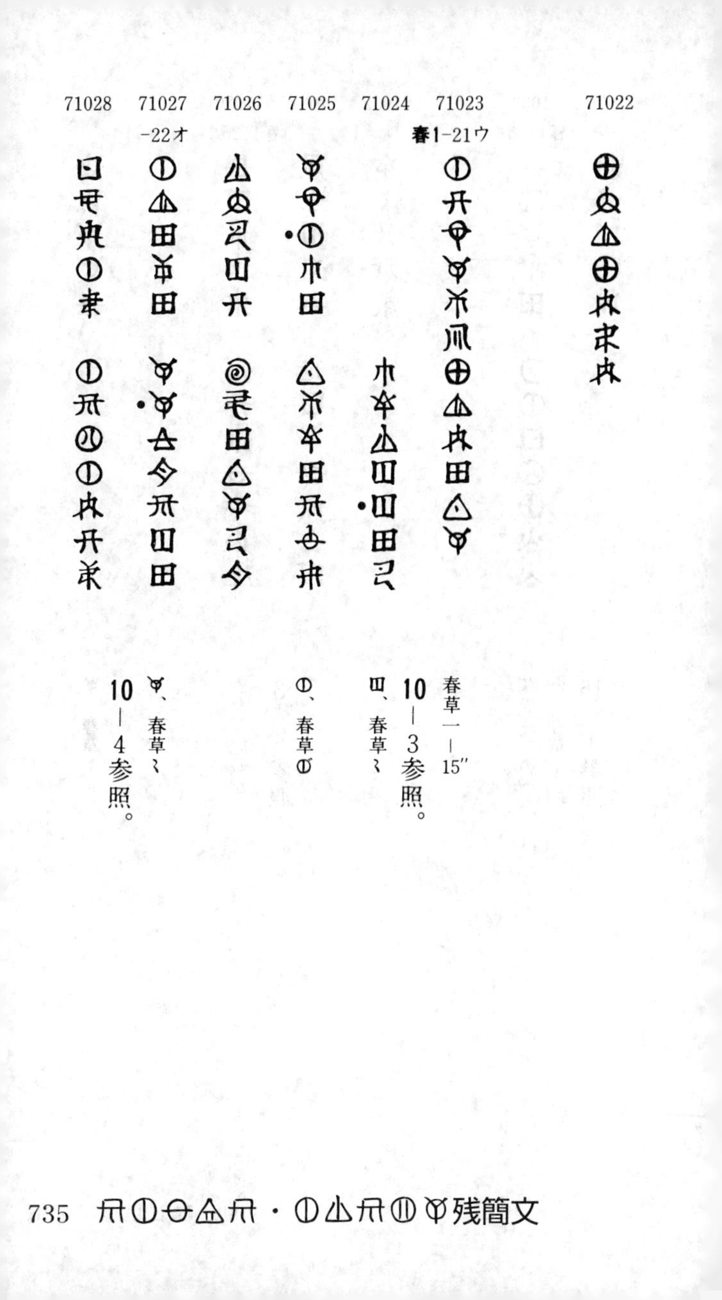

71022

71023 春1-21ウ

春草一｜15″ 10｜3参照。

71024

、春草〻

71025

、春草

71026

71027 -22オ

、春草〻 10｜4参照。

71028

71029

、春草ゝ

71030

春1-25ウ

春草、記載なし

3―6参照。

71031

71032

71033

春1-36ウ

春草一―30ウ

、春草ゝ

15―1参照。

71034

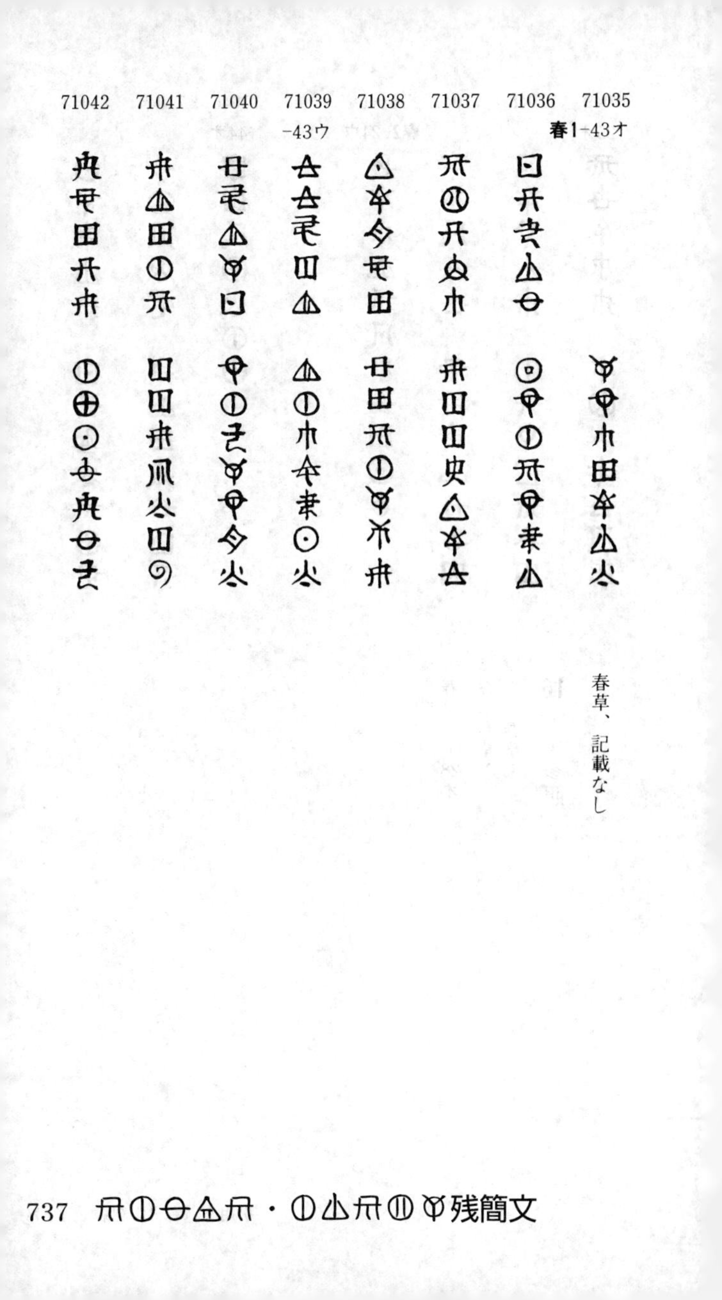

71035 春1-43オ

春草、記載なし

71036

71037

71038

71039 -43ウ

71040

71041

71042

71043

71044

71045
-44オ

71046
春2-24ウ

71047

71048

71049
-25オ

春草二－28オ
、春草ゞ
、春草ゝ
16－1参照。

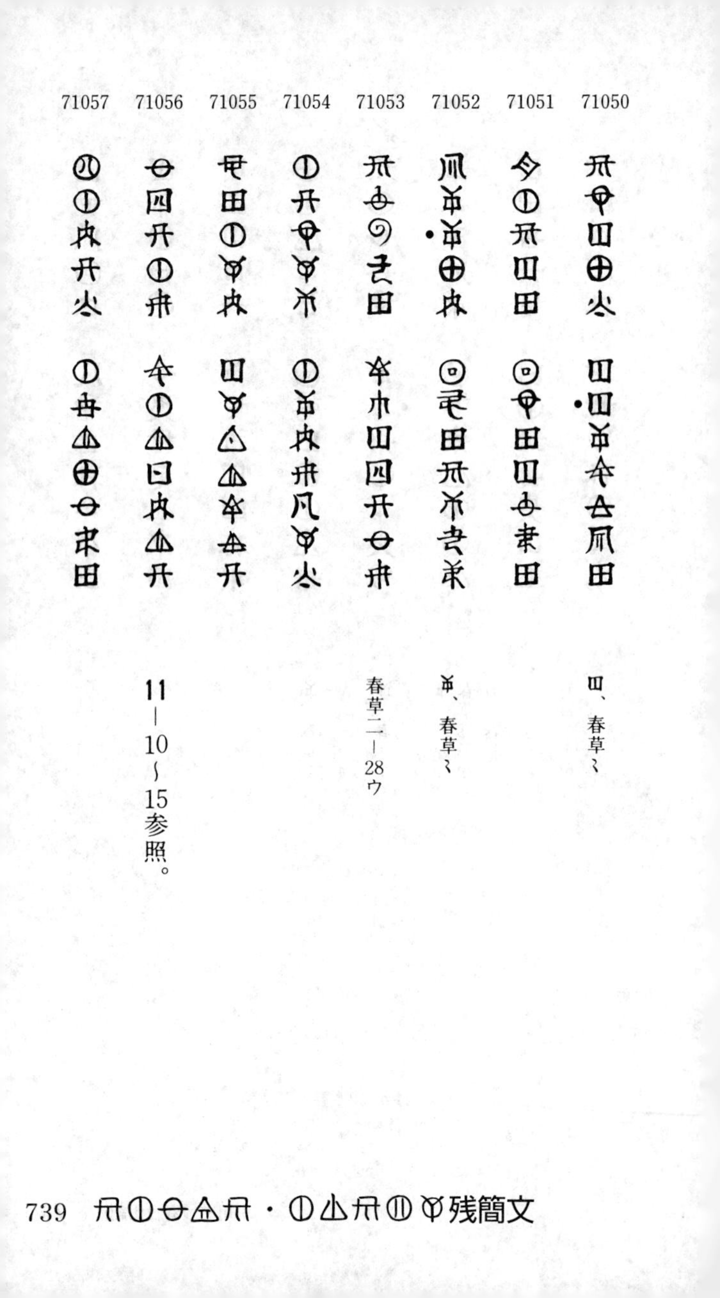

71050 [illegible]

[illegible]、春草〻

71051 [illegible]

71052 [illegible]

[illegible]、春草〻

71053 [illegible]

春草二―28ウ

71054 [illegible]

71055 [illegible]

71056 [illegible]

[illegible]―10〜15参照。

71057 [illegible]

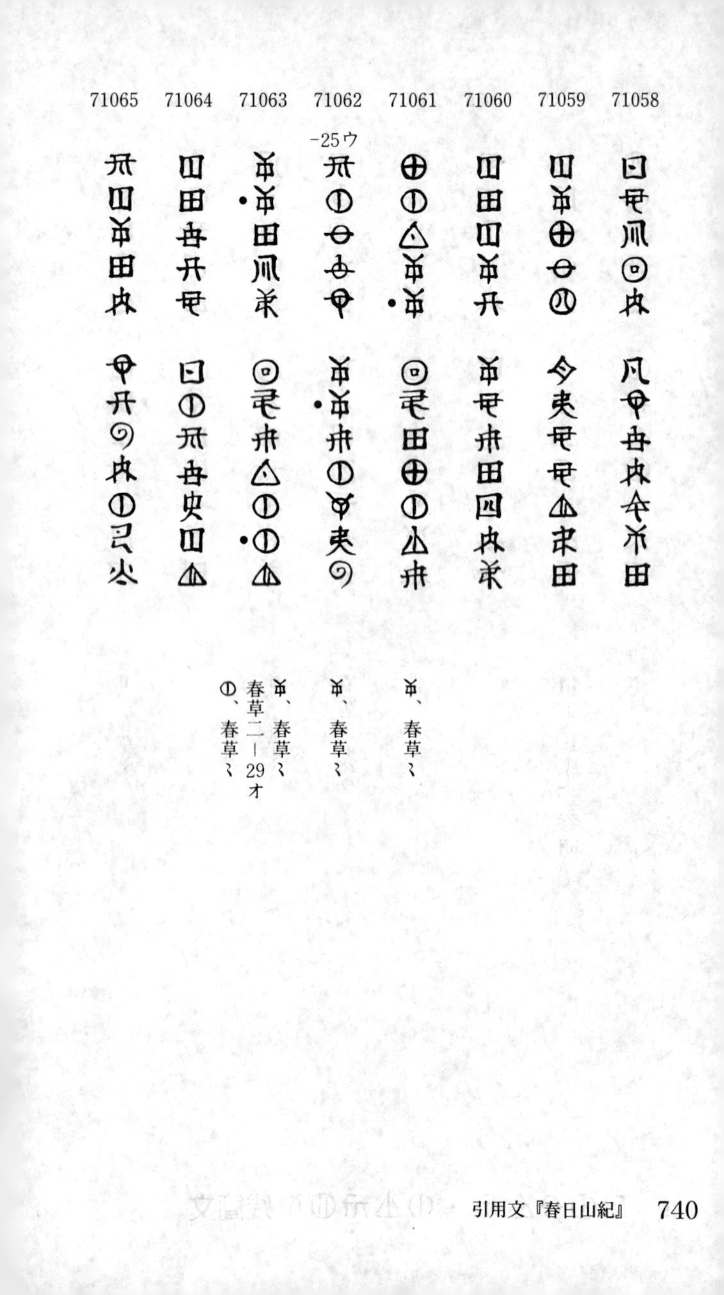

71065 71064 71063 71062 71061 71060 71059 71058

-25ウ

[illegible]

[illegible]、春草ミ

[illegible]、春草ミ

[illegible]、春草ミ

春草二｜29オ

[illegible]、春草ミ

71066 [illegible]

71067 [illegible]

71068 [illegible]

解説

記紀原書のヲシテ文献の発見の経緯

『現代用語の基礎知識』（自由国民社）の初代の編集長をしていた松本善之助氏が、ある時、「本当の日本とは何なのだろうか？」との疑問にふと取り付かれたことから、コトは始まりました。

求め、求めて、東京・神田の古本屋で見つけたのが『ホツマツタヱ』の三アヤ分の残簡本だったのです。時に、昭和四十一年（1966）八月のことでした。この写本は、今、私の手元にあって、見ていますが、とても上質のミツマタの和紙に写本されています。そして和本装丁にも、お金を相当にかけた上質のものです。調べてみると、明治七年（1874）、皇室に献上しようとして写本されたものでした。それで奉呈本（ほうていほん）と呼ぶようになります。

この『ホツマツタヱ』の奉呈本を購入した松本善之助氏は、全巻の捜索に取り掛かります。というのは、奉呈本には、三アヤ分だけが写本されていただけで、全巻の四十巻からすればほんの一握りにすぎなかったからでした。

この辺のところから松本善之助氏のスゴさが輝き出てきます。たった一握りを見ただけで「これは大変なモノだ」とお解りになられたのです。全国にアンテナを広げ歩いて、ついに四国の宇和島の旧家で『ホツマツタヱ』の二写本を発見することになります。さらに、国立公文書館にも『ホツマツタヱ』が収蔵されていることも解りました。

さらに探索を続けていった松本善之助先生は、滋賀県高島市の旧家から『ミカサフミ』の八アヤ分と『フトマニ』全巻を発見します。京都の龍谷大学図書館から『カクミハタ』の一アヤ分も発見し、また、宇和島市の旧家から『フトマニ』の発見があったことと、獅子奮迅の働きというべきでしょう。

後に、平成四年(1992)になってから、滋賀県高島市安曇川町の西万木の日吉神社から、『ホツマツタヱ』の全巻の親写本が発見されました。この発見の経緯には、松本善之助先生のお働きが大きく関与していたことを思わずにはいられません。この最古の完写本は虫喰いも多かったので、私(池田 満)が修理して、二重箱仕立ての桐箱を新調して御返納することになりました。

研究の推移

古く江戸時代の中頃に、すでにヲシテ文献を研究していた先人がいました。奈良の僧、溥泉（ふせん）さんというのがその人で、『春日山紀』（五巻本）安永八年（1779）の出版まで成し遂げていたのでした。『春日山紀』は当時だいぶ多く売れたようで、現在でも、全国のあちらこちらの図書館に収蔵されています。（『国書総目録』に記載があります）一度手に取って見てもらうと良いのですが、『ホツマツタヱ』と『ミカサフミ』からの引用文が、原字のヲシテのままに随所に記されています。つまり公けに出版されたものなので、安永八年（1779）にヲシテ文献が存在していたことだけは揺らぎなく確実なのです。

溥泉さんの最も大きな功績は、伝本（でんぽん）の引き継ぎにあるといえましょう。『カクミハタ』の一アヤ分の『トシウチニナスコトのアヤ』を私達に引き継いで下さり、また、多くのヲシテ文献の残簡文としての引用文を残して下さいました。

和仁估安聡さんも漢字訳文の選述で、多くの労をいとわずになさって下さいました。漢字訳文があって初めてわかるヲシテの写本間違いの誤字の事例も数多くあります。

小笠原通当さんも勉強家でした。『神代巻秀真政伝』（天保十四年・1843）を出版することを成しとげています。

小笠原長弘さんは、明治七年に奉呈本を写本したお方でした。この奉呈本があってこそ松本善之助先生の発見につながるのです。縁とは、不思議なめぐり合わせがあるものです。

小笠原長武さんの時代に至って近代研究の萌芽が起こります。「三書の比較」として、『ホツマツタヱ』と『日本書紀』『古事記』の比較対比の試行がなされたのでした。画期的な出来事でした。このほか、長武さんはとても多くの手稿を残して下さっていて、今も、宇和島の温暖な素敵な風に守られています。

さて、松本善之助先生が開始したのは、『ホツマツタヱ』の位置確認の作業でした。海のモノとも山のモノとも解らないのでは、世の中に紹介する資格に欠けるからです。『ホツマツタヱ』と『日本書紀』『古事記』を原文どうしで比較することによって、どの文献が古いかを精査してゆく作業が続けられました。原文どうしで内容比較すると、どっちがモトであるのかが解ってきます。この研究の成果が『『ホツマツタヘ』の成立―『ホツマツタヘ』の中の神武天皇の記事を『古事記』・『日本書紀』の同部分と比較して―』（昭和四十八年・「ホツマ・ツタヘ」研究会）として自家出版となりました。つまり文献対比によって、より古い原書であることの根拠を得ることができるのです。この方法は広く万人が納得できうるものであろうと、私も心底から賛同しました。そして研究を引き継いでゆきました。『校本三書比較『ホツマツタヱ』―日本書紀・古事記との対比―』（平成七～九年・新人物往来社）として出版したものは、『ホツマツタヱ』全巻を通しての比較対比です。そして諸本の全校合も頭記しました。また、これを一巻本に改めて再出版したものが『定本『ホツマツタヱ』―日本書紀・古事記との対比―』（平成十四年・展望社）です。該当個所の一字も抜くことなく『日本書紀』『古事記』との原文対比をしてありますので、これ一冊ですべて解ります。つまり、この本をはっきりと見てもらえば『古事記』『日本書紀』の原書が『ホツマツタヱ』であることが一目で理解できるわけです。

皿井寿子さん・平岡憲人さんは語彙の索引を作成して下さいました。ひとつの言葉が、他の何処に出例しているかが判るもので、研究には欠かせぬものです。索引の発展した先として、私は進めていった結果『ホツマ辞典―漢字以前の世界へ―』（平成十一年・展望社）を出版しました。この『ホツマ辞典』はA1全紙の系図を付録したこともあって好評で、改訂版として版を『ホツマ辞典 改訂版』に改める程になってきています。

『ホツマツタヱ』

天地開闢から、人皇十二代のヲシロワケ（景行天皇）のスヘラギの五十四年まで（古墳時代）の歴史書が『ホツマツタヱ』です。1アヤ（章）から28アヤ迄を前編としていて、クシミカタマ（ワニヒコ）の編集になるものです。29アヤから40アヤは後編としてオオタタネコ（スヱトシ）の編著によるものです。

本文中に注意してもらうと、先行する文献が多くあったことが解ります。『ミソギノフミ』（5―2）、『ミヨモノヌシミコノナウタ』（10―46）、『カツテカミヨツギヱルウタ』（10―

51）なども あり、ヒトノヨに至っても『ミマナノアヤ』（34―32）や、『カミノリカキノアヤ』（38―80）なども あります。このように文献名の明らかなものもある一方、『ホツマツタヱ』と『ミカサフミ』との同文個所を見てみると、これも先行文献である可能性が強いことも解ります。そんなことから、『ホツマツタヱ』は数多くの先行文献の存在があって成り立っていることが理解されます。単純に誰々が書いた、なんて言う表現は、ちょっとそぐわないのです。このことは『ミカサフミ』にも当て嵌（はま）っていえることです。

前編編者クシミカタマ（ワニヒコ）は、十二代アマカミのウガヤフキアハセスさんの御存命の頃に活躍した人物です。当時には、漢字が国字になる以前ですから、クシミカタマ（ワニヒコ）と表記するのが当然です。しかし今は、現代なのですから百歩譲ってカタカナ書きにしました。漢字当て嵌めは、時代を狂わせてしまうと強く危惧するからなのです。何しろ、漢字が国字化される以前はヲシテが国字だったのですから。

《『ホツマツタヱ』奉呈文》

奉呈文（アヤ表示０）には、俯瞰的な歴史の概述と、ヲシテ文献内での先行文献の各伝承における細微の異同についての考慮の仕方が主内容として記されています。

《『ホツマツタヱ』1アヤ（章）》

1アヤには、学問に対する基本的な考え方が述べられています。ヒト（人間）というものの大自然における位置づけをベースとして、ヒトと学問（ミチ学び）との関係を、ウタ（和歌）の成り立ちを通して釈きほぐしてゆく章です。

《『ホツマツタヱ』2アヤ》

2アヤは天地の開闢の概要が述べられ、次いで日本の国の基礎となったトコヨクニ建国の記述があり、初代アマカミのクニトコタチから代々の皇室の歴史が記されています。特に四代目アマカミのウヒチニ・スヒチニから創始された結婚の法（のり）についての詳述があり、後の世の雛祭りに繋（つな）がってゆく、もともとの故事でもあります。七代アマカミのイサナギ・イサナミが即位することになる経緯（なりゆき）についても詳しく記述されています。

《『ホツマツタヱ』3アヤ》

3アヤは、七代アマカミのイサナギ・イサナミが儲けた皇子・皇女のことを説明するアヤ（章）です。一女三男を儲けたのでしたから、イサナミさんは四人の皇子・皇女をお産みになられたことになります。ところが、産みトノ（ウブミヤ）は五個所であったというのです。四人の御子なのに、五個所の産屋（うぶや）とは変なことです。この理由を述べ釈き明かしてゆくのが3アヤです。

《『ホツマツタヱ』4アヤ》

4アヤは、八代アマカミとなるアマテルカミの、出生に至るまでの経緯についてを詳しく述べるとともに、どうしてワカヒトというイミナを得ることになったのかについても論及がおよんできます。そもそも人にとって名前の根底となるイミナ（実名）とは、ヒトに取って何んな意味あいを持ち得るのか。ここのところの機微を理解できるアヤでもあります。

《『ホツマツタヱ』5アヤ》

5アヤは、七代アマカミに御即位なさったイサナギ・イサナミさんの国家再建の業績について詳しく記されます。国語の改良普及と水田耕作方法の普及に実質の撫育の中心がありました。そして、皇后イサナミさんの早くにしての崩御があります。ここにおいて、イサナギさんは、御自身の心の至らなさを悔みます。そしてこれを修正するためのミソギの巡行の旅となります。ミソギには二種類あって、身体のミソギは一般的ですが、心のミソギはウタ（和歌）を詠むことにある。この意味あいからマクラ言葉の語源が発生したことが釈き明かされます。マクラコトハとは、心の中が真っ暗な暗闇であることを表現する意味だったのでした。そしてウタを詠み終えると、明るく光が通ってくるのです。

《『ホツマツタヱ』6アヤ（章）》

6アヤは、八代アマカミのアマテルカミの御即位について詳しく述べられます。富士山の南麓のハラミの宮にて、三月一日（旧暦）に宮開きが執（と）りおこなわれます。そして、ソフキサキ（十二）の詳細な記述があります。次いで、アマテルカミの祖父のトヨケカミ（タマキネ）の崩御があります。トヨケカミは、アマテルカミにとって単に祖父であるに留まらず、アメノミチの恩師でもありました。御陵（みささぎ）は、現在の京都府京丹後市峰山町の比治山に営まれます。さらに崩御は続き、アマテルカミの御父上である七代アマカミのイサナギさんもお逝（ゆ）きになってしまいます。御陵は淡路島に営まれます。

《『ホツマツタヱ』7アヤ》

7アヤは不祥事の起ききたったこと。そして、これが重なったことを詳しく記すアヤです。北陸道のクニカミ（のちの国司）のクラキネ（イサナギさんの弟）の失政から端を発してのなりゆきでした。クラキネさんの臣下のコクミの不祥事があり、クラキネさんの継子（つぎこ）のシラヒトも混乱に輪を重ねます。このののち、八代アマカミのアマテルの弟であるソサノヲ（スサノヲともいう）の起こした不祥事も大きなものでした。一担は、死罪に処せられるべきだったほどの大罪でした。

《『ホツマツタヱ』8アヤ》

世の中の混乱は、北陸道のクラキネさんや、ソサノヲから、その糸に解れを生じてきたのでした。一度ほつれると、解れの伝線は加速度的に勢いを増してしまいました。全国各地に波及した混乱は、やがてハタレの六群団を生じてしまいます。ハタレとは、盗賊集団の寄り集りのことをいいます。脅したり騙したりして普通に平和に暮らしている人々から物品を奪い取り、苦しめるのです。これがハタレです。

八代アマカミのアマテルは、ヤワラキの心をもって、ハタレの騒乱を平定することに成功します。

《『ホツマツタヱ』9アヤ》

ハタレの騒乱の平定の後、混乱の再発防止への取り組みの模索を、詳しく記述してゆくアヤが9アヤです。

ソサノヲが悔悟へと至ってゆく経緯。そこには、かつての恋人ハヤコへの決別の悲恋がありました。クニ（国家）とは何か、国民の幸せとは何か、ソサノヲの心の彷徨は、現代に活き活きと蘇ってきます。

《『ホツマツタヱ』10アヤ》

10アヤは、統治理念においての大きなターニングポイントとなる、カシマタチが記されます。カシマタチは、現代風にいうと右大臣の解任更迭を指し示しています。右を意味する別の言葉に「カ」があります。カシマタチとは、右の締まり（元締め）を断ち切ることに原意があります。今に言えば、軍事・警察権の長を更迭するようなものです。

イツモ（出雲）のクニカミだったオホナムチは、自国を豊かに豊かにと改善に余念がありませんでした。成功に次ぐ成功で、豊かさが高じて、朝廷を軽く見下してしまう心に取り付かれてしまいます。８アヤで詳述されたハタレの騒乱の平定から、いまだ幾許も時を経ていない時期でもあって、大混乱の再発が危惧されることになってしまったのでした。オホナムチの暴走を放置しておくわけにはゆかない。これがカシマタチでした。（詳略解説は『縄文人のこころを旅する』展望社・池田満著・Ｐ117を参照して下さい）

オホナムチは謹慎恭順したことから許され、東北ツカル（津軽）の地にクニを得ます。そして、オホナムチの継子のクシヒコは、父への諫言の功を認められ、右の臣に任命されます。

《『ホツマツタヱ』11アヤ（章）》

９代目アマカミの御即位が記されます。８代目アマカミのアマテルから、いよいよ次代にと皇位が継承されます。アマテルカミの皇子のオシホミミさんは、ミヤコを東北地方に遷しました。曽祖父にあたるトヨケカミをお慕いしてのことでした。

イサワ（現在の三重県志摩市、伊雑宮。伊勢皇大神宮の摂宮）にお住まいの、先のアマカミのアマテルカミから、ミクサノタカラが譲られます。イサワから東北地方へと、ミクサノタカラを運ぶ大任はアマノコヤネに命じられます。ヒタカミへの途上のナコソ（勿来）での宴会では、お酒のアテには、サクラのミ（サクランボ）が用意されました。

《『ホツマツタヱ』12アヤ》

アマガツというのは、災いから身を守る、お守り人形のことです。宮中には、古くから伝承されてきていた記録も残っています。アマガツとホウコ（はふこ）と二種類ありますが、混同されて伝わっています。

九代アマカミのオシホミミさんに婚ぎ入れしたチチヒメ（タクハタチチヒメ・ススカヒメともいう）さんの婚礼の際に初めて作り添えられました。アマガツが創り始められた由縁は、ハタレの騒乱のときの故事に拠るものでした。

《『ホツマツタヱ』13アヤ》

結婚のノリは、四代アマカミのウヒチニ・スヒチニさんの御結婚の儀（後世のヒナマツリ）に始まるのですが、豊かで複雑になってきた社会状勢を反映して、結婚のノリにも、より高度さが求められてくることになります。

八代アマカミのアマテルは、皇位からの御引退後も、結婚のノリを深めつつ普及に御尽力なさいました。結婚の法は、イモヲセ（男女）のミチとも表現されて、略してイセノミチと呼ばれます。また、物欲とヒトとの関わりあいなど、興味深い記述が多くあるアヤです。

《『ホツマツタヱ』14アヤ（章）》

ヒト（人間）の生まれと大自然との関係が詳しく述べられます。ひとことで言うのもむつかしいですが、敢えてひとことで言えばカカン・ノン・テンとは何なのか、この縄文哲学における大原理が解るアヤです。大宇宙と、ヒト、そしてモトアケ（フトマニの図）との位置関係。古代の日本の世界把握の根幹がここにあります。

《『ホツマツタヱ』15アヤ》

ヒト（人間）は生まれ来てからどうしたら良いのか、生活における大自然との最適関係についての考慮が深まってゆくアヤです。食物の良し悪しを判断する基準はどこにあるべきなのか。理想の食物とは何か、それは人生そのものに対する捉え方を明確にしてゆかねばならない。そんなことに思いが至ってくるアヤです。

《『ホツマツタヱ』16アヤ》

大切な子種、その成長に災いなきようにと、種々の考慮を及ぼすアヤです。そもそも、ヒト（人間）は、物体のうえに意識を持ち、動物として生活します。どういうように、物質に意識が、つまり心が備わってゆくようになるのか。不思議な、そして大切なことに迫ってゆく詳述が16アヤです。アマテルカミが長孕みであったことも記されています。その期間、実に96ケ月とか！　また腹帯びの記述も詳細なものがあります。

《『ホツマツタヱ』17アヤ》

ミクサタカラの内のカガミとは何なのか。皇位の神器に最も新しく添えられることになったカガミは、八代アマカミのアマテルが付加なさったものでした。

心を整えるためのカガミ、日本古代での中興には、高度な考え方の進展があったことが理解されてまいります。心と大自然、そしてカガミ。ヒトの真実の幸せに、カガミがどうして必要なのか、ヤタノカガミのヤタとは、実は国民全体を意味していたのでした。

《『ホツマツタヱ』18アヤ》

オノコロの真相が明らかになるアヤです。漢字国字化以降の一千数百年間、大きな錯誤にあったオノコロの語意の真実が開花します。オノコロの「ロ」とは、トノヲシテの「ト」が成立するための前題条件を意味していたのでした。カタカナでは理解が困難ですが、ヲシテで記すと『ト』と『ロ』となって、ちょうど上下を逆にひっくり返した形であることが解ります。『ロ』の語意は個人個人の自立を意味します。現代の用語ではアイデンティティが『ロ』です。

天地開闢の時のアメミヲヤの"ヲノコ"、そして建国のなった初代クニトコタチの当時の"ヲノコロ"、さらに七代アマカミのイサナギ・イサナミの時代になっての"オノコロ"時代の移り変りとともに進化発展してきた状況が理解されてくるアヤです。

《『ホツマツタヱ』19アヤ（章）》

19アヤは、ふたつのアヤが合わさっています。前のアヤをA、後のアヤをBにと、仮りに区分をしてアヤ数表示をしています。

前半アヤの「ノリノリヒトヌキマノアヤ」では、八代アマカミに御即位になる頃のアマテルカミ周辺の臣たちの様子がよく解ります。そのなか、乗馬のことは大切で、現代でいえば自動車に相当する、統治に必携の条件であったと理解されます。

後半の「ノリノフミテルタエノアヤ」は、九代アマカミのオシホミミさんの御即位の頃から、十代アマカミのニニキネさんの頃にかけて乗馬のことごとが詳述されています。このうちで、地方産別の馬の品種と気質・気性の違いの記述には、現代にも同じなので殊の外に興味をそそられます。

《『ホツマツタヱ』20アヤ》

九代アマカミ・オシホミミの継子（つぎこ）にはふたりの皇子（みこ）が立っていました。兄・ホノアカリさんと、弟・ニニキネさんです。20アヤでは、兄・ホノアカリさんのナカクニ赴任のいきさつが記述されます。そもそもナカクニは、カナサキさんの統治するところだったところ、ハタレの騒乱（8アヤ参照）をおさめた功績によってココトムスヒ（カスガトノ）に統治を任せた来歴がありました。この経緯があってのことでしたが、ココトムスヒも齢（トシ）には勝てません。やがて老齢による引退を上呈することになりました。

そして委曲あって、九代アマカミの長息のホノアカリさんがココトムスヒの後を引き継ぐことになったのでした。順風満帆のようなホノアカリさんだったのでしたが、ナカクニに赴任した早々、失政をおこなってしまい、重臣で忠臣のアマノコヤネとクシヒコ（のちの二代オオモノヌシ）を辞去させてしまいます。

《『ホツマツタヱ』21アヤ》

九代アマカミのオシホミミの継子には二人の皇子が立っていました。兄のホノアカリは現代での奈良県にミヤを持つこととなりました。（20アヤ参照）

一方の弟の方は、関東の現代での茨城県筑西市古郡（付近）にミヤを造営することになります。これがニハリノミヤと呼ばれるもので、入口の門に鶏を飼っているのが大きな特徴でした。どうして鶏を飼うのか、それはタミが生活に苦しむことのなきように、との気遣いからのことでした。ニニキネさんの許には、アマノコヤネとクシヒコの二人も馳せ参じて来ました。

《『ホツマツタヱ』22アヤ（章）》

自然神に対してどう祭祀しゆくべきか、このことについて考慮を深めてゆくのがこのアヤです。

そもそも、自然神はヒト（人間）にとって下僕であるとの認識が、アマテルカミはじめ古くから古代日本には根強い認識としてありました。では、自然神とどう付き合ってゆくべきなのか。ややもするとシャーマニズムやアニミズムに落ち入り易くなるところですが、大宇宙とヒト（人間）との関与関係がはっきりしていれば、認識が明解です。原文を原字のヲシテで声を出して読唱して下されば、おのずから解答は導き出されてくると確信します。

《『ホツマツタヱ』23アヤ》

衣服は古来から大変に重要視されてきていました。衣服を為してゆく織り物（反物）はタテ糸と、ヨコ糸の織り合わせによって成り立つものです。このタテとヨコの糸を、社会の構成・あるいは歴史にと範疇を広げて解釈してゆくことがおこなわれてきました。文章や書物を意味するアヤの言葉は、こういった意味において発生してきます。漢字に即席に当てようとすると、アヤの言葉を"紋"なる文字に当て嵌めてOK、といった具合になり易いのです。しかし、それでは意味あいがしっくりきませんよ、と、このアヤは主張しているようです。また、ミクサタカラのツルギの名称が、どうしてヤヱガキなのか、ツルギの語源は何か、このことの詳述もなされています。さらに、アメノミチの深奥についても記されている極めて重要なアヤです。

《『ホツマツタヱ』24アヤ》

皇孫（アマテルカミのみまごの意）の二人、ホノアカリさんと、ニニキネさん、どうして将来にこれ程に大きな違いが生じてきてしまったのでしょうか。

弟ニニキネさんの並外れたタミ（国民）思いのお気持ちが、その大きな差につながってきたのでしょうか。この24アヤには、兄と弟との差、どうして弟ニニキネさんが皇室の主流をしめてゆくことになるのか、その重要な秘密が秘められています。

また、ニニキネさんとコノハナサクヤヒメ（アシツヒメ）との間に産まれた三つ子の男の子の出生にまつわる物語も、現代人の目を見張らしてくれるものがあります。

《『ホツマツタヱ』25アヤ》

漢字文献の時代になってからも見聞きすることの多い、海幸・山幸の物語りが25アヤです。

十代アマカミとなったニニキネさんには三人の継子がありました。そのうち、だれが皇位を継ぐのか、これが最も重要なテーマです。父のニニキネさんが皇位継承の裁下決定をしたキメ手は、国民の生活の向上にどれだけ寄与することができるのか、にありました。この価値判断の基準は、日本の古代においての根本のベースにあった。このことに思いが至ります。つまり、九州各地での食糧増産に成功したホオテミさんが、次期十一代アマカミにと、即位することになるのです。実にホオテミさんは末っ子だったのでした。

《『ホツマツタヱ』26アヤ（章）》

十一代アマカミにと、ホオテミさんが御即位なさってゆくことを記したアヤが26アヤです。九州宮崎の鵜戸に御滞在だったホオテミさんに譲位の旨が伝えられました。時にお后さんのトヨタマヒメは臨月が近く、よって、トヨタマヒメだけ舟足の遅い舟で帰京することになりました。当時のミヤコは琵琶湖東岸のミツホノミヤでした。山陰側の海路をとったトヨタマヒメの舟は、あろうことかチクラ（玄界灘）で難破してしまいます。この事件を契機としてトヨタマヒメは引き込もり症に落ち入ってしまいました。引き込もりを直すべく、義父のニニキネさんが教導に訪れたのが、今の京都の貴船神社でした。ここでトヨタマヒメを前にして、三千年のタツ（龍）の子の話が語られます。

《『ホツマツタヱ』27アヤ》

十一代アマカミのホオテミさんの治世から、次代十二代アマカミのウガヤフキアハセズさんの崩御までが記されるアヤです。また、ニニキネさんのお兄さんのホノアカリさん（アスカノミヤ）の崩御もあり、この継ぎ養子にニギハヤヒが入ります。

十一代アマカミのホオテミさんは、琵琶湖東岸のミツホノミヤにミヤコを置かれます。十二代のアマカミ・ウガヤフキアハセズさんはミヤコをタガ（滋賀県犬上郡多賀町）に遷されます。このことから、ウガヤさんはミヲヤアマカミと尊称されることになります。またウガヤフキアハセズさんは京都の下賀茂神社の地にも常のミヤコがあったことも（27―40）記されています。京都のミヤコの歴史は、一千年よりもずっと遡ることになります。

27アヤには船の作られ始めた頃からの歴史も記されていたり、タケヒト（のちの神武天皇）の兄の誕生譚の白羽の矢のこともあり、ツクシヲシカ（九州の勅任執政官）を義母の希望により辞退するクシミカタマ（27―79）の話など、盛り沢山の内容のアヤです。

《『ホツマツタヱ』28アヤ》

カミヨの総集編のアヤが28アヤです。暦の木のマサカキが絶滅してしまったことと、御長寿だったアマテルカミの崩御が重なったことから、時代の雰囲気が一気に変ってきます。こんな事から、『ホツマツタヱ』の前編の編集がなされる機運となったのでした。アマテルカミの崩御の詳細な記述があるのが28アヤで、特に御遺勅は現代の私達の心の奥底にも強く響きます。(28―37~47)

マサカキの暦から、アススの暦へと移行した経緯も記されます。次いで暗い歴史の側面だったモチコさん・ハヤコさんに関わる、恨み辛みの系譜も記述されます。そして、アマノコヤネ(カスガカミ)の逝去が記されます。多くの人々からの深い信頼のあったアマノコヤネの葬儀は、アマカミの葬祭にも似るほどでした。また、二朝廷並立時代に幕を下ろす契機となる事件の、長く拗るのナガスネヒコの文書盗写の端緒の記述も詳しくあるのが28アヤです。

《『ホツマツタヱ』29アヤ(章)》

神武天皇の東征の必然性は、『古事記』『日本書紀』に記されていない重要な記述です。二朝廷並立時代(十代アマカミの時代に起きた)に幕引きをするのが、神武天皇の東征の意味合いであることが解ります。世論の支持を受けて遂行されたのがヤマトウチでした。時に世の中に「ノリクタセ」の歌が流行りました。“世を乱し横暴を極めるナガスネヒコに、鉄槌のノリ(法の裁き)を下して欲しい”の意味でした。タケヒト(神武天皇)は壮年に至り、世論の高まるのを待って、ヤマトウチに出発します。

《『ホツマツタヱ』30アヤ》

カンヤマトイハワレヒコのアマキミ（神武天皇）として正式な御即位がおこなわれます。古式の十代アマカミのニニキネさんの時の祭事に準拠しての即位式でした。この時に、アスカミヤからはトクサタカラの奉呈もなされました。ミヤコは現在の奈良県の橿原市に定められました。

ナガスネヒコの文書盗写事件の発生から混乱の拡大に至るまでの詳しい経緯についての記述もあるアヤです。

《『ホツマツタヱ』31アヤ》

神武天皇の後宮に不祥事が起きようとした時、どのように対処していったか。神武天皇の皇子タキシミミコとイスキヨリヒメ（ユリヒメ）の話が記されています。横恋慕のタキシミミコに、背筋を伸ばして対応したイスキヨリヒメの立派さが光ります。神武天皇の後継問題でもタキシミミコは我を立て過ぎたようでした。話し合いが通じなくなってくるのは、ヒトノヨに時代が降ってきてからが多くなります。ヒトノヨになると、アマカミという表現から、もっぱらスヘラギやスヘラキと言う呼び方がなされてきます。そこで、初代スヘラギをカンヤマトイハワレヒコ（神武天皇）とし、二代スヘラギをカヌガワミミ（綏靖天皇）と表現してゆきましょう。

二代スヘラギのカヌガワミミさんは、現在の奈良県の葛城の山腹にタカオカミヤのミヤコを開かれました。

三代スヘラギのタマテミさん（安寧天皇）はカタシホにウキアナミヤコをお開きになります。ここも奈良県内です。

四代スヘラギのスキトモさん（懿徳天皇）も奈良県内にミヤコをお開きになります。カルの地は、現在の橿原市大軽町と考えられます。

五代スヘラギのカヱシネさん（孝昭天皇）は、少し南の方にミヤコを遷されます。カタキは葛城のことで今の御所市内を指します。

六代スヘラギのタリヒコクニさん（孝安天皇）のミヤコもすぐ近くに営まれました。

二代スヘラギから六代スヘラギ迄の293年間は葛城付近にミヤコが代々営まれました。これをカツラキ時代と呼んでも良さそうに思います。

《『ホツマツタヱ』32アヤ》

七代スヘラギのフトニさん（孝靈天皇）は、葛城からすこし北上したクロダ（現在の大和高田市内）にミヤコを遷されます。三つ子の誕生があって、間引きの禁止令をお出しになります。また富士登山を挙行した高齢のフトニのスヘラギは、ここでフジの花から、フジ山の名称をおつけになります。古くには富士山は、ハラミヤマと呼ばれることが一般的でした。

八代スヘラギのクニクルさん（孝元天皇）は、ミヤコを再び葛城へとお遷しになります。カルの地でした。クニクルのスヘラギの九年（アスス512年）に琵琶湖の洪水がありました。この時に快方祈願をおこなったヲミケヌシは、『ホツマツタヱ』後編を編集することになるオオタタネコの祖先にあたります。

九代スヘラギのフトヒヒさん（開化天皇）はミヤコを現在の奈良市内にお遷しになります。フトヒヒのスヘラギは、皇后の選定で物議を醸します。というのは、先のスヘラギのおキサキさんに上った女性を皇后に入れたのでした。義母を皇后に？ これは大問題となってオオタタネコの祖先のヲミケヌシは諫言を呈して入れられず、右の臣を辞去して野に隠ります。

《『ホツマツタヱ』33アヤ》

十代スヘラギのミマキさん（崇神天皇）は、三輪山の麓にミヤコを遷されます。このミツカキのミヤは、現在の桜井市内でした。ミマキさんの治世の五年に流行性の疫病が広がりました。国民の半数近くまでの病没が起こり、国が大きく揺らぎました。ミマキさんは、何か罪があって障ったのではないかと、思いを巡らせてみて、やがて父のフトヒヒさん（開化天皇）が義母を皇后に入れたことに気がつきます。そして、諫言を呈して入れられずに右の臣を辞去したヲミケヌシのことが思い出されました。ヲミケヌシに戻ってきてもらおう、そして行幸して訪ねたそこには、子孫のオオタタネコが居ました。

《『ホツマツタヱ』34アヤ（章）》

疫病の流行が終束した後の世の中を整えるため、勅使を四方に派遣することになり、四人の勅使が各地に向ったのでしたが、その赴任行の途中で、少女の不思議なウタを聞きます。胸騒ぎを覚えたオオヒコが踵（きびす）を返してミヤコに戻ってみると、謀反の戦が起きようとしていました。タケハニヤスの乱でした。

また、モモソヒメがオオモノヌシノカミの妻となる物語も記されているアヤでもあり、ミマナとの初の外交関係が醸成されてくる歴史の詳述もあるアヤです。

《『ホツマツタヱ』35アヤ》

十一代スヘラギのイクメさん（垂仁（すいにん）天皇）は、マキムキのタマキミヤにミヤコを営まれます。今の桜井市内です。外国との関係がいよいよ深まってくる時代になり、シラキ王室の子孫のモロスケが、宮中に仕えることになります。モロスケの曽孫にタシマモリが出ます。

イクメのキミ（垂仁（すいにん）天皇）の四年に、また謀反の戦が起きます。今度はサホヒコの乱でした。七年には、スマヰ（相撲）の初の取り組みがおこなわれます。

《『ホツマツタヱ』36アヤ》

イクメのキミの皇女にヤマトヒメが産れます。皇后ツツキカハヰヒメが不思議な夢を見て孕(はら)んだのがヤマトヒメでした。産後ツツキカハヰヒメは肥立ちが思わしくなくお亡くなりになってしまわれます。

ヤマトヒメは二代目のミツエシロとして、アマテルカミのミタマにお仕えします。全国巡行を終えて伊勢のタカミヤ（現在の松阪市内）におられた初代ミツエシロのトヨスキヒメの許(もと)に十一才のヤマトヒメが見習いに向われました。それから三年、伊勢神宮（内宮）の再建が完成します。

《『ホツマツタヱ』37アヤ》

イクメのキミの32年に、ミサザギにハニワを添え立てることが始まります。のちの皇后だったヒハスヒメの御葬祭の時のことでした。

34年には、カモノヤシロへの行幸がありました。今の京都の下賀茂神社・上賀茂神社への参拝です。下賀茂神社はミヲヤカミ、つまり十二代アマカミのウガヤフキアハセスさんが祭られています。上賀茂神社には、十代アマカミのニニキネさんがお祭りされてあります。カモ行幸(ぎょうこう)の帰路、イクメのキミは美人のカマハタトへをキサキに得ることになります。カマハタトへのお産みになったイワツクワケの御子孫に、後の世の人皇二十六代の継体天皇がお産まれになります。
イクメのキミの90年、タシマモリに、東北地方に残る太古の由縁の花のカクの木を求めてくるようにとお命じになります。しかし9年後にイクメのキミは崩御されてしまい、ミヤコに帰ったタシマモリは絶望して自殺してしまいます。

《『ホツマツタヱ』38アヤ（章）》

十二代スヘラギのヲシロワケさん（景行天皇）は、ヒシロノミヤにミヤコを営まれます。やはり今の桜井市内でした。
ヲシロワケさんの12年に、九州で反乱が起こりました。ミツホ（現代の税金）の納税拒否の大運動でした。急ぎヲシロワケさんは九州へと遠征に向かわれます。平定もほぼ終了した時、コユガタのニモノ（今の西都原市の三宅神社付近）で〝カモ〟のみことのり（38―52）を宣言なさいました。つまり、今ある豊かさは、その昔十代アマカミのニニキネさんの農業指導に拠るものである、と。
25年にはタケウチに東国・東北の巡視を命じられます。27年に戻ったタケウチの報告には厳しいものがありました。この年のうちに、九州でまたも反乱が起こりました。この時に九州遠征に赴いたのが、ヲシロワケさん（景行天皇）の皇子のヤマトタケさんでした。（明治以降にヤマトタケルと、ルがくっついて呼ばれますが、江戸時代に至る千数百年間はすべてヤマトタケと記されています。お名前をモトに戻したいと願っています。)

《『ホツマツタヱ』39アヤ》

ヲシロワケさんの40年には、東国で反乱が起きます。東国の豪族のカクのモトヒコの反乱でした。しかし、モトヒコの孫娘のオトタチハナヒメは、ヤマトタケのおキサキさんでした。ヲヲヤケの立場と私生活との板挟みになったヤマトタケは苦しみます。しかし、皇子である以上、国民全体の幸せを優先させねばならない。こうして、妻の実家に対して火攻めをおこなうことになります。何とか妻のオトタチハナヒメは助けることができたのでした。

次に房総半島に渡る舟旅で、暴風雨に見舞われます。オトタチハナヒメは、舟を守らんと、立ち上るが早いが海に身を投げてしまいました。実家の不甲斐なさで、夫ヤマトタケに迷惑を掛けてしまったことへの贖罪のお気持ちも強かったのでしょう。悲恋です。

東北地方への巡行で、初代スヘラギのタケヒトさんのヤマトウチの正統性を十分に納得させることのできたヤマトタケさんは、帰路の途上、今の箱根のウスヰノサカで、オトタチハナヒメを偲(しの)んで、長い嘆息と物思いに耽(ふ)けられます。

《『ホツマツタヱ』40アヤ》

ミヤコへの帰路のヤマトタケさんは、妻のうちで、ただひとり残ったミヤスヒメの許に寄られます。今の名古屋市内の熱田神宮の付近であったようです。ここで伊吹山での荒ふるカミの有ることを聞いたヤマトタケは、ツルギを置いたままに登ってゆきます。伊吹山は、その昔カミヨのイフキヌシ由縁の山です。イフキヌシは、ソサノヲの朝廷への復帰の橋渡しをした恩人であったのでした。ここで、すこし説明をしておかねばならない事があります。ヤマトタケさんは、古代のソサノヲの生まれ変りだと、御自身思っておいでだったのでした。ですから、ソサノヲにとって大恩のあったイフキヌシを尊敬するべき必然性があることになります。このため、敬いの気持ちを持たずにして登山をしたヤマトタケさんは、伊吹山中で病を得てしまいます。

苦しいヤマトタケさんは急ぎミヤコに戻ろうとしますが、途中ノホノ（今の三重県鈴鹿市内）にてお亡くなりになってしまいます。ヤマトタケさん崩御の知らせを聞いた父のヲシロワケ（景行天皇）さんの悲嘆は目に余るものがありました。

やがて、ヲシロワケさんは東国に行幸をなさいます。ヤマトタケさんを偲んでのことで、53年秋の御出発でした。イセ、オハリ（今の名古屋）からオホマ（富士山南麓のハラミノミヤ）、そしてサガム（相模）、メクロ。メグロは今の東京駅から南西の目黒のことで、榊で作った人形がヤマトタケさんにそっくりだったことに因んでのことです。それはあたかも生きておられて目が黒いかのように見えたのでした。

『ミカサフミ』

そもそも『ミカサフミ』はアマノコヤネから引き継がれて記された文献です。代々の左の臣（カガミノトミ、後代の子孫が藤原氏）の家に書き継がれてきた文献です。現在に発見されているのは、おおよそ一割程度の分量だけです。九割ほどは未発見のままです。

『ミカサフミ』は、『ホツマツタヱ』に比べると、より哲学的・深遠な内容に詳しい記述がなされています。初期編のアヤを編集したのはアマノコヤネであったようです。全てのミチがアマノコヤネの許（もと）に集ってきた（16―93）という伝承が躍如に表れています。

『ミカサフミ』の後編のアヤは未発見ですが、奉呈文だけは発見されています。最終編集はヲオカシマの手に拠るものでした。ヲオカシマさんはアマノコヤネの御子孫で、伊勢神宮（内宮）の初代のイワヒヌシ（ミカサノヲトト36―32）にも任じられています。ヲシロワケさん（景行天皇）の56年に、『ホツマツタヱ』と共に『ミカサフミ』を宮中に上呈なさいました。

《『ミカサフミ』奉呈文》

「クニナツガノフ」には、上呈に至る経緯が記されています。ヤマトタケさんの早逝のお亡くなりを契機として、ヲシロワケさんが（景行天皇）カクミハタを染められます。これに呼応して、左の臣のヲオカシマ（クニナツ）は『ミカサフミ』を、右の臣のオオタタネコ（スヱトシ）は『ホツマツタヱ』を染め上げて上呈したのでした。

後半には、オオタタネコの序文が添えられています。ミクサタカラ（三種神器）のそれぞれのミチが、三文献となって明らかになり、今後の世の為に役立つことを願う気持ちが、ここに込められています。

『ミカサフミ』は、全巻の発見が未だです。このため、抜けアヤもあることが予想されます。アヤのナンバリングもむつかしいので、やや控えめに「目」の表現をしました。

《『ミカサフミ』1アヤ（章）目》

古来から「キツ（東西）のアヤ」が勉学の最初に据（す）えられてきていました。その理由を、アマノコヤネが解り易く解説を加えています。本文の「キツのアヤ」は『ホツマツタヱ』と同文の個所です。この後には、キツヨヂの意味が、アマノコヤネによって添え記されます。太古から伝わってきた先行文献の「キツのアヤ」は難解個所も多いのですが、それをアマノコヤネの解説を見ることによって、より立体的にと理解が深まってきます。

《『ミカサフミ』2アヤ目》

天地開闢から、七代アマカミのイサナギ・イサナミさんの御即位に至る経緯が綴られています。日本の国の建国の創始譚の表現で、お酒のことが題名に取り上げられていることは興味深いものがあります。幸せとは一体全体何なのか、追及・希求のゆく先は、ここにあったのではあるまいか。深く味わいたいアヤです。

《『ミカサフミ』3アヤ目》

7代アマカミのイサナギ・イサナミさんの儲けられた皇子・皇女は、三男一女でした。ところが、産みトノは五つを数えられてきています。この錯綜の事情について、詳細に述べられているのが「ヒメミヲノアヤ」でした。ヲシテでヒメミヲと記述すると、もう、それだけで良く理解できます。ヒメミヲとは、一女三男の意味であることが、すぐに解ります。カタカナやひらがな、また漢字仮名混じりの直訳文なんかにすると、大切な情報が吹き飛ばされてしまいます。

このアヤの終末にトリヰの起こりは七代アマカミの時代にあると、想定できる記述のあるのは興味深いものがあります。

《『ミカサフミ』4アヤ目（章）》

八代アマカミのアマテルの御即位の詳細な記述があるアヤです。『ホツマツタヱ』での6アヤに同文個所があります。しかし注目すべきなのが前半部分です。『ミカサフミ』独自のこの部分には、富士山南麓の長い歴史が唯一ここにだけ記されています。ハラミノミヤが富士山南麓にあったことが解るのも、実にこのアヤならではの貴重な伝承です。

《『ミカサフミ』5アヤ目》

五代タカミムスビのアサヒカミ（タマキネ）の崩御の記されるアヤです。『ホツマツタヱ』の6アヤに同文個所があります。このアヤの白眉は、何と言っても、イサワへと遷宮がおこなわれた理由の詳述にあります。「[ヲシテ文字]」（下502頁）この文章の語感は、どうしてもヲシテ原文を原字で読んでもらってこそ初めて解るのです。直訳族の人には「お気の毒ですが」と言うほかありません。

《『ミカサフミ』6アヤ目》

日本古来、それも縄文時代にまで遡っての世界把握の深淵さは、このアヤを熟読することによって理解されます。

モトアケと、アメミヲヤ、はたまたアモトの意味あいなど、根源的な考究の基礎を明らかにしてくれるアヤです。

《『ミカサフミ』7アヤ目》

年中行事は、明治時代か大正時代の頃までは、風習として一般におこなわれておりました。この何千年来の風俗も、現代に至っては、薄れてもきています。しかし、何時となく、フッと思い出すのが、お雛さんの白酒であったり、五月五日のチマキであったりすることがあります。日本古来の年中行事とは何だったのか、その源流を知ることのできるのが「ナメコトノアヤ」です。現代にも何かしら活かしてゆく考え方が秘められているように、私には思えております。

《『ミカサフミ』8アヤ目》

「ハニマツリ」とは、現代にいう地鎮祭を指します。土地・地面からくる障りを防ごうとする祭祀です。和仁估安聡著の『生洲問答』に収録されているアヤです。古く、カナサキ（スミヨシ）によって纏められていた「ハニマツリ」は、十代アマカミのニニキネさんの時に、再編成がなされます。金銀銅など光り輝く金属も、もとは土や岩などの光ってはいないものから生成させることができます。つまり鉱石にホ（火）

を作用させることによって、輝く金属が生成するのです。鉱石や岩石、つまりハニに、ホ（火）を働きかけて、光る物質となるわけです。この原理に拠って、土地や地面をキヨめて災禍を防止しようと祈願するのが地鎮祭、つまり「ハニマツリ」でした。

『カクミハタ』

《『アワウタノアヤ』》

『アワウタのアヤ』は、かつて、溥泉さんの認識に従ってミカサフミの所収と即断していました。これは、見直すべきでした。正しくは『カクのミハタ』に所収されていた極めて高度な内容が記述されていたものでした。国語の文章の構文の形成の原理を解き明かす極めて貴重なアヤでした。縄文時代から弥生時代にかけて、我が国の文明はさらに高度に花開いたことがわかります。

《『トシウチニナスコトノアヤ』》

『ミカサフミ』7アヤ目の「ナメコトのアヤ」と同内容の年中行事が記されています。両アヤの対比をしてみると、難解な古語にも理解が及び易くなります。メヲ（漢字に強いて当てれば陰陽）の4本の入れ変りで季節を理解していることや、このメヲ4本の表現が、トホカミヱヒタメのヲシテの文字形にも表れていることなど、当時の日本の高度な哲学の存在が解ります。このアヤも、『カクのミハタ』に所収されていたと認識を新たに致しました。

《『フトマニ』》

ウタ（和歌体）の128首を主文として成り立っているのが『フトマニ』です。アイフヘモヲスシ（アワウタの頭韻）と、ヤマ・ハラ・キニ・チリ・ヌウ・ムク・エテ・ネセ・コケ・オレ・ヨロ・ソノ・ユン・ツル・ヰサ・ナワのミソフカミとの合わさり項である、128項目のそれぞれについて、ウタに詠まれたものです。選者はアマテルカミであることが序文から知り得ます。序文の述は、ミワノスヱトシ（下584頁）とありますので、オオタタネコさんの著述であることがわかります。

ところで『ホツマツタヱ』の中に、項名の記されたフトマニの項が四例（10―1・20―23・21―52・27―45）あります。このうち二例は別の趣の内容になっています。このことから帰納していえることは、各項に対する解釈は時とともに変化することがあります。極端にいえば、現代ではまた再びフトマニのウタを再選述しても良いということになります。こんな思いを心に秘めつつ朗唱してもらうと楽しいことでしょう。

『ミカサフミ』『カクミハタ』残簡文

江戸時代中頃の研究家の溥泉（ふせん）さんは、現在私達の未だ手にしていない『カクミハタ』『ミカサフミ』のアヤを、少なくともあと七アヤ分は見ていました。そこからの引用文が、溥泉さんの著作の書物の内に残されています。

『朝日神紀』は龍谷大学所蔵の貴重な溥泉さんの直筆本です。第二巻を欠いているのは残念なことです。

『春日山紀』は刊行本を主体にして掲げました。刊行本を現在に所蔵している図書館は、『国書総目録』（岩波書店刊）で検索するのが便利です。また、『春日山紀』の草稿本は龍谷大学に所蔵されています。刊行本と草稿本との違いも掲載しました。そして『ホツマツタヱ』読解に有益であるため、参考とすべき頁数を下記に記しました。

あとがき

『ホツマツタヱ』をはじめとするヲシテ文献に没頭して、もう、50年ほどにも過ぎてしまいました。不思議なことに、昨年に考えていた解釈と、今日・本日とではずいぶんと違ってきている個所が多いのです。本物の古典とは、こういったものであるのが正しい姿なのかも知れません。本当に、熟読を繰り返す毎に、読み取れる深度が深くなってきます。

江戸時代中期の、私達の知り得る最初の研究者の溥泉さんも、そうであったろうと推察しています。溥泉さんの初期のものには、ヲシテの特殊文字表記の区別は一切ありません。ところが晩年になってくると、数字ハネのヲシテや、旧い濁音表記も書き別けられてきています。これは現代でも同様なのでしょう。初学の人ほど、ヲシテなんてと思っている。そして、ひらがなに変えて御満悦となってみたり、漢字仮名混じり直訳文に変えて喜んだりしているのです。

最も大切なのは"ヲシテ"です。文字形状には、五要素のウツホ・カセ・ホとミツ・ハニの音韻の意味の区別が表現されています。これは語源解釈に第一の宝物です。さらに特殊ヲシテ文字の書き別けによって、微妙なニュアンスがここに込められています。

博学聡明な溥泉さんにしても、特殊ヲシテ文字の重要さがわかってくるまでに何十年という年数が必要だったことを思わずにはいられません。

本書の解説においては、楽しい文章になるよう心を砕きました。将来に向って最も大切なヲシテそのものに、正面から挑(いど)んでゆこう。そんな尊とく宝物のようなお人に、小指の先ほどの力添えでもできれば、と願うからです。

本書の解説文は、要点だけを記しました。詳細は、既刊の書籍を御参照なされて下さい。

―ヲシテ文献の発見から位置確認の論考―

『ホツマツタヱ発見物語』

展望社、松本善之助著・池田満編著

『ホツマツタヱを読み解く―日本の古代文字が語る縄文時代―』

展望社　池田満著

―ヲシテ文献の原文の詳細・漢字文献との対比―

『定本ホツマツタヱ　―日本書紀・古事記との対比―』

展望社、松本善之助監修・池田満編著

『新訂ミカサフミ・フトマニ』

展望社、松本善之助監修・池田満編著

『ホツマ辞典　改訂版』

展望社、松本善之助監修・池田満編著

展望社、池田満著

―ヲシテ文献の全体への心情の理解
最新の成果・深い切り込み―

『ホツマ縄文日本のたから』
展望社、池田満著

『縄文人のこころを旅する　―ホツマツタヱが書き直す日本古代史―』
展望社、池田満著

『ホツマで読むヤマトタケ物語』
展望社、池田満著

『よみがえる日本語』
明治書院、池田満監修、青木純雄・平岡憲人著

『よみがえる日本語Ⅱ』
明治書院、池田満監修、青木純雄・斯波克之著

ルビなしのヲシテだけの本、これは長い長い積年の夢でした。松本善之助先生から幾度、申し付けられたことだろうか、回数として思い出せません。それほどに松本善之助先生の焦がれて焦がれての本でした。このことを今、思わずにはいられません。

さいたまにお住いの松本不二子さんからの御賛助があって、遂に、積年の夢を実現することになりました。私にとっても、頬をつねってみたくなる出来事です。つねってみると、確かに痛い。松本不二子さんへの思いは、感謝の念で一杯になってしまいます。陰になり日向になって応援して下さる多くの方々に御礼申し上げねばなりません。こうして我武者羅に突き進んでこれたのも、決して私だけの力ではないのです。妻のことはもとより、(財)修養団の故中山靖雄先生のお力添えは心温まる故郷のようです。

宇和島の小笠原御両家からの御声援、また、松本善之助先生の奥様からは「どうぞお守り下さい」と一周忌の御墓前でお祈り下さったことには、また目頭が熱くなってきてしまいます。

校正作業で、思わぬ間違いを訂して下さった松山の水田千秋さんにも感謝致しております。

展望社の唐澤さんには、またしても大変にお手間なことをお願いすることになってしまいました。お礼を申し上げるばかりです。

平成十六年四月十二日

池田　満

増補版改訂のあとがき

『ホツマツタヱ』をはじめとするヲシテ文献に没頭して、もうさらに、年月を重ねてまいりました。おおよそ、50年にもなろうかとします。蟷螂の斧でも、力いっぱいに振るっていましたら、本当のことに理解して頂くお方も多くなってまいりました。印刷費用に不如意のことでご支援を願いましたら、多くのお方様からご篤志をお寄せ頂くことができました。それで、旧来どおりの廉価の価格で頒価を決めることができました。巻末にご篤志をお寄せ頂きました芳名録を記載させて頂きます。

増補版の改訂にあたっては、辻公則さんと、平岡憲人さん、合田静江さんのご協力があればでした。深く感謝いたします。

ヲシテこそが、このヲシテの原字でヲシテの原文の5・7調の文章での現代に復活こそが、わたくしたちの本当の古典の取り戻しなのです。

令和二年十二月十二日

池田　満

増補版の改訂に、ご篤志をお寄せ下さいまして、
ご協力をして頂いた芳名録

合田静江さま、古賀実芳さま、辻 公則さま、冨山喜子さま、緒方洋さま、山口静枝さま、
吉田幸弘さま、内藤裕子さま、池田みのりさま、山脇幹夫さま、小祝亨さま、高田善隆さま、
石川尚子さま、菊田美起子さま、小野正記さま、白井忠俊さま、鈴木昌彦さま、西村恵一さま、
大塚銀次郎さま、木寺洋子さま、大山真弓さま、来栖寛子さま、杉山義夫さま、杉山光子さま、
奥村ますみさま、中田和比古さま、シセ麻里子さま、山中まゆみさま、田渕えりこさま、
市口哲也さま、白石乙江さま、利籐恵美子さま、田中敬己さま、加悦愛菜さま、三野昭夫さま、
岩崎喜久美さま、宮崎克美さま、基 建吉さま、松村幸太さま、渡邉玲子さま、野中 哲さま、
岡本麻利子さま、中谷直樹さま

（匿名のご希望の5方さまは記載しておりません）

池田　満（いけだ　みつる）
昭和30年、大阪生まれ。昭和47年松本善之助に師事する。
『古事記』『日本書紀』との比較。系図・年表などの基礎研究に没頭する。
主要著書：『定本ホツマツタヱ －日本書紀・古事記との対比－』『校註ミカサフミ・フトマニ』『ホツマ辞典 改訂版』『ホツマツタヱを読み解く』『縄文人のこころを旅する』『ホツマ縄文日本のたから』『ホツマで読むヤマトタケ物語』展望社
『The world of Hotsuma Lagends』日本翻訳センター
『よみがえる日本語』の監修、明治書院

―「ヲシテ文献」「池田満」で御検索下さい―

記紀原書ヲシテ 増補版　下巻

平成十六年八月一日　初版第一刷発行
令和三年一月一日　増補版第一刷発行

著　者　池田　満・辻　公則
発行者　日本ヲシテ研究所（ホツマ刊行会）
発売所　株式会社展望社
郵便番号一一二-〇〇〇二
文京区小石川三-一-七　エコービル二〇二
電　話　東京（〇三）三八一四-一九九七
FAX　東京（〇三）三八一四-三〇六三
振替　〇〇一八〇-三-三九六二四八
印刷・製本　株式会社アイブレーン

ISBN4-88546-394-5 C0021 ¥1600E

手に汗握る奇跡の発見！

池田満 編著

ホツマツタヱ発見物語
四六判カバー 四八五頁 本体 三七〇〇円

ホツマツタヱの決定版！記紀との完全対比！
定本 ホツマツタヱ
B5判上製函入 七二〇頁 本体 一三〇〇〇円

ミカサフミ・フトマニの決定版！
新訂 ミカサフミ・フトマニ
四六判上製カバー 二六二頁 本体 三四〇〇円

系図（A版全紙）・年表を付録！
ホツマ辞典 改定版
B6判上製函入 三一六頁 本体 四八〇〇円

日本人としての生きゆく力の湧き立つ本！
縄文人のこころを旅する
四六判上製カバー 二三一頁 本体 三〇〇〇円

ヲシテ文献の本格総合解説書！
『ホツマツタヱ』を読み解く
四六判上製カバー 三一三頁 本体 三四〇〇円

ヲシテ時代の雰囲気が眼前に！
ホツマ縄文日本のたから
四六判・CD付き 二四五頁 本体 二六〇〇円

高貴さあふれる人間像！記紀の誤訳を正す！
ホツマで読むヤマトタケ物語
四六判・CD付き 二三〇頁 本体 二八〇〇円

新発見『アワウタのアヤ』アマテルカミが解き明かす！
よみがえる縄文時代 イサナギ・イサナミのこころ
四六判上製カバー 二九二頁 本体 三六〇〇円

展望社刊

〒112-0002
東京都文京区小石川
3丁目1番7号
電話 03-3814-1997
展望社
FAX 03-3814-3063
（価格は税別です）
（書店にご注文下さい）

エト・干支対照表

No.	エト	干	支
1	キアエ	甲(きのえ)	子(ね)
2	キアト	乙(きのと)	丑(うし)
3	ツミエ	丙(ひのえ)	寅(とら)
4	ツミト	丁(ひのと)	卯(う)
5	ヲヤエ	戊(つちのえ)	辰(たつ)
6	ヲヤト	己(つちのと)	巳(み)
7	サシエ	庚(かのえ)	午(うま)
8	サシト	辛(かのと)	未(ひつじ)
9	ネナエ	壬(みずのえ)	申(さる)
10	ネナト	癸(みずのと)	酉(とり)
11	キウエ	甲(きのえ)	戌(いぬ)
12	キウト	乙(きのと)	亥(ゐ)
13	ツアエ	丙(ひのえ)	子(ね)
14	ツアト	丁(ひのと)	丑(うし)
15	ヲミエ	戊(つちのえ)	寅(とら)
16	ヲミト	己(つちのと)	卯(う)
17	サヤエ	庚(かのえ)	辰(たつ)
18	サヤト	辛(かのと)	巳(み)
19	ネシエ	壬(みずのえ)	午(うま)
20	ネシト	癸(みずのと)	未(ひつじ)
21	キナエ	甲(きのえ)	申(さる)
22	キナト	乙(きのと)	酉(とり)
23	ツウエ	丙(ひのえ)	戌(いぬ)
24	ツウト	丁(ひのと)	亥(ゐ)
25	ヲアエ	戊(つちのえ)	子(ね)
26	ヲアト	己(つちのと)	丑(うし)
27	サミエ	庚(かのえ)	寅(とら)
28	サミト	辛(かのと)	卯(う)
29	ネヤエ	壬(みずのえ)	辰(たつ)
30	ネヤト	癸(みずのと)	巳(み)
31	キシエ	甲(きのえ)	午(うま)
32	キシト	乙(きのと)	未(ひつじ)
33	ツナエ	丙(ひのえ)	申(さる)
34	ツナト	丁(ひのと)	酉(とり)
35	ヲウエ	戊(つちのえ)	戌(いぬ)
36	ヲウト	己(つちのと)	亥(ゐ)
37	サアエ	庚(かのえ)	子(ね)
38	サアト	辛(かのと)	丑(うし)
39	ネミエ	壬(みずのえ)	寅(とら)
40	ネミト	癸(みずのと)	卯(う)
41	キヤエ	甲(きのえ)	辰(たつ)
42	キヤト	乙(きのと)	巳(み)
43	ツシエ	丙(ひのえ)	午(うま)
44	ツシト	丁(ひのと)	未(ひつじ)
45	ヲナエ	戊(つちのえ)	申(さる)
46	ヲナト	己(つちのと)	酉(とり)
47	サウエ	庚(かのえ)	戌(いぬ)
48	サウト	辛(かのと)	亥(ゐ)
49	ネアエ	壬(みずのえ)	子(ね)
50	ネアト	癸(みずのと)	丑(うし)
51	キミエ	甲(きのえ)	寅(とら)
52	キミト	乙(きのと)	卯(う)
53	ツヤエ	丙(ひのえ)	辰(たつ)
54	ツヤト	丁(ひのと)	巳(み)
55	ヲシエ	戊(つちのえ)	午(うま)
56	ヲシト	己(つちのと)	未(ひつじ)
57	サナエ	庚(かのえ)	申(さる)
58	サナト	辛(かのと)	酉(とり)
59	ネウエ	壬(みずのえ)	戌(いぬ)
60	ネウト	癸(みずのと)	亥(ゐ)